HELMUT WAIBLER: HERMANN HESSE

HELMUT WAIBLER

HERMANN HESSE

EINE BIBLIOGRAPHIE

MCMLXII

FRANCKE VERLAG BERN
UND MÜNCHEN

©
A. Francke AG Verlag Bern, 1962
Alle Rechte vorbehalten
Gemsberg-Druck der Geschwister Ziegler & Co., Winterthur
Printed in Switzerland

MEINEM GROSSVATER

WILHELM KLUMB

1876–1960

INHALT

Einführung 9
Abkürzungen 13
Werksigel 15

DAS WERK VON HERMANN HESSE

Ausgaben in deutscher Sprache 19
  Gesamtwerk 19
  Auswahl 20
  Einzelschriften 23
Hermann Hesse als Herausgeber 50
Übersetzungen 53
Sprechplatten 67
Briefwerk 68
Werkverzeichnis 78
  Prosa 78
  Lyrik 156

LITERATUR ÜBER HERMANN HESSE

Literarhistorische Zuordnung 221
Gesamtdarstellungen 223
Gesammelte Aufsätze und Reden 225
Allgemeine Aufsätze 226
Ansprachen 245
Begegnungen und Erinnerungen 249
Einzeldarstellungen 252
Hesse in der Dichtung 327
Kuriosa 329

Namenregister 331

EINFÜHRUNG

Gelegentlich des fünfzigsten Geburtstages von Hermann Hesse im Jahre 1927 unternahm es zuerst Ernst Metelmann, eine Bibliographie des Dichters zusammenzustellen. Seitdem sind fünfunddreißig Jahre vergangen; das Werk rundet sich ab, und es ist an der Zeit, einen bibliographischen Überblick über Hesses Gesamtschaffen zu bieten.

Freilich hat es in den Jahren nach dem großen Krieg, als der Nobelpreisträger auch im deutschen Publikum wieder heimisch zu werden begann, nicht an bibliographischen Bemühungen um sein Werk gefehlt. Horst Kliemann und Karl H. Silomon stellten 1947 die Buchausgaben zusammen; im gleichen Jahre unterzog sich, unabhängig davon, in der Schweiz Armin Lemp derselben Aufgabe. Weitere Arbeiten blieben jedoch auf kleinere Teilgebiete beschränkt; der Versuch des Amerikaners Joseph Mileck, Werk und Kritik zusammenzufassen, konnte nach Qualität und Umfang den Erfordernissen nicht genügen.

Ein beträchtlicher Teil des Werks ist weit verstreut und kaum zugänglich, Hesse als Literaturkritiker beispielsweise nahezu unbekannt, wenn man von einigen immer wieder gedruckten Essays absieht. Auch die Ausgabe der «Gesammelten Schriften» hat die Lage nicht wesentlich bessern können. Zudem liegt eine Unzahl von Einzelausgaben – mit Inhaltsvarianten sogar innerhalb einer Auflage – und von meist nur in wenigen Exemplaren vorhandenen Privatdrucken vor. Vieles findet sich ausschließlich in Archiven, die mit großem privatem Sammeleifer unterhalten werden, und, dem Charakter solcher Sammlungen gemäß, auch dort nur höchst unvollständig. Die Zerstörung der Archive der großen deutschen Tageszeitungen im Zweiten Weltkrieg hat die Nachforschungen wesentlich erschwert und bedeutendes Material unzugänglich gemacht. An eine Erschließung dieser Zeitungen im Rahmen einer Monobibliographie ist kaum zu denken. Abhilfe wäre hier dringend erforderlich, da ja vor allem auch die Zeitungsbestände vieler Bibliotheken den Kriegseinwirkungen zum Opfer gefallen sind. So konnten für diese Arbeit nur wenige ausländische Zeitungsarchive zur Verfügung stehen. Schließlich hat sich auch die systematische Durchsicht von Zeitschriften durch lückenhafte Bestände in den deutschen Bibliotheken schwierig gestaltet.

In Anbetracht der gegenwärtigen Lage der Hesse-Forschung war Sichtung des Vorhandenen eine der vordringlichsten Aufgaben. Auch hat das sekundäre Schrifttum in den Jahren nach 1945 einen so außerordentlichen Umfang angenommen, daß es der Bestandsaufnahme und einer übersichtlichen Ordnung bedurfte. Vom Werk wurde ausschließlich das gedruckte Material berücksichtigt. Unwesentliche Nachdrucke sind nicht aufgenommen, von den Übersetzungen nur die in Buchform erschienenen. Dagegen wurde Wert darauf gelegt, Erstdrucke in Zeitungen und Zeitschriften namhaft zu machen.

Die Ordnung der Sekundärliteratur wird in Form eines Schlagwortregisters geleistet. Keine Aufnahme fanden hier die bloß skizzierenden Beiträge in Enzyklopädien und allgemeinen Handbüchern. Jedoch wurden maschinenschriftlich vorliegende Staatsexamensarbeiten einbezogen, sofern in sie Einsicht genommen oder genaue Daten in Erfahrung gebracht werden konnten. Eine große Anzahl solcher Arbeiten findet sich im Archiv des Schiller-Nationalmuseums in Marbach am Neckar. Beiträge über den Dichter, die einzusehen nicht möglich war, sind am Schluß der Aufnahme durch ein Quellensigel kenntlich.

Jede einzelne Abteilung dieser Bibliographie ist in sich alphabetisch oder chronologisch geordnet, durch einen Schlüsselbuchstaben charakterisiert und mit fortlaufenden Ziffern versehen.

Das Werk von Hermann Hesse erschließt zunächst die Veröffentlichungen des Dichters in Buchform. Hier wurden auch Separatabdrucke aus Zeitungen berücksichtigt, aus Zeitschriften nur solche mit eigenem Titelblatt und eigener Paginierung oder anderen Verschiedenheiten vom Originalabdruck.

Auf Gesamt- und Auswahlausgaben folgen *Einzelschriften* und Briefpublikationen. Dort fanden auch unselbständig erschienene Teilsammlungen Eingang. Jeder mehrere Werktitel enthaltenden Edition ist ein Inhaltsverzeichnis beigegeben; für den einzelnen Titel steht die Ziffer, der er innerhalb der Werkverzeichnisse zugeordnet ist. Die betreffenden Editionen sind durch ein fett gedrucktes Werksigel charakterisiert.

Den von Hesse herausgegebenen Büchern und Zeitschriften folgen *Übersetzungen* in fremde Sprachen sowie vom Dichter selbst besprochene *Schallplatten*. Daran schließen sich die Werkregister an, in denen vom einzelnen Brief, Prosastück oder Gedicht als kleinster bibliographischer Einheit ausgegangen wird. Für die Einordnung der Briefe waren die Empfänger maßgeblich; es fanden nur die Briefe Berücksichtigung, die außerhalb der Ausgabe der «Briefe» (E 209 und E 209 b) erschienen oder vor ihrer Aufnahme in diese Bände andernorts veröffentlicht worden sind. Rundbriefe sowie die zahlreichen Antworten auf Umfragen sind der Prosa zugewiesen. Auf eine Inhaltsbeschreibung der Briefeditionen wurde verzichtet.

Für die Prosa bildet das erste Hauptwort des Titels das Ordnungswort. Dagegen erwies sich für die Lyrik in Anbetracht der häufigen Titeländerungen eine Ordnung nach dem Wortlaut der ersten Verszeile als zweckmäßig; die nach dem Alphabet ihres ersten Hauptwortes zudem aufgenommenen Gedichttitel verweisen stets auf die Anfangszeilen. Ausgenommen von dieser Regel blieben Gedichtzyklen.

Durch Werksigel wird die Aufnahme der einzelnen Stücke ins Buchwerk angezeigt. Dort sind auch weitere Hinweise auf den Abdruck in Sammelausgaben zu ersehen.

Die *Literatur über Hermann Hesse* geht zunächst der Wertung des Dichters im literarhistorischen Bereich nach. Daran schließen sich *Gesamtdarstellungen* an; hier sind in Buchform erschienene Arbeiten zusammengestellt, die sich mit Leben und Werk im ganzen beschäftigen, ohne eine spezielle Problemstellung in den Mittelpunkt zu rücken. Den *Gesammelten Aufsätzen und Reden* mehrerer Verfasser folgen *Allgemeine Aufsätze* aus Zeitungen, Zeitschriften und Büchern; die Gliederung in sinnvolle Zeitabschnitte läßt auch den Umfang der Würdigungen aus Anlaß von Gedenktagen und Ehrungen erkennen. Gesondert wurden Ansprachen und Reden verzeichnet, in Auswahl das Echo der Presse auf Ehrungen und Feiern für den Dichter. Im Abschnitt *Begegnungen und Erinnerungen* sind die persönlichen Äußerungen der Freunde und Zeitgenossen gesammelt.

Das Schlagwortregister der *Einzeldarstellungen* erschließt die Literatur zu einzelnen Werken, speziellen Fragestellungen im Leben und Wirken des Dichters, Beziehungen zu anderen Persönlichkeiten und einzelnen geistesgeschichtlichen Strömungen. Titel, die mehreren Schlagwörtern zugeordnet werden können, werden unter dem Schlagwort verzeichnet, welchem sie der Hauptsache nach zukommen. An den entsprechenden anderen Orten finden sich Verweise. Die chronologische, innerhalb eines Jahres alphabetische Einordnung ermöglicht rasches Ablesen des jeweils jüngsten Forschungsstandes. Ein Namenverzeichnis rundet die Bibliographie ab. Dort sind die Namen, die auch als Schlagwort innerhalb der Einzeldarstellungen erscheinen, durch das Zeichen × hervorgehoben.

Diese Arbeit erhebt, vor allem mit Rücksicht auf das weitverzweigte Schaffen Hermann Hesses, keinerlei Anspruch auf Vollständigkeit. Sie wäre auch in diesem Umfange nicht ohne die freundliche Hilfe vieler Bibliotheken, Archive und Sammler möglich gewesen. In besonders dankenswerter Weise haben mich bei meinen Bemühungen die Deutsche Bibliothek und die Stadt- und Universitätsbibliothek in Frankfurt am Main unterstützt. Wertvolles Material konnten mir die Herren *Dr. Paul Raabe* und *Dr. Walther Migge* vom Schiller-Nationalmuseum in Marbach vorlegen. Herr *Dr. Paul Scherrer* ermöglichte die Durchsicht der Hermann-Hesse-Sammlung der Eidg. Technischen Hochschule in Zürich; hier bin ich auch Herrn *A. E. Jaeggli* für seine freundliche Unterstützung zu Dank verpflichtet. Die Herren *Reinhold Pfau* in Stuttgart und *Georg Alter* in Mainz ließen mich in entgegenkommender Weise Einblick in ihre Archive nehmen. Durch wertvolle Hinweise unterstützte mich stets Herr *Dr. Martin Pfeifer* in Mittelbuchen. Wesentliche Unterlagen stellten zudem noch folgende Bibliotheken zur Verfügung: Schweiz. Landesbibliothek, Bern; Universitätsbibliothek Basel; Hessische Landesbibliothek, Darmstadt; Deutsche Bücherei, Leipzig; Stadtbibliothek Mainz; Westdeutsche Bibliothek, Marburg; Bayerische Staatsbibliothek, München; Württembergische Landesbibliothek, Stuttgart; Zentralbibliothek Zürich. Mehrere Verlage und Zeitungsarchive waren mir bei der Beschaffung seltener Texte und der genauen Datierung einzelner Aufsätze und Drucke behilflich. Allen diesen sei Dank, vor allem auch noch Herrn *Eberhard Gerland* in Frankfurt am Main, der vor mehreren Jahren den ersten Anstoß für meine Bemühungen gab, und ganz vorzüglich meiner Mutter und meinem Vater, deren aufopferungsvolle Unterstützung die Fertigstellung dieser Arbeit ermöglichte.

Für Ergänzungen und Hinweise auf Lücken ist der Verfasser stets dankbar.

Frankfurt am Main, im Frühjahr 1962   Helmut Waibler

ABKÜRZUNGEN

Abl.	Abendblatt
AlmVKMtsh	Almanach von Velhagen & Klasings Monatsheften
Anz.	Anzeiger
Bab	Der deutsche Krieg im deutschen Gedicht. Ausgew. von Julius Bab. Bd. 1.
	– Bln: Morawe & Scheffelt [1915]
BAbr	Books Abroad (Norman, Oklahoma)
Basilisk	Der Basilisk. Literar. Wochenbeilage der National-Zeitung (Basel)
BasNachr	Basler Nachrichten
Bbl	Börsenblatt für den deutschen Buchhandel
Bd.	Band
Beil.	Beilage
Beitrr.	Beiträge
BernWo	Die Berner Woche in Wort und Bild
Bl.	Blatt
Bln	Berlin
Bodenseeb	Das Bodenseebuch
BrzW	Die Brücke zur Welt. Sonntagsbeilage der Stuttgarter Zeitung
BT	Berliner Tageblatt
Bübl	Das Bücherblatt (Zürich)
BüKomm	Die Bücher-Kommentare (Stuttgart)
BuB	Bücherei und Bildungspflege (Leipzig)
BW	Der Bücherwurm (Dachau u. Berlin)
DA	Internationale Bibliographie der Zeitschriftenliteratur. Abt. A. Bibliographie der deutschsprachigen Zeitschriftenliteratur (Leipzig: Dietrich)
DB	dass. Abt. B. Bibliographie der fremdsprachigen Zeitschriftenliteratur
DC	dass. Abt. C. Bibliographie der Rezensionen und Referate
Daheim	Neue Monatshefte des Daheim (Berlin u. Leipzig)
Dichterh	Das deutsche Dichterheim (Wien)
DIZ	Deutsche Internierten-Zeitung (Bern)
DNL	Die neue Literatur (Leipzig)
DSL	Die schöne Literatur (Leipzig)
dt.	deutsch
Dt. Beitrr.	Deutsche Beiträge (München)
DtUnterr	Der Deutschunterricht (Stuttgart)
DtZtgWi	Deutsche Zeitung und Wirtschaftszeitung (Köln)
EckBll	Eckart. Blätter für evangel. Geisteskultur (Berlin-Steglitz)
EckLit	Eckart. Ein deutsches Literaturblatt (Berlin)
EG	Etudes Germaniques (Lyon, Paris)
Ernte	Die Ernte. Schweiz. Jahrbuch (Basel)
FAZ	Frankfurter Allgemeine Zeitung
Ffm	Frankfurt am Main
Geb.	Geburtstag
Gegw	Die Gegenwart (Frankfurt am Main)
gespr	gespräche. Vgl. L 1081
GLL	German Life and Letters (Oxford)
GQ	The German Quarterly (Appleton, Wisc.)
GR	The Germanic Review (New York)
GW	Gesammelte Werke
Hg., hg.	Herausgeber, herausgegeben

13

JAAC	The Journal of Aesthetics and Art Criticism (Baltimore)
JEGPh	The Journal of English and Germanic Philology (Urbana, Ill.)
Jg.	Jahrgang
Jo1	s. L 743
Jo2	s. L 747
JoMann	Klaus W. Jonas: Fifty Years of Thomas Mann Studies. A Bibliography of Criticism. – Minneapolis: Univ. of Minnesota Press 1955.
KlBd	Der kleine Bund. Sonntagsbeilage des «Bund» (Bern)
Knodt	Wir sind die Sehnsucht. Liederlese moderner Sehnsucht. Ausgew. v. Karl Ernst Knodt. – Stuttgart: Greiner & Pfeiffer [1902]
Köln. Ztg.	Kölnische Zeitung
KS	s. L 738
Lesez	Der Lesezirkel (Zürich)
LiSch	Licht und Schatten (München)
Lit	Die Literatur (Stuttgart)
LitE	Das literarische Echo (Leipzig)
LitW	Die literarische Welt (Berlin)
Lpz	Leipzig
März	März. Halbmonatsschrift für deutsche Kultur (München); vgl. Hg 21
Mbl.	Morgenblatt
Mchn	München
MDU	Monatshefte [für den deutschen Unterricht]. A Journal devoted to the Study of German Language and Literature (Madison, Wisc.)
Met	s. L 734
Mi	s. L 1067
MLF	Modern Language Forum (Los Angeles)
MLN	Modern Language Notes (Baltimore)
MLQ	Modern Language Quarterly (Seattle)
MLR	The Modern Language Review (London, New York)
Mtsh.	Monatshefte
NatZ	National-Zeitung (Basel)
NF	Neue Folge
NRs	Die neue Rundschau (Berlin)
NS	New Series
NSRs	Neue Schweizer Rundschau (Zürich)
NTgbl	Neues Tagblatt (Stuttgart)
NWZ	Neue Württembergische Zeitung (Göppingen)
NYHTrib	New York Herald Tribune
NYT	New York Times
NZ	Die neue Zeitung (Berlin, Frankfurt am Main)
NZZ	Neue Zürcher Zeitung
Pf	s. L 748
PHelv	Pro Helvetia (Zürich)
PMLA	Publications of the Modern Language Association of America (Menasha, Wisc.)
Prop	Die Propyläen. Beilage zur Münchner Zeitung
Quart.	Quarterly
RecUn	Reclams Universum (Leipzig)
Rev.	Review
Rez.	Rezension
Rhlde	Die Rheinlande (Düsseldorf)
R s.	Rundschau

SA	Separatabdruck
SbKriegsgef	Der Sonntagsbote für die deutschen Kriegsgefangenen (Bern)
Schweiz	Die Schweiz (Zürich)
SchwMtsh	Schweizer Monatshefte (Zürich)
SchwSp	Der Schwabenspiegel. Wochenschrift der «Württemberger Zeitung» (Stuttgart)
Simpl	Simplizissimus (München)
SimplKal	Simplizissimus-Kalender (München)
Slg	Die Sammlung (Göttingen)
Sobeil.	Sonntagsbeilage
SoblBasNachr	Sonntagsblatt der Basler Nachrichten
SRevLit	Saturday Review of Literature
SRs	Schweizer Rundschau (Zürich)
StgtNachr	Stuttgarter Nachrichten
StgtNTgbl	Stuttgarter Neues Tagblatt
StgtZtg	Stuttgarter Zeitung
TagesAnz	Tages-Anzeiger für Stadt und Kanton Zürich
Tdr.	Teildruck
Tgb	Das Tagebuch (Berlin)
Tgbl.	Tageblatt
Tüb	Tübingen
ÜbLdM	Über Land und Meer (Stuttgart)
Univ	Universitas (Stuttgart)
VKMtsh	Velhagen & Klasings Monatshefte
VOB	Vereinigung Oltner Bücherfreunde
vol.	volume
Voss. Ztg.	Vossische Zeitung (Berlin)
VV	Vivos voco (Leipzig, Bern)
WiLeb	Wissen und Leben (Zürich)
WMtsh	Westermanns Monatshefte (Braunschweig)
Württ. Ztg.	Württemberger Zeitung (Stuttgart)
WuW	Welt und Wort (Tübingen)
Ww	Die Weltwoche (Zürich)
Zch	Zürich
Zs.	Zeitschrift
ZtBild	Die Zeit im Bild (Berlin)
Ztg.	Zeitung

WERKSIGEL

AG	Ausgewählte Gedichte
AI	Aus Indien
AW	Am Weg
BB	Bilderbuch
BG	Betrachtungen
BL	Vom Baum des Lebens
Br	Briefe
Bsg	Beschwörungen
BZ	Der Blütenzweig

DrG	Drei Gedichte
Fbb	Fabulierbuch
FG	Fünf Gedichte. 1934
GB	Gedenkblätter
Gbs	Gerbersau
GdM	Gedichte des Malers
GdS1929	Gedichte des Sommers 1929
GdS1933	Gedichte des Sommers 1933
GeJ	Die Gedichte eines Jahres
GG	Die [gesammelten] Gedichte
GJK	Die Gedichte des jungen Josef Knecht
HBr	Eine Handvoll Briefe
HL	Hinterlassene Schriften und Gedichte von Hermann Lauscher
It	Italien. Verse
JG	[Jugend-]Gedichte
JL	Jahreslauf
JZ	Jahreszeiten
KF	Krieg und Frieden
KG	Kleiner Garten
Kr	Krisis
KW	Kleine Welt
LG	Letzte Gedichte
Mä	Märchen
MdE	Musik des Einsamen
NG	Neue Gedichte
RL	Romantische Lieder
SN	Sinclairs Notizbuch
SpG	Späte Gedichte
SpP	Späte Prosa
St	Stufen
StM	Eine Stunde hinter Mitternacht
TB	24 ausgewählte Gedichte. 1958
Tf	Traumfährte
TN	Trost der Nacht
Uw	Unterwegs
VeV	Verse aus Venedig
vJ	Aus vielen Jahren
VK	Verse im Krankenbett
vsG	Vier späte Gedichte
VT	Aus Venedig. Lyrisches Tagebuch
Wa	Wanderung
ZehnG	Zehn Gedichte
ZG	Zeitgedichte

DAS WERK VON HERMANN HESSE

AUSGABEN IN DEUTSCHER SPRACHE

GESAMTWERK

GD   Gesammelte Dichtungen. Bd. 1–6. – 1.–5. Tsd. [Bln u. Ffm]: Suhrkamp; [Zch: Fretz & Wasmuth] 1952.

1. Frühe Prosa. Peter Camenzind. Unterm Rad. Diesseits. Berthold. 885 S.
2. Gertrud. Kleine Welt. Roßhalde. Fabulierbuch. 900 S.
3. Knulp. Demian. Märchen. Wanderung. Klingsor. Siddhartha. Bilderbuch. 945 S.
4. Kurgast. Die Nürnberger Reise. Der Steppenwolf. Traumfährte. Gedenkblätter. Späte Prosa. 938 S.
5. Narziß und Goldmund. Stunden im Garten. Der lahme Knabe. Die Gedichte. 825 S.
6. Die Morgenlandfahrt. Das Glasperlenspiel. 687 S.

GS   Gesammelte Schriften. Bd. 1–7. – Bd. 1–6: Gesammelte Dichtungen. 6.–10. Tsd. Bd. 7: Betrachtungen und Briefe. 1.–5. Tsd. [Bln u. Ffm]: Suhrkamp; [Zch: Fretz & Wasmuth] 1957.

5. Narziß und Goldmund. Stunden im Garten. Der lahme Knabe. Die Gedichte. 833 S.
7. Betrachtungen und Briefe. (Betrachtungen. Briefe. Rundbriefe. Tagebuchblätter.) 949 S. – 6.–9. Tsd. 1957.

S 1   Weg nach innen. Vier Erzählungen. – 1.–30. Aufl. Bln: S. Fischer (1931). 434 S. – 31.–60. Aufl. 1932; 61.–80. Aufl. 1932; 81.–85. Aufl. 1934; 86.–90. Aufl. 1935; 91.–95. Aufl. 1936; 96.–100. Aufl. 1938; 101.–105. Aufl. 1940; 106.–110. Aufl. 1940; [111.–120. Aufl.] Bln: Suhrkamp (1947).

Inh.: E 170, 109; P 1026.

S 2   Die [gesammelten] Gedichte. [GG] – Zch: Fretz & Wasmuth (1942). 448 S.

Enth. die Gedichte aus: **RL**, **HL** [Letzte Gedichte], **JG**a, **Uwa** [nebst **ZG**; ohne G 464, 488, 254], **AI** [Gedichte], **MdEa**, **TN**, **NG**, **ZehnG**; *ferner:* G 389, 733, 619, 787, 584, 325, 657, 677, 470, 786, 228, 177, 108, 332, 643, 537, 629, 407, 35, 542, 145, 388, 7, 139, 298, 698, 294, 28, 349, 465, 770, 529, 16, 370, 592, 413, 662, 579, 489, 664, 568, 567, 780, 218, 196, 493, 374, 732, 226, 149, 49, 350, 450, 582; P 1006.

a) 2. Aufl. 1942. 448 S. [GGa] – In einem Teil der Aufl. *erw. um:* G 681.
b) 3. erw. Aufl. [1948]. 456 S. [GGb] – *Erw. um:* **SpG**; G 408.
c) 4. erw. Aufl. 1952. [GGc; ohne G 408.] – *Erw. um:* G 103, 603.

Neudr.: Um die bis zum Frühjahr 1946 entstandenen Gedichte erw. – Bln: Suhrkamp (1947). 464 S., 13 Bl. (GW) – 6.–10. Tsd. 1949. – [Ohne G 408, 103, 603.]

Neudr. in: GD 5, S. 371–823. [Ohne G 408; P 1006.]

d) Neudr., erg. um die bis 1950 entstandenen Gedichte. [GGd] – [11.–13. Tsd.] Bln [u. Ffm]: Suhrkamp (1953). 481 S., 13 Bl. (GW) – [14.–17. Tsd.] 1957.
Erw. um: G 436, 581, 713, 744, 238, 622, 635.

Neudr. in: GS 5, S. 371–831. [Ohne P 1006.]

S 3   Frühe Prosa. – Zch: Fretz & Wasmuth (1948). 303 S.

Inh.: E 180, 147, 169b [ohne die Gedichte].

Neudr.: 1.–5. Tsd. [Bln u. Ffm]: Suhrkamp 1960. 286 S. (GW)
Neudr. in: GD 1, S. 7–215. [Ohne P 542, 540.]

S 4   Zwei Idyllen. Stunden im Garten. Der lahme Knabe. – 1.–7. Tsd. Bln u. Ffm: Suhrkamp 1952. 88 S.

AUSWAHL

A 1   Ausgewählte Gedichte. [AG] – 1.–5. Aufl. Bln: S. Fischer 1921. 89 S. – 6.–8. Aufl. 1924.

      Inh.: G 128, 269.4, 726, 624, 535.1, 717, 758, 595, 445, 152, 331, 223.2.3, 197, 423, 410, 616.3, 125, 330, 146, 328, 762, 248, 425, 565, 718, 439, 319, 451, 671, 594, 748, 585, 367, 318, 131, 618, 232, 560, 766, 237, 482, 454, 678, 96, 480, 263, 511, 368, 655, 9, 756, 30, 745, 51, 227, 174, 400, 559, 611, 2, 37, 650.

A 2   Die Verlobung. Erzählungen. – Zch: Verein f. Verbreitg. guter Schriften 1924. 60 S. (Gute Schriften. 134.)

      Inh.: P 921, 1394.

A 3   Der Zyklon und andere Erzählungen. (Mit einer Einltg. f. den Schulgebrauch von Susanne Engelmann.) – 1.–10. Aufl. Bln: S. Fischer 1929. 86 S. (Schulausgaben moderner Autoren.)

      Inh.: P 1564, 312, 768.

A 4   HH. [Auszüge.] Auswahl von A[lfred] Simon. – Mchn: E. Reinhardt 1932. 32 S. (Deutsches Schrifttum. Hg. von der Deutschen Akademie in München. 8.)

A 5   Kleine Welt. Erzählungen. [KW] – 1.–6. Aufl. Bln: S. Fischer (1933). 380 S. (GW) – 7.–12. Aufl. Bln: Suhrkamp 1943.

      Inh.: P 1394, 791, 827, 653, 13, 799, 1497.

      Neudr. 1: Zch: Fretz & Wasmuth (1947). 385 S.
      Neudr. 2: Diesseits. Kleine Welt. Fabulierbuch. 1954.
      Neudr. in: GD 2, S. 193–467.

A 6   Vom Baum des Lebens. Ausgew. Gedichte. [BL] – Lpz: Insel-Verl. [1934]. 79 S. (Insel-Bücherei. 454.) – 31.–40. Tsd. o. J.; 41.–50. Tsd. o. J.; 51.–70. Tsd. 1942. 77 S. (Feldpostausg.); 71.–75. Tsd. [Wiesbaden] 1947; 76.–85. Tsd. 1950; 86. bis 95. Tsd. 1951; 96.–105. Tsd. 1952; 106.–125. Tsd. Lpz 1952; 126.–135. Tsd. Wiesbaden 1953; 136.–145. Tsd. Lpz 1954; 146.–155. Tsd. Wiesbaden 1954; 156. bis 165. Tsd. Lpz 1954; 166.–175. Tsd. Wiesbaden 1956; 176.–190. Tsd. 1957; 191. bis 200. Tsd. Lpz 1959; 201.–210. Tsd. Ffm 1961.

      Inh.: G 726, 624, 535.1, 717, 758, 223.2.3, 423, 125, 146, 762, 248, 425, 565, 439, 451, 594, 585, 367, 318, 131, 618, 232, 560, 766, 237, 482, 454, 678, 480, 65, 368, 9, 756, 51, 227, 174, 400, 611, 2, 37, 650, 307, 711, 36, 68, 478, 160, 66, 352, 10, 429, 727, 362, 58, 742, 185, 600, 371, 466, 261, 118, 387, 642, 278.

A 7   Jahreslauf. Ein Zyklus Gedichte. [JL] – [Zch: Orell Füssli 1936.] 10 S. – [SA aus Schweizer Reise-Almanach Jg. 1936, S. 31–39.]

      Inh.: G 577, 24, 28, 648, 590, 364, 762, 141, 23, 289, 303, 352, 257.

A 8   Der Blütenzweig. Eine Auswahl aus den Gedichten. [BZ] – Zch: Fretz & Wasmuth (1945). 80 S. – [Neue Aufl.] 1957.

Inh.: G 368, 714, 128, 517, 624, 197, 223.3, 700, 331, 535.1, 726, 410, 455, 146, 123, 71, 3, 425, 565, 748, 38, 611, 762, 506, 232, 480, 560, 655, 756, 558, 746, 416, 699, 424, 378, 697, 307, 2, 37, 52, 160, 650, 10, 727, 409, 770, 742, 755, 528, 503, 185, 519, 466, 261, 118, 104, 548, 641, 364, 23, 396, 636, 473, 218, 545, 196, 374, 732, 242, 200.

A 9   Zwei Erzählungen. Der Novalis. Der Zwerg. Ed. with introd., notes, and vocabulary by Anna Jacobson [and] Anita Asher. – New York: Appleton-Century Crofts, Inc. (1948). XXIII, 137 S. – [Neue Aufl.] 1950.

A 10   Kinderseele und Ladidel. Zwei Erzählungen. Ed. with introd., notes, and vocabulary by W. M. Dutton. – London: Harrap 1948. 173 S.

       Neudr.: Boston: D. C. Heath [1952]. 173 S.

A 11   Kinderseele. Drei Erzählungen. With introd. by K.-W. Maurer. – London: G. Duckworth (1948). 128 S. (Duckworth's German texts. 7.)

       Inh.: G 368; P 771, 768, 385.

A 12   Alle Bücher dieser Welt. Ein Almanach für Bücherfreunde 1950. Ausgew. von Karl H[ildebrand] Silomon. – (Murnau: Verl. die Wage K. H. Silomon 1949.) 80 S. [Auszüge.]

A 13   Gerbersau. [Gbs] Bd. 1.2. – Bd. 1: 1.–5. Tsd. Bd. 2: 1.–8. Tsd. Tüb u. Stgt: R. Wunderlich (1949). 409, 430 S.

       Inh.: I. P 537, 650, 771, 1061, 889, 953, 441, 769, 841, 1267, 493, 921, 1394, 791, 1460, 653, 799, 189, 501, 1248. II. P 1117, 789, 560, 1564, 731, 507, 1447, 1448, 768, 677, 1225, 1075, 460, 663, 385; B 115.

A 14   Aus vielen Jahren. Gedichte, Erzählungen und Bilder. [vJ] – Bern 1949: Stämpfli & Cie. 6 Bl., 129 S. mit Abb.

       Inh.: P 539, 119, 1228; G 684, 611, 506, 594, 632, 30, 51, 353, 26, 680, 711, 10, 216, 371, 29, 110, 613, 173, 157, 548, 642, 278, 764, 218, 374, 732, 494.

A 15   Wege zu HH. Eine Auswahl aus Gedichten und Prosa. (Zsgest. u. hg. v. Walter Haußmann.) – Stgt: Metzler (1949). 88 S. (Metzlers Schulausgaben. Dt. Reihe.) – [Auszüge.]

       Neudr.: Ffm: Hirschgraben-Verl. (1957). 64 S. (Hirschgraben-Lesereihe. Reihe I. 10.) – 2. Aufl. 1961.

A 16   Drei Erzählungen. Ed. by Waldo C. Peebles. – New York: American Book Company (1950). VIII, 175 S.

       Inh.: P 841, 1394, 653.

A 17   Die Verlobung [u. a.]. Eingel. v. S. Okamoto. – Osaka: Ryôun-sha [1950]. 106 S.

       Inh.: P 1394, 1497.

A 18   Eine Auswahl. (Diese Ausg. besorgte Reinhard Buchwald.) – Bielefeld usw.: Velhagen & Klasing [1951]. 140 S. (Dt. Ausgaben. 60.) [Auszüge.]

A 19   Die Verlobung und andere Erzählungen. – (Bln u. Darmstadt): Dt. Buch-Gemeinschaft (1951). 298 S.

       Inh.: P 1394, 781, 1246.

A 20   Glück. – [Wien]: Amandus-Verl. (1952). 143 S.

       Inh.: P 578, 705, 312, 1356, 770, 277, 917, 365, 849, 661, 882.

A 21   Lektüre für Minuten. Ein paar Gedanken aus meinen Büchern u. Briefen. (Privatdr. – Bern 1952: Stämpfli & Cie.) 27 S. [Auszüge.] – Aufl.: 1250.
Liriche. [Gedichte italien. u. dt.] 1952 s. Ü 70
Poèmes étrangers. [Gedichte französ. u. dt.] 1952 s. Ü 38

A 22   Der Wolf und andere Erzählungen. (Auswahl v. Martha Ringier.) Zeichnungen v. Isa Hesse. – Zch: Schweiz. Jugendschriftenwerk [1955]. 24 S. (Schweiz. Jugendschriftenwerk. 540.)
Inh.: P 1528, 953, 992.

A 23   Zum Frieden. [Ausgew. Gedichte.] – (Thal/SG: E. Christ; [St. Gallen: Tschudy 1956].) Unpag. 15 S.
Inh.: G 425, 633, 244, 624, 367, 302.

A 24   HH. [Gedichte u. Prosa.] – Hannover usw.: Schrodel (1956). 32 S. (Schroedels Lesehefte.) [Auszüge.]

A 25   Magie des Buches. Betrachtungen und Gedichte. – (Stgt 1956: Höhere Fachschule f. das graph. Gewerbe.) 94 S. (7. Druck d. Höheren Fachschule f. das graph. Gewerbe.)
Inh.: G 8; P 908; G 270; P 244, 197; G 350; P 1359; B 31; G 711.

A 26   Gute Stunde. Begegnung mit HH. – (Nürnberg: Laetare-Verl. [1957].) I, 20, I S. (Schriftenreihe f. die evangel. Mutter. 104.) [Auszüge.]

A 27   (24 ausgew. Gedichte. Auswahl u. Nachw. v. Hans Rudolf Hilty.) [TB] – (St. Gallen: Tschudy 1958.) Unpag. 32 S. (Treue Begleiter. 10.)
Inh.: G 762, 223.1, 535.1, 237, 565, 63, 650, 36, 10, 280, 172, 42, 479, 339, 247, 296, 670, 166, 531.3, 710, 732, 350, 74, 103.

A 28   Knulp. Peter Camenzind. Briefe. Auswahl. Hg. u. erl. v. A. Rossen. – (København-Kastrup): Kastalia (1958). 49 S., 1 Beil. (Dt. Stimmen. 2.) [Auszüge.]

A 29   Drei Erzählungen: Augustus. Der Dichter. Ein Mensch mit Namen Ziegler. Ed. by T. E. Colby. – London: Methuen (1960). VI, 57 S. (Methuen's twentieth century texts.)

A 30   Stufen. Alte und neue Gedichte in Auswahl. [St] – 1.–5. Tsd. (Bln u. Ffm): Suhrkamp 1961. 238 S. (GW)
Inh.: G 681, 128, 125, 122, 376, 534, 517, 260, 210, 624, 573, 214, 718, 205, 223.1, 27, 340, 463, 595, 566, 207, 535.1, 726, 769, 776, 758, 91, 239, 146, 86, 717, 244, 234, 293, 71, 425, 439, 565, 684, 117, 72, 748, 318, 131, 82, 585, 611, 506, 618, 277, 237, 594, 632, 130, 232, 607, 63, 563, 39, 560, 766, 368, 24, 263, 395, 629, 51, 784, 615, 709, 127, 498, 756, 558, 1, 746, 400, 749, 416, 577, 36, 699, 65, 68, 757, 424, 620, 378, 75, 697, 481, 307, 711, 8, 419, 2, 468, 141, 37, 478, 52, 160, 650, 66, 352, 291, 10, 362, 409, 555, 309, 660, 742, 28, 755, 216, 528, 503, 187, 370, 479, 339, 371, 723, 412, 442, 247, 31, 670, 553, 29, 779, 110, 613, 261, 118, 157, 104, 387, 548, 641, 642, 579, 364, 735, 67, 84, 23, 396, 278, 547, 719.3, 55, 634, 33, 355, 229, 473, 469, 531, 536, 545, 591, 218, 196, 493, 374, 732, 149, 450, 350, 243, 427, 200, 408, 103, 744, 238, 622, 603. Neue Gedichte: G 516, 189, 543, 271, 281, 285, 4, 494a.
Neudr.: Zch: Fretz & Wasmuth [1961]. 238 S.

A 31   Dichter und Weltbürger. [Texte f. d. Schulgebrauch.] Bearb. v. Gisela Stein. – New York: Holt, Rinehart & Winston (1961). XXX, 313 S.

EINZELSCHRIFTEN

E 1   Abendwolken. Zwei Aufsätze. (Zeichngn. von Gunter Böhmer. Nachwort von Traugott Vogel.) – St. Gallen: Tschudy 1956. 20 S. (Der Bogen. 50.)
Inh.: P 6, 925.

E 2   Über das Alter. – (Olten: VOB) 1954. Unpag. 15 S. (VOB-Liebhaberdrucke. 4.) – Aufl.: 605.
Inh.: G 604; P 19.

E 3   Ansprache in der ersten Stunde des Jahres 1946. – ([Zch]: NZZ [1946].) 15 S. mit einer Federzeichng. – [SA aus NZZ Nr. 26 v. 6. 1. 1946.]
Neudr. 1: o. O. [1946]. 11 S.
Neudr. 2: o. O. [1946]. 20 S.
Neudr. 3: Hamburg 1946: Landeskunstschule. 7 S.
Neudr. in: **KF**; *in:* E 55; *in:* **BGa**.

E 4   Antwort auf Bittbriefe. – Montagnola: [Selbstverl.] 1947. Unpag. 4 S.

E 5   Aprilbrief. – [Zch: NZZ 1952.] Unpag. 2 S. – [SA aus NZZ Nr. 936 v. 29. 4. 1952.]
Neudr. in: **Bsg**.

E 6   Aquarelle aus dem Tessin. Zwölf farb. Bildtafeln. – Baden-Baden: W. Klein (1955). 10 S. u. 12 Taf. (Der silberne Quell. 26.)
Inh.: P 40.

E 7   Elf Aquarelle aus dem Tessin. – Mchn: O. C. Recht 1921. 1 Bl., 10 farb. Taf. (Wielandmappe. 1.)

E 8   Eine Arbeitsnacht. – [Zch]: NZZ 1950. 1 Bl. – SA aus NZZ Nr. 288 v. 11. 2. 1950.
Neudr. in: **BGa**.

E 9   Zwei Aufsätze. Privatdr. – (Zch) 1945: (Gebr. Fretz). 13 S.
Inh.: P 518, 1345.
Tdr.: Über Gedichte. – ([Basel]: NatZ 1954.) Unpag. 4 S. – SA aus NatZ Nr. 336 v. 25. 7. 1954.

E 10   Ein paar Aufzeichnungen und Briefe. (Privatdr. – St. Gallen 1960: Tschudy.) 20 S.
Inh.: B 102, 34, 47; P 858.
Tdr.: HH. über Ernst Jünger. Nach der Lektüre des Buches «An der Zeitmauer». – Stgt: Klett [1960]. Einblattdr.

E 11   Aufzeichnungen eines Herrn im Sanatorium. Fragment aus einem nicht ausgeführten Roman. – Wien: Phaidon-Verl. 1925. 18 S. – Aufl.: 100.
a) *Neudr.:* Haus zum Frieden. Aufzeichnungen eines Herrn im Sanatorium. [Mit einem Nachwort.] – (Zch) 1947: (Johannespresse). 37 S. – Aufl.: 590 + 250 Expl. f. d. Dichter.

E 12   Begegnungen mit Vergangenem. – [Zch: NZZ 1951.] 3 Bl. – [SA aus NZZ Nr. 1147 v. 26. 5. 1951.]
Neudr. in: **Bsg**.

E 13   Berg und See. Zwei Landschaftsstudien. – Zch: Büchergilde Gutenberg [1948].

51 S. mit Illustr. von Isa Hesse. – Aufl.: 7000.

Inh.: P 1143, 113.

E 14   Bericht an die Freunde. Letzte Gedichte. – Olten: (VOB) 1960. 51 S. (85. Publikation der VOB.) – Aufl.: 785.

Inh.: P 102; LG.

Tdr.: Freund Peter. Bericht an die Freunde. Privatdr. – (Zch) 1959: (Gebr. Fretz). 15 S.

E 15   Bericht aus Normalien. Ein Fragment aus dem Jahre 1948. – (Gelterkinden 1951: Hch. Lustig.) 23 S.

Neudr. in: Bsg.

E 16   Berthold. Ein Romanfragment. – Zch: Fretz & Wasmuth (1945). 100 S.

Neudr. in: GD 1, S. 831–883.

E 17   Beschreibung einer Landschaft. Ein Stück Tagebuch. Als Manuskript gedr. (Privatdr.) – Bern 1947: Stämpfli & Cie. 27 S.

Neudr.: (Privatdr. – Bern 1947: Stämpfli & Cie.) 20 S.

Neudr. in: E 13; *in:* SpP.

E 18   Beschwörungen. Rundbrief im Februar 1954. – (St. Gallen: Tschudy 1954.) 29 S.

Neudr. in: Bsg.

E 19   Beschwörungen. Späte Prosa/Neue Folge. **[Bsg]** – 1.–5. Tsd. Bln [u. Ffm]: Suhrkamp (1955). 295 S. (GW) – 6.–9. Tsd. 1955; 10.–15. Tsd. 1956.

Inh.: Erzählungen: P 103, 335, 739, 1241. Rundbriefe: P 526, 1277, 1107, 38, 609, 401, 400, 90, 19, 114, 1042, 1174. Tagebuchblätter: P 399, 924, 1337, 1338, 1339.

Tdr.: Rundbriefe. Tagebuchblätter. – In: GS 7, S. 785–945.

E 20   Besinnung. – [Bln 1934: Erasmusdr.] 3 Bl. – Aufl.: 100.

Neudr. in: BL; *in:* NG; *in:* GG; *in:* vJ; *in:* E 21; *in:* St.

E 21   (Besinnung. Stufen.) Dank für Briefe und Glückwünsche. – (St. Gallen [1959]: Tschudy.) Unpag. 8 S.

Inh.: G 278, 732.

E 22   Betrachtungen. **[BG]** – 1.–10. Aufl. Bln: S. Fischer (1928). 333 S. (GW)

Inh.: P 378, 441, 1135, 976, 1447; B 51; P 1280, 1557, 1235, 1448, 1319, 1088, 518, 188, 510, 258, 1388, 365, 558; B 13; P 244, 1414, 721, 118, 165, 820, 156, 677, 1019, 581, 343, 74, 29, 1022. Aufsätze aus den Kriegsjahren: P 486, 1285, 807, 1473, 488, 806, 426, 1364, 805, 1490, 1129, 1471, 987.

a) *Neudr. in:* GS 7, S. 5–471. [BGa; ohne P 1447, 1448, 29, 987.] – *Erw. um:* P 935, 816, 1545, 351, 42, 127, 908, 812, 577, 301, 591, 1320, 864, 1495, 387, 1024, 141, 876, 1143: Tdr., 34, 534; B 115, 15; P 1538, 303; B 30, 89; P 1157, 737.

Tdr. 1: Der Europäer. – [Zch: Fretz & Wasmuth] 1944. 7 S. – SA aus NSRs, Sept. 1944.

Tdr. 2: Brief an einen jungen Deutschen. – [Zch: Conzett & Huber] 1945. 4 S. – SA aus NSRs, Juni 1945.

Tdr. 3: Jakob Boehmes Berufung. – ([Basel]: NatZ 1951.) Unpag. 3 S. – SA aus NatZ Nr. 545 v. 25. 11. 1951.

E 23   Kleine Betrachtungen. Sechs Aufsätze. (Als Manuskript gedr. – Bern 1941:
Stämpfli & Cie.) 37 S.
Inh.: P 460, 1257, 6, 982, 167, 141, 1510.
Neudr.: Illustr. von Heiner u. Isa Hesse. – Zch: Büchergilde Gutenberg [1942].
47 S. – Aufl.: 8000.
Tdr. 1: Zwischen Sommer und Herbst. Privatdr. – (Zch) 1944: (Gebr. Fretz).
11 S.
Tdr. 2: Abendwolken. – ([Basel]: NatZ 1952.) Unpag. 4 S. – SA aus NatZ Nr. 472
v. 11./12. 10. 1952.

E 24   Der Bettler. – [Zch]: NZZ 1948. Unpag. 8 S. – SA aus NZZ Nr. 2092, 2100, 2111,
2123, Oktober 1948.
Neudr.: [Mchn: Nymphenburger Verlagshdlg.] 1950. 16 S. – SA aus Dt. Beitrr. 4,
1950, H. 2.
Neudr. in: vJ; *in:* SpP.

E 25   Eine Bibliothek der Weltliteratur. – Lpz: Reclam (1929). 85 S. (Reclams Univer-
sal-Bibliothek. 7003.) – 2. Aufl. [1930]. 80 S.; neue Aufl. Stgt 1949. 64 S.; [neue
Aufl.] 1953; [neue Aufl.] 1956. 55 S.; [neue Aufl.] Lpz 1957. 53 S.; [neue Aufl.]
Stgt 1959.
Neudr.: New York: Ungar [1945]. 22 S.
Neudr. in: BGa.
a) *Neudr.:* Mit den Aufsätzen «Magie des Buches» und «Lieblingslektüre». –
Zch: W. Classen (1946). 96 S. (Vom Dauernden in der Zeit. 15.) – 2. Aufl. 1946.
Inh.: P 1425, 127, 908, 876.

E 26   Drei Bilder aus einem alten Tessiner Park. – [Zch: Oprecht 1938.] 4 S. – [SA aus
Maß und Wert 1, 1937/38.] – *Inh.:* G 531.
Neudr. in: ZehnG; *in:* GG; *in:* St.

E 27   Bilderbuch. Schilderungen. [BB] – 1.–10. Aufl. Bln: S. Fischer (1926). 320 S.
(GW)
Inh.: Bodensee: P 1245, 1090, 4, 1256, 674, 660, 882. Italien: P 28, 834, 2, 1274,
97. Indien: P 1323, 1, 1271, 55, 633, 1253, 1374, 1081, 990, 1453, 1071, 1466, 918,
1275, 1336, 1080, 1171, 386, 116. Tessin: P 1265, 1521, 1258, 1309, 1470, 571, 898,
899. Verschiedenes: P 1459, 1548, 1106, 596, 658, 1385, 60, 991, 1365, 507, 650,
497, 1043, 1343.
a) *Neudr. in:* GD 3, S. 735–943 [ohne: P 1245, 660, 60, 507].
b) *Neudr.:* 1.–5. Tsd. dieser Ausg. [BBb] – Bln [u. Ffm]: Suhrkamp (1958). 356 S.
(GW) – *Erw. um:* P 660, 956, 1183, 6, 1528, 751, 1522, 60, 189, 1242.
Tdr. 1: Einleitung, Anmerkgn., Wörterbuch von Paul Eisner. – [Prag]: Státní
nakladatelství 1933. 121 S. (Dt. Lektüre. 18.) – *Inh.:* P 1256, 882, 28, 1274, 1323,
1, 55, 1453, 1071, 1466, 1275, 1080, 1171, 386, 1521, 899, 1385, 1365, 650, 1043.
Tdr. 2: Tessin. Mit Zeichngn. v. Hanny Fries. – Zch: Verl. der Arche (1957). 86 S.
(Die kleinen Bücher der Arche. 242/243.)

E 28   Bildschmuck im Eisenbahnwagen. – [Zch: Weltwoche-Verl. 1944.] Einblattdr. –
[SA aus Ww Nr. 577 v. 1. 12. 1944.]

E 29   Welkes Blatt. [Faksim.] – (Marbach a. N.: Schiller-Nationalmuseum 1957.) 4 Bl.
(Faksimiledrucke. 1.)

E 30   Blick ins Chaos. Drei Aufsätze. – Bern: Verl. Seldwyla 1920. 43 S. – 4.–6. Tsd.
.   1921.
        Inh.: P 188, 510, 557.

E 31   Blumengießen. – o. O. [um 1933]. Einblattdr. mit einer Zeichng.
        Neudr.: Spätsommer. – [Karlsruhe] 1948: A[lbrecht] K[indt]. 8 S. – Aufl.: 50.
        Neudr. in: GG.

E 32   Boccaccio. – Bln: Schuster & Loeffler 1904. 75 S. mit Abb. (Die Dichtung. 7.) –
        2. Tsd. [1904]; 3. Tsd. [1904]; 4. Tsd. [1905].

E 33   Statt eines Briefes. Ende Juli 1946. – o. O. 1946. Unpag. 4 S.

E 34   Das seltene Buch. – [Murnau 1942: K. H. Silomon.] 4 S.
        Neudr. in: A 25.

E 35   Peter Camenzind. – Bln: S. Fischer 1904. 260 S. – 5.–17. Aufl. 1905; 30. Aufl.
        1906; 35. Aufl. 1907; 36. Aufl. 1907; 41. Aufl. 1908; 43. Aufl. 1908; 50. Aufl.
        1909; 57. Aufl. 1911; 65. Aufl. 1913; 66.–68. Aufl. 1916; 69.–72. Aufl. 1917;
        73.–80. Aufl. 1917; 91.–98. Aufl. 1920; 99.–106. Aufl. 1922; 107.–110. Aufl. 1923;
        GW: 111.–115. Aufl. 1925. 222 S.; 116.–120. Aufl. 1930; 121.–124. Aufl. 1930;
        125. u. 126. Aufl. 1938;
        127.–129. Aufl. Bln: Suhrkamp 1942; [neue Aufl.] 1944; 135.–139. Tsd. 1950.
        219 S.; 145.–149. Tsd. 1950; 150.–154. Tsd. 1955; 155.–159. Tsd. 1958.
        Neudr. 1: (Zch): Schweizer Bücherfreunde 1940. 233 S. (20. Buch der Schweizer
        Bücherfreunde.)
        Neudr. 2: Introd. et notes par E. Straub. – Paris: E. Belin 1945. 115 S. (Coll.
        d'auteurs allemands. Dt. Kultur u. Literatur.) – [Neue Aufl.] 1948.
        Neudr. 3: Zch: Fretz & Wasmuth (1948). 221 S.
        Neudr. 4: Bln: Aufbau-Verl. 1952. 166 S.
        Neudr. 5: Peter Camenzind. Unterm Rad. – 1.–30. Tsd. Bln: Aufbau-Verl. 1952.
        319 S. (Bibliothek fortschrittl. dt. Schriftsteller.)
        Neudr. 6: Bln u. Darmstadt: Dt. Buch-Gemeinschaft (1955). 170 S.
        Neudr. in: GD 1, S. 217–372.

E 36   Über «Peter Camenzind». – [Zch]: NZZ 1951. Einblattdr. – SA aus NZZ Nr. 1688
        v. 4. 8. 1951.

E 37   Cesco und der Berg. – [Basel]: NatZ 1956. Unpag. 4 S. – SA aus NatZ Nr. 274 v.
        17. 6. 1956.

E 38   Chinesisch. – [Bln: S. Fischer] 1937. Einblattdr. – SA aus NRs, Dezember 1937.
        Neudr. in: **ZehnG**; *in:* **GG**; *in:* **St**.

        Dank für Briefe und Glückwünsche. 1955 s. Tagebuchblatt. Ein Maulbronner Se-
        minarist
        Dank für Briefe und Glückwünsche. 1959 s. Besinnung. Stufen

E 39   Dank für die Briefe und Glückwünsche zum 2. Juli 1952. – (Montagnola:
        [Selbstverl.]) 1952. Unpag. 8 S.
        Dank für Glückwünsche und Briefe. 1961 s. Prosa. Auf einen Dichter.

E 40   Dank an Goethe. – Zch: W. Classen (1946). 95 S. (Vom Dauernden in der
        Zeit. 19.)
        Inh.: P301, 591 [nebst einer Auswahl von Goethes Gedichten], 935, 581.

Tdr.: Dank an Goethe. (Geschrieben auf die Bitte von Romain Rolland für die Goethenummer der Zeitschr. «Europe» im Jahre 1932.) – o. O. u. J. 6 S.

E 41   Danksagung und moralisierende Betrachtung. Als Manuskript gedr. – o. O. [1946]. 8 S.

    Neudr. in: KFa; *in:* BGa.

E 42   Demian. Die Geschichte einer Jugend von Emil Sinclair. [Pseud.] – 1.–3. Aufl. Bln: S. Fischer 1919. 256 S. – 4.–8. Aufl. 1919; 9.–16. Aufl. 1920; [mit dem Untertit.:] Die Geschichte von Emil Sinclairs Jugend von HH.: 17. bis 26. Aufl. 1920; 27.–36. Aufl. 1921; 47.–56. Aufl. 1922; 57.–62. Aufl. 1923; 63. bis 65. Aufl. 1925; GW: 66.–75. Aufl. 1925. 228 S.; 76.–80. Aufl. 1928; 86.–88. Aufl. 1937; 89. bis 91. Aufl. 1942; 92.–101. Tsd. (Bln [u. Ffm]): Suhrkamp 1949. 224 S. (GW); 102.–106. Tsd. 1955. 228 S.; 107.–111. Tsd. 1957. 221 S. 112.–116. Tsd. 1960. 213 S.

    Neudr. 1: Zch: Büchergilde Gutenberg [1946]. 232 S.
    Neudr. 2: Zch: Fretz & Wasmuth [1949]. 226 S.
    Neudr. in: GD3, S. 99–257.
    Tdr.: Ausgew. von T. Nishizawa. –Tokio u. Kiotot: Nankodo [um 1930]. 182, 6, 24 S.

E 43   Vom «großen» und vom «kleinen» Dichtertum. – [Lpz: O. Harrassowitz 1928.] 3 S. – SA aus Bücherei und Bildungspflege, 8. Jg. [1928], H. 3.

E 44   Hans Dierlamms Lehrzeit. Vorfrühling. (Vorwort von Freidr. von Schack.) – Bln: Künstlerdank-Gesellsch. 1916. 64 S. (Feldbücher. 8.)

E 45   Diesseits. Erzählungen. – Bln: S. Fischer 1907. 308 S. – 2. Aufl. 1907; 4. Aufl. 1907; 7. Aufl. 1907; 9. Aufl. 1907; 10. Aufl. 1907; 14. Aufl. 1908; 16. Aufl. 1908; 17. Aufl. 1912; 18. Aufl. 1912; 19. u. 20. Aufl. 1917; 21.–23. Aufl. 1918; 24. bis 28. Aufl. 1921.

    Inh.: P 769, 921, 667, 841, 493.

    a) 1.–5. Aufl. der neuen, erw. Ausg. – Bln: S. Fischer (1930). 393 S. (GW) – *Erw. um:* P 731, 1564, 1267, 984.
    Neudr. 1: Zch: Fretz & Wasmuth [1947]. 393 S.
    Neudr. 2: Diesseits. Kleine Welt. Fabulierbuch. Einmalige Ausg. der drei Erzählungsbücher in 1 Bd. – 1.–10. Tsd. dieser Ausg. Bln (u. Ffm): Suhrkamp (1954). 987 S. (GW) [Ohne P 984.]
    Neudr. in: GD1, S. 547–829 [ohne P 984].
    Tdr. 1: Der Lateinschüler. Mit Zeichnungen von Wilhelm Schulz. (Einltg. von Martin Lang.) – 1.–10. Tsd. Hamburg-Großborstel: Dt. Dichter-Gedächtnis-Stiftung 1914. 61 S. (Volksbücher der Dt. Dichter-Gedächtnis-Stiftung. 38.) – 11.–20. Tsd. 1915; 21.–40. Tsd. 1916; 41.–60. Tsd. 1918.
    Tdr. 2: Die Marmorsäge. Mit Einltg. von Hermann Missenharter u. Buchschmuck von Walter Strich-Chapell. – 1.–20. Tsd. Hamburg-Großborstel: Dt. Dichter-Gedächtnis-Stiftung (1916.) 56 S. (Volksbücher der Dt. Dichter-Gedächtnis-Stiftung. 39.) – 21.–40. Tsd. [1917].
    Tdr. 3: Der Lateinschüler. – Basel: Gute Schriften 1934. 44 S. (Gute Schriften. 181.) – 2. Aufl. 1943. 48 S.; neue Aufl. 1958.
    Tdr. 4: Heumond. Aus Kinderzeiten. Erzählungen. – Basel: Verein Gute Schriften 1947. 78 S. (Gute Schriften. 233.)

Tdr. 5: Heumond. Hg. v. Sune Udén. – Stockholm: Svenska bokförlaget, Norstedt (1958). VI, 89 S.

E 46   Die Dohle. – [Zch]: NZZ 1951. – SA aus NZZ Nr. 2751 v. 8. 12. 1951.
Neudr. in: **Bsg.**

E 47   Doktor Knölge's Ende. – ([Basel]: NatZ 1954.) Unpag. 5 S. – SA aus NatZ Nr. 527 v. 14. 11. 1954.

E 48   Beim Einzug ins neue Haus. (Als Manuskript gedr.) – (Montagnola: [Selbstverl.] 1931.) 27 S.
Neudr. in: **GB.**

E 49   Erinnerung an André Gide. – (St. Gallen 1951: Tschudy.) 23 S.
Inh.: P 384, 986.

E 50   Erinnerung an Klingsors Sommer. – [Zch: Fretz & Wasmuth 1944.] Unpag. 4 S. – SA aus NSRs, August [1944].
Neudr. in: E 109a; *in:* **BGa.**

E 51   Erinnerung an Lektüre. [Mit] Kalendarium auf das Jahr 1926. – Wien: Braumüller 1925. 31 S.

E 52   Engadiner Erlebnisse. Rundbrief an Freunde. August 1953. – [Zch: Conzett & Huber] 1953. 19 S. – SA aus dem Oktoberheft 1953 der NSRs.
Neudr.: Privatdr. – (Zch) 1953: (Gebr. Fretz). 39 S.
Neudr. in: **Bsg.**

E 53   Herbstliche Erlebnisse. Gedenkblatt für Otto Hartmann. – St. Gallen: Tschudy [1952]. 20 S.
Neudr. in: **Bsg.**

E 54   Zwei jugendliche Erzählungen. – Olten: (VOB) 1956. 61 S. (70. Publikation der VOB.) – Aufl.: 950.
Inh.: P 21, 1269, 1003.

E 55   Der Europäer. – Bln: Suhrkamp (1946). 73 S. (Beiträge zur Humanität.)
Inh.: P 34, 426, 805, 1143; B 115.

E 56   Fabulierbuch. Erzählungen. [Fbb] – 1.–5. Aufl. Bln: S. Fischer (1935). 341 S. (GW) – 6.–8. Aufl. 1935.
Inh.: P 437, 185, 1322, 729, 95, 770, 1356, 51, 277, 632, 404, 930, 1563, 3, 880, 1199, 1392, 1452, 1460, 698, 501, 917, 936.
Neudr. 1: Zch: Fretz & Wasmuth [1947]. 368 S.
Neudr. 2: Diesseits. Kleine Welt. Fabulierbuch. 1954.
Neudr. in: GD 2, S. 635–897.
Tdr.: Aus der Kindheit des heiligen Franz von Assisi. – (Mainz: Albert Eggebrecht-Presse. Werkstatt f. Buchdr. 1938.) 12 Bl. – Aufl.: 2000.

E 57   Feuerwerk. – (Olten): VOB 1946. 19 S. (Privatdr. [der] VOB. [30.]) – Aufl.: 350.
Neudr.: Sommernacht mit Raketen. – ([Basel]: NatZ 1953.) Unpag. 4 S. – SA aus NatZ [Nr. 349] v. 1./2. 8. 1953.

E 58   Fragment aus der Jugendzeit. – [Zch]: NZZ [1948]. 8 S. – [SA aus NZZ Nr. 84, 94, 102, 113 vom 14.–18. 1. 1948.]

E 59   Franz von Assisi. – Bln: Schuster & Loeffler 1904. 84 S. mit Abb. (Die Dichtung.
        13.) – 3. Tsd. [1904]; 4. Tsd. o. J.; 5. Tsd. o. J.
        Tdr.: Sonnengesang des Franz von Assisi. Übertragung. – [Murnau 1947: K. H.
        Silomon.] 3 S. – Aufl.: 20.
        Freund Peter. 1959 s. Bericht an die Freunde. Tdr.

E 60   Freunde. Eine Erzählung. – [Zch]: NZZ 1949. 31 S. – SA aus NZZ Nr. 1–110,
        Januar 1949.
        Neudr.: Olten: (VOB) 1957. 106 S. (75. Publikation der VOB.) – Aufl.: 750.

E 61   Friede 1914. Dem Frieden entgegen 1945. Zwei Friedensgedichte. – (Murnau
        1945: K. H. Silomon.) Unpag. 4 S.
        Inh.: G 400, 56.

E 62   Kleiner Garten. Erlebnisse und Dichtungen. [KG] – Lpz u. Wien: E. P. Tal & Co.
        1919. 142 S. (Die zwölf Bücher. 1. Reihe.) – Aufl.: 1000.
        Inh.: P 917, 1040, 900, 658, 98, 751, 911, 437, 507, 991, 1367; B 51; P 650, 1235,
        1319, 1548.2, 992, 1356.
        Tdr. 1: Von der Seele. – (Stettin 1920.) 12 S. – (Manuskriptdr. für die Besucher
        der Stettiner Volkshochschule, veranst. von Erwin Ackerknecht.)
        Tdr. 2: Brief an einen Philister. (Als Manuskript gedr. – Stettin 1924.) 11 S. –
        (Für die Besucher der Volkshochschule u. die sonntägl. Vorlesestunden in der
        Stadtbücherei.)
        Tdr. 3: Der Maler. Ein Märchen. – [Zch]: NZZ 1950. Unpag. 2 S. – SA aus
        NZZ Nr. 1930 v. 16. 9. 1950.
        Tdr. 4: Der Maler. Ein Märchen. – [Basel]: NatZ 1956. Unpag. 4 S. – SA aus
        NatZ Nr. 59 v. 4./5. 2. 1956.

E 63   Im Presselschen Gartenhaus. Novelle. (Einltg. von Hanns Martin Elster.) – Dres-
        den: Lehmann (1920). 22 S., 28 Bl. (Dt. Dichterhandschriften. Hg. v. Hanns Mar-
        tin Elster. 6.) [Faksim.]
        Neudr. 1: Als Manuskript gedr. – (Stettin 1923: Herrcke & Lebeling.) 26 S. –
        (Für die Besucher der Volkshochschule u. d. sonntägl. Vorlesestunden in der
        Stadtbücherei.)
        Neudr. 2: Stettin 1931. 44 S.
        Neudr. 3: Mit den Schreinerschen Zeichngn. des jungen Mörike u. des alten Höl-
        derlin. – (Marbach a. N.: Schiller-Nationalmuseum 1950.) 49 S. (Turmhahn-
        Bücherei. 4/5.)
        Neudr. in: **Fbb**; *in:* **Gbs**.

E 64   Geburtstag. Ein Rundbrief. – o. O. 1952. Unpag. 8 S. – [SA aus NZZ Nr. 1551
        v. 15. 7. 1952?]

E 65   Zum Gedächtnis. – [Zch: Polygraph. Institut] 1916. 23 S. – SA aus Die Schweiz
        20, 1916, H. 5.
        Neudr.: o. O. [um 1916]. 12 S.
        Neudr. in: **KG**; *in:* **BB**; *in:* **E 66**; *in:* **GB**; *in:* **Gbs**.

E 66   Zum Gedächtnis unseres Vaters. Von H. und Adele Hesse. – Tüb: R. Wunder-
        lich (1930). 85 S.
        Inh.: P 771: Tdr., 507, 1005; ferner zwei Briefe von Johannes Hesse und ein
        Lebensabriß von Adele Hesse.

E 67   Gedanken über Gottfried Keller. – ([Basel]: NatZ 1951.) Unpag. 4 S. – SA aus
        NatZ Nr. 260 v. 10. 6. 1951, Sobeil.

E 68   Gedenkblätter. [GB] – 1.–6. Aufl. Bln: S. Fischer (1937). 272 S. (GW) – 7. bis
        9. Aufl. 1942.
        Inh.: P 953, 1225, 115, 663, 1248, 507, 373, 661, 395, 385.
        a) *Neudr. 1:* Neue vermehrte Ausg. [GBa] – Zch: Fretz & Wasmuth [1947]. 317 S.
        – *Erw. um:* P 1447, 1448, 987, 962, 516, 988, 913.
        b) *Neudr. 2:* Neue erg. Ausg. [GBb] – Bln: Suhrkamp (1950). 305 S. (GW) –
        Erw. um: P 515.
        Neudr. in: GD 4, S. 559–795.
        Tdr. 1: Besuch bei einem Dichter. – Braunschweig 1956: (Waisenhaus-Buch-
        druckerei). 38 S. – Aufl.: 500.
        Tdr. 2: Ein paar Erinnerungen an Othmar Schoeck. – o. O. u. J. 16 S.

E 69   Gedenkblatt für Adele [Gundert geb. Hesse]. Privatdr. – (Zch 1949: Gebr. Fretz.)
        18 S.
        Neudr. in: GBb.

E 70   Gedenkblatt für Martin. – [Zch]: NZZ 1949. 22 S. – SA aus NZZ Nr. 1523 u.
        1556 vom 23. u. 30. 7. 1949.
        Neudr. in: SpP.

E 71   Gedenkblatt für Franz Schall. – (Zch: Fretz & Wasmuth 1943.) Unpag. 4 S. –
        SA aus NSRs, September 1943.
        Neudr. in: GBa.

E 72   Gedichte. [JG] – Bln: G. Grote 1902. XII, 196 S. (Neue dt. Lyriker. Hg. v. Carl
        Busse. 3.)
        Inh.: G 322. Von Wanderungen: G 128, 624, 566, 520, 534, 609.2, 304, 161, 208,
        517, 245, 116, 86, 244, 376, 573, 210, 663, 197, 214, 100, 726, 27, 597.1, 236, 125,
        256, 720. Buch der Liebe: G 691, 223, 340, 122, 614, 739, 344, 78, 453, 335, 248,
        143, 321, 718, 305, 354, 700, 152, 331, 179, 83, 15, 411, 497, 260, 45, 205, 570,
        234, 455. Irrwege: G 513, 423, 333, 616, 704, 250, 676, 359, 410, 778, 345, 760,
        176, 461, 500, 679, 319, 451, 69, 239, 356, 315, 708, 706, 328, 441. An die Schön-
        heit: G 627, 329, 477, 48, 326, 695, 266, 135, 769, 659, 213, 317, 330, 320, 460,
        714, 159, 269, 276. Süden: G 445, 595, 282, 393, 90, 85, 342, 158, 771, 383, 475,
        252, 758, 628, 535, 327, 195, 207, 741, 279, 690. Zum Frieden: G 146, 105, 597.2,
        206, 123, 776, 313, 571, 457, 463, 193, 225, 495, 302, 518, 98, 725, 633.
        a) 2. veränd. Aufl. 1906. V, 193 S. [JGa]; 3. Aufl. 1908; 5. Aufl. 1912; 7. Tsd. 1914;
        8. Tsd. 1914. 200 S.; 9. Tsd. 1917; 10. Tsd. 1917. V, 193 S.; 13. Tsd. 1922; 17. Tsd.
        1925; 19. Tsd. 1936; 21.–23. Tsd. u. d. T.: Jugendgedichte. Hamm: Grote (1950).
        187 S. – [Ohne: G 609.2, 304.4, 116, 236, 335, 15, 411, 333, 676, 760, 679, 315, 706,
        659, 213, 714, 393, 771, 535.3, 195, 571.] – *Erw. um:* G 293, 246, 363, 204, 565,
        425, 671, 551, 169, 3, 602, 717, 439, 367, 420.
        Aufgenommen in: GG.
        Neudr. 1: Jugendgedichte. – Zch: Ex Libris [1956]. 190 S.
        Neudr. 2: Jugendgedichte. – [Gütersloh]: Bertelsmann-Lesering [1957]. 128 S.
        (Kleine Lesering-Bibliothek. 1.) – [Ohne: G 123.]
        Tdr. 1: Die frühe Stunde. – [Murnau] 1942: [K. H. Silomon]. Einblattdr.
        Tdr. 2: Es gibt so Schönes in der Welt. – (Bern: Verbandsdruckerei A. G. [1946].)
        Unpag. 3 S. [Neujahrskarte.]

E 73   Drei Gedichte. **[DrG]** – [Zch: Conzett & Huber] 1948. Unpag. 4 S. – SA aus
       NSRs [NF 16,] 1948 [/49, S. 29–31].
       Inh.: G 103, 238, 622.

E 74   Fünf Gedichte. **[FG]** – (Zch 1934: Gebr. Fretz.) 6 Bl. – Aufl.: 149.
       Inh.: G 719.3, 670, 23, 403, 212.
       Aufgenommen in: NG.

E 75   Fünf Gedichte. (Vom Dichter ausgew. u. als Privatdr. zur Feier seines 65. Ge-
       burtstags gedr.) – (Siegburg [1942]: Franz Schmitt.) Unpag. 14 S.
       Inh.: G 374, 732, 450, 49, 350.
       Aufgenommen in: GG.

E 76   Die Gedichte eines Jahres. **[GeJ]** – In: NSRs NF 22, 1954/55, S. 293–296.
       Inh.: G 286, 516, 651, 402.

E 77   Die Gedichte des jungen Josef Knecht. **[GJK]** – In: Corona 5, 1935, S. 390–398.
       Inh.: G 634, 33, 270, 636, 355, 222, 473.
       a) *Neudr. 1:* **[GJKa]** – In: NG. – *Erw. um:* G 144, 673, 380, 229.
       b) *Neudr. 2:* Die Gedichte des Schülers und Studenten. **[GJKb]** – In: Das Glas-
       perlenspiel. – *Erw. um:* G 561, 732.
       Aufgenommen in: GG.
       Neudr. 3: Die Gedichte des jungen Josef Knecht. – [Privatdr. Stgt 1947.] 24 S. –
       Aufl.: 40. («Diese Gedichte wurden von einem jungen Hessebegeisterten im Hand-
       satz gesetzt...») – [Ohne G 561.]
       Tdr. 1: Zu einer Toccata mit Fuge von Bach. – [Bln um 1936: Erasmusdr.] Ein-
       blattdr.
       Tdr. 2: Dienst. Aus den Gedichten des jungen Josef Knecht. – [Halle a. S. 1942:
       Werkstätten d. Stadt Halle.] Einblattdr.
       Tdr. 3: Seifenblasen. Aus den Gedichten Josef Knechts. – [Bln um 1936: Eras-
       musdr.] Unpag. 3 S. mit einer Zeichng. [von Gunter Böhmer].

E 78   Letzte Gedichte. **[LG]** – In: Bericht an die Freunde. 1960.
       Inh.: G 516, 402, 189, 472, 543, 271, 281.

E 79   Gedichte des Malers. Zehn Gedichte mit farb. Zeichngn. **[GdM]** – Bern: Verl.
       Seldwyla 1920. 23 S. – Aufl.: 1000.
       Inh.: G 672, 114, 6, 429, 180, 172, 623, 727, 522, 510.
       Neudr.: 2. Aufl., 2.–4. Tsd. Freiburg i. Br.: Kirchhoff 1951. 23 S. – (200 Expl.
       Privataufl. für HH. u. 50 Expl. auf echtem Japanpapier.) – 3. Aufl. 1953/54.
       a) *Neudr.:* **[GdMa]** – In: TN. – *Erw. um:* G 280.
       Neudr. in: GG.

E 80   Neue Gedichte. **[NG]** – 1.–4. Aufl. Bln: S. Fischer (1937). 98 S. (GW) – 5. u.
       6. Aufl. 1937; 7. u. 8. Aufl. 1940.
       Inh.: G 164, 17, 93, 187, 653, 588, 487; **GdS1929;** G 110, 613, 173, 403, 548, 641,
       59, 401, 642, 183; **GdS1933;** G 278, 547, 719, 212, 55; **GJKa;** G 62.
       Aufgenommen in: GG.
       Tdr.: Gedichte. – In: NRs 43, 1932, II, S. 815–818. – *Inh.:* G 173, 548, 59, 641, 588, 93.

E 81   Ein Sommer in Gedichten [i. e. Gedichte des Sommers 1929]. – In: Corona 1,
       1930/31, S. 602–605. **[GdS1929]**

Inh.: G 670, 779, 553, 29, 490.
Neudr. in: NG; *in:* GG.

E 82   Die Gedichte des Sommers 1933. [GdS1933] – In: NRs 44, 1933, II, S. 737–743.
Inh.: G 272, 364, 365, 735, 67, 84, 491, 18, 23, 166, 115, 596, 396.
Neudr. in: NG; *in:* GG.

E 83   Späte Gedichte. [SpG]. Privatdr. – (St. Gallen [1946]: Tschudy.) Unpag. 16 S.
Inh.: G 243, 631, 712, 427, 494, 200, 151, 710, 56, 74.
Neudr. in: GGb.
Tdr. 1: Vier Gedichte aus dem Herbst 1944. – In: NSRs NF 12, 1944/45, S. 620
bis 623. – *Inh.:* G 427, 494, 200, 151.
Tdr. 2: Gedichte. – (Marbach a. N.: Schillerbuchhdlg. Banger [1947].) 19 S. –
Aufl.: 180. – *Inh.:* G 243, 712, 631, 427, 151, 200, 494.
Tdr. 3: Im Schloß Bremgarten. – Halle a. S.: Werkstätten d. Stadt Halle (1947).
Einblattdr. – Aufl.: 300.

E 84   Vier späte Gedichte. [vsG]. Privatdr. – (St. Gallen) 1959: (Tschudy). Unpag. 8 S.
Inh.: G 516, 472, 543, 271.
Aufgenommen in: LG.

E 85   Zehn Gedichte. [ZehnG]. Privatdr. – (Bern [1939]: Stämpfli & Cie.) 14 S.
Inh.: G 469, 531, 561, 536, 545, 591, 764, 20.
Neudr. in: GG o. T.

E 86   Zwei Gedichte. Privatdr. – (St. Gallen) 1951: (Tschudy). Unpag. 12 S. – *Inh.:*
G 103, 603.

E 87   Geheimnisse. – [Zch: Conzett & Huber] 1947. 12 S. – SA aus NSRs, März 1947.
Neudr.: Privatdr. o. O. 1947. 23 S.
Neudr. in: Bsg.

E 88   Gertrud. Roman. – Mchn: A. Langen 1910. 301 S. – 2. Aufl. 1910; 3. Aufl. 1910;
5. Aufl. 1910; 11. Aufl. 1910; 20. Aufl. 1910; 21. Aufl. 1910; 23. Aufl. 1911; 34.
bis 36. Aufl. 1920; 37.–39. Aufl. o. J.; 40.–42. Aufl. [1924].
Neudr. 1: Mit einem Geleitw. von Hanns Martin Elster. – Bln: Dt. Buch-Gemein-
schaft [1927]. 382 S.
Neudr. 2: Bln: Dt. Buch-Gemeinschaft 1927. 339 S. – [Neue Aufl.] 1947. 236 S.;
[neue Aufl.] 1949. 233 S.; [neue Aufl.] 1951; [neue Aufl.] 1953.
Neudr. 3: (Zch): Ex Libris (1948). 247 S.
Neudr. 4: (Zch): Buch-Gemeinschaft Ex Libris [um 1950]. 242 S.
Neudr. 5: 1.–5. Tsd. innerh. der GW. – Bln [u. Ffm]: Suhrkamp (1955). 270 S.
(GW) – 6.–11. Tsd. 1958.
Neudr. in: GD 2, S. 7–192.

E 89   Alte Geschichten. Zwei Erzählungen. – Bern: Bücherzentrale f. dt. Kriegsgefan-
gene [1918]. 55 S. (Bücherei f. dt. Kriegsgefangene. 1.)
Inh.: P 1563, 1460.
Tdr. 1: Der Zwerg. Introd. e note di Gerhard Röder. – Torino: G. B. Paravia
(1937). IV, 34 S. (Insegnamento delle lingue straniere.) – 2a ed. 1947. 42 S.
Tdr. 2: Der Zwerg. – Bamberg, Wiesbaden: Bayer. Verlagsanst. [1956]. 42 S.
(Am Born der Weltliteratur. Reihe A. 25.)

Tdr. 3: Ein Wandertag. Idylle. (Hg. v. Werner Meißner.) – (Ffm 1919: Englert & Schlosser.) Unpag. 54 S. – Aufl.: 475.

E 90 Das Glasperlenspiel. Versuch einer Lebensbeschreibung des Magister Ludi Josef Knecht samt Knechts hinterlassenen Schriften, hg. Bd. 1.2. – Zch: Fretz & Wasmuth (1943). 451, 441 S.

Inh.: P 574, 112, 1455, 1318, 1067, 945, 909, 22, 1103, 555, 1412, 1175, 851. Josef Knechts hinterlassene Schriften: **GJK** b; P 1125, 92, 848.

Neudr. 1: Bd. 1.2. Bln: Suhrkamp (Aug. 1946). 407, 402 S. (GW) – [Neue Aufl.] Dez. 1946; 11.–20. Tsd. 1947; 21.–35. Tsd. 1949. In 1 Bd.: 36.–46. Tsd. 1951. 769 S.; 47.–53. Tsd. 1952; 54.–59. Tsd. 1953; 60.–65. Tsd. 1954; 66.–71. Tsd. 1956; 72.–76. Tsd. 1956; 77.–132. Tsd. 1957. 615 S. (Suhrkamp-Hausbuch 1957.); 133.–138. Tsd. 1958. 769 S. (GW); 139.–143. Tsd. 1960; 144. – 149. Tsd. 1961.

Neudr. 2: [Mit einem Nachwort von] Hans Mayer. – Bln: Aufbau-Verl. 1961. 604 S.

Neudr. in: GD 6, S. 77–685.

Tdr. 1: Indischer Lebenslauf. – Zch: Gute Schriften (1946). 46 S. (Gute Schriften. 223.)

Tdr. 2: Das Glasperlenspiel. Nach Magister Ludi Josef Knechts hinterlassenen Schriften. (Zeichnungen von Gerhart Kraaz. – Ffm [1960]: Ludwig & Mayer.) Unpag. 40 S. – Aufl.: 100. – *Inh.:* **GJK** b; P 1216.

E 91 Der letzte Glasperlenspieler. – [Bln: S. Fischer] 1938. Einblattdr. – SA aus NRs, Febr. 1938.

Neudr.: (Hamburg 1939: Hch. Ellermann.) 2 Bl.
Neudr. in: **GJK** b; *in:* **ZehnG**; *in:* **GG**.

E 92 Mein Glaube. – [Zch: Conzett & Huber] 1946. 4 S. – SA aus NSRs, März 1946.
Neudr. in: **BGa**.

E 93 Glück. Privatdr. – (St. Gallen 1949: Tschudy.) 27 S.
Neudr. in: **SpP**; *in:* A 20.

E 94 Großväterliches. Privatdr. – [St. Gallen] 1952: [Tschudy]. 15 S.
Neudr. in: **Bsg**.

Tdr.: Ein Gedicht aus dem Jahr 1833 von Hermann Gundert. Privatdr. – (St. Gallen) 1952: (Tschudy). Unpag. 8 S.

E 95 Gruß aus Bern. Für unsere gefangenen Brüder. – o. O. [1917]. 4 S. («Aus der ‚Frankfurter Zeitung'.»)

Gruß und Glückwunsch von HH. 1953 s. Regen im Herbst

Haus zum Frieden. 1947 s. Aufzeichnungen eines Herrn im Sanatorium. Neudr.

E 96 Das Haus der Träume. Eine unvollendete Dichtung. – Olten: VOB 1936. 87 S. (1. Veröffentlichung der VOB.) – Aufl.: 150.

Neudr.: [Zch]: Verl. Schweizer Monatshefte 1958. 20 S. (Schweizer Monatshefte [37,] 1957/58. Beil.) – [Ohne Geleitwort.]

E 97 Der Hausierer. – Stgt [1914]. 15 S. (Die farbigen Heftchen der Waldorf-Astoria. 17.)

Neudr. in: **AW**; *in:* **Gbs**.

E 98   Hieroglyphen. – [Bln 1936: Erasmusdr.] Einblattdr.

Neudr.: o. O. [vor 1943]. Unpag. 3 S.

E 99   Aus Indien. Aufzeichnungen von einer indischen Reise. [AI] – Bln: S. Fischer
1913. 198 S. – 4. Aufl. 1913; 5. Aufl. 1913; 7.–9. Aufl. 1919; 10.–12. Aufl. 1923.

Inh.: P 1323, 1, 1271, 55, 633, 43, 1253, 1374, 1081, 1270, 990, 1453, 1071, 1466,
603, 918, 1275, 1336, 1080, 1171, 48. Gedichte: G 287, 654, 306, 96, 563, 785, 63,
375, 480, 153, 384. – P 13.

Neudr. der Gedichte *in:* GG.

Tdr. 1: Auf Sumatra. – In: NRs 23, 1912, S. 809–826. + In: SoblBasNachr 7,
1912, S. 145f., 150f., 154f., 159, 164. + In: SchwSp 5, 1911/12, S. 313–315, 324
bis 326, 339–341 u. d. T.: Aus meinem asiatischen Reisetagebuch. – *Inh.:* P 1374,
1081, 1270, 990, 1071, 1466, 603, 918.

Tdr. 2: Auf einer Reise in Asien. – In: AlmVKMtsh 1913, S. 23–27. – *Inh.:* G 96,
287, 785, 654, 375, 480, 384.

E 100   Italien. Verse. XX Radierungen von Hermann Struck. [It] – Bln: Euphorion-Verl.
1923. 23 Bl. – Aufl.: 322.

Inh.: G 190, 90, 595, 445, 127, 741, 717, 327, 252, 342, 92.

E 101   In Italien vor fünfzig Jahren. – ([Basel]: NatZ 1958.) Unpag. 4 S. – SA aus NatZ
Nr. 77 v. 16. 2. 1958.

E 102   Jahreszeiten. Zehn Gedichte mit [zehn] farb. Bildern. [JZ] – (Zch 1931: Gebr.
Fretz.) 43 S. (6. Zürcher Druck.) – Aufl.: 500.

Inh.: G 28, 648, 261, 6, 762, 553, 490, 118, 257, 548.

E 103   Schön ist die Jugend. Zwei Erzählungen. – Bln: S. Fischer (1916). 118 S. (S. Fischers Bibliothek zeitgenöss. Romane. VII. Reihe. 9.) – 79.–83. Aufl. o. J.;
84.–88. Aufl. 1925; 89.–92. Aufl. 1928; 93.–100. Aufl. 1934. 101 S. (S. Fischers
Bücherei.); 101.–103. Aufl. 1937; 109.–113. Aufl. 1940.

Inh.: P 1564, 731.

Neudr. 1: Ed. with introd., notes, German questions, and vocabulary by Theodore
Geissendoerfer. – New York: Prentice-Hall Inc. 1932. XII, 156 S.

Neudr. 2: In Einheitskurzschrift. Mit Einltg. von Hellmut Tiefel. – Darmstadt:
Winkler [1933]. 48 S. (Sammlung neuzeitiger Literatur in Einheitskurzschrift.
603.)

Neudr. 3: Zürich: Gute Schriften 1946. 122 S.

Neudr. 4: 1. – 8. Tsd. ([Bln u.] Ffm): Suhrkamp (1961). 119 S. (Bibliothek Suhrkamp. 65.)

Jugendgedichte. 1950 s. Gedichte

E 104   Kaminfegerchen. Privatdr. – (St. Gallen) 1953: (Tschudy). 12 S.

Neudr. in: Bsg.

E 105   Kastanienbäume. – Aachen 1932: Kunstgewerbeschule. 10 S.

Neudr. in: BBb.

E 106   Kauf einer Schreibmaschine. – ([Basel]: NatZ 1952.) Unpag. 4 S. – SA aus NatZ
Nr. 119 v. 12. 3. 1952.

E 107   «Kindergenesungsheim Milwaukee». Ein Aufruf an die gebürtigen Deutschen
im Auslande. [Zus. mit Richard Woltereck.] – Bern u. Lpz: [Seemann 1920]. 6 S.
– SA aus Vivos voco [1, 1919/20,] H. 6.

E 108   Klage und Trost. – o. O. (1954). Unpag. 4 S.
        Neudr. in: GeJ; *in:* LG.

E 109   Klingsors letzter Sommer. Erzählungen. – 1.–10. Aufl. Bln: S. Fischer 1920. 215 S.
        – 11.–16. Aufl. 1921; 17.–19. Aufl. 1924.
        Inh.: P 768, 781, 783.
        a) *Neudr.*:* Zch: Fretz & Wasmuth [1947]. 278 S. – *Erw. um:* P 387.
        Neudr. [ohne P 387] *in:* S 1; *in:* GD 3, S. 427–614.
        Tdr. 1: Kinderseele. Mit Anmerkungen hg. v. Karl Gad. ‘– København: I. H.
        Schultz 1948. 43 S.
        Tdr. 2: Klingsors letzter Sommer. Erzählung. – (Wiesbaden): Insel-Verl. 1951.
        78 S. (Insel-Bücherei. 502.) – 20.–29. Tsd. 1953; 30.–39. Tsd. 1956; 40.–49. Tsd.
        1958.
        Tdr. 3: Klein und Wagner. Erzählung. – 1.–10. Tsd. Bln u. Ffm: Suhrkamp (1958).
        158 S. (Bibliothek Suhrkamp. 43.)

E 110   Der lahme Knabe. Eine Erinnerung aus der Kindheit. – (Zch [1937]: Gebr. Fretz.)
        17 S. – Aufl.: 400.
        Neudr. in: S 4; *in:* GD 5, S. 353–370.

E 111   Knopf-Annähen. – ([Basel]: NatZ 1955.) 4 S. – SA aus NatZ Nr. 172 v. 16. 4.
        1955.

E 112   Knulp. Drei Geschichten aus dem Leben Knulps. – Bln: S. Fischer (1915). 146 S.
        (S. Fischers Bibliothek zeitgenöss. Romane. VI. Reihe. 10.) – [96.–]112. Aufl.
        [1922–]1925 [ohne Sammlungstitel];
        GW: 113.–120. Aufl. 1926. 138 S.; 121.–125. Aufl. [1929]; 126.–129. Aufl. 1931;
        130. u. 131. Aufl. 1936; 132. u. 133. Aufl. 1939; 134.–137. Aufl. 1940; 138.–147.
        Aufl. 1943;
        148.–157. Aufl. Bln: Suhrkamp (1949). 130 S. (GW); 158.–167. Tsd. 1952; 168.
        bis 172. Tsd. 1955; 173.–177. Tsd. 1957; 178.–182. Tsd. 1959; 183.–191. Tsd. 1960.
        Neudr. 1: [Mit] Steinzeichnungen v. Karl Walser. – Bln: S. Fischer 1922. 133 S. –
        Aufl.: 360.
        Zeichnungen: Karl Walser: 16 Steinzeichnungen zu HH's. Knulp. – Bln: S. Fi-
        scher 1922. – Aufl.: 50.
        Neudr. 2: Ed. with introd., notes, and vocabulary by William Diamond and
        Christel B. Schomaker. – New York: Oxford Univ. Press (1932). XVI, 164 S.
        (Oxford Library of German Texts.) – 7. Aufl. 1946; [neue Aufl.] 1949.
        Neudr. 3: [Mit] Zeichnungen von Niklaus Stoecklin. – Zch: Fretz & Wasmuth
        (1944). 137 S.
        Neudr. 4: [Mit] Zeichnungen von Niklaus Stoecklin. – Zch: Büchergilde Guten-
        berg (1945). 137 S.
        Neudr. 5: Bln: Suhrkamp; Paris: YMCA 1945. 107 S. [Dass. auch ohne Jahres-
        angabe.]
        Neudr. 6: Zch: Fretz & Wasmuth [1946]. 154 S.
        Neudr. 7: Tenafly, N. J.: H. Fel. Kraus 1946. 137 S.

---

* Ein bereits 1938 von der Bauerschen Gießerei in Frankfurt am Main geplanter
Neudruck mit Zeichnungen von Gunter Böhmer fiel 1944 einem Bombenangriff zum
Opfer. Erhalten blieben lediglich Abzüge von Probeseiten des Textes und des von
Hesse für diese Ausgabe geschriebenen Nachwortes.

Neudr. in: GD 3, S. 7–97.

Tdr.: Extraits présentés par S[uzanne] Debruge. – ([Paris]: Libr.) Hachette (1952). 93 S. (Classiques Hachette.)

E 113 Der schwarze König und zwei andere Aufsätze. Privatdr. – (St. Gallen) 1955: (Tschudy). 31 S.

Inh.: P 240, 792, 302.

E 114 Eine Konzertpause. – [Zch]: NZZ [1947]. 16 S. – [SA aus NZZ Nr. 2300 v. 22. 11. 1947.]

Neudr. in: E 145.

E 115 Krankennacht. – o. O. [um 1942]. Einblattdr.

Neudr. in: GG.

E 116 Krieg und Frieden. Betrachtungen zu Krieg und Politik seit dem Jahr 1914. [KF] – Zch: Fretz & Wasmuth (1946). 266 S.

Inh.: P 534, 486, 1285, 807, 1473, 488, 806, 426, 1364, 805, 1490, 1129, 1471, 365, 1545; B 13; P 351, 118, 1495, 141, 1143: Tdr., 34; B 115, 15.

a) *Neudr.:* Um die bis Ende 1948 entstand. Stücke erg. [KFa] – (Bln): Suhrkamp (1949). 230 S. (GW) – *Erw. um:* P 1538, 303; B 30, 89; P 1157.

Tdr.: Geleitwort zu einer Sammlung meiner «politischen» Betrachtungen seit 1914. – ([Zch: Conzett & Huber] 1946.) Unpag. 4 S. – SA aus NSRs, Juni 1946.

E 117 Kriegslektüre. – (Bln [um 1915]: Thomas.) 2 Bl.

E 118 Krisis. Ein Stück Tagebuch. [Kr] – Bln: S. Fischer (1928). 85 S. – Aufl.: 1150.

Inh.: G 185, 60, 656, 666, 479, 569, 546, 765, 435, 111, 299, 12, 397, 703, 311, 273, 519, 339, 107, 295, 233, 589, 639, 371, 191, 405, 198, 95, 94, 781, 258, 696, 447, 539, 126, 449, 438, 274, 275, 230, 348, 316, 723, 13, 532; P 1004.

Tdr. 1: Der Steppenwolf. Ein Stück Tagebuch in Versen. – In: NRs 37, 1926, II, S. 509–521. – *Inh.:* G 666, 569, 546, 765, 299, 397, 519, 339, 295, 589, 781, 539, 438, 348, 723, 532.

Tdr. 2: Aus einem lyrischen Tagebuch. – In: NSRs 20, 1927, S. 625–627. – *Inh.:* G 198, 191, 449, 447.

Tdr. 3: Aus dem Buch «Krisis». – In: TN. + In: GG. – *Inh.:* G 185, 479, 765, 519, 273, 435, 339, 371, 438, 539, 781, 230, 449, 589, 723, 532.

Kurgast s. Psychologia balnearia

E 119 Selma Lagerlöf. [Prospekt.] – Mchn: A. Langen [1908]. 3 S.

Hermann Lauscher s. Hinterlassene Schriften und Gedichte von Hermann Lauscher

E 120 Leben einer Blume. – [Bln 1934: Erasmusdr.] Unpag. 3 S.

Neudr. in: NG; *in:* GG; *in:* St.

E 121 Kurzgefaßter Lebenslauf. – (Stettin 1929: Herrcke & Lebeling.) 27 S. (Manuskriptdr. für die Besucher der Stettiner Volkshochschule, veranst. von Erwin Ackerknecht.)

Neudr. in: Tf; *in:* A 20.

E 121a Chinesische Legende. Privatdr. – (St. Gallen [1959]: Tschudy.) Unpag. 7 S.

E 122   Legende vom indischen König. – (Burgdorf: Berner Handpresse E. Jenzer 1948.) 15 S.

        Neudr.: Privatdr. – o. O. 1948. Unpag. 13 S.

E 123   Lektüre für Kriegsgefangene. (Den Gönnern und Stiftern unserer Gefangenen-bibliotheken gewidmet.) – Bern 1916: Stämpfli & Cie. 7 S. – *Inh.:* P 859.

E 124   Das Lied des Lebens. – [Zch: NZZ 1950.] Unpag. 2 S. – [SA aus NZZ Nr. 1329 v. 24. 6. 1950.]

E 125   Romantische Lieder. [RL] – Dresden u. Lpz: E. Pierson 1899. 44 S.

        Inh.: G 627, 431, 19, 768, 554, 199, 575, 421, 415, 209, 541, 175, 714, 310, 609, 417, 44, 155, 381, 128, 213, 687, 587, 614, 290, 323, 48, 88, 43, 148, 89, 70, 125, 483, 443, 47, 695, 617, 597, 414, 640, 249, 694, 262, 122, 40, 456, 440.

        Aufgenommen in: **GG.**

E 126   Märchen. [Mä] – 1.–5. Aufl. Bln: S. Fischer 1919. 182 S. – 6.–10. Aufl. 1919; 17.–21. Aufl. 1920; 22.–24. Aufl. 1922; GW: 25.–28. Aufl. 1925. 164 S.; 29.–31. Aufl. 1930.

        Inh.: P 58, 312, 985, 1472, 1369, 431, 705.

        a) *Neudr. 1:* Zch: Fretz & Wasmuth [1946]. 214 S. [Mäa] – *Erw. um:* P 458.
        Neudr. in: GD 3, S. 259–383.

        b) *Neudr. 3:* 1.–5. Aufl. dieser Ausg. = 32.–36. Aufl. aller Ausg. Bln [u. Ffm]: Suhrkamp (1955). 191 S. (GW) [Mäb] – 37.–41. Tsd. 1959. 179 S. – *Erw. um:* P 1095.

        Tdr.: Der schwere Weg. – Lpz 1927: (C. Wolf). 18 S. (Bücherlotterie der internat. Buchkunstausstellung Leipzig. 4.)

E 127   Zwei Märchen. – Bern: Bücherzentrale f. dt. Kriegsgefangene (1918). 52 S. (Bücherei f. dt. Kriegsgefangene. 13.)

        Inh.: P 58, 705.

E 128   Magie des Buches. – [Lpz: Poeschel & Trepte 1930.] VIII S. – [SA aus: Das Buch des Jahres 1930. Lpz 1930.]

        Neudr. 1: [Lpz: O. Harrassowitz 1931.] Unpag. 9 S. – SA aus Bücherei und Bildungspflege [11, 1931, S. 305–311].
        Neudr. 2: ([Bln] 1934: [K. H. Silomon].) 18 S. – *Aufl.:* 300.
        Neudr. 3: (Olten) 1942: (Dietschi). 23 S. (Den Teilnehmern am Goethe-Gedenktag der VOB, 6. Sept. 1942, überreicht von Hans Maag.) – *Aufl.:* 150.
        Neudr. 4: o. O. [um 1945]. Unpag. 4 S.
        Neudr. 5: Privatdr. – (Ffm 1950: D. Stempel A. G.) II, 22 S.
        Neudr. in: E 25a; *in:* BGa; *in:* A 25.

E 129   Mahnung. Erzählungen und Gedichte. Als Manuskript gedr. – Gotha 1933: (Werkstatt der Gothaer gewerbl. Berufsschule). 58 S. – *Aufl.:* 220.

        Inh.: G 110; P 189, 953; G 418; P 1528, 672, 426; G 157.

E 130   Maler und Schriftsteller. – [Solothurn: Museum Solothurn 1945.] 6 S. – [SA aus: Ausstellung Ernst Morgenthaler. Museum Solothurn, 22. 9. – 28. 10. 1945. Solothurn 1945.]

        Neudr. in: **GB**a.

E 131   Alter Maler in der Werkstatt. Hans M. Purrmann in Freundschaft gewidmet. – o. O. [1954]. Unpag. 3 S. mit einer Abb.

Neudr.: [Göttingen: Vandenhoeck & Ruprecht 1960.] Einblattdr. – [SA aus Slg 15, 1960, H.4.]
Neudr. in: **GeJ.**

E 132   Malfreude, Malsorgen. – ([Zch]: NZZ 1957.) 8 S. – SA aus NZZ [Nr. 356] v. 8. 2. 1957.

E 133   Die Morgenlandfahrt. Erzählung. – 1.–5. Aufl. Bln: S. Fischer (1932). 113 S. – 6.–8. Aufl. 1932; [9.–17. Aufl.] (Bln): Suhrkamp (1947). 100 S.; 18.–27. Tsd. 1951. 123 S. (Bibliothek Suhrkamp. 1.); 28.–37. Tsd. 1953; 38.–42. Tsd. 1957; 43.–47. Tsd. 1960.
Neudr.: Zch: Fretz & Wasmuth [1945]. 119 S.
Neudr. in: GD 6, S. 7–76.

E 134   Musik des Einsamen. Neue Gedichte. [**MdE**] – Heilbronn: E. Salzer 1915. 84 S.
Inh.: G 368, 709, 737, 219, 108, 705, 671, 496, 775, 76, 482, 439, 722, 454, 593, 420, 358, 448, 367, 655, 784, 190, 181, 51, 174, 96, 39, 153, 46, 669, 678, 476, 459, 395, 668, 399, 263, 150, 129, 57, 752, 134, 253, 30, 524, 756, 731, 598, 558, 9, 521, 511, 498, 486, 303, 80, 227, 127, 53, 24, 1, 745.
a) 11.–15. Tsd. 1916. [**MdEa**]; 21.–25. Tsd. 1917; 31.–40. Tsd. 1918; 41.–50. Tsd. 1920; 51.–55. Tsd. 1922; 56.–60. Tsd. 1925; 61.–65. Tsd. 1929; 66.–70. Tsd. 1929; 71.–75. Tsd. 1932; 76.–80. Tsd. 1936; 81.–84. Tsd. 1945; 85.–89. Tsd. 1950. 79 S.; 90.–94. Tsd. 1951; 95.–99. Tsd. 1953; 100.–104. Tsd. 1957; 105.–110. Tsd. 1959.– [G 108 ersetzt durch G 615.]
Aufgenommen in: **GG.**
Tdr.: Ode an Hölderlin. – [Murnau 1941: K. H. Silomon.] Einblattdr.

E 135   Nachbarn. Erzählungen. – Bln: S. Fischer 1908. 317 S. – 2. Aufl. 1909; 5. Aufl. 1909; 9. Aufl. 1909; 12. Aufl. 1909.
Inh.: P 1394, 375, 499, 791, 1267.
a) 13.–16. Aufl. 1921. 257 S. [Ohne P 375.]
Tdr. 1: In der alten Sonne. Illustr. von Wilhelm Schulz. – Bln: S. Fischer [1914]. 107 S. (Fischers illustr. Bücher. 3.) – 16.–23. Aufl. 1921; 24.–27. Aufl. 1924; 28. bis 31. Aufl. 1927.
Tdr. 2: In der alten Sonne. Erzählung. – Lpz: Reclam (1943). 69 S. (Reclams Universal-Bibliothek. 7557.) – [Neudr.] 1944; [Neudr.] 1948. 77 S.; [Neudr.] Stgt 1948; [Neudr.] Lpz 1950; [Neudr.] 1951; [Neudr.] 1953; [Neudr.] Stgt 1953. 58 S.; [Neudr.] Lpz 1957. 77 S.; [Neudr.] Stgt 1959. 58 S.; (6. Aufl. seit 1945.) Lpz 1959. 66 S.

E 136   Nachruf an Hugo Ball. – [Bln: S. Fischer 1927.] Unpag. 2 S. [Als Beilage zu NRs 38, 1927, H. 10.]
Neudr. in: **BG**; *in:* **GBa.**

E 137   Nachruf für Marulla [Hesse]. – ([Zch] 1953: [Gebr. Fretz].) 16 S.
Neudr. in: **Bsg.**

E 138   Nachruf auf Christoph Schrempf. – Zch: Fretz & Wasmuth 1944. 10 S. – SA aus NSRs, April 1944.
Neudr. in: **GBa.**

E 139   Föhnige Nacht. – [Bln: S. Fischer] 1938. Einblattdr. – SA aus NRs, April 1938.
Neudr. in: **ZehnG**; *in:* **GG**; *in:* **BZ**; *in:* **St.**

E 140 Narziß und Goldmund. Erzählung. – 1.–20. Aufl. Bln: S. Fischer (1930). 417 S.
(GW) – 21.–30. Aufl. 1930; 31.–40. Aufl. 1930; 41.–46. Aufl. 1931; 47.–52. Aufl.
1932; 53.–55. Aufl. 1935; 56.–58. Aufl. 1937; 62.–64. Aufl. 1940; 65.–69. Aufl.
1941; [neue Aufl.] Bln: Suhrkamp (1947);
1.–30. Tsd. = 79.–108. Tsd. aller Ausg. Bln: Suhrkamp (1948). 191 S. (S. Fischers
Bibliothek.); 31.–50. Tsd. = 109.–128. Tsd. aller Ausg. 1949;
109.–113. Tsd. ⟨sic!⟩ Bln [u. Ffm]: Suhrkamp 1951. 410 S. (GW); 139.–163. Tsd.
1953. 318 S. (Suhrkamp-Hausbuch 1953.); 174.–179. Tsd. 1955. 410 S. (GW);
180.–210. Tsd. 1956; 211.–216. Tsd. 1957; 217.–222. Tsd. 1960.
Neudr. 1: Zch: Büchergilde Gutenberg [1944]. 392 S.
Neudr. 2: (Zch): Manesse-Verl. [1945]. 450 S. (Manesse-Bibliothek der Welt-
literatur.) – 2. Aufl. 1946.
Neudr. 3: Tenafly, N. J.: H. Fel. Kraus 1946. 392 S.
Neudr. 4: (Einmalige österr. Ausg.) Wien: Bermann-Fischer 1948. 405 S.
Neudr. 5: Zch: Fretz & Wasmuth (1949). 451 S.; [neue Aufl.] 1956.
Neudr. 6: Ffm: Büchergilde Gutenberg (1955). 286 S.
Neudr. 7: Bln: Aufbau-Verl. 1957. 325 S.
Neudr. 8: Wien: Buchgemeinschaft Donauland [1960]. 351 S.
Neudr. 9: Zch: Schweizer Druck- u. Verlagshaus [1960]. 352 S. (Neue Schweizer
Bibliothek.)
Neudr. 10: Hamburg, Bln: Dt. Hausbücherei (1960). 351 S.
Neudr. 11: [Düsseldorf]: Dt. Bücherbund; (Stgt): Stuttgarter Hausbücherei
[1960]. 351 S.
Neudr. in: GD 5, S. 7–322.

E 141 Die Nikobaren. – [Basel]: NatZ 1954. Unpag. 4 S. – SA aus NatZ Nr. 607 v.
31. 12. 1954.

E 142 Nörgeleien. – ([Basel]: NatZ 1951.) Unpag. 4 S. – SA aus NatZ [Nr. 521] v.
11. 11. 1951.

E 143 Notizblätter um Ostern. – [Zch]: NZZ 1954. 12 S. – SA aus NZZ [Fernausg.]
Nr. 132 v. 15. 5. 1954.
Neudr. in: Bsg.

E 144 Aus einem Notizbuch. Privatdr. – (St. Gallen 1951: Tschudy.) Unpag. 8 S. (Der
Vierteljahrsschr. f. neue Dichtung «Hortulus» entnommen.)
Neudr.: Ein Traum. – ([Basel]: NatZ 1953.) Unpag. 3 S. – SA aus NatZ [Nr. 588]
v. 19./20. 12. 1953, Sobeil.

E 145 Musikalische Notizen. – [Zch: Conzett & Huber 1948.] 20 S. – SA aus NSRs,
[Febr. 1948].
Inh.: P 1047.
Tdr.: (Ein Satz über die Kadenz.) Dank für Briefe und Glückwünsche. – [Zch
1961: Gebr. Fretz.] Unpag. 4 S.

E 146 Notizen aus diesen Sommertagen. – ([Basel]: NatZ 1948.) Unpag. 4 S. – SA aus
NatZ Nr. 362 v. 7./8. 8. 1948, Sobeil.

E 147 Der Novalis. Aus den Papieren eines Altmodischen. – (Olten): VOB 1940. 61 S.
(6. Veröffentlichung der VOB.) – Aufl.: 1221.
Inh.: P 1055, 1020.
Neudr. in: S 3 [ohne P 1020].

E 148 Die Offizina Bodoni in Montagnola. – (Hellerau: J. Hegner 1923.) 12 S.

E 149   Orgelspiel. – [Bln 1937: Erasmusdr.] Unpag. 8 S.
         Neudr.: Hamburg: Dulk [1940]. 13 S. – 3. Tsd. [1940]; 2. Aufl. o. J.; [neue Aufl.]
         1946.
         Neudr. in: GG.

E 150   Der Pfirsichbaum und andere Erzählungen. (Zeichnungen von Isa u. Heiner
         Hesse.) – Zch: Büchergilde Gutenberg 1945. 51 S. – Aufl.: 12 000.
         Inh.: P 1086, 795, 39, 117, 1328.
         Tdr.: Aquarell. – (Basel: NatZ 1960.) Unpag. 4 S. – SA aus NatZ Nr. 361 v.
         7. 8. 1960.

E 151   Piktors Verwandlungen. Ein Märchen. – Chemnitz: Gesellschaft d. Bücher-
         freunde 1925. 18 S. (Veröff. d. Gesellsch. d. Bücherfreunde zu Chemnitz. 21.) –
         Aufl.: 650.
         Neudr.: Faksimile-Ausg. nach der Handschrift u. nach Illustr. des Dichters. –
         (Bln u. Ffm: Suhrkamp 1954.) 18 Bl., 1 Beil.

E 152   Allerlei Post. Rundbrief an Freunde. – [Zch]: NZZ 1952. Unpag. 2 S. – SA aus
         NZZ Nr. 236 v. 2. 2. 1952.
         Neudr. in: Bsg.

E 153   Prosa. Auf einen Dichter. – [Zch: Fretz & Wasmuth] 1942. Einblattdr. – SA aus
         NSRs, April 1942.
         Neudr.: Dank für Glückwünsche und Briefe. – [Zch 1961: Gebr. Fretz.] Unpag. 4 S.
         Neudr. in: GG; *in:* A 25; *in:* TB; *in:* St.

E 154   Späte Prosa. [SpP] – 1.–4. Tsd. Bln [u. Ffm]: Suhrkamp (1951). 195 S. (GW) –
         5.–9. Tsd. 1951; 10.–14. Tsd. 1956.
         Inh.: P 795, 1086, 1143, 1370, 113, 119, 1228, 578, 1227, 52, 1474.
         Neudr. in: GD 4, S. 797–936.
         Tdr.: Drei Erzählungen. Nachwort von Max Rychner. – 1.–10. Tsd. (Ffm): Suhr-
         kamp (1961). 60 S. (suhrkamp texte. 8.) – *Inh.:* P 113, 119, 1228.

E 155   Psychologia balnearia oder Glossen eines Badener Kurgastes. – Montagnola:
         [Selbstverl.] 1924. 137 S. – Aufl.: 300.
         Neudr. 1: Kurgast. Aufzeichnungen von einer Badener Kur. – 1.–10. Aufl. Bln:
         S. Fischer (1925). 160 S. (GW) – 11.–14. Aufl. 1925.
         Neudr. 2: Kurgast./Die Nürnberger Reise. Zwei Erzählungen. – Zch: Fretz &
         Wasmuth [1946]. 264 S. [Mit einem Nachwort.] – *Neudr.:* 1.–6. Tsd. dieser Ausg.
         [Bln u.] Ffm: Suhrkamp (1953). 254 S. (GW)
         Neudr. in: GD 4, S. 7–115.

E 156   Unterm Rad. Roman. – Bln: S. Fischer 1906 [i. e. 1905]. 294 S. – 13. Aufl. 1906;
         14. Aufl. 1906; 16. Aufl. 1908; 17. Aufl. 1908;
         [neue Aufl.] 1909. 180 S. (S. Fischers Bibliothek zeitgenöss. Romane. II, 1.);
         109.–118. Aufl. [1921]; 119.–122. Aufl. 1923;
         GW: 143.–146. Aufl. aller Ausg. 1927. 250 S.; 147.–149. Aufl. 1930; 150. u. 151.
         Aufl. 1938;
         152.–156. Tsd. Bln u. Ffm: Suhrkamp (1951). 243 S. (GW); 157.–162. Tsd. 1956.
         Neudr. 1: Zch: Fretz & Wasmuth (1951). 245 S.
         Neudr. 2: Bln: Aufbau-Verl. 1952. 183 S.
         Neudr. 3: Peter Camenzind. Unterm Rad. 1952.

Neudr. 4: Zch: Büchergilde Gutenberg 1952. 256 S.
Neudr. in: **Gbs**; *in:* GD 1, S. 373–546.

E 157 (Regen im Herbst.) Gruß und Glückwunsch von HH. – (Montagnola: [Selbstverl.] 1953.) Unpag. 4 S.

Neudr. in: **GeJ**; *in:* **vsG**; *in:* **LG**; *in:* **St.**

E 158 Die Nürnberger Reise. – 1.–15. Aufl. Bln: S. Fischer (1927). 124 S. – 16.–20. Aufl. 1928; 21.–25. Aufl. 1942.

Neudr.: Kurgast./Die Nürnberger Reise. 1946 u. 1953.
Neudr. in: GD 4, S. 117–181.

E 159 Rigi-Tagebuch. – [Zch: Conzett & Huber] 1945. 11 S. – SA aus NSRs, Sept. 1945.

Neudr.: Als Manuskript gedr. – Bern 1945: Stämpfli & Cie. 24 S.
Neudr. in: E 55; *in:* E 13; *in:* **SpP.**

E 160 Über Romain Rolland. – o. O. [1948]. Einblattdr.

Neudr. in: **KFa**; *in:* **BGa.**

E 161 Roßhalde. Roman. – 1.–10. Aufl. Bln: S. Fischer 1914. 304 S. – 11.–20. Aufl. 1914; 21.–30. Aufl. 1918; 31.–40. Aufl. 1919; 43.–47. Aufl. 1921; GW: 48.–52. Aufl. 1925. 238 S.; 53.–55. Aufl. 1931; 1.–5. Aufl. dieser Ausg., 56.–60. Tsd. der Gesamtaufl. Bln u. Ffm: Suhrkamp (1956). 244 S. (GW)

Neudr. 1: Bln: Dt. Buch-Gemeinschaft [1932]. 304 S.
Neudr. 2: Zch: Büchergilde Gutenberg [1947]. 275 S.
Neudr. 3: Zch: Fretz & Wasmuth [1951]. 236 S.
Neudr. 4: (Gütersloh): Bertelsmann Lesering 1961. 160 S.
Neudr. in: GD 2, S. 469–633.

E 162 Rückblick. Ein Fragment aus der Zeit um 1937. – ([Zch: Conzett & Huber] 1951.) Unpag. 4 S. – SA aus NSRs, Juni 1951.

Neudr.: [Freiburg i. Br.: Kirchhoff] 1952. Unpag. 6 S. – [SA aus: Edmund Gnefkow: HH. 1952.]
Neudr. in: **GGd.**

E 163 Rückgriff. Privatdr. – (St. Gallen) 1960: (Tschudy). 18 S.

Inh.: P 715, 1347.

E 164 Rundbrief aus Sils-Maria. – [Zch]: NZZ 1954. 16 S. – SA aus NZZ Nr. 1999, 2000, 2004, 2005 vom 18. 8. 1954.

Neudr.: Privatdr. – (St. Gallen) 1954: (Tschudy). 23 S.
Neudr. in: **Bsg.**

E 165 In Sand geschrieben. – [Zch: NZZ 1947.] Einblattdr. – [SA aus NZZ Nr. 1880 v. 27. 9. 1947.]

Neudr. in: **DrG**; *in:* E 86; *in:* **GGc**; *in:* **TB**; *in:* **St.**

E 166 Anton Schievelbeyn's ohn-freywillige Reisse nacher Ost-Indien. – Mchn: H. F. S Bachmair 1914. 15 S. (7. Münchner Liebhaberdr.) – Aufl.: 750.

Neudr. in: **Fbb.**

E 167 Der Schlossergeselle. – [Basel]: NatZ 1953. Unpag. 4 S. – SA aus NatZ Nr. 39 v. 24./25. 1. 1953.

E 168   Schmerzen. – [Bln 1935: Erasmusdr.] Einblattdr.
Neudr. in: **NG**; *in:* **GG**; *in:* **St**.

E 168a   Schreiben und Schriften. Privatdr. – St. Gallen 1961: Tschudy. Unpag. 23 S.

E 169   Hinterlassene Schriften und Gedichte von Hermann Lauscher. Hg. **[HL]** – Basel:
R. Reich 1901. 83 S.
Inh.: P 1432, 771, 1061, 1332. Letzte Gedichte: G 430, 113, 652, 441.2, 91, 266,
327, 330, 441.3.
a) *Neudr.:* Hermann Lauscher. **[HLa]** – Düsseldorf: Verl. der Rheinlande 1907.
189 S. – 2. Tsd. 1908; 3. Tsd. 1908; 4. Tsd. 1908; 5. Tsd. 1908; 6. Tsd. 1908. -
Erw. um: P 1413, 889, 1028.
Neudr.: (Neue [Titel-] Ausg.) – Mchn: A. Langen 1911. III, 189 S. – 5.–7. Tsd.
1920. 229 S.
b) *Neudr.:* Mit 25 Zeichnungen von Gunter Böhmer. **[HLb]** – 1.–6. Aufl. der
illustr. Ausg. Bln: S. Fischer (1933). 197 S. (GW) – 7.–9. Aufl. 1934. [P 1413 ersetzt durch P 540.]
Neudr. [ohne die Gedichte] *in:* S 3.
Letzte Gedichte *aufgenommen in:* GG.

E 170   Siddhartha. Eine indische Dichtung. – 1.–6. Aufl. Bln: S. Fischer 1922. 147 S. –
11.–14. Aufl. 1924; 15.–18. Aufl. 1925;
GW: 19.–23. Aufl. 1925. 174 S.; 33. Aufl. 1929; 34. Aufl. 1935; 35. u. 36. Aufl.
1937; 37.–39. Aufl. 1942;
40.–44. Aufl. Bln: Suhrkamp (1950). 172 S. (GW); 50.–56. Tsd. 1953; 57.–61. Tsd.
1955; 62.–65. Tsd. 1957; 66.–70. Tsd. 1959.
Neudr. 1: Zch: Büchergilde Gutenberg [1945]. 176 S.
Neudr. 2: Tenafly, N. J.: H. Fel. Kraus 1946. 176 S.
Neudr. 3: Zch: Fretz & Wasmuth (1948). 207 S.
Neudr. in: S 1; *in:* A 19; *in:* GD 3, S. 615–733.
Tdr.: Zusammengestellt von H. Onozawa. – Tokio: Naukods [um 1928]. 151 S.
(Naukods dt. Bibliothek.)

E 171   Zum Sieg. – (Stgt [1915]: Die Lese.) 16 S. (Die farbigen Heftchen der Waldorf-
Astoria. 3.)

E 172   Sinclairs Notizbuch. **[SN]** – Zch: Rascher & Cie. 1923. 109 S. – Aufl.: 1100.
Inh.: P 1438, 807, 426, 806, 365, Sätze aus dem «Demian», P 1557, 923, 1490,
1471, 518, 558, 244.
Tdr.: Aus Martins Tagebuch. Ein Fragment aus dem Jahre 1918. – [Basel]: NatZ
1954. 4 S. – SA aus NatZ Nr. 97 v. 28. 2. 1954.

Ein Sommer in Gedichten s. Gedichte des Sommers 1929

E 173   Sommerbrief. (Privatdr. – St. Gallen 1959: Tschudy.) 16 S.
Sommernacht mit Raketen. 1953 s. Feuerwerk. Neudr.

E 174   Eine Sonate. – ([Basel]: NatZ 1951.) Unpag. 6 S. – SA aus NatZ Nr. 378 v.
19. 8. 1951, Sobeil.
Spätsommer. 1948 s. Blumengießen. Neudr.

E 175   Spaziergang in Würzburg. (Privatdr. – St. Gallen [1947]: Tschudy.) Unpag. 13 S.
Nächtliche Spiele. 1954 s. Traumtheater. Neudr.

E 176 Der Steppenwolf. – 1.–15. Aufl. Bln: S. Fischer (1927). 289, 33 S. (GW) – 16.
bis 25. Aufl. 1928; 26.–30. Aufl. 1928; 31.–35. Aufl. 1928; 36.–40. Aufl. o. J.; 41.
u. 42. Aufl. 1940;
[neue Aufl.] (Bln): Suhrkamp (1947). 289, 33 S. (GW); 52.–56. Tsd. 1952. 296,
32 S.; 57.–63. Tsd. 1956; 64.–68. Tsd. 1959.

a) *Neudr. 1:* Zch: Büchergilde Gutenberg [1942]. 301, 41 S. – *Erw. um:* P 1024.
Neudr. 2: (Zch): Manesse-Verl. [1946]. 313, 41 S. (Manesse-Bibliothek d. Welt-
literatur.) [Ohne P 1024.]
Neudr. 3: Tenafly, N. J.: H. Fel. Kraus 1946. 301, 41 S.
Neudr. 4: Zch: Fretz & Wasmuth [1949]. 286 S. – [Ohne P 1024.]
Neudr. 5: 1.–40. Tsd. dieser Ausg. [Bln u.] Ffm: Suhrkamp 1961. 267, 31 S.
(Suhrkamp-Hausbuch 1961.)
Neudr. in: GD 4, S. 183–415 [ohne P 1024].

Tdr.: Tractat vom Steppenwolf. Nachwort von Beda Allemann. – 1.–10. Tsd.
(Ffm): Suhrkamp (1961). 43 S. (suhrkamp texte. 7.)

E 177 Die Stimmen und der Heilige. Ein Stück Tagebuch. (Privatdr. – [Zch] 1948: Johannespresse.) 15 S.

Neudr.: (Privatdr. – [Zch] 1948: Johannespresse.) Unpag. 15 S. mit einer Zeich-
nung von Gunter Böhmer.

E 178 Stufen. Noch ein Gedicht Josef Knechts. (Als Manuskript gedr. – Pößneck) 1943:
(Bezirksschule für das graph. Gewerbe in Thüringen). 4 Bl. – Aufl.: 101.

Neudr. 1: (Handpressendr. Orig.-Holzschnitt v. Peter Jos. Paffenholz.) – [Oranien-
baum: Karl Keller 1946.] 2 Bl. – Aufl.: 200.
Neudr. 2: [Essen 1947: G. Olbrecht.] Einblattdr.
Neudr. in: GJKb; *in:* GG; *in:* BZ; *in:* vJ; *in:* TB; *in:* E 21; *in:* St.

E 179 Stufen der Menschwerdung. – ([Olten]: VOB 1947.) 31 S. – Aufl.: 375.

E 180 Eine Stunde hinter Mitternacht. [StM] – Lpz: E. Diederichs 1899. 84 S. – Aufl.:
600.

Inh.: P 703, 15, 446, 696, 442, 559, 474, 1053, 1363.

a) *Neudr.:* Zch: Fretz & Wasmuth (1941). 141 S. [StMa] – Aufl.: 1500. – 2. Aufl.
1942. – *Erw. um:* P 542.
Neudr. in: S 3.

E 181 Stunden im Garten. Eine Idylle. – 1.–6. Aufl. (Wien): Bermann-Fischer (1936).
63 S. – 7.–12. Aufl. 1936.

Neudr.: Illustr. von Gunter Böhmer. – Zch: Büchergilde Gutenberg [1948]. 76 S.
Neudr. in: S 4; *in:* GD 5, S. 323–351.

E 182 Stunden am Schreibtisch. – ([Basel]: NatZ 1949.) 4 S. – SA aus NatZ [Nr. 256]
v. 12. 6. 1949.

Neudr. in: E 212; *in:* HBr; *in:* Br.

E 183 Aus dem «Tagebuch eines Entgleisten». – ([Basel]: NatZ 1950.) Unpag. 4 S. –
SA aus NatZ Nr. 440 v. 24. 9. 1950.

E 184 Aus einem Tagebuch des Jahres 1920. – Zch: Verl. der Arche (1960). 47 S. (Die
kleinen Bücher der Arche. 325/326.)

E 185 (Tagebuchblatt. Ein Maulbronner Seminarist.) Dank für Briefe und Glückwünsche. – (St. Gallen [1955]: Tschudy.) Unpag. 20 S.

Inh.: P 1337, 1241.

Tessin. 1957 s. Bilderbuch. Tdr.

E 186 Tragisch. Erzählung. – Wien, Lpz, Zch: H. Reichner 1936. 15 S.

Neudr.: ([Graz]: Graph. Abteilg. der Grazer gewerbl. Berufsschule [1957].) 12 S.

Neudr. in: **Tf**; *in:* A 25.

E 187 Der Trauermarsch. Gedenkblatt für einen Jugendkameraden. Privatdr. – (St. Gallen) 1957: (Tschudy). 23 S.

E 188 Ein Traum Josef Knechts. Privatdr. – [Bln] Sept. 1936: [Erasmusdr.] 6 Bl. Leporello.

Neudr.: o. O. 1936. 1 Bl.

Neudr. in: GJKa; *in:* GG.

E 189 Traumfährte. Neue Erzählungen und Märchen. [Tf] – Zch: Fretz & Wasmuth (1945). 244 S.

Inh.: P 1368, 1359, 772, 849, 1286, 900, 426, 358, 1075, 1298, 793, 1404.

Neudr.: 1.–5. Tsd. [Ffm]: Suhrkamp 1959. 193 S. (GW)
Neudr. in: GD 4, S. 417–557.

Ein Traum. 1953 s. Aus einem Notizbuch. Neudr.

E 190 Traumtheater. Aufzeichnungen. – [Basel]: NatZ 1948. Unpag. 2 S. – SA aus NatZ [Nr. 188] v. 24./25. 4. 1948.

Neudr.: Nächtliche Spiele. – [Zch]: NZZ 1954. 9 S. – SA aus NZZ Nr. 3065 v. 5. 12. 1954.

Neudr. in: **Bsg**.

E 191 Trost der Nacht. Neue Gedichte. [TN] – 1.–8. Aufl. Bln: S. Fischer (1929). 197 S. (GW) – 9. u. 10. Aufl. 1936; 11. u. 12. Aufl. 1942.

Inh.: Aus «Unterwegs»: Uwa.Tdr. Aus den Jahren 1914 bis 1917: G 749, 615, 36, 416, 699, 577, 65, 757, 68, 424, 217, 620, 648, 680, 378, 599, 109, 369, 75, 697, 418. Aus den Jahren 1918 und 1919: G 307, 481, 711, 8, 419, 301, 468, 2, 141, 574, 37, 478, 526, 379, 52, 160, 650, 186, 621, 66, 352, 312, 291, 14, 10. Gedichte des Malers: GdMa. Aus den Jahren 1920 bis 1925: G 362, 409, 58, 555, 508, 309, 649, 660, 742, 755, 422, 216, 528, 503, 738, 743, 42, 600. Aus dem Buch «Krisis»: Kr.Tdr. 3. Verse im Krankenbett. Letzte Gedichte: G 645, 466, 261, 259, 118, 34, 157, 604, 32, 104, 387.

Aufgenommen in: GG.

Tdr.: Bücher. – [Murnau] 1937: [K. H. Silomon.] 2 Bl.

E 192 Umwege. Erzählungen. – Bln: S. Fischer 1912. 309 S. – 2. Aufl. 1912; 3. Aufl. 1912; 6. Aufl. 1912; 8. Aufl. 1912; 9. Aufl. 1912; 11.–13. Aufl. 1919; 14.–18. Aufl. 1921.

Inh.: P 827, 653, 1497, 799, 1076.

Tdr.: Die Heimkehr. Erzählung. (Einleitung von Erwin Ackerknecht.) – 1.–20. Tsd. Wiesbaden: Verl. d. Volksbildungsvereins 1914. 62 S. (Wiesbadener Volksbücher. 172.) – 21.–40. Tsd. 1916; 41.–60. Tsd. 1919; ([neue Aufl.] Einleitung von F. K. Richter.) – Rottenburg: Verl. Dt. Volksbücher (1949). 70 S. (Wiesbadener Volksbücher. 172.); [neue Aufl.] Stgt: Verl. Dt. Volksbücher o. J. 64 S. (Wiesbadener Volksbücher. 556.)

E 193   Unterwegs. Gedichte. [**Uw**] – Mchn: Gg. Müller 1911. 59 S. – Aufl.: 500.

Inh.: G 117, 72, 231, 224, 748, 102, 594, 156, 366, 772, 420, 38, 71, 92, 390, 552, 154, 81, 504, 131, 133, 82, 540, 130, 30, 324, 170, 693, 511, 646, 232, 50, 585, 618, 665, 240, 762, 773, 87, 637, 318, 289, 237, 54, 277, 120, 385, 334, 228, 446, 505, 715, 753, 766.

a) 2. vermehrte Aufl. mit einem Anhang «Zeitgedichte». 1915. 111 S. [**Uwa**; ohne G 420, 30, 511, 228.] – *Vermehrt um:* G 606, 590, 215, 360, 586, 611, 684, 506, 563, 428, 492, 632, 774, 721, 763, 607, 347, 747, 560, 392; **ZG**; P 1025.

Aufgenommen in: **GG** [ohne G 464, 488, 254; P 1025].

Tdr. in: **TN**. – *Inh.:* G 753, 231, 102, 506, 131, 224.1, 611, 762, 277, 237, 594, 232, 746, 400.

E 194   Aus Venedig. Lyrisches Tagebuch. [**VT**] – In: NRs 15, 1904, S. 615–621.

Inh.: G 661, 470, 390, 638, 717, 325, 71, 786, 530.

E 195   Verse im Krankenbett. [**VK**] Privatdr. – (Bern 1927: Stämpfli & Cie.) 20 S.

Inh.: G 121, 412, 442, 580, 550, 97, 268, 610, 247, 241, 759, 357, 729, 31, 296.

Neudr. in: **TN**; *in:* **GG**.

Tdr.: Verse. – In: NRs 39, 1928, II, S. 80–84. – *Inh.:* G 442, 580, 550, 97, 268, 729, 31.

E 196   Verse aus Venedig. [**VeV**] – In: Schweiz 8, 1904, S. 200.

Inh.: G 428, 92, 584, 602.

E 197   Wanderer im Spätherbst. – [Bern 1958: Stämpfli & Cie.] 4 Bl.

Neudr. in: **LG**; *in:* **St**.

E 198   Wanderung. Aufzeichnungen. Mit farb. Bildern vom Verf. [**Wa**] – 1.–6. Aufl. Bln: S. Fischer 1920. 117 S. – 7.–10. Aufl. 1922; 11.–13. Aufl. 1927; 14.–23. Aufl. Bln [u. Ffm]: Suhrkamp 1949. 113 S.

Inh.: P 85; G 629; P 101; G 599; P 340; G 481; P 186; G 369; P 1085, 527; G 424; P 64; G 6; P 1127, 744; G 650; P 946; G 37; P 1234; G 280; P 671, 638; G 2.

Neudr. [ohne Aquarelle] *in:* **GD** 3, S. 385–425.

E 199   Für Max Wassmer. Zum 60. Geburtstag. – [Bern: Der Bund 1947.] Einblattdr. – [SA aus KlBd 28, 1947, Nr. 34.]

E 200   Am Weg. [**AW**] – 1.–7. Tsd. Konstanz: Reuß & Itta 1915. 87 S. (Die Zeitbücher. 24.) – 8.–10. Tsd. 1916; 11.–15. Tsd. 1916; 21.–25. Tsd. o. J.; 36.–39. Tsd. Lpz: Hesse & Becker o. J. 86 S.

Inh.: P 735, 1528, 458, 189, 560, 672, 1242, 660.

Neudr. 1: Illustr. von Louis Moilliet. – Zch: Büchergilde Gutenberg [1943]. 63 S. – Aufl.: 8500.

a) *Neudr. 2:* Zch: W. Classen (1946). 79 S. (Vom Dauernden in der Zeit. 14.) – *Erw. um:* P 1522.

Tdr.: Der Brunnen im Maulbronner Kreuzgang. – o. O. 1937. 5 Bl. – Aufl.: 100.

E 201   Weihnacht mit zwei Kindergeschichten. – [Zch]: NZZ 1951. Unpag. 4 S. – SA aus NZZ Nr. 33 v. 6. 1. 1951.

Neudr. in: **SpP**.

E 202   Weihnachtsgaben und anderes. Privatdr. – [St. Gallen] 1956: [Tschudy]. 30 S.

Inh.: P 169, 1478, 737; B 205.

E 203 Wenkenhof. Eine romantische Jugenddichtung. – [Basel]: NatZ 1957. Unpag. 3 S. – SA aus NatZ Nr. 495 v. 27. 10. 1957.

E 204 Die kulturellen Werte des Theaters. – o. O. (1947). 3 S.

E 205 Wiederbegegnung mit zwei Jugendgedichten. – [Braunschweig]: Westermann [1956]. Einblattdr. – SA aus WMtsh [97, 1956, H.9].

E 206 Das Wort. – ([Zch: Conzett & Huber] 1960.) Unpag. 4 S. – SA aus: Das Wort. Lit. Beil. der Zeitschr. «du», Januar 1960.

E 207 Zarathustras Wiederkehr. Ein Wort an die deutsche Jugend. Von einem Deutschen. – Bern: Stämpfli & Cie. 1919. 39 S. [Anonym.]
Neudr.: 2.–6. Aufl. Bln: S. Fischer 1920. 44 S. – 7.–10. Aufl. 1920; 14.–18. Aufl. 1921; 19.–21. Aufl. 1924.
Neudr. in: **KF**; *in:* **BGa**.

E 208 Zeitgedichte. [ZG] – In: Unterwegs. 2. vermehrte Aufl. 1915.
Inh.: G 300, 264, 746, 464, 400, 267, 667, 488, 782, 559, 353, 182, 106, 507, 254, 26, 533, 437.
Neudr. in: **GG** [ohne: G 464, 488, 254].
Tdr. 1: Friede. – o. O. [1939]. Einblattdr. – («Dieses Gedicht wurde vor 25 Jahren, einige Wochen nach Beginn des Weltkrieges, geschrieben.»)
Tdr. 2: Friede. (Geschrieben von P[eter] J[os.] Paffenholz. Handpressendr. – Köln: M. Schmidt [1942].) 3 S.

E 208a Zen. Privatdr. – St. Gallen 1961: Tschudy. Unpag. 37 S.
Inh.: P 1411; B 116; G 458, 494a; P 786.

Briefe

E 209 Briefe. – 1.–9. Tsd. (Bln u. Ffm): Suhrkamp (1951). 431 S. (GW)
a) 10.–12. Tsd. 1954. 434 S. [Mit einem Nachwort.]
b) Neue erw. Ausg. 12.–16. Tsd. 1959. 526 S. [**Br**; ohne Brief an Dr. Walther Meier, 21. 2. 1949 u. An einen Professor in Amerika, Okt. 1950.]
Neudr. der 2. Aufl. *in:* GS 7, S. 473–784 [ohne den Brief «An einen ‚einfachen Mann aus dem arbeitenden Volk‘», 15. 4. 1950].

*

E 210 Blätter vom Tage. Privatdr. – (Zch 1948: Gebr. Fretz.) 16 S.
Inh.: B 10, 65; P 1535.

E 211 Zwei Briefe. An einen jungen Künstler. Das junge Genie. – St. Gallen: Tschudy 1950. 15 S. (Der Bogen. 1.) – 3. Aufl. 1958.
Neudr. in: **HBr**; *in:* **Br**.
Tdr. 1: Das junge Genie. Brief an einen Achtzehnjährigen. – (St. Gallen: Tschudy 1950.) 14 S.
Tdr. 2: Das junge Genie. Antwort an einen Achtzehnjährigen. – [Zch: NZZ 1950.] Unpag. 2 S. – [SA aus NZZ Nr. 740 v. 9. 4. 1950.]

E 212 Brief-Mosaik [I]. – In: NSRs NF 17, 1949/50, S. 673–696.
Inh.: B 179, 110, 148; P 1041; B 64, 42, 143, 119, 24, 104, 131, 212, 201, 52, 58, 118, 63, 81.

Aufgenommen in: **Br** [ohne B 143, 104].

Tdr. 1: Briefmosaik zur geistigen Lage [I]. – In: Univ 5, 1950, S. 769–778. – *Inh.:* P 1041; B 64, 42, 143, 119, 24.

Tdr. 2: Briefmosaik zur geistigen Lage II. – In: Univ 5, 1950, S. 909–918. – *Inh.:* B 131, 212, 201, 52, 58, 118, 63.

E 213 Brief-Mosaik II. – In: NSRs NF 18, 1950/51, S. 195–221.
Inh.: B 168, 67, 68, 105, 61, 176, 175, 97, 14, 169, 155, 28, 17, 59, 79, 22, 35, 126, 50; P 1173.
Aufgenommen in: **Br**.
Tdr.: Briefe nach Deutschland. Neues Briefmosaik. – In: Univ 6, 1951, S. 1–12. – *Inh.:* B 79, 22, 169: Tdr., 155, 28, 17, 126; P 1173.

E 214 Eine Handvoll Briefe. [HBr] – Zch: Büchergilde Gutenberg 1951. 60 S. – Aufl.: 3000.
Inh.: B 148; P 1041; B 110, 64, 42, 119, 131, 24, 201, 212, 52, 58, 63, 118, 67, 68, 105, 61, 176, 14, 175, 169, 155, 28, 59, 17, 79, 35, 50, 22, 126; P 1173; B 198, 32, 6.
Aufgenommen in: **Br**.

E 215 Weltanschauliche Briefe politischer Richtung. – In: SchwMtsh 36, 1956/57, S. 189–194.
Inh.: B 54, 193, 38, 96, 136, 114.
Aufgenommen in: **Br**.

E 216 Weltanschauliche Briefe philosophischer Richtung. – In: SchwMtsh 36, 1956/57. S. 258–267.
Inh.: B 215, 187, 135, 197, 156, 186, 173, 182, 174, 87, 171.
Aufgenommen in: **Br** [ohne B 174].

E 217 Briefe über sich selbst und das eigene Werk. – In: SchwMtsh 36, 1956/57, S. 452–458.
Inh.: B 144, 111, 214, 5, 162, 112, 23.
Aufgenommen in: **Br**.

E 218 Ratbriefe für junge Mädchen und anfangende Dichter. – In: SchwMtsh 37, 1957/58, S. 306–311.
Inh.: B 60, 62, 203, 41, 94, 145, 117, 43, 44.
Aufgenommen in: **Br** [ohne B 94, 44].

E 219 Antworten. Privatdr. – [St. Gallen] 1958: Tschudy. 30 S.
Inh.: B 203, 117, 171, 43, 172, 106, 204, 181, 40, 27.
Aufgenommen in: **Br**.

E 220 Drei Briefe. – In: SchwMtsh 38, 1958/59, S. 1010–1016.
Inh.: B 33, 101, 48.

Ein paar Aufzeichnungen und Briefe. 1960 s. E 10

*

E 221 Ahornschatten. Ein Brief an HH., samt der Antwort. – [Zch]: NZZ 1952. 2 S. – SA aus NZZ Nr. 452 v. 1. 3. 1952.

E 222 Auszüge aus zwei Briefen. – [Zch: Conzett & Huber] 1949. Unpag. 2 S. – SA aus NSRs, Mai 1949.

E 223   Kriegsangst. Antwort auf Briefe aus Deutschland. – ([Basel]: NatZ 1950.) Unpag.
4 S. – SA aus NatZ Nr. 488 v. 22. 10. 1950.
Neudr. in: **Br.**

E 224   Versuch einer Rechtfertigung. [Briefwechsel mit Max Brod.] – [Zch: Conzett &
Huber] 1948. Unpag. 4 S. – SA aus NSRs, Juni 1948. – *Inh.:* L 844a; B 89.
Neudr. in: **KFa**; *in:* **BGa.**

E 225   Ein Brief nach Deutschland. – [Basel: NatZ 1946.] 4 S. – [SA aus NatZ Nr. 190
v. 26. 4. 1946.]
Neudr. in: **KF**; *in:* **BGa.**

E 226   Der junge Dichter. Ein Brief an Viele. – [Mchn: A. Langen] 1910. Unpag. 3 S. –
SA aus März 4, 1910, H. 6.
Neudr.: An einen jungen Dichter. – Mchn: Callwey [1932]. 3 S. – SA aus Der
Kunstwart 45[, 1931/32, S. 145–147].

E 227   [An die Herausgeber der «Dichterbühne».] – Bln: E. Blaschker Verl. 1950. 1 S.
[Prospekt.]
Neudr. in: E 213; *in:* **Br.**

E 228   Brief ins Feld. Mit Zeichnungen v. Wilhelm Schulz u. Otto Ubbelohde. – Mchn
A. Lang [1916]. 14 S.

E 229   Über Gewaltpolitik, Krieg und das Böse in der Welt. – [Basel]: NatZ 1955. Unpag.
2 S. – SA aus NatZ Nr. 96 v. 27. 2. 1955.

E 230   Zwei Briefe über das Glasperlenspiel. – [Basel: NatZ 1947.] Einblattdr. – [SA aus
NatZ Nr. 457 v. 5. 10. 1947.]

E 231   Brief an Adele [Gundert geb. Hesse]. – ([Zch]: NZZ [1946].) 8 S. – [SA aus NZZ
Nr. 229 v. 10. 2. 1946.]
Neudr. 1: Privatdr. ([Zch 1946]: NZZ.) 11 S.
Neudr. 2: o. O. [1946]. 20 S.
Neudr. in: **KF**; *in:* **E 55**; *in:* **Gbs**; *in:* **BGa.**

E 232   Otto Hartmann. Geb. in Stuttgart am 16. 10. 1877, gest. in Ludwigsburg am
28. 9. 1952. Letzter Gruß an Otto Hartmann. – o. O. 1952. Unpag. 3 S. mit einem
Lichtbild. – *Inh.:* B 122.

E 233   Brief an einen schwäbischen Dichter. [Otto Heuschele.] – (Olten): VOB (1951).
19 S. – Aufl.: 330.
Neudr. in: **Br.**

E 234   An einen jungen Kollegen in Japan. Privatdr. – [Zch] 1947: [Gebr. Fretz]. 10 S.
Neudr. in: **KFa**; *in:* **BGa.**

E 235   Der Autor an einen Korrektor. – (Bern): Kantonales Amt f. berufl. Ausbildung
1947. 14 S. [Dass. auch ohne Druckvermerk.]
Neudr.: (Köln: J. P. Bachem 1956.) Unpag. 8 S. – Aufl.: 300.
Neudr. in: **Br**; *in:* **A 25.**

E 236   Preziosität. [An Eduard Korrodi.] – [Zch]: NZZ 1948. Unpag. 4 S. – SA aus
NZZ Nr. 1415 v. 3. 7. 1948.

E 237   An einen jungen Künstler. Privatdr. – (Montagnola: [Selbstverl.]) 1949. 11 S.
Neudr. in: E 211; *in:* **HBr**; *in:* **Br.**

E 238   An einen «einfachen Mann aus dem arbeitenden Volk». – ([Basel]: NatZ 1950.)
        4 S. – SA aus NatZ Nr. 218 v. 13./14. 5. 1950.
        Neudr. in: **Br.**

E 239   Zwei Briefe. [Briefwechsel mit Thomas Mann.] – (St. Gallen: Tschudy 1945.)
        Unpag. 8 S. – Aufl.: 50.
        Inh.: L 860b; B 159.

E 240   Zum 6. Juni 1950. Ein Brief zu Thomas Manns 75. Geburtstag. – [Ffm]: S. Fischer
        1950. 2 Bl. – SA aus NRs 1950, H. 2.
        Neudr. in: **Br.**

E 241   Ein paar indische Miniaturen. – (Basel: NatZ 1959.) Unpag. 4 S. – SA aus NatZ
        Nr. 220 v. 17. 5. 1959, Sobeil.
        Neudr. in: E 220.

E 242   An einen Musiker. – Olten: VOB 1960. 17 S. (Privatdr. der VOB.) – Aufl.: 400.

E 243   Briefe. [Briefwechsel mit] Romain Rolland. Vorwort v. Albrecht Goes. – Zch:
        Fretz & Wasmuth (1954). 118 S.

E 244   Glückwunsch für Peter Suhrkamp zum 28. März 1951. – o. O. (1951). 7 S.
        Neudr. in: **Br.**

HERMANN HESSE ALS HERAUSGEBER

Hg 1   Alemannenbuch. – 1.–3. Aufl. Bern: Verl. Seldwyla 1919. 117 S. – Neue Aufl. [1920].

Hg 2   Bücherei für deutsche Kriegsgefangene. Hg. von HH. und Richard Woltereck. Bd. 1–22. – Bern: Verl. der Bücherzentrale f. dt. Kriegsgefangene [um 1918 u. 1919].

    1. HH.: Alte Geschichten. Zwei Erzählungen. 55 S.
    2. Gottfried Keller: Don Correa. 64 S.
    3. Für stille Stunden. Aus der neueren dt. Lyrik. 48 S.
    4. Rudolf Hans Bartsch: Der steirische Weinfuhrmann. Drei Erzählungen. 48 S.
    5. Dichtergedanken. 63 S.
    6. Emil Strauß: Der Laufen – Musik. [Freund Hein. Tdr.] 47 S.
    7. Zeitvertreib. Eine Sammlung von Anekdoten und Witzen. 76 S.
    8. Kleinstadtgeschichten. 118 S.
    9. Wilhelm Schäfer: Anekdoten und Sagen. 63 S.
    10. Artur Fürst u. Alexander Moszkowski: Das kleine Buch der Wunder. 103 S.
    11. Vierblatt. 60 S.
    12. Ein badisches Buch. 130 S.
    13. HH.: Zwei Märchen. 52 S.
    14. Die junge Schweiz. 101 S.
    15. Artur Bonus: Isländerbuch. Zwei Geschichten aus dem Isländerbuch. 107 S.
    16. Theodor Storm: Immensee. Der Schimmelreiter. Gedichte. 101 S.
    17. Strömungen. Sieben Erzählungen neuer Dichter. 88 S.
    18. Schüler und Studenten. Drei Erzählungen. 55 S.
    19. Aus dem Mittelalter. 64 S.
    20. Thomas Mann: Zwei Novellen. 88 S.
    21. Seltsame Geschichten. 92 S.
    22. Lustige Geschichten. 70 S.

Hg 3   Matthias Claudius: Der Wandsbecker Bote. Eine Auswahl aus den Werken. – Lpz: Insel-Verl. [1915]. 73 S. (Insel-Bücherei. 186.) – 41.–50. Tsd. 1941. 95 S.; 93.–102. Tsd. 1948; 103.–112. Tsd. Wiesbaden 1950; 113.–122. Tsd. 1952; 123. bis 142. Tsd. 1954; 143.–152. Tsd. 1958.

Hg 4   [Josef von] Eichendorff: Gedichte und Novellen. – Bln: Dt. Bibliothek (1913). X, 296 S. (Dt. Bibliothek. 59.) – [Neue Ausg. u. d. T.:] Aus dem Leben eines Taugenichts und anderes. Ebd. [1934]. 307 S.

Hg 5   Josef von Eichendorff: Gedichte und Novellen. Ausgew. u. eingel. – Zch: Scientia A. G. (1945). 320 S.

Hg 6   Josef von Eichendorff: Novellen und Gedichte. Ausgew. u. eingel. – Zch: Buchclub Ex libris [1955]. 320 S.
    Neudr.: Mchn: Droemer (1955). 318 S. – 4. [Aufl.] 1958.

Hg 7   Morgenländische Erzählungen. 〈Palmblätter.〉 Nach der von J[ohann] G[ottfried] Herder u. A[ugust] J[akob] Liebeskind besorgten Ausgabe neu hg. – Lpz: Insel-Verl. (1913). XVI, 334 S. – 2. Aufl. 1957. 301 S.

Hg 8   Merkwürdige Geschichten. Bd. 1–6. – Bern: Verl. Seldwyla.
    1. Jean Paul: Die wunderbare Gesellschaft in der Neujahrsnacht. Erzählungen. [1922.] 157 S.

2. Novellino. Novellen und Schwänke der ältesten italienischen Erzähler. [1922.] 203 S.
3. Geschichten aus Japan. [1922.] 183 S.
4. Aus [Achim von] Arnims Wintergarten. [1922.] 182 S.
5. Mordprozesse. [1922.] 179 S.
6. Adelbert von Keller: Zwei altfranzösische Sagen. [1924.] 206 S.

Hg 9   Merkwürdige Geschichten und Menschen. – Bln: S. Fischer.
[1.] Die Geschichte von Romeo und Julie. Nach den italienischen Novellener-zählern Luigi da Porto u. Matteo Bandello. 1.–4. Aufl. 1925. 122 S.
[2.] Hölderlin. Dokumente seines Lebens. Hg. v. HH. u. Karl Isenberg. 1.–4. Aufl. 1925. 231 S.
[3.] Novalis. Dokumente seines Lebens und Sterbens. Hg. v. HH. u. Karl Isen-berg. 1.–4. Aufl. 1925. 164 S.
[4.] Sesam. Orientalische Erzählungen. 1.–4. Aufl. 1925. 159 S.
[5.] Blätter aus Prevorst. Eine Auswahl von Berichten über Magnetismus, Hell-sehen, Geistererscheinungen usw. aus dem Kreise Justinus Kerners und seiner Freunde. 1.–4. Aufl. 1926. 190 S.
[6.] Schubart. Dokumente seines Lebens. Hg. v. HH. u. Karl Isenberg. 1.–4. Aufl. 1926. 187 S.
[7.] Die Geschwister Brentano in Dokumenten ihres Lebens. Hg. u. mit Nach-wort versehen v. Herbert Levin-Derwein. 1.–4. Aufl. 1927. 182 S.

Hg 10   Geschichten aus dem Mittelalter. – 1.–3. Aufl. Konstanz: K. Hönn [1925]. 189 S.

Hg 11   Salomon Geßner: Dichtungen. Ausgew. u. eingel. – Lpz: Haessel 1922. 92 S. (Die Schweiz im dt. Geistesleben. 2.)

Hg 12   Gesta Romanorum. Das älteste Märchen- u. Legendenbuch des christl. Mittel-alters. Nach der Übersetzg. von J[ohann] G[eorg] Th[eodor] Graesse ausgew. – Lpz: Insel-Verl. [1915]. 323 S. – 4.–7. Tsd. [1920]. 286 S.; 8.–10. Tsd. 1924. 289 S.

Hg 13   Johann Wolfgang von Goethe: 30 Gedichte. Ausgew. u. eingel. Festgabe zum 100. Todestag 22. III. 1932. – Zch: Lesezirkel Hottingen 1932. 65 S.

Hg 14   Deutsche Internierten-Zeitung. Hg. mit Genehmigung des Schweizer Armeearztes von der Deutschen Kriegsgefangenenfürsorge Bern. Red.: Richard Woltereck u. HH. – Bern: A. Francke. H. 1, 1. 7. 1916 bis H. 62, 2. 12. 1917.

Hg 15   Jean Paul: Titan. Gekürzt hg. Bd. 1. 2. – Lpz: Insel-Verl. [1913]. 397, 406 S. (Bibliothek der Romane. 23. 24.)

Hg 16   Ein Luzerner Junker vor hundert Jahren. Aus den Lebenserinnerungen von Xaver Schnyder von Wartensee. – Bern: Verl. Seldwyla (1920). 205 S.

Hg 17   Des Knaben Wunderhorn. Alte dt. Lieder, gesammelt von L[udwig] A[chim] von Arnim und Clemens Brentano. Ausgew. – Bln: Dt. Bibliothek [1913]. XXXI, 235 S.

Hg 18   Lieder deutscher Dichter. Eine Ausw. der klass. dt. Lyrik von Paul Gerhardt bis Friedrich Hebbel. – 1.–5. Tsd. Mchn: A. Langen [1914]. 248 S.

Hg 19   Der Lindenbaum. Deutsche Volkslieder. Ausw. von HH., Martin Lang u. Emil Strauß. – 1.–3. Tsd. Bln: S. Fischer 1910. 267 S. – 4.–6. Tsd. 1912; neu durchges. u. verm. Aufl. 7.–10. Tsd. 1924. 294 S.

Hg 20   Märchen und Legenden aus der Gesta Romanorum. – Lpz: Insel-Verl. [1926] 71 S. (Insel-Bücherei. 388.) – Neudr. 1956. 75 S.

Hg 21   März. Halbmonatsschrift f. dt. Kultur. [5, 1911ff.: Eine Wochenschrift.] Hg. v. Ludwig Thoma, HH., Albert Langen, Kurt Aram. [3, 1909, III: Hg. v. Ludwig Thoma, HH., Kurt Aram, Robert Hessen. – 4, 1910, If.: Hg. v. Ludwig Thoma, HH., Kurt Aram. – 4, 1910, III bis 6, 1912: Hg. v. Ludwig Thoma und HH.] – Mchn: Albert Langen.

Hg 22   Das Meisterbuch. – Bln: Dt. Bibliothek [1913]. XII, 351 S. – [Neue Aufl. 1918.]

Hg 23   Ein Schwabenbuch für die deutschen Kriegsgefangenen. Zusammengest. v. HH. und Walter Stich. – Bern: Verl. der Bücherzentrale f. dt. Kriegsgefangene [1919]. IV, 105 S.

Hg 24   Vivos voco. Eine dt. Monatsschrift. [2, 1921/22ff.: Zeitschr. für neues Deutschtum.] Hg. v. HH. und Richard Woltereck. [2, 1921/22ff.: Hg. v. Franz Carl Endres, HH. und Richard Woltereck.] – Lpz: Seemann. Jg. 1, 1919/20. [2, 1921/22 bis 3, 1922/23: Lpz: Verl. Vivos voco.]

Hg 25   Christian Wagner: Gedichte. Ausgew. – 1. Aufl. Mchn: Gg. Müller 1913. 110 S. (Sonderdruck für den «Frauenbund zur Ehrung rheinländ. Dichter».) – 2. Aufl. 1913.

Hg 26   Der Zauberbrunnen. Die Lieder der dt. Romantik. Ausgew. – Weimar: Kiepenheuer 1913. 216 S. (Liebhaberbibliothek. 10.)

ÜBERSETZUNGEN

ARGENTINIEN

Ü 1   Demian. La historia de la juventud de Emilio Sinclair. Transl.: Luis López-Ballesteros y de Torres. – Buenos Aires 1930.

Ü 2   El lobo estepario. [Der Steppenwolf.] Transl.: Manuel Manzanares. – Buenos Aires: Editorial Futuro (1943). 242 pp.
Neudr.: Buenos Aires: Santiago Rueda 1948. 228 pp. – 2. ed. 1951.

Ü 3   La ruta interior. [Weg nach innen.] Transl.: Annie dell Erba. – Buenos Aires 1946.

Ü 4   Peter Camenzind. Transl.: Jesús Ruiz. – Buenos Aires 1948.

Ü 5   Narxiso y Goldmundo. – Buenos Aires: Editorial Sudamericana 1948. 412 pp.

Ü 6   El juego de alaborios. [Das Glasperlenspiel.] Transl.: Arístides Gregori. – Buenos Aires: Santiago Rueda 1949.

Ü 7   Gertrudis. Transl.: Jorge Pinette. – Buenos Aires: Espasa-Calpe 1950. 164 pp.

Ü 8   Pequeño mundo. [Kleine Welt.] Transl.: Arístides Gregori. – Buenos Aires: Santiago Rueda 1951. 260 pp.

Ü 9   A una hora de medianoche. [Eine Stunde hinter Mitternacht.] Transl.: Alfredo Cahn. – Buenos Aires: Espasa-Calpe 1953. 144 pp.

Ü 10   Rosshalde. Transl.: Alberto L. Bixio. – Buenos Aires: Santiago Rueda 1956. 240 pp.

Ü 11   Fabulario. [Fabulierbuch.] Transl.: Alberto L. Bixio. – Buenos Aires: Santiago Rueda (1956). 273 pp.

Ü 11a Tres momentos de una vida. Transl.: H. Becco. – Buenos Aires: Santiago Rueda 1958. 141 pp.

BELGIEN

Ü 12   Narcisse et Goldmund. Récit. Transl.: Fernand Delmas. – [Bruxelles]: Le Club du livre du mois (1948). 298 pp. (Le Club du livre du mois. 7.)

CHINA

Ü 13   Schön ist die Jugend. 1937. (L 737)

DÄNEMARK

Ü 14   Peter Camenzind. Transl.: Ida Wennerberg. – København og Kristiania: Gyldendalske Boghandel Nordisk Forlag 1907. 156 pp.

Ü 15   Rosshalde. Fortælling. Transl.: Svend Drewsen. – København: Hasselbalch [1922]. 224 pp.

Ü 16   Demian. Fortællingen om Emil Sinclairs ungdom. Transl.: Axel Thomsen. – København: Haase 1923. 228 pp.

Ü 17 Knulp. Tre episoder fra Knulps liv. – København: Høst & son 1930. 125 pp. – Aufl.: 1500.

Ü 18 Sol og Mane. Roman. [Narziß und Goldmund.] Transl.: Carl V. Østergaard. – København: Schultz 1936. 352 pp.

Ü 19 En Barnesjæl og to kulturelle Essays. [Kinderseele et al.] Inledning af Jørgen Hendriksen. Transl.: Clara Hammerich. – København: Hasselbalch 1944. 62 pp. (Hasselbalchs Kultur-Bibliotek. 38.)

Ü 20 Under Hjulet. [Unterm Rad.] Transl.: Soffy Topsøe. – København: Aschehoug 1944. 184 pp.

Ü 21 Steppeulven. [Der Steppenwolf.] Transl.: Karen Hildebrandt. – København: Westermann 1946. 219, 48 pp.

Ü 22 Bogens magi. [Magie des Buches.] Transl.: Tage Skou-Hansen. – København: Grafisk Cirkel. Ikke i bogh 1953. 26 pp.

Ü 23 Siddhartha. En indisk legende. Transl.: Karl Hornelund. – København: Aschehoug 1959. 124 pp.

ESTNISCH

Ü 24 Mägede poeg. [Peter Camenzind.] Transl.: Dagmar Stock. – (Toronto: Ortoprint 1952.) 219 pp.

FINNLAND

Ü 25 Alppien poika. [Peter Camenzind.] Transl.: Eino Railo. – Helsinki 1908.
Neudr.: Porvoo, Helsinki: Söderström (1947). 196 pp.

Ü 26 Demian. Historien om Emil Sinclairs ungdom. Transl.: Maja Mikander. – Helsingfors: Söderström (1925). 175 pp.

Ü 27 Arosusi. [Der Steppenwolf.] Transl.: Eeva-Liisa Manner. – Porvoo, Helsinki: Söderström (1952). 277 pp. (Eurooppa-Sarja.)

Ü 28 Pelko. Klingsorin viimeinen kesä. [Kinderseele. Klingsors letzter Sommer.] Transl.: Eeva-Liisa Manner. – (Helsinki): Kirjaytymä (1959). 127 pp.

FRANKREICH

Ü 29 Peter Camenzind. Préface de Gaspard Vallette. Transl.: Jules Brocher. – Paris: Fischbacher 1910.

Ü 30 Knulp. Transl.: Geneviève Maury. – Montrouge/Seine 1925.
Neudr.: Suivi d'un conte de La fontaine du cloître de Maulbronn. – Montrouge/Seine: Schmied (1949). 197 pp.

Ü 31 Siddhartha. Transl.: Joseph Delage. – Paris: Grasset 1925. IV, 271 pp. – 8. ed. 1925.
Neudr.: (Liège): L'Amitié par le livre [1947]. 187 pp. (Coll. L'Amitié par le livre. 4e série. 3.)

Ü 32 Demian. Histoire de la jeunesse d'Emile Sinclair. Préface de Félix Bertaux. Transl.: Denise Riboni. – Paris: Stock 1930. 179 pp. – 2. ed. 1947.

Ü 33   Le loup des steppes. Transl.: Juliette Pary. – Paris: La Renaissance du livre (1931). 179 pp.

      Neudr.: Paris: Calmann-Lévy (1947). 263 pp. (Coll. «Traduit de». Série allemande.)

Ü 34   Âmes d'enfants. [Kinderseele et al.] – Paris: Œuvres libres [1933]. 384 pp.

Ü 35   Le voyage en Orient. [Die Morgenlandfahrt.] Préface de André Gide. Transl.: Jean Lambert. – [Paris]: Calmann-Lévy (1948). 161 pp. – 2. ed. 1956.

Ü 36   Narcisse et Goldmund. Récit. Transl.: Fernand Delmas. – Paris: Calmann-Lévy (1948). 325 pp. (Coll. «Traduit de». Série allemande.) – 4. ed. 1948.

Ü 37   Peter Camenzind. Récit. Transl.: Fernand Delmas. – Paris: Calmann-Lévy (1950). 219 pp. (Coll. «Traduit de». Série allemande.) – 3. ed. 1950.

Ü 38   Poèmes étrangers. [Gedichte französ. u. dt. in Paralleldr.] Mis en poésie française par André Piot. – Paris: (Blanchet) 1952. 75 pp. – Aufl.: 360.

Ü 39   Le jeu des perles de verre. Essai de biographie du Magister ludi Josef Valet, accompagné de ses écrits posthumes. [Das Glasperlenspiel.] Transl.: Jacques Martin. – Paris: Calmann-Lévy (1955). Vol. 1.2. 262, 289 pp. (Coll. «Traduit de».)

Ü 40   L'Ornière. Roman. [Unterm Rad.] Transl.: Lily Jumel. – Paris: Calmann-Lévy (1957). 236 pp. (Coll. «Traduit de».)

GRIECHISCH

Ü 41   Chioggia καὶ Τὰ κυπαρίσσια τοῦ Σὰν Κλεμέντε. [Chioggia und Die Zypressen von San Clemente. Zwei Gedichte. Griech. u. dt.] Privatdr. – (Holzminden) 1949: (Hüpke). 12 pp. – Aufl.: 99.

GROSSBRITANNIEN

In sight of chaos. 1923 s. Ü 176

Ü 42   Steppenwolf. Transl.: Basil Creighton. – London: Secker (1929). 322 pp.

Ü 43   Death and the lover. [Narziß und Goldmund.] Transl.: Geoffrey Dunlop. – London: Jarrold [1932]. VI, 281 pp.

      Neudr.: Goldmund. – London: Owen; Vision Press (1959). 287 pp.

Ü 44   Magister Ludi. [Das Glasperlenspiel.] Transl.: Mervyn Savill. – London: Aldus publ. (1949). 502 pp. – 2. ed. 1957.

Ü 45   Siddhartha. Transl.: Hilda Rosner. – London: Owen; Vision Press (1954). 167 pp.

Ü 46   Gertrude. Transl.: Hilda Rosner. – London: Owen; Vision Press (1955). 208 pp.

Ü 47   The journey to the east. [Die Morgenlandfahrt.] Transl.: Hilda Rosner. – London: Owen; Vision Press (1956). 93 pp.

Ü 48   The prodigy. [Unterm Rad.] Transl.: Walter J. Strachan. – London: Owen; Vision Press (1957). 188 pp.

Ü 49   Demian. Transl.: Walter J. Strachan. – London: Owen; Vision Press (1958). 184 pp.

Ü 50   Peter Camenzind. Transl.: Walter J. Strachan. – London: Owen; Vision Press (1961). 174 pp.

INDIEN

Ü 51   Hasida hambala. [Siddhartha. Kannada.] Transl.: M. Haridasarao. – Hubli: Sarvodaya Sahityamala 1953. IV, 126 pp.

Ü 52   Siddhartha. [Bengali.] Transl.: Shilabhadra. – Calcutta: K. L. Mukhopadhyaya 1954. VIII, 196 pp.

Ü 53   Siddhartha. [Hindi.] Transl.: Mahavir Adhikari. – Delhi: Atmarama 1954. LV, 146 pp.

Ü 54   Siddhartha. [Hindi.] Transl.: Prithvinath Sastri. – Mathura: Prabhata prakasan 1954. II, 146 pp.

Ü 55   Siddhartha. [Oriya.] Transl.: Suvadra-Nandan. – Cuttack: Prafulla Chandra Das 1954. II, 172 pp.

Ü 56   Siddhartha. [Sindhi.] Transl.: Isardas Wadhumal Raisanghani. – Bombay: Hindustan Sahityamala 1955. IV, 153 pp.

Ü 57   Siddhartha. – Masulipatam, Madras, Secunderabad: Seshachalam 1957. 145 pp.

Ü 58   Siddhartha. [Kannada.] Transl.: B. S. Ramasvami Iyengar. – Bangalore: Nava Chetana prakatanalaya 1957. XXIII, 222 pp.

Ü 59   Siddharthan. [Malayalam.] Transl.: P. Kunhikrishna Menon. – Ernakulam: Parishanmudranalayam 1957. XXIII, 161 pp.

Ü 60   Siddhartha. [Englisch.] Transl.: Hilda Rosner. – Calcutta: Rupa 1958. 130 pp.

ISRAEL

Ü 61   Narziß und Goldmund. – Tel-Abib: Amanuth 1932. 131 pp.

Ü 62   Nafšō šel jeled. [Kinderseele.] Transl.: Jehuda Erlikh. – (Tel-Abib): 'Urim 5714 [d. i. 1954]. 66 pp. (Hajjeled besafrut.)

ITALIEN

Ü 63   L'ultima estate di Klingsor. Klein e Wagner. Transl.: Barbara Allason. – Milano: Sperling & Kupfer 1931. 305 pp. – 2. ed. 1943.

Ü 64   Narciso e Boccadoro. Romanzo. [Narziß und Goldmund.] Transl.: Cristina Baseggio. – (Verona): Mondadori (1933). IV, 323 pp. (Medusa. 20.)

Ü 65   Siddhartha. Poema indiano. Transl.: Massimo Mila. – Torino: Frassinelli 1945. XXXIV, 210 pp. (Collana di opere brevi. 13.)

Ü 66   Il lupo della steppa. [Der Steppenwolf.] Transl.: Ervino Pocar. – (Verona): Mondadori 1946. 234 pp. (Medusa. 178.) – 2. ed. 1947.

Ü 67   Storia di un vagabondo. [Knulp.] Transl.: Ervino Pocar. – Milano: Martello 1950. 125 pp.

Ü 68   Peter Camenzind. Transl.: Ervino Pocar. – Milano: Martello (1951). 199 pp.

Ü 69   Demian. Storia della giovinezza di Emil Sinclair. Transl.: Ervino Pocar. – Milano: Martello (1952). 210 pp.

Ü 70   Liriche. [Gedichte italien. u. dt. in Paralleldr.] Transl.: Emo Leonardi. – Messina, Firenze: d'Anna (1952). 59 pp.

Ü 71   Il giuoco delle perle di vetro. Saggio biografico sul magister ludi Josef Knecht pubblicato insieme coi suoi scritti postumi. [Das Glasperlenspiel.] Transl., praef.: Ervino Pocar. – [Milano]: Mondadori 1955. XXXII, 627 pp. (Il Ponte. 35.)

Ü 72   Lettere ai contemporanei. [Briefe.] A cura di Lavinia Mazzucchetti. Transl.: Gianna Ruschena Accatino. – (Milano): Il Saggiatore (1960). 103 pp. (Biblioteca delle silerchie. 49.)

Ü 72a   Scritti autobiografici. [Gesammelte Schriften. Briefe.] Transl.: Gianna Ruschena Accatino. – (Milano): Mondadori (1961). XXII, 594 pp. (Opere scelte di HH. A cura di Lavinia Mazzucchetti. 1.)

JAPAN

Ü 73   Zenshû. [Gesammelte Werke.] Transl.: Kenji Takahashi. – Tôkyô: Shinchô-sha 1957–1958.
   1. Kyôshû. [Peter Camenzind. Schön ist die Jugend. Der Zyklon. Eine Fußreise im Herbst.] 1957. 214 pp.
   2. Sharin no shita. [Unterm Rad. Aus Kinderzeiten. Der Lateinschüler. Jugendgedenken. Eugen Siegel. Der Mohrle.] 1957. 213 pp.
   3. Haru no arashi. [Gertrud. Die Marmorsäge. Heumond.] 1957. 216 pp.
   4. Kohan no atorie. [Roßhalde. In der alten Sonne. Pater Matthias.] 1957. 205 pp.
   5. Hôrô to kaikyô. [Knulp. Die Verlobung. Ladidel. Die Heimkehr. Robert Aghion. Wanderung.] 1957. 236 pp.
   6. Dêmian. 1957. 250 pp.
   7. Naimen eno michi. [Weg nach innen.] 1958. 252 pp.
   8. Kôya no ôkami. Zuisô. [Der Steppenwolf. Eigensinn.] 1958. 230 pp.
   9. Chi to ai. [Narziß und Goldmund.] 1957. 226 pp.
   11. 12. Garasudama engi. [Das Glasperlenspiel.] 1958. Vol. 1. 2.
   13. Shishû. [Gedichte.] 1957. 211 pp.
   14. Kôfuku ron. [Späte Prosa. Tdr.] 1957. 144 pp.

Ü 74   Zenshû. [Gesammelte Werke.] Tôkyô: Mikasa Shobô 1957–1959.
   1. Seishun jidai. Jinsei no hotori. [Hermann Lauscher. Diesseits.] Transl.: Kunitarô Yamato et al. 1957. 237 pp.
   2. Kyôshû. Sharin no shita. [Peter Camenzind. Unterm Rad.] Transl.: Shôji Ishinaka, Hideo Akiyama. 1957. 245 pp.
   3. Berthold. Chiisana sekai. [Berthold. Kleine Welt.] Transl.: Hiroshi Fujimura et al. 1957. 247 pp.
   4. Asu eno tegami. [Briefe.] Transl.: Ayao Ide. 1958. 296 pp.
   5. Chi to ai no monogatari. Seishun wa uruwashi. [Fabulierbuch. Schön ist die Jugend.] Transl.: Kôichi Satô, Kunitarô Yamato et al. 1957. 292 pp.
   6. Hyôhaku no tamashii. Dêmian. [Knulp. Demian.] Transl.: Morio Sagara. 1957. 215 pp.
   7. Märchen. [Märchen. Kinderseele. Klein und Wagner. Klingsors letzter Sommer.] Transl.: Kihachi Ozaki. 1957. 252 pp.
   8. Siddhartha. Tôji-kyaku. Nürnberg kikô. [Siddhartha. Kurgast. Die Nürnberger Reise.] Transl.: Tomio Tezuka, Kôichi Satô et al. 1957. 247 pp.
   9. Kôya no ôkami. Hikari no furusato e. [Der Steppenwolf. Die Morgenlandfahrt.] Transl.: Tomio Tezuka, Masami Tobari. 1957. 236 pp.

10. Narziss to Goldmund: Yujô no rekishi. [Narziß und Goldmund: Geschichte einer Freundschaft.] Transl.: Kôichi Fujioka. 1959. 260 pp.
11. Garasudama yûgi. I. [Das Glasperlenspiel.] Transl.: Masami Tobari. 1958. 235 pp.
12. Garasudama yûgi. II. [Das Glasperlenspiel.] Transl.: Masami Tobari. 1959. 237 pp.
13. Haru no arashi. Kohan no ie. [Gertrud. Roßhalde.] Transl.: Rokurobê Akiyama. 1959. 283 pp.
14. Ai to hansei. Zarathustra no sairai. [Betrachtungen. Zarathustras Wiederkehr.] Transl.: Tomio Tezuka, Akisato Morikawa. 1957. 245 pp.
15. Omoidegusa. Yôroppajin. Sekai bungaku no Toshokan. [Gedenkblätter. Der Europäer. Eine Bibliothek der Weltliteratur.] Transl.: Hiroshi Oguri, Yoshiyuki Nishi. 1957. 258 pp.
17. Shishû. [Gedichte.] Transl.: Kihachi Ozaki. 1958. 221 pp.

*

Ü 75 Siddhartha. Transl.: Mitsuya Mitsui. – Tôkyô: Shinchô-sha 1925. 172 pp.

Ü 76 [Weg nach innen.] Transl.: Mitsui Koya. – Tôkyô: Daichi Shobô 1933. 450 pp.

Ü 77 [Dank an Goethe.] – Tôkyô: Asahishibun-sha 1949. 197 pp.

Ü 78 Dêmian. Transl.: Kenji Takahashi. – Tôkyô: Shinchô-sha 1949. 268 pp. – 2. ed. 1951. 206 pp.
   Neudr.: Kyôto: Jimbun Shoin 1954. 164 pp.

Ü 79 Sekai bungaku o dô yomuka. [Eine Bibliothek der Weltliteratur.] Transl.: Kenji Takahashi. – Tôkyô: Shinchô-sha 1950. 174 pp.

Ü 80 Peter Camenzind. Transl.: Mayumi Haga. – [Kyôto]: Jimbun Shoin [1950]. 276 pp.

Ü 81 Shishû. [Gedichte.] Transl.: Kenji Takahashi. – Tôkyô: Shinchô-sha 1950. 208 pp.

Ü 82 Shishû. [Gedichte.] Transl.: Kenji Takahashi. – Tôkyô: Shinchô-sha 1950. 306 pp. – 2. ed. 1952.

Ü 83 Haru no arashi. [Gertrud.] Transl.: Kenji Takahashi. – Tôkyô: Shinchô-sha 1950. 244 pp. – 2. ed. 1955. 214 pp.
   Neudr.: Kyôto: Jimbun Shoin 1956. 190 pp.

Ü 84 Hoshigusa no tsuki. [Heumond et al.] Transl.: Kenji Takahashi. – Kyôto: Jimbun Shoin 1950. 251 pp.

Ü 85 Seishun wa uruwashi. [Schön ist die Jugend et al.] Transl.: Kenji Takahashi. – Kyôto: Jimbun Shoin 1950. 274 pp.

Ü 86 Hyôhaku no hito. [Knulp.] Transl.: Mayumi Haga. – Kyôto: Jimbun Shoin 1950. 222 pp.
   Neudr.: Tôkyô: Shinchô-sha 1955. 156 pp.

Ü 87 Kohan no ie. [Roßhalde.] Transl.: Mayumi Haga. – Kyôto: Jimbun Shoin 1950. 317 pp.

Ü 88 Chi to ai. [Narziß und Goldmund.] Transl.: Kenji Takahashi. – Kyôto: Jimbun Shoin 1951. 230 pp. – 2. ed. 1957. 300 pp. (Hesse: Chosaku-shû. [Werke.])
   Neudr.: Tôkyô: Shinchô-sha 1959. 371 pp.

Ü 89 Sharin no shita. [Unterm Rad.] Transl.: Kenji Takahashi. – Tôkyô: Shinchô-sha 1951. 224 pp.
Neudr.: Kyôto: Jimbun Shoin 1956.

Ü 90 Kôya no ôkami. [Der Steppenwolf.] Transl.: Mayumi Haga. – Kyôto: Jimbun Shoin 1951. 322 pp. – 2. ed. 1956. 332 pp. (Hesse: Chosaku-shû. [Werke.])

Ü 91 Kyôshû. [Peter Camenzind.] Transl.: Shôji Ishinaka. – Tôkyô: Mikasa Shobô 1952. 182 pp.

Ü 92 Kyôshû. [Peter Camenzind.] Transl.: Kenchû Hara. – Tôkyô: Kadogawa Shoten 1952. 197 pp. – 2. ed. 1957. (Kadogawa Bunko. 506.)

Ü 93 Seishun no madoi. [Demian.] Transl.: Morio Sagara. – Tôkyô: Kadogawa Shoten 1952. 207 pp. – 2. ed. 1955. (Kadogawa Bunko. 502.)
Neudr.: Tôkyô: Dabiddo-sha 1955. 192 pp.

Ü 94 Seishun wa utsukushi. [Schön ist die Jugend.] Transl.: Kôji Kunimatsu. – Tôkyô: Mikasa Shobô 1952. 170 pp.
Neudr.: Tôkyô: Dabiddo-sha 1955. 180 pp.

Ü 95 Hyôhaku no tamashii. [Knulp.] Transl.: Morio Sagara. – Tôkyô: Iwanami Shoten 1952. 147 pp. – 2. ed. 1957. (Iwanami Bunko. 1603.)

Ü 96 Jittaruta. [Siddhartha.] Transl.: Mayumi Haga. – Kyôto: Jimbun Shoin 1952. 248 pp. – 2. ed. 1956. (Hesse: Chosaku-shû. [Werke.])

Ü 97 Siddhartha. Transl.: Tomio Tezuka. – Tôkyô: Mikasa Shobô 1952. 150 pp.
Neudr.: Tôkyô: Kadogawa Shoten 1953. 165 pp.

Ü 98 Naimen eno michi. [Weg nach innen.] Transl.: Mayumi Haga. – Kyôto: Jimbun Shoin 1952. 220 pp. – 2. ed. 1957. 247 pp. (Hesse: Chosaku-shû. [Werke.])

Ü 99 Kon'yaku. Chiisai sekai yori. [Kleine Welt. Tdr.] Transl.: Kenji Takahashi. – Kyôto: Jimbun Shoin 1952. 190 pp. – 2. ed. 1956. (Hesse: Chosaku-shû. [Werke.])

Ü 100 Seishun hôkô. [Peter Camenzind.] Transl.: Taisuke Seki. – Tôkyô: Iwanami Shoten 1953. 229 pp. – 2. ed. 1957. (Iwanami Bunko. 1506/1507.)
Neudr.: Tôkyô: Hakusui-sha 1956. 191 pp.

Ü 101 Kyôshû. Haru no arashi. Sasurai no hito. Seishun wa uruwashi. [Peter Camenzind. Gertrud. Knulp. Schön ist die Jugend.] Transl.: Mayumi Haga, Kenji Takahashi. – Tôkyô: Shinchô-sha 1953. 434 pp.

Ü 102 Chi to ai no monogatari. [Fabulierbuch.] Transl.: Kôichi Satô. – (Tôkyô): Mikasa Shobô (1953). 192 pp.
Neudr.: Tôkyô: Dabiddo-sha 1955. 185 pp.

Ü 103 Seishun wa utsukushi. [Schön ist die Jugend. Der Lateinschüler. Ladidel. Heumond.] Transl.: Kôji Kunimatsu. – (Tôkyô): Hakusui-sha (1953). 243 pp. (Hakusui-sha sekai meisaku Sen.)
Neudr.: Tôkyô: Sôgei-sha 1956. 205 pp.

Ü 104 Seishun wa utsukushi hoka ichi hon. [Schön ist die Jugend. Eine Fußreise im Herbst.] Transl.: Taisuke Seki. – Tôkyô: Iwanami Shoten 1953. 120 pp. – 2. ed. 1957. (Iwanami Bunko. 1920.)

Ü 105 Knulp. Transl.: Toshio Uemura. – Tôkyô: Sôgei-sha 1953. 179 pp.

Ü 106 Sensô to heiwa. 1914 nen irai no sensô oyobi seiji ni kansuru kôsatsu. [Krieg und Frieden.] Transl.: Mayumi Haga. – Kyôto: Jimbun Shoin (1953). 177 pp. (Hesse: Chosaku-shû. [Werke.])

Ü 107 Seishun jidai. Heruman Rausher. [Hermann Lauscher.] Transl.: Mayumi Haga. – Kyôto: Jimbun Shoin 1953. 201 pp. – 2. ed. 1957. (Hesse: Chosaku-shû [Werke.])

Ü 108 Seishun jidai. [Hermann Lauscher. Der Zyklon.] Transl.: Kunitarô Yamato. – Tôkyô: Mikasa Shobô 1953. 181 pp.

Ü 109 Kodokusha no ongaku. Shishû. [Musik des Einsamen.] Transl.: Kenji Takahash i – Kyôto: Jimbun Shoin 1953. 223 pp. – 2. ed. 1957.

Ü 110 Yujô no rekishi. [Narziß und Goldmund.] Transl.: Kôichi Fujioka. – (Tôkyô): Mikasa Shobô (1953). 192 pp.

Ü 111 Sharin no shita ni. [Unterm Rad.] Transl.: Rokurobê Akiyama. – Tôkyô: Kadogawa Shoten 1953. 211 pp.

Ü 112 Kôya no ôkami. Seishun jidai. Kansô no tsuki. [Der Steppenwolf. Hermann Lauscher. Demian. Heumond.] Transl.: Morio Sagara, Tomio Tezuka et al. – (Tôkyô): Mikasa Shobô (1953). 456 pp. (Gendai sekai bungaku Zenshû. 24.)

Ü 113 Hôrô. [Wanderung.] Transl.: Kenji Takahashi. – Kyôto: Jimbun Shoin 1953. 133 pp. – 2. ed. 1956. (Hesse: Chosaku-shû. [Werke.])

Ü 114 Ai to hansei. [Betrachtungen.] Transl.: Tomio Tezuka. – Tôkyô: Mikasa Shobô 1954. 197 pp.

Ü 115 Shishû. [Gedichte.] Transl.: Kenji Takahashi. – Tôkyô: Shinchô-sha 1954. 167 pp.

Ü 116 Kodokuna tamashii. [Gertrud.] Transl.: Rokurobê Akiyama. – Tôkyô: Iwanami Shoten 1954. 218 pp.
Neudr.: Tôkyô: Hakusui-sha 1956. 226 pp.

Ü 117 Garasudama engi. Kyôshû. Seishun wa utsukushi. Seimei no ki kara. [Das Glasperlenspiel. Peter Camenzind. Schön ist die Jugend. Vom Baum des Lebens. Tdr.] Transl.: Kenji Takahashi. – Tôkyô: Kawade Shobô 1954. 393 pp. (Sekai bungaku Zenshû. 18.) – 2. ed. 1955. 398 pp.

Ü 118 Hoshigusa no tsuki. [Heumond. Ladidel.] Transl.: Kôji Kunimatsu. – Tôkyô: Kadogawa Shoten 1954. 120 pp.

Ü 119 Seishun wa uruwashi. [Schön ist die Jugend. Der Lateinschüler.] Transl.: Kenji Takahashi. – Tôkyô: Shinchô-sha 1954. 105 pp.

Ü 120 Sharin no shita. [Unterm Rad.] Transl.: Hideo Akiyama. – Tôkyô: Mikasa Shobô 1954. 204 pp.

Ü 121 Kôya no ôkami. [Der Steppenwolf.] Transl.: Tomio Tezuka. – Tôkyô: Kadogawa Shoten 1954. 272 pp.
Neudr.: Tôkyô: Dabiddo-sha 1955. 245 pp.

Ü 122 Yo no nagusame. Shishû. [Trost der Nacht.] Transl.: Kenji Takahashi. – Kyôto: Jimbun Shoin 1954. 300 pp. – 2. ed. 1956.

Ü 123 Sasurai no ki. [Wanderung.] Transl.: Kihachi Ozaki. – Tôkyô: Mikasa Shobô 1954. 202 pp.
Neudr.: Banderungu. – Tôkyô: Hôbun-sha 1957. 142 pp.

Ü 124 Kyôshû. [Peter Camenzind.] Transl.: Kenji Takahashi. – Tôkyô: Kawade Shobô 1955. 207 pp.
Neudr.: Tôkyô: Shinchô-sha 1956. 195 pp.

Ü 125 Garasudama yûgi. [Das Glasperlenspiel.] Transl.: Ayao Ide. – Tôkyô: Kadogawa Shoten 1955. Vol. 1.2. 328, 425 pp. (Kadogawa Bunko. 1043. 1044.)

Ü 126 Hikari no furusato e. [Die Morgenlandfahrt. Klingsors letzter Sommer. Kurzgefaßter Lebenslauf.] Transl.: Masami Tobari. – Tôkyô: Mikasa Shobô 1955. 176 pp.

Ü 127 Rurô no hate. [In der alten Sonne. Heumond.] Transl.: Kenji Takahashi. – Tôkyô: Shinchô-sha 1955. 124 pp.

Ü 128 Yume no ato. [Traumfährte.] Transl.: Kenji Takahashi. – Kyôto: Jimbun Shoin 1955. 181 pp.

Ü 129 Seija to amai pan. [Die süßen Brote et al.] Transl.: Kenji Takahashi. – Kyôto: Jimbun Shoin 1956. 185 pp.

Ü 130 Klingsor no saigo no natsu. [Klingsors letzter Sommer.] Transl.: Yoshitaka Kawasaki. – Tôkyô: Sôgei-sha 1956. 179 pp.

Ü 131 Chi to ai. Kohan no atorie. Sharin no shita. Ratengo-gakkô sei. [Narziß und Goldmund. Roßhalde. Unterm Rad. Der Lateinschüler. Der Weltverbesserer.] Transl.: Kenji Takahashi. – Tôkyô: Kawade Shobô 1956. 366 pp.
Tdr.: Kohan no atorie. [Roßhalde.] Transl.: Kenji Takahashi. – Tôkyô: Shinchô-sha 1959. 206 pp.

Ü 132 Wakaki hitobito e. [Zarathustras Wiederkehr et al.] Transl.: Kenji Takahashi. – Kyôto: Jimbun Shoin 1956. 166 pp.

Ü 133 Seishun hôkô. [Peter Camenzind.] Transl.: Hajime Yamashita. – Tôkyô: Dabiddo-sha 1957. 206 pp.

Ü 134 Hoshigusa no tsuki ta ichi hen. [Heumond.] Transl.: Kôji Kunimatsu. – Tôkyô: Kadogawa Shoten 1957. 118 pp. (Kadogawa Bunko. 745.)

Ü 135 Bôkyô. [Knulp.] Transl.: Eiichi Banshôya. – Tôkyô: Kadogawa Shoten 1957. 120 pp.

Ü 136 Seishun jidai. [Hermann Lauscher.] Transl.: Haketada Hara. – Tôkyô: Kadogawa Shoten 1957. 188 pp.

Ü 137 Seishun hôkô et al. – Hans Carossa: Dokutoru Bürger no ummei et al. [Peter Camenzind. Klingsors letzter Sommer. Die Morgenlandfahrt. Kurzgefaßter Lebenslauf. – Hans Carossa: Die Schicksale Doktor Bürgers. Rumänisches Tagebuch. Das Jahr der schönen Täuschungen.] Transl.: Hajime Yamashita et al. – Tôkyô: Chikuma Shobô 1958. 485 pp. (Sekai bungaku Taikei. 55.)

Ü 138 Chi to ai. [Narziß und Goldmund.] Transl.: Rokurobê Akiyama. – Tôkyô: Kadogawa Shoten 1958. 367 pp.

Ü 139 Sharin no shita. [Unterm Rad.] Transl.: Hayao Saneyoshi. – Tôkyô: Iwanami Shoten 1958. 234 pp.

Ü 139a Ofuku shokan. [Briefwechsel mit] Romain Rolland. Transl.: Toshihiko Katayama, Shigeru Shimizu. – Tôkyô: Misuzu-shobô 1959. 182 pp.

Ü 139b Dêmian. Transl.: Hayao Saneyoshi. – Tôkyô: Iwanami Shoten 1959. 227 pp.

Ü 139c Dowashu: Fue no Yume. [Märchen.] Transl.: Kenji Takahashi. – Tôkyô: Misuzu-shobô 1959. 217 pp.

Ü 139d Narziss to Goldmund. Transl.: Yoshiyuki Nishi. – Tôkyô: Iwanami Shoten 1959. Vol. 1.2.

Ü 139e Naimen eno michi. [Weg nach innen.] Transl.: Kenji Takahashi. – Tôkyô: Shin-chô-sha 1959. 150 pp.

Ü 140 Peter Camenzind. [Dt. Text u. japan. Übersetzung.] Hg. u. übers. von Kenji Takahashi. – Tôkyô: Ikubundo (1960). II, 184, II pp.

JUGOSLAWIEN

Ü 141 Gertruda. Transl.: Milovan Jevtović. – Beograd: Narodna knjiga 1958. 228 pp.

Ü 141a Igra staklenih perli. Pokušaj opisa života magistra Igre Jozefa Knehta sa Knehto-vim ostavljenim spisima. [Das Glasperlenspiel.] Transl.: Mihailo Smiljanić. – Subotica, Beograd: Minerva 1960. 477 pp. (Biblioteka Minerva.)

Ü 141b Stepski vuk. [Der Steppenwolf.] Transl.: Sonja Perović. – Beograd: Izdanje Nolit (1960). 191 pp. (Biblioteka Nolit.)

KANADA

Ü 142 Steppenwolf. Transl.: Basil Creighton. – Toronto: Oxford 1947.

KOREA

Ü 142a Cheong'chun'lun a'reum'da'weo'ra. [Schön ist die Jugend.] Transl.: Gim Yo-seob. – Soul: Yeong'ung'chul'pan'sa 1959. 286 pp.

MEXIKO

Ü 143 Demian. Historia de la juventud de Emilio Sinclair. Transl.: Luis López-Balle-steros y de Torres. – México 1940. 216 pp.

Ü 144 El juego de alaborios. [Das Glasperlenspiel.] Transl.: Arístides Gregori. – México: Editorial Sol 1955. 512 pp.

NIEDERLANDE

Ü 145 Peter Camenzind. Transl.: Th. Kuyper. – Amsterdam: P. N. van Kampen & Zoon 1907.

Ü 146 Rosshalde. Transl.: Anna van Gogh-Kaulbach. – Amsterdam: P. N. van Kampen & Zoon 1914.

Ü 147 Gerda. Roman. Transl.: Geertruida van Vladeracken. – Amsterdam: Meulenhoff 1918. (Meulenhoff-editie. 99.)

Ü 148 Siddhartha. Een droombeeld uit het land der Brahmanen. Transl.: B. H. den Boer-Breijer. – Baarn: H. J. den Boer [1928]. 144 pp.

Neudr.: 'S-Graveland: De Driehoek [1947]. 143 pp.

Ü 149 De steppenwolf. Transl.: Maurits Dekker. – Amsterdam: Nederl. Uitg.-Maatschap 1930. 211 pp.

Ü 150 Narcis en Guldemond. Transl.: John Kooy. – Utrecht: W. de Haan [1931]. 237 pp.

Ü 151 Siddhartha. Klingsor's laatste Zomer. Klein en Wagner. Transl.: B. H. den Boer-Breijer, G. Huib A. Verstegen. – 'S-Graveland: De Driehoek 1949. 344 pp.

Ü 152 Poverello. [Aus der Kindheit des heiligen Franz von Assisi.] Transl.: K[itty] H[enriette] R[odolpha] de Josselin de Jong. – Delft: Gaade 1955. 30 pp. (Preciosa-Reeks.)

NORWEGEN

Ü 153 Peter Camenzind. 1905. (Met, L 737)

Ü 154 Knulp. 1930. (L 737)

Ü 155 Demian. Historien om Emil Sinclairs ungdom. Transl.: Bjarne Gran. – (Trondheim): Brun (1947). 266 pp.

POLEN

Ü 156 Wilk stepowy. Powieść. Transl.: Jósef Wittlin. – Warszawa 1929.
Neudr.: (Warszawa): Państw. Inst. wydawniczy (1957). 243 pp. (Powieści XX wieku.)

Ü 157 Narcyz i Złotousty. [Narziß und Goldmund.] Transl.: Marceli Tarnowski. – Warszawa: Rój 1932. 316 pp. (Dzieła XX wieku.)
Neudr.: (Warszawa): Państw. Inst. wydawniczy (1958). 325 pp.

Ü 158 Siddhartha. Transl.: Kazimierz Błeszyński. – Warszawa: Rój 1932. 227 pp. (Dzieła XX wieku.)

Ü 159 Pod kolami. [Unterm Rad.] Transl.: Edyta Sicińska. – (Warszawa): Państw. Inst. wydawniczy (1955). 201 pp.

Ü 160 Peter Camenzind. Transl.: Edyta Sicińska. – (Warszawa): Państw. Inst. wydawniczy (1957). 208 pp.

PORTUGAL

Ü 161 Ele e o Outro. [Klein und Wagner.] Transl.: Manuela de Sousa Marques. – Lisboa: Guimarães 1952. 161 pp.

Ü 162 Narciso e Goldmundo. Transl.: Manuela de Sousa Marques. – Lisboa: Guimarães (1956). 308 pp.

SCHWEDEN

Ü 163 Peter Camenzind. Transl.: Kerstin Måås. – Stockholm: Wahlström & Widstrand 1905. 216 pp.

Ü 164 Gertrud. Transl.: Sigrid Abenius. – Stockholm: Nordisk förlag 1913. 222 pp.
Neudr.: Stockholm: Åhlén & Åkerlund 1919. 288 pp.

Ü 165 Demian. – Stockholm 1925.

Ü 166 Stäppvargen. [Der Steppenwolf.] Inledning av Anders Österling. Transl.: S[ven) J[ohan] S[tolpe]. – Stockholm: Bonnier 1932. 237 pp. – 2. ed. 1946. (Gula serien. – 3. ed. 1951. 203, II, 20 pp. (Gula serien.)
Neudr.: [Stockholm]: Forum (1960). 195 pp. (Forumbiblioteket. 120.)

Ü 167 Själens spegel. Valda noveller. Transl.: Anders Österling. – Stockholm: Bonnier (1939). 243 pp.
Cont.: Im Presselschen Gartenhaus. Klein und Wagner. Der Mohrle. Kinderseele. Tragisch. Kurzgefaßter Lebenslauf.

Ü 168 Dikter. [Gedichte.] Inledning av Johannes Edfelt. Transl.: Erik Blomberg, Hans Dejhne, Johannes Edfelt et al. – Stockholm: Bonnier 1946. 83 pp.

Ü 169 Siddhartha. En indisk berättelse. Transl.: Nils Holmberg. – Stockholm: Bonnier (1946). IV, 181 pp. (Panache serien.) – 2. ed. 1948; 3. ed. 1953; 4. ed. 1955.
Neudr.: Stockholm: Bokförlaget Aldus / Bonnier (1961). 125 pp. (Delfinbok. D 26.)

Ü 170 Drömfärder. Nya berättelser och sagor. [Traumfährte.] Transl.: Anders Österling, Nils Holmberg. – Stockholm: Bonnier (1948). 161 pp.

Ü 171 Klingsors sista sommar. Österlandsfärden. [Klingsors letzter Sommer. Die Morgenlandfahrt.] Transl., praef.: Arvid Brenner. – Stockholm: Tidens förlag (1950). 156 pp. (Tidens tyska klassiker. 7.)

Ü 172 Glaspärlespelet. Försök till en levnadsbeskrivning över magister ludi Josef Knecht jämte Knechts efterlämnade papper. Transl.: Nils Holmberg, Irma Nordvang. – Stockholm: Bonnier 1952. 565 pp. (Gula serien.)

Ü 173 Bokens magi. Två essayer. [Magie des Buches. – Aage Marcus: Om att läsa.] – Stockholm: Säleskapet Bokvännerna (1955). 57 pp.

Ü 174 Dikter. [Gedichte.] Inledning av Johannes Edfelt. Transl.: Erik Blomberg, Bo Bergman, Anders Österling et al. – (Stockholm): Bonnier (1957). 95 pp.

SCHWEIZ

Ausgaben in fremden Sprachen

Ü 175 Peter Camenzind. Préface de Gaspard Vallette. Transl.: Jules Brocher. – Lausanne: Libr. Payot [1910]. 240 pp.

Ü 176 In sight of chaos. [Blick ins Chaos.] Transl.: Stephen Hudson. – Zürich: Verl. Seldwyla 1923. 64 pp.

SPANIEN

Ü 177 Demian. La historia de la juventud de Emilio Sinclair. Transl.: Luis López-Ballesteros y de Torres. – Madrid: Editorial Cenit 1930. 233 pp.

Ü 178 El lobo estepario. [Der Steppenwolf.] Transl.: Manuel Manzanares. – Madrid: Editorial Cenit 1931. 243 pp.

Ü 179 Peter Camenzind. Transl.: Jesús Ruiz. – Barcelona: L. de Caralt (1947). 168 pp. (Coll. Gigante.)

Ü 180 Bajo la rueda. [Unterm Rad.] Transl.: Jesús Ruiz. – Barcelona: L. de Caralt (1948). 157 pp. (Panorama literario. 25.) – 2. ed. 1953. 175 pp. (La torre de marfil.)

Ü 181 Ensueños. [Traumfährte.] Transl.: Alfonso Pintó. – Barcelona: L. de Caralt (1950). II, 155 pp.

Ü 182 Obras escogidas. [Ausgewählte Werke.] Prólogo de Mariano S. Luque. – (Madrid): Aguilar (1957). XXXII, 1269 pp. (Biblioteca Premios Nobel.)
Cont.: Peter Camenzind. Unterm Rad. Transl.: Jesús Ruiz. – Der Zyklon. Schön ist die Jugend. Knulp. Märchen. Das Glasperlenspiel. Transl.: Mariano S. Luque. – Traumfährte. Transl.: Alfonso Pintó. – Späte Prosa. Transl.: Mariano S. Luque.

TSCHECHOSLOWAKEI

Ü 183 Petr Camenzind. Transl.: Karel Vít. – Lounech: J. Rössler o. J. 241 pp.

Ü 184 Stepní vlk. [Der Steppenwolf.] Transl.: Iřina Fischerova. – Praze 1931. (Laichterova sbírka krásného písemnictví. 36.)

Ü 185 Siddhárthah. Indická báseň. Transl.: Petr Křička. – Praha: Družstevní práce 1935. III, 125 pp. (Živé knihy. B. Sv. XXXI.)
Neudr.: Praha: Státní nakladatelství krásné literatury 1960. 153 pp.

Ü 186 Knulp. Tři události z Knulpova života. Transl.: Karel Čechák. – Praha: Československý Spisovatel 1958. 111 pp.

Ü 186a Klingsorovo poslední léto a jiné prózy. [Klingsors letzter Sommer u. reife Prosa (Knulp; Die Morgenlandfahrt).] Transl.: Karel Čechák, Rio Preisner. – Praha: Státní nakladatelství krásné literatury a umění 1961. 248 pp. (Světová četba. 273.)

TÜRKEI

Ü 187 Knulp. – Transl.: Aahide Gökberg. – Istanbul: Maarif Basimevi 1954. V, 109 pp.

UDSSR

Ü 188 Peter Camenzind. 1905. (LitE)
Neudr.: Transl.: F. Ischak. 1915. (LitE)

Ü 189 Unterm Rad. 1906. (LitE)

Ü 190 Roßhalde. Transl.: A. S. Polockoj. 1914.

Ü 191 Tropa Mudrosti. [Siddhartha.] – Leningrad 1924. (Mi)

UNGARN

Ü 192 Peter Camenzind. 1920. (L 737)

Ü 193 Sziddhártha. o. J. (L 737)

VEREINIGTE STAATEN VON AMERIKA

Ü 194 Adele Lewisohn: Gertrude and I, after the German of "Gertrud". – New York: The International Monthly (1915). 207 pp.

Ü 195 Demian. Transl.: N. H. Friday. – New York: Boni & Liveright (1923). 215 pp.
Neudr.: With a foreword by Thomas Mann. – (New York): Holt (1948). XVI, 207 pp.

Ü 196   Steppenwolf. Transl.: Basil Creighton. – New York: Holt (1929). 309 pp. – 2. ed. 1947.

Neudr.: New York: Ungar (1957). VI, 309 pp.

Ü 197   Death and the lover. [Narziß und Goldmund.] Transl.: Geoffrey Dunlop. – New York: Dodd, Mead & Co. [1932]. VI, 281 pp.

Neudr.: New York: Praeger [um 1959].

Ü 198   Magister Ludi. [Das Glasperlenspiel.] Transl.: Mervyn Savill. – New York: Holt (1949). 502 pp.

Neudr.: New York: Ungar 1957. 502 pp.

Ü 199   Siddhartha. Transl.: Hilda Rosner. – (New York: New Directions 1951.) VI, 153 pp. (The new classics series. [34.]) – 2. ed. 1957.

Ü 200   The journey to the East. [Die Morgenlandfahrt.] Transl.: Hilda Rosner. – (New York: Noonday Press 1957.) 118 pp.

SPRECHPLATTEN

Sp 1   Der Dichter. Ein Märchen. Gesprochen von HH. – [Stuttgart]: Dt. Schallplatten-club; [Ffm: Suhrkamp 1956]. 25 cm ⌀, 33 UpM.

Sp 2   Zwischen Sommer und Herbst. Im Auto über den Julier. In Sand geschrieben. Bericht des Schülers. Skizzenblatt. Gesprochen vom Dichter. – Zürich: Europ. Platten-Club; Stgt: Dt. Schallplatten-Club; Ffm: Suhrkamp [1958]. 25 cm ⌀, 33 UpM.

BRIEFWERK

B 1   N. N. Bern 23. 10. 1915 – Der Kunstwart (Mchn) 29, 1915/16, I, S. 201–203.

B 2   N. N. 1945 – L 992.

B 3   N. N. 1946 – StgtZtg Nr. 38 v. 27. 4. 1946, S. 2.

B 4   N. N. 1957 – StgtZtg Nr. 35 v. 11. 2. 1957, S. 9.

B 5   An eine Abiturientin. März 1951 – E 217; **Br.**

B 6   An einen Achtzehnjährigen. 28. 2. 1950 – u. d. T.: Das junge Genie: NZZ Nr. 740 v. 9. 4. 1950; E 211; – NZ Nr. 107 v. 6. 5. 1950; **HBr**; **Br.**

B 7   Ahornschatten. Ein Brief an HH. samt der Antwort. Montagnola Febr. 1952 – NZZ Nr. 452 v. 1. 3. 1952; E 221.
Brief an einen Arbeiter s. An einen «einfachen Mann aus dem arbeitenden Volk»

B 8   Auszüge aus zwei Briefen – NSRs NF 17, 1949/50, S. 54f.; E 222.
Der Autor an einen Korrektor s. An einen Korrektor

B 9   Antwort auf Briefe aus Deutschland. Okt. 1950 – u. d. T.: Kriegsangst: NatZ Nr. 488 v. 22. 10. 1950, Sobeil.; E 223; – NZ Nr. 256 v. 28. 10. 1950 u. d. T.: Andere Wege zum Frieden; **Br.**

B 10   Briefwechsel über HH. – NRs 59, 1948, S. 244f.; E 210.

B 11   Ein kleiner Briefwechsel. 11. 3. 1960 – NZZ Nr. 857 v. 14. 3. 1960.
Über drei Bücher s. Aus einem Brief an Freunde
Über zwei Bücher s. B 137a

B 12   Brief an einen Bücherleser – Dresdner N. Nachr. Nr. 261 v. 7. 11. 1928; SchwSp 22, 1928, S. 397.

B 13   Brief an einen jungen Deutschen. 1919 – NZZ Nr. 1431 v. 21. 9. 1919; **BG**; NSRs NF 13, 1945/46, S. 89–92; **KF.**

B 14   An einen jungen Deutschen. 1950 – E 213; **HBr**; **Br.**

B 15   Ein Brief nach Deutschland. 1946 – NatZ Nr. 190 v. 26. 4. 1946; E 225; NZ Nr. 61 v. 2. 8. 1946; NRs 56/57, 1945/46, S. 486–490; **KF**; **BGa.**

B 16   Der junge Dichter. Ein Brief an Viele – März 4, 1910, I, S. 441–443; E 226; Junge Menschen (Hambg.) 2, 1921, S. 56f.; – u. d. T.: An einen jungen Dichter: Der Kunstwart (Mchn) 45, 1931/32, S. 145–147; SoblBasNachr 27, 1933, S. 102; SchwSp 27, 1933, S. 338f.; NatZ Nr. 424 v. 15. 9. 1957, Sobeil.

B 17   An einen jungen Dichter. 1950 – E 213; **HBr**; **Br.**
Brief an einen schwäbischen Dichter s. B 128

B 18   An einen zwanzigjährigen Dichter in Deutschland – NatZ Nr. 408 v. 3. 9. 1949, S. 3.

B 19   An den Ephorus des Uracher Seminars. Anfang Mai 1934 – L 50, 1947, S. 58.

B 20   Brief ins Feld – Prop 13, 1915/16, S. 227f.; E 228.

B 21 Die uralte Frage. Ein Brief und eine Antwort – NZZ Nr. 1634 v. 7. 6. 1956; Neue dt. Hefte (Gütersloh) 4, 1957/58, S. 385–387 [mit Zwischentext]. – Enth. B 204.

B 22 An eine gelehrte Frau. Juni 1950 – E 213; **HBr**; **Br.**

B 23 An einen Freund. März 1955 – E 217; **Br.**

B 24 An einen Freund, der mich wegen meines Vorschlags für den Nobelpreis befragt hatte. Januar 1950 – NatZ Nr. 47 v. 29. 1. 1950; E 212; **HBr**; **Br.**

Einem Freund in Schwaben s. B 102a

B 25 Über drei Bücher. Aus einem Brief an Freunde. Febr. 1951 – NZZ Nr. 343 v. 17. 2. 1951.

Brief an die Freundin s. B 127

Antwort an die «Friedenskämpfer» s. B 73

Das junge Genie s. An einen Achtzehnjährigen

Über Gewaltpolitik, Krieg und das Böse in der Welt s. B 114. Tdr.

B 26 Zwei Briefe über das Glasperlenspiel – NatZ Nr. 457 v. 5. 10. 1947, Sobeil.; E 230. – Enth. B 39.

B 27 An einen Inder, der mich bat, etwas für die Fortdauer von Tagores Ruhm zu tun. Okt. 1957 – E 219; **Br.**

B 28 Postkarte an jemand, der mir ein Buch mit hübschen surrealistischen Dichtungen gesandt hatte. 1950 – E 213; **HBr**; **Br.**

B 29 An einen jungen Kafka-Leser. 9. 1. 1956 – P 737; **Br.**

Brief an einen Kollegen s. B 101

An einen Kollegen in Deutschland s. B 87

B 30 An einen jungen Kollegen in Japan. 1947 – NZZ Nr. 1063 v. 2. 6. 1947; E 234; KFa; Freude an Büchern (Wien) 3, 1952, S. 225f.; **BGa**; NatZ Nr. 61 v. 7. 2. 1960, Sobeil.

B 31 An einen Korrektor. Okt. 1946 – u. d. T.: Der Autor an einen Korrektor: NZZ Nr. 1780 v. 5. 10. 1946; E 235; A 25; – **Br.**

Kriegsangst s. Antwort auf Briefe aus Deutschland

B 32 An einen jungen Künstler. 5. 1. 1949 – NatZ Nr. 25 v. 16. 1. 1949, Sobeil.; NZ Nr. 21 v. 19. 2. 1949; E 237; E 211; **HBr**; **Br.**

An einen alten Leser s. B 191a

B 33 An einen Leser, dem ich zuweilen neue Bücher empfehle. Dez. 1958 – E 220; **Br.**

B 34 Aus dem Brief an einen Leser, dem ich zuweilen Bücher empfehle. Febr. 1960 – E 10.

B 35 An einen Leser in Frankreich. Juni 1950 – E 213; **HBr**; **Br.**

B 36 Aus einem Privatbrief an einen Leser, der beunruhigt war... – L 67, S. 18f.

B 37 Ein Leserbrief und die Antwort des Autors – NSRs NF 21, 1953/54, S. 672–675; Ww Nr. 1152 v. 9. 12. 1955, S. 27; **Br.** – Enth. B 66.

B 38 Antwort auf einen politischen Leserbrief aus Deutschland. Montagnola Juli 1952 – NZZ Nr. 1419 v. 28. 6. 1952; E 215; **Br.**

B 39   An eine Leserin des «Glasperlenspiels». Sept. 1947 – B 26; **Br.**

B 40   An eine junge Leserin, die sich durch ein Buch von mir beunruhigt fühlte. Ende März 1957 – E 219; **Br.**

B 41   An ein ganz junges Mädchen. Okt. 1953 – E 218; **Br.**

B 42   An ein junges Mädchen. Januar 1950 – E 212; **HBr**; **Br.**

B 43   An ein junges Mädchen. Febr. 1955 – E 218; E 219; **Br.**

B 44   An einen dichtenden Maler. März 1955 – E 218.

B 45   An einen «einfachen Mann aus dem arbeitenden Volk» – NatZ Nr. 218 v. 14. 5. 1950, Sobeil.; E 238; DtZtgWi Nr. 44 v. 3. 6. 1950 u. d. T.: Brief an einen Arbeiter; **Br.**

B 46   Brief an einen reichen Mann – Frankf. Ztg. Nr. 342 v. 10. 12. 1916, 1. Mbl.; SchwSp 10, 1916/17, S. 61 f.

B 47   An einen jungen Menschen, der mit dem Heimweh nach seiner verlorenen Heimat im deutschen Osten nicht fertig wird. Febr. 1960 – E 10.

B 48   Ein paar indische Miniaturen. Jan. 1959 – NatZ Nr. 220 v. 17. 5. 1959, Sobeil.; E 241; E 220.

B 49   An einen Musiker. 1960 – NZZ Nr. 1197 v. 8. 4. 1960; StgtZtg Nr. 94 v. 23. 4. 1960; E 242.

B 50   An eine ehemalige Nationalsozialistin. 1950 – E 213; **HBr**; **Br.**

B 51   Brief an einen Philister. 1915 – Schweiz 20, 1916, S. 12–15; **KG**; SchwSp 21, 1927, S. 1 f.; **BG.**

B 52   An einen achtzigjährigen Philologen. 1949/1950 – E 212; **HBr**; **Br.**

B 53   Aus einem Brief an eine deutsche Quäkerin – Der Quäker (Bad Pyrmont) 25, 1951, S. 108.

B 54   Eine Rechtfertigung. Schloß Bremgarten August 1951 – E 215; **Br.**

B 55   Der wohlgenutzte Ruhm. Aus einem Briefe – NRs 58, 1947, S. 258.

B 56   Nicht abgesandter Brief an eine Sängerin – NatZ Nr. 529 v. 16. 11. 1947, Sobeil.; P 1047; E 145; WMtsh 97, 1956, H. 12, S. 6–12.

B 57   Antwort auf Schmähbriefe aus Deutschland – NZZ Nr. 1489 v. 23. 8. 1946.

B 58   An einen schwäbischen Schulkameraden. 1949/1950 – E 212; **HBr**; **Br.**

B 59   An Schwester Luise. 1950 – E 213; **HBr**; **Br.**

B 60   An eine Sechzehnjährige. Dez. 1952 – E 218; **Br.**

B 60a   An einen Seminaristen als Antwort auf einen Brief, in dem er kritische Gedanken über die Unzulänglichkeit der Sprache äußerte. Herbst 1960 – SchwMtsh 41, 1961/62, S. 64 f.

B 61   An einen Siebzehnjährigen. 14. 2. 1950 – E 213; **HBr**; **Br.**

B 62   An einen Siebzehnjährigen. 8. 1. 1953 – E 218; **Br.**

B 63   An einen Studenten. 12. 2. 1950 – E 212; **HBr**; **Br.**

B 64 An einen Bonner Studenten. 1949/1950 – E 212; **HBr**; **Br.**

B 65 Antwort an eine Studentin, die mit dem Glasperlenspiel nichts anfangen kann. Mai 1948 – E 210.

B 66 An eine deutsche Studentin. März 1954 – B 37; L 780, S. 5: Tdr.

B 67 An den Verfasser einer Broschüre über mich. 1950 – E 213; **HBr**; **Br.**
An den Verfasser eines Gedichtbuches s. B 172
An den Verfasser eines Kriegsromans s. B 205
Versuch einer Rechtfertigung s. B 89

B 68 An den Vertreter einer deutschen Kulturgesellschaft. Febr. 1950 – E 213; **HBr**; **Br.**

B 69 Brief an einen Verwundeten – SchwSp 8, 1914/15, S. 138f.
Andere Wege zum Frieden s. Antwort auf Briefe aus Deutschland

B 70 Ying und Yang. Brief eines Studenten an HH. und dessen Antwort – NZZ Nr. 1639 v. 2. 7. 1954.

B 71 Erwin Ackerknecht. Dez. 1939 – L 765, S. 167: Tdr.

B 72 Lajser Ajchenrand. 1947 – NZZ Nr. 2186 v. 8. 11. 1947.

B 73 Redaktion des «Aufbau», Berlin-Ost. 18. 2. 1953 – FAZ Nr. 48 v. 26. 2. 1953; Mannheimer Morgen vom 2. 3. 1953; Telegraf (Bln) Nr. 61 v. 13. 3. 1953; Volksrecht (Zch) Nr. 66 v. 19. 3. 1953 u. d. T.: Antwort an die «Friedenskämpfer»; **Br.**

B 74 Alfredo Baeschlin. Montagnola Frühling 1953 – Alfredo Baeschlin: Ein Künstler erlebt Mallorca. Schaffhausen: Lempen (1953), S. 3.

B 75 Emmy [Ball-] Hennings. Zürich 1928 – Köln. Ztg. Nr. 703 v. 22. 12. 1928, Unterh.-Bl.; L 842, S. 14–18; **Br.**

B 76 Johannes R. Becher. 1951 – Neues Deutschland (Bln) Ausg. A, Nr. 157 v. 11. 7. 1951: Tdr.

B 77 Deutsche Beiträge. Montagnola 3. 10. 1947 – Dt. Beitrr. 1, 1946/47, S. 574.

B 78 Deutsche Beiträge. 8. 3. 1949 – Dt. Beitrr. 3, 1949, S. 192: Tdr.

B 79 Richard Benz. Montagnola 18. 5. 1950 – E 213; **HBr**; Gegenwart im Geiste. Festschr. f. Richard Benz. Hamburg: Wegner 1954, S. 17–19; **Br.**

B 80 Jacques Berna. 1946 – L 1542, S. 242.

B 81 Alexander von Bernus. 1. Calw 24. 4. 1904; 2. Gaienhofen 19. 11. 1904 – Worte der Freundschaft f. Alexander v. Bernus. Nürnberg: Carl (1949), S. 89f.; E 212.

B 82 Otto Julius Bierbaum. Gaienhofen 6. 2. 1907 – L 50, 2. Aufl. 1954, S. 49.

B 83 Redaktion der «Blätter für deutsche und internationale Politik». März 1960 – Blätter f. dt. u. internat. Politik (Köln) 5, 1960, S. 319.

B 84 Emanuel von Bodman. 3. 2. 1910 – L 765, S. 50: Tdr.

B 85 Emanuel von Bodman. Um 1918/1919 – L 765, S. 89: Tdr.

B 86 Frau von Bodman. 1946 – Emanuel von Bodman zum Gedächtnis. St. Gallen: Tschudy 1947, S. 29.

B 87   Karl Friedrich Borée. Dez. 1954 – NZZ Nr. 253 v. 29. 1. 1955 u. d. T.: An einen Kollegen in Deutschland; E 216; **Br.**

B 88   K. Erich Brachwitz. [Um 1913] – Bbl 80, 1913, Nr. 268, S. 12558.

B 89   Max Brod. Montagnola 25. 5. 1948 – u. d. T.: Versuch einer Rechtfertigung [mit L 844a]: NSRs NF 16, 1948/49, S. 77–80; E 224; L 1363: Tdr.; **KFa**; **BGa**.

B 90   Fritz Brun. Montagnola 27. 4. 1941 – Kleine Festgabe f. Fritz Brun zu s. Abschied von Bern im Juni 1941. Bern: Huber [1941], S. 33–35.

B 91   Anni Carlsson. 1953 – NZZ Nr. 121 v. 17. 1. 1954; StgtZtg Nr. 37 v. 13. 2. 1954. Vgl. L 1554.

B 92   Hans Carossa. Dez. 1953 – Freude an Büchern (Wien) 4, 1953, S. 247; **Br.**

B 93   Maurice Colleville. 1953 – L 1821: Tdr.

B 94   Herr D. Nov. 1953 – E 218.

B 95   Dagens Nyheter. Nov. 1946 – Dagens Nyheter (Onsdagen, Sver.) Nr. 317 v. 20. 11. 1946, S. 1.

B 96   Stadtpfarrer Daur, Stuttgart. Januar 1954 – E 215; **Br.**

B 97   Herausgeber der «Dichterbühne», Berlin. Anfang März 1950 – E 227; E 213; **Br.**

B 98   Erich Ebermayer. 14. 9. 1960 – Erich Ebermayer. Buch der Freunde. Lohof b. Mchn: Lemke 1960, S. 25.

B 99   Schriftleitung der Zeitschrift «Die Eiche». 1916 – Die Eiche (Bln) 4, 1916, S. 241 bis 243.

B 100   Redaktion der Zeitschrift «Die Einsicht». 23. 4. 1948 – Die Einsicht (Zch) 1, 1948, H. 3, 3. Umschlagseite.

B 101   Otto Engel. Januar 1959 – NatZ Nr. 278 v. 21. 6. 1959 u. d. T.: Brief an einen Kollegen; E 220.

B 102   Otto Engel. Febr. 1960 – E 10.

B 102a   O[tto] E[ngel]. Herbst 1960 – SchwMtsh 41, 1961/62, S. 63 f. u. d. T.: Einem Freund in Schwaben.

B 103   Eduard Engels. [Um 1907] – SchwSp 1, 1907/08, S. 172.

B 104   Redaktion von «Extempore», Zürich – E 212.

B 105   Herr A. F., Eßlingen. Febr. 1950 – E 213; **HBr**; **Br.**

B 106   Herr K. J. F., Köln. April 1956 – E 219; **Br.**

B 107   Ludwig Finckh. Basel 12. 12. 1899 – L 596, S. 133.

B 108   Ludwig Finckh. März 1907 – L 765, S. 48 [Faksim.].

B 108a   Ludwig Finckh. Zum 85. Geburtstag – Blätter d. Schwäb. Albvereins (Stgt) 13, 1961, Nr. 2, S. 41.

B 109   Hedwig Fischer. Baden b. Zürich 12. 11. 1947 – Almanach. Das 67. Jahr. Ffm: S. Fischer 1953, Beil. Hedwig Fischer u. der S. Fischer-Verl., S. 35.

B 110   Frau Fr. Ende 1949 – E 212; **HBr**; **Br.**

B 111 Dr. E. G., Bukarest. Febr. 1952 – E 217; **Br.**

B 112 Vasant Ghaneker. April 1953 – E 217; **Br.**

B 113 André Gide. Januar 1951 – P 384; **Br.**

B 114 Herr Gohlke, Berlin. Montagnola Febr. 1955 – Tdr. u. d. T.: Über Gewaltpolitik, Krieg und das Böse in der Welt: NatZ Nr. 96 v. 27. 2. 1955, Sobeil.; E 229; – E 215; **Br.**

B 115 Adele Gundert geb. Hesse. 1946 – u. d. T.: Brief an Adele: NZZ Nr. 229 v. 10. 2. 1946; E 231; **KF**; E 55; **Gbs**; **BGa**.

B 116 Wilhelm Gundert. Sept. 1960 – u. d. T.: Yüan-wus Niederschrift von der smaragdenen Felswand: NZZ Nr. 3365 v. 3. 10. 1960; Univ 16, 1961, S. 197–199; – StgtZtg Nr. 232 v. 7. 10. 1960 u. d. T.: Geheime Weisheit; E 208a.

B 117 Fräulein M. H., München. Juli 1954 – E 218; E 219; **Br.**

B 118 Herr P. H., Salzburg. 1950 – E 212; **HBr**; **Br.**

B 119 Herr R. H., München. 3. 2. 1950 – E 212; **HBr**; **Br.**

B 120 Otto Hartmann. 1. Gaienhofen 2. 4. 1910; 2. Bern 22. 4. 1913; 3. Zürich 16. 12. 1926; 4. 24. 11. 1932; 5. 24. 12. 1932; 6. 3. 1. 1934; 7. Montagnola 21. 9. 1945 – DtZtgWi Nr. 52 v. 29. 6. 1957, S. 4.

B 121 Otto Hartmann. Febr. 1944 – L 765, S. 169: Tdr.

B 122 Otto Hartmann. 29. 9. 1952 – E 232 u. d. T.: Letzter Gruß an Otto Hartmann; L 765, S. 180.

B 123 Conrad Haußmann. Mai 1911 – L 765, S. 63: Tdr.

B 124 Conrad Haußmann. 24. 1. 1913 – L 765, S. 70: Tdr.

B 125 Julie Hellmann. 1. Calw 26. 8. 1899; 2. Basel 28. 11. 1899; 3. Dez. 1899 – L 596, S. 101–106, 124–127, 129–132.

B 126 Heinrich Hermelink, München – E 213; **HBr**; **Br.**

B 127 Ninon Hesse. Zürich April 1928 – u. d. T.: Brief an die Freundin: BT Nr. 203 v. 29. 4. 1928; NZZ Nr. 708 v. 14. 4. 1929; – **Br.**

B 128 Otto Heuschele. 10. 9. 1950 – u. d. T.: Brief an einen schwäbischen Dichter: NZZ Nr. 2104 v. 7. 10. 1950; E 233; – **Br.**

B 129 Theodor Heuss. 1910 – L 69, S. 30: Tdr.

B 130 Theodor Heuss. 1. Bern 12. 11. 1913; 2. Bern 1913 od. 1914 – Begegnungen mit Th. Heuss. Hg. v. Hans Bott u. Hermann Leins. Tüb: Wunderlich 1954, S. 257 bis 259.

B 131 Theodor Heuss. 1949/1950 – E 212; StgtZtg Nr. 143 v. 23. 6. 1950; **HBr**; L 75, S. 3; **Br.**

B 132 Theodor Heuss. 1. Schloß Bremgarten August 1952; 2. Montagnola 8. 7. 1952 – Begegnungen mit Th. Heuss. Hg. v. Hans Bott u. Hermann Leins. Tüb: Wunderlich 1954, S. 255–257. 2. **Br.**

B 133 Paul Ilg. Basel 29. 1. 1903 – Paul Ilg, ein Thurgauer Dichter. Hg. v. Franz Larese. Bischofszell: Hildebrand 1943, S. 5f. u. d. T.: Dichterfreundschaft.

B 134 Dr. M. A. Jordan. 1932 – Benediktinische Monatsschr. (Beuron) 14, 1932, S. 28 bis 32 u. d. T.: Die Sendung des Dichters; L 71, S. 60–62 u. d. T.: Dichter und Führerschaft; **Br.**

B 135 Frau K. Juni 1952 – E 216; **Br.**

B 136 Herr W. K., Stuttgart. April 1954 – Weser-Kurier (Bremen) Nr. 148 v. 29. 6. 1957; E 215; **Br.**

B 137 Bericht an W. K. – NZZ Nr. 1213 v. 27. 4. 1957.

B 137a Aus einem Brief an W. K. Herbst 1960 – SchwMtsh 41, 1961/62, S. 65–68 u. d. T.: Über zwei Bücher.

B 137b Alfred Kantorowicz. Juli 1954 – Alfred Kantorowicz: Deutsches Tagebuch. 2. Teil. (Mchn): Kindler (1961), S. 466: Tdr.

B 138 Hermann Kesten. Sils-Maria August 1959 – Hermann Kesten. Ein Buch der Freunde. Mchn: Desch; Köln: Kiepenheuer; Ffm: Büchergilde Gutenberg (1960), S. 79.

B 139 Helmut Klausing. Juli 1952 – L 383.

B 140 Walter Kolb. 13. 1. 1947 – L 227, S. 35.

B 141 Eduard Korrodi. 1948 – u. d. T.: Preziosität: NZZ Nr. 1415 v. 3. 7. 1948; E 236.

B 142 An den französischen Dichter Krug – Dt. Pfarrerblatt (Essen) 52, 1952, S. 526 u. d. T.: Ein peinlicher Brief.

B 143 Herr L. [Um 1950] – E 212.

B 144 Herr L. April 1952 – E 217; **Br.**

B 145 Herr F. L. in Z. Januar 1954 – E 218; **Br.**

B 146 Horst Lange. 1937 – Der Ruf (Mchn) 1, 1946/47, Nr. 17, S. 13f.

B 147 Albert Langen. [1909] – März 3, 1909, I, S. 287–291 u. d. T.: Das hohe Lied.

B 148 Zeitschrift «Las Espannas», Yucatan. 31. 1. 1950 – E 212; **HBr; Br.**

B 149 Alice Leuthold. 4. 7. 1930 – L 765, S. 31: Tdr.

B 150 Alice Leuthold. 17. 2. 1932 – L 765, S. 122: Tdr.

B 151 Offener Brief an Bernt Lie – Frankf. Ztg. Nr. 307 v. 5. 11. 1915, 1. Mbl. + Zu Bernt Lie's Antwort [L 1463] – Frankf. Ztg. Nr. 349 v. 17. 12. 1915, 1. Mbl.

B 152 Redaktion der Zeitschrift «Die neue Literatur». Baden 3. 12. 1935 – DNL 37, 1936, S. 57f. **Vgl.** L 984.

B 153 Redaktion der Zeitschrift « Neue deutsche Literatur». 1954 – Neue dt. Lit. (Bln) 2, 1954, H. 9, S. 13: Tdr.

B 154 Oskar Loerke. [1919] – L 765, S. 87.

B 155 Felix Lützkendorf. Mai 1950 – NZZ Nr. 244 v. 4. 2. 1951: Tdr. u. d. T.: Verfilmte Dichtung; E 213; **HBr; Br.**

B 156 Herr M. Febr. 1953 – E 216; **Br.**

B 157 Redaktion des «März». 1. Gaienhofen 28. 2. 1910; 2. Gaienhofen 3. 8. 1910; 3. Gaienhofen 18. 8. 1910 – Hannsludwig Geiger: Es war um die Jahrhundertwende. Mchn: Langen-Müller 1953, S. 175f.

B 158   Thomas Mann. Undat. – Klaus W. Jonas: Fifty years of Thomas Mann studies. Minneapolis: Univ. of Minnesota Press (1955), S. XIV: Tdr.

B 159   Thomas Mann. Baden bei Zürich 15. 12. 1945 – E 239.

B 160   Thomas Mann. Baden 12. 12. 1947 – L 75, S. 3; **Br.**

B 161   Thomas Mann zum 6. 6. 1950 – NRs 61, 1950, S. 151 f.; E 240; **Br.**

B 162   Thomas Mann. Januar 1953 – E 217; **Br.**

B 163   Thomas Mann. Febr. 1955 – NZZ Nr. 1497 v. 5. 6. 1955 u. d. T.: Glückwunsch zu Thomas Manns 80. Geburtstag; **Br.**

B 164   Thomas Mann. 1955 – NRs 66, 1955, S. 256 f. u. d. T.: Bekenntnis und Glückwunsch.

B 165   Fritz Marti. 1902 ff. – L 1599: Tdr.

B 165a   Fritz Marti. Calw Ende 1903 – Fritz Marti: Vorspiel des Lebens u. a. Erzählgn. Zch: Schweiz. Druck- u. Verlagshaus (1961), S. 33 f.

B 166   Bernhard Martin. 1947 – Die neue Schau (Kassel) 8, 1947, S. 91.

B 167   Walter Meckauer. 1959 – Walter Meckauer. Mensch u. Werk. Mchn: Bergstadtverl. (1959), S. 4.

B 168   Walther Meier. Juli 1950 – E 213; **Br.**

B 169   Ernst Morgenthaler. 27. 4. 1950 – E 213; **HBr; Br.**

B 170   Ernst Morgenthaler. Zum 70. Geburtstag – NZZ Nr. 3658 v. 11. 12. 1957; Ernst Morgenthaler. Bern: Scherz (1957), S. 9, 11 f., 15 f.

B 171   Rudolf Pannwitz. Januar 1955 – E 216; E 219; **Br.**

B 172   Erich Pfeiffenberger. April 1955 – E 219 u. d. T.: An den Verfasser eines Gedichtbuches; **Br.**

B 172a   Hans Purrmann. [Ende 1954] – Leben u. Meinungen des Malers Hans Purrmann. Wiesbaden: Limes-Verl. (1961), S. 130 f.

B 173   G. R., Abiturient. Januar 1954 – E 216; **Br.**

B 174   Hauptmann G. R., Lübeck. Okt. 1954 – E 216.

B 175   Frau M. R., Kassel. März 1950 – E 213; **HBr; Br.**

B 176   Frau R. R., Gießen. 1950 – E 213; **HBr; Br.**

B 177   Georg Reinhart. 1. Zum 10. 1. 1937; 2. Sept. 1955 – P 792.

B 177a   Luise Rinser. Undat. – Luise Rinser: Die gläsernen Ringe. (Ffm u. Hambg.): Fischer-Bücherei (1961), S. 2: Tdr. (Fischer Bücherei. 393.)

B 178   Romain Rolland. 1915 bis 1938 – E 243.

B 179   Neue Schweizer Rundschau. Febr. 1950 – E 212; **Br.**

B 180   Westdeutsche Rundschau. Montagnola 4. 1. 1948 – Westdt. Rs. (Wuppertal) Nr. 21 v. 19. 2. 1948.

B 181   Max Rychner. 27. 10. 1956 – E 219; **Br.**

B 182 Frau I. S., Buenos Aires. März 1954 – E 216; **Br.**

B 183 Adolf Saager. [Januar 1916] – NatZ Nr. 5 v. 4. 1. 1916 u. d. T.: Von den Pazifisten. Antwort auf den offenen Brief von Herrn Dr. Adolf Saager [L 1751].

B 184 Martha Saalfeld. April 1954 – Die Freiheit (Mainz) v. 5. 8. 1954; **Br.**

B 185 Felix Salten. 13. 3. 1905 – DtZtgWi Nr. 35 v. 1. 5. 1957, S. 14.

B 186 Herr H. G. Sch.-R., Holzhausen-Leipzig. Okt. 1953 – E 216; **Br.**

B 187 Irmgard Schabicki geb. Gundert. 31. 1. 1952 – E 216; **Br.**

B 188 Jakob Schaffner. Undat. – März 2, 1908, I, S. 377f. u. d. T.: Die Schreibmaschine.

B 189 Wolfdietrich Schnurre. Undat. – Literarium 5. [Prospekt.] (Olten u. Freiburg
i. B.: Walter-Verl. 1960), S. 5.

B 190 Rudolf Alexander Schröder. Zum 75. Geburtstag – NZZ Nr. 179 v. 25. 1. 1953;
Dichten und Trachten (Ffm) Nr. 1, 1953, S. 75–77.

B 191 Rudolf Alexander Schröder. Dez. 1957 – Morgenbl. f. Freunde d. Lit. (Ffm)
Nr. 12 v. 26. 1. 1958, S. 2.

B 191a Herr Schulz. Herbst 1960 – SchwMtsh 41, 1961/62, S. 68 u. d. T.: An einen alten
Leser.

B 192 Wilhelm Schussen. Undat. – Bbl (Ffm) 10, 1954, Anzeigen-Beil. Nr. 42, S. 1643:
Tdr.

B 193 Georg Schwarz. Okt. 1951 – E 215; **Br.**

B 194 Wilhelm Speyer. 1914 – Simpl 19, 1914/15, S. 126: Tdr.

B 195 Albert Steffen. Zum 60. Geburtstag – Das Albert Steffen Buch. Basel: Birkhäuser
1944, S. 43.

B 196 Peter Suhrkamp. Zum 28. 3. 1951 – NZZ Nr. 657 v. 28. 3. 1951; – u. d. T.: Glückwunsch für Peter Suhrkamp: E 244; Peter Suhrkamp: Ausgew. Schriften zur
Zeit- u. Geistesgeschichte. [Bd. 1.] Ffm 1951: Weisbecker, S. 7–13; **Br.**

B 197 Peter Suhrkamp. Sils Maria Juli 1952 – E 216; **Br.**

B 198 Seiji Takahashi. 14. 9. 1950 – **HBr; Br.**

B 199 Erik Thomson. Undat. – L 1057, S. 539.

B 200 Regina Ullmann. Zum 70. Geburtstag – NZZ Nr. 3186 v. 14. 12. 1954.

B 201 Siegfried Unseld. 1949/1950 – E 212; **HBr; Br.**

B 202 Eleonore Vondenhoff. Undat. – L 669 [Faksim.].

B 203 Herr W. April 1953 – E 218; E 219; **Br.**

B 204 Frau M. W. 1. 6. 1956 – B 21; E 219; **Br.**
Christian Wagner. Zum 80. Geburtstag s. P 1447

B 205 Werner Walz. 1956 – u. d. T.: Brief an den Verfasser eines Kriegsromans: NZZ
Nr. 657 v. 8. 3. 1956; E 202.

B 206 Jakob Wassermann. Zum 60. Geburtstag – NRs 44, 1933, I, S. 360.

B 207 Werner Weber. [Juni 1951] – NZZ Nr. 1374 v. 23. 6. 1951; L 67, S. 17f.

B 207a Peter Weiss. Montagnola im Mai 1961 – Dichten u. Trachten (Ffm) Nr. XVIII, Herbst 1961, S. 95f.

B 208 Friedrich Emil Welti. 30. 10. 1928 – L 765, S. 105: Tdr.

B 209 Helene Welti. 28. 4. 1927 – L 765, S. 116: Tdr.

B 210 Helene Welti. 17. 1. 1932 – L 765, S. 175: Tdr.

B 211 Paul Wiegler. Um 1930 – Sinn und Form (Potsdam) 1, 1949, H. 5, S. 15f.

B 212 Landesbischof Dr. [Theophil] Wurm. 1949/1950 – E 212; **HBr**; **Br.**

B 213 Italo Zaratin. [Ende 1923] – u. d. T.: Über die heutige dt. Literatur: NZZ Nr. 24 v. 7. 1. 1924; Rhein. Beobachter (Potsdam) 3, 1924, S. 25f.

B 214 Eugen Zeller. Okt. 1951 – E 217; **Br.**

B 215 Leopold Ziegler. Sept. 1951 – E 216; **Br.**

WERKVERZEICHNIS

PROSA

A

P 1 Abend in Asien – Schweiz 16, 1912, S. 443f.; **AI; BB.**

P 2 Abend in Cremona – Rhlde 15, 1915, S. 104–107; **BB**; Das 40. Jahr. Almanach. Bln: S. Fischer 1926, S. 213–222.

P 3 Ein Abend bei Doktor Faust – NZZ Nr. 857 v. 5. 5. 1929 u. d. T.: Eine Geschichte vom Zauberer Dr. Faust; **Fbb.** – Enth. G 112.

Stiller Abend s. Knopf-Annähen

Tessiner Abend s. Tessiner Sommerabend

P 4 Wenn es Abend wird – SchwSp 1, 1907/08, S. 169f.; Prop 5, 1907/08, S. 337–339; SoblBasNachr 4, 1909, S. 57f.; **BB.**

P 5 Chinesische Abende. [Bln 1920.] Rez. – WiLeb 14, 1920/21, S. 296.

Abendfarben s. Drei Zeichnungen 3

Abends s. Am Ende des Jahres

Abendstunde in einer kleinen Kneipe s. Der Steppenwolf. Tdr.

P 6 Abendwolken – BT Nr. 299 v. 27. 6. 1926; Basilisk 8, 1927, Nr. 27; E 23; NatZ Nr. 472 v. 12. 10. 1952, Sobeil.; E 1; **BBb.**

P 7 Das erste Abenteuer – Simpl 10, 1905/06, S. 596; – u. d. T.: Erlebnis: ZtBild 12, 1914, S. 33f.; KlBd 1, 1920, S. 273f.; Prop 24, 1926/27, S. 319f.; SchwSp 28, 1934, S. 123f.; NZZ Nr. 581 v. 1. 3. 1958.

P 8 Abfahrt – P 1133.

Abschied s. Das Lied des Lebens

P 9 Abschied von der Jugend – Rhlde 13, 1913, S. 196f.

P 10 Abschiednehmen – Simpl 11, 1906/07, S. 404f.

P 11 Ein Abschiedsgruß an Thomas Mann – NZZ Nr. 2138 v. 15. 8. 1955.

Abstecher in den Schwimmsport s. Post am Morgen

P 12 Abu Telfan. [Von Wilhelm Raabe.] – März 1, 1907, IV, S. 346f.

Ein Achtzigjähriger s. An Christian Wagner. Zu seinem 80. Geburtstag

P 13 Robert Aghion – Schweiz 17, 1913, S. 1–9, 35–39, 57–62; **AI; KW.**

P 14 [Sergej Timofejewitsch] Aksakow: Familienchronik. [Lpz 1919.] Rez. – VV 1, 1919/20, S. 201f.

P 15 Albumblatt für Elise – **StM.** – Enth. G 140.

P 16 Literarischer Alltag – NZZ Nr. 944 v. 16. 6. 1945; NatZ Nr. 188 v. 26. 4. 1953, Sobeil. u. d. T.: Eine Aufzeichnung aus dem letzten Kriegsjahr.

P 17 [Karl Jonas Love] Almquist [: Werke. Lpz 1912.] Rez. – März 6, 1912, II, S. 440.

Wir Alten s. Über das Alter

P 18   Peter Altenberg: Mein Lebensabend. [Bln 1919.] Rez. – VV 1, 1919/20, S. 523.

P 19   Über das Alter – L 71, S. 39 u. d. T.: Vom Altsein; E 2; NatZ Nr. 360 v. 7. 8. 1955, Sobeil. u. d. T.: Wir Alten; **Bsg.**

P 20   Paul Alverdes: Reinhold oder die Verwandelten. [Mchn 1931.] Rez. – BW 16, 1931, S. 262.

P 21   Hans Amstein. Novelle – NRs 15, 1904, S. 1109–1120; SoblBasNachr 4, 1909, S. 161–164; BernWo 6, 1916, S. 151f., 163f., 175f.; Pro Italia. Eine dt. Kunstspende. Gesammelt v. Otto Julius Bierbaum, Felix Mottl u. Franz von Stuck. Mchn: Gg. Müller 1920, S. 286–298; SchwSp 23, 1929, S. 345–347, 357f.; E 54.

P 22   Im Amte – E 90.

P 23   Der Anbruch. Ein Jahrbuch neuer Jugend. [Mchn 1920.] Rez. – VV 1, 1919/20, S. 661.

P 24   [Hans Christian] Andersens Märchen. [Jena 1909.] Rez. – SoblBasNachr 5, 1910, S. 81; Prop 7, 1909/10, S. 355 u. d. T.: Der alte Andersen.

P 25   Leonid Andrejew: Die Geschichte von den sieben Gehenkten. [Mchn 1920.] Rez. – VV 2, 1921/22, S. 545.

P 26   Anekdoten. [Von Wilhelm Schäfer. Düsseldorf 1908.] Rez. – März 2, 1908, I, S. 183f.

P 27   Chinesische Anekdoten – SchwSp 5, 1911/12, S. 198f.; Prop 9, 1911/12, S. 227.

P 28   Anemonen – Rhlde 4, 1903/04, Bd. 8, S. 344f.; Prop 2, 1904/05, S. 580f.; SoblBasNachr 7, 1912, S. 49 u. d. T.: Frühlingsblumen; SchwSp 7, 1913/14, S. 194f. u. d. T.: Frühling in Florenz; **BB.**

P 29   Angelus Silesius – **BG** [nur 1. Ausg.].
        Ein alter Angler s. Sor acqua

P 30   Anmerkungen zu Büchern – NRs 46, 1935, II, S. 551–559; L 75, S. 3: Tdr. u. d. T.: Rainer Maria Rilke.

P 31   Anmerkungen zu Büchern – NRs 47, 1936, S. 1004–1008.

P 32   Anmerkungen zu neuen Büchern – NRs 47, 1936, S. 208–215.

P 33   Gabriele d'Annunzio: Gesänge. [Bln 1904.] Rez. – LitE 6, 1903/04, Sp. 1738.

P 34   Ansprache in der ersten Stunde des Jahres 1946 – NZZ Nr. 26 v. 6. 1. 1946; E 3; E 55; **KF**; **BGa.**

P 35   Antwort auf Bittbriefe – E 4.
        Apollo. Ein Wandertag am Vierwaldstätter See s. Drei Zeichnungen 1

P 36   Apologie des Krieges. [Max Scheler: Der Genius des Krieges u. der dt. Krieg. Lpz 1914.] Rez. – März 9, 1915, II, S. 167f.

P 37   Im Appenzell – P 1133.

P 38   Aprilbrief – NZZ Nr. 936 v. 29. 4. 1952; E 5; Bodenseeb 36, 1953, S. 21–24; **Bsg.**

P 39   Aquarell – Frankf. Ztg. Nr. 489 v. 4. 7. 1926; NZZ Nr. 1171 v. 14. 6. 1930 u. d. T.: Beim Malen; E 150; NatZ Nr. 361 v. 7. 8. 1960, Sobeil.

P 40   Aquarellmalen – BT Nr. 429 v. 10. 9. 1927 u. d. T.: Ohne Krapplack; NZZ Nr. 1494 v. 19. 8. 1928 u. d. T.: Die vergessene Farbe; NatZ Nr. 231 v. 22. 5. 1955, Sobeil.; StgtZtg Nr. 232 v. 8. 10. 1955 u. d. T.: Ohne Krapplack; E 6.

P 41   Dichterische Arbeit und Alkohol. (Antwort auf eine Umfrage) – LitE 9, 1906/07, Sp. 107; EckLit 1, 1906/07, S. 245.

P 42   Eine Arbeitsnacht – BT Nr. 608 v. 25. 12. 1928, 5. Beibl. u. d. T.: Unentbehrliche Nacht; NZZ Nr. 288 v. 11. 2. 1950; E 8; Das Antiquariat (Wien) 6, 1950, S. 81f.; Ernte 34, 1953, S. 21–25 u. d. T.: Eine Nacht. Aus dem Tagebuch eines Schrift-stellers; BGa.

P 43   Architektur – Schweiz 16, 1912, S. 269f.; AI.

P 44   [Ludovico] Ariost [: Kleinere Werke. Mchn 1909.] Rez. – März 2, 1908, IV, S. 486f.

P 45   Marcel Arland: Heilige Ordnung. Roman. [Bln 1932.] Rez. – BW 17, 1932, S. 146.

P 46   [Achim von] Arnims Majoratsherren. [Lpz 1917.] Rez. – März 11, 1917, III, S. 713f.

P 47   Bettina von Arnims sämtliche Werke. [Bln 1920.] Rez. – Schweizerland (Chur) 7, 1921, S. 259.

P 48   Reisende Asiaten – AI.

Bei den Asketen s. Siddhartha. Tdr.

P 49   Atlantis. Volksmärchen und Volksdichtungen Afrikas. Hg. v. Leo Frobenius. [Jena 1921. 1922.] Rez. – VV 2, 1921/22, S. 544.

P 50   Hamburger Attentat. [Wilh. Lamszus: Das Menschenschlachthaus. Hamburg 1912.] Rez. – März 6, 1912, IV, S. 120.

P 51   Üble Aufnahme – WiLeb 5, 1911/12, Bd. X, S. 11–15; SchwSp 6, 1912/13, S. 356f.; NRs 36, 1925, S. 266–271; KlBd 10, 1929, S. 275-277 u. d. T.: Franziskaner auf Wanderung; Fbb.

P 52   Aufzeichnung bei einer Kur in Baden – SchwMtsh 29, 1949/50, S. 595–604; Dt. Beitrr. 4, 1950, S. 403–412; SpP.

Eine Aufzeichnung aus dem letzten Kriegsjahr s. Literarischer Alltag

P 53   Aufzeichnungen eines Herrn im Sanatorium – Süddt. Mtsh. (Mchn) 7, 1910, I, S. 596–606; Basilisk 5, 1924, Nr. 34 u. 35; Phaidon. Ein Lesebuch. Wien: Phaidon-Verl. 1925, S. 96–107; E 11; NZZ Nr. 828, 876, 923 v. 11.–25. 5. 1946; American-German Rev. (Philadelphia) 23, 1956/57, S. 8–17 u. d. T.: Haus zum Frieden; Ernte 38, 1957, S. 51–65.

P 54   In der Augenklinik – Berner Rs. 1, 1906/07, S. 455f.; Erzählungen neuerer Schweizer Dichter. Bd. I. Basel: Verein f. Verbreitung guter Schriften 1907, S. 75 bis 80.

P 55   Augenlust – Rhlde 12, 1912, S. 350f. u. d. T.: In Singapore; AI; BB.

P 56   Augenlust – BT Nr. 585 v. 11. 12. 1927; NZZ Nr. 2167 v. 13. 12. 1936 u. d. T.: Straßen im Dezember; Morgenrot. Jahresgabe uns. Dichter. Hg. v. Otto Lauten-schlager. Stgt: Mayer (1947), S. 6–8 u. d. T.: Schmetterling. Dreifaches Gleichnis.

P 57   Zwei August-Erlebnisse – NZZ Nr. 2033 v. 1. 8. 1955.

P 58 Augustus – Die Grenzboten (Bln) 72, 1913, IV, S. 506–512, 563–573; Schweizerland (Chur) 2, 1915/16, S. 29–36; Das Jugendbuch. Schweiz. Sagen u. Märchen. St. Gallen: Beck 1915, S. 71–101; E 127; **Mä**; A 29.

Ausflug im Herbst s. Reisebilder

P 59 Ausflug in die Stadt – Frankf. Ztg. Nr. 44 v. 17. 1. 1926, Bäder-Bl.; SchwSp 20, 1926, S. 105f.; Bodenseeb 15, 1928, S. 53–55; Prop 37, 1939/40, S. 105.

Außen und Innen s. Innen und Außen

P 60 Autoren-Abend – Simpl 19, 1914/15, S. 236f.; **BB**; Basilisk 9, 1928, Nr. 42; Christian Strich: Der Autorenabend. Zch: Diogenes-Verl. (1953), S. 5–20.

P 61 Aventiure. Nach alten Quellen erzählt – Nord u. Süd (Bln) 32, 1908, Bd. 124, S. 132–141; KlBd 3, 1922, S. 65–68.

B

P 62 Franz Baader: Grundzüge der Sozietätsphilosophie. [Hellerau 1917.] Rez. – VV 1, 1919/20, S. 659f.

P 63 Johann Jakob Bachofen: Oknos, der Seilflechter. [Mchn 1923.] Rez. – VV 3, 1922/23, S. 417.

P 64 Bäume – **Wa**.

Zwei Bäume s. Hochsommertag im Süden

P 65 Hermann Bahr: Adalbert Stifter. Eine Entdeckung. [Wien 1919.] Rez. – VV 2, 1921/22, S. 110.

P 66 Hermann Bahr: Tagebuch 1919. [Wien 1921.] Rez. – VV 2, 1921/22, S. 546.

P 67 Hermann Bahr: Tagebücher 1918. [Innsbruck 1919.] Rez. – VV 1, 1919/20, S. 398.

P 68 Béla Balász: Unmögliche Menschen. Roman. [Ffm 1930.] Rez. – BW 16, 1931, S. 55.

P 69 Emmy Ball-Hennings – NZZ Nr. 96 v. 17. 1. 1935.

P 70 Emmy [Ball-] Hennings: Das Brandmal. Ein Tagebuch. [Bln 1920.] Rez. – VV 2, 1921/22, S. 484.

P 71 Emmy [Ball-] Hennings: Gefängnis. [Bln 1919.] Rez. – VV 1, 1919/20, S. 525; LitW 5, 1929, Nr. 8, S. 6.

P 72 Emmy [Ball-] Hennings: Helle Nacht. Gedichte. [Bln 1922.] Rez. – VV 2, 1921/22, S. 707.

P 73 Hugo Balls Leben in Briefen und Gedichten. [Von Emmy Ball-Hennings. Bln 1930.] Rez. – NRs 41, 1930, I, S. 720.

P 74 Balzac. Zu seinem 75. Todestag – **BG**.

P 75 Der deutsche Balzac. [Menschliche Komödie. Bd. 16. Lpz 1911.] Rez. – März 5, 1911, II, S. 429f.

P 76 Honoré de Balzac: Mystische Geschichten. [Mchn 1920.] Rez. – VV 2, 1921/22, S. 111.

P 77   Matteo Bandellos Novellen. [Mchn 1920.] Rez. – VV 2, 1921/22, S. 545 f.

P 78   Hermann Bang: Gesammelte Werke. [Bln 1919.] Rez. – VV 1, 1919/20, S. 334.

P 79   Henri Barbusse: Klarheit. Roman. [Zch 1920.] Rez. – VV 2, 1921/22, S. 159.

P 80   Ludwig Bauer: Welt im Sturz. [Wien 1933.] Rez. – BW 18, 1933, S. 64.
        Ein Tessiner Bauer s. Nachbar Mario

P 81   Walter Bauer: Die Horde Moris. [Bln 1935.] Rez. – NZZ Nr. 1021 v. 12. 6. 1935.

P 82   Walter Bauer: Ein Mann zog in die Stadt. Roman. [Bln 1931.] Rez. – Lesez 19,
        1931/32, S. 128.

P 83   Walter Bauer: Die notwendige Reise. [Bln 1932.] Rez. – NZZ Nr. 2348 v. 14. 12.
        1932; Lesez 20, 1932/33, S. 104.

P 84   Unter Bauern – P 1133.
        Der Bauerndichter Christian Wagner s. Bei Christian Wagners Tod

P 85   Bauernhaus – Schweiz 23, 1919, S. 175 f.; **Wa.**

P 86   Der alte Baum – SoblBasNachr 30, 1936, S. 201 f.; NZZ Nr. 2682 v. 22. 9. 1957
        u. d. T.: Ein Baum in Klingsors Garten [veränd. Fassg.].

P 87   Peter Baum: Gesammelte Werke. [Bln 1920.] Rez. – VV 2, 1921/22, S. 484.

P 88   [Ludwig van] Beethovens Briefe. [Lpz 1910.] Rez. – März 6, 1912, III, S. 319 f.

P 89   [Begegnung mit Gedichten] – Trunken von Gedichten. Hg. v. Georg Gerster.
        Zch: Verl. d. Arche (1953), S. 11–20.

P 90   Begegnungen mit Vergangenem – NZZ Nr. 1147 v. 26. 5. 1951; E 12; **Bsg.** – Enth.
        G 163.
        Beginn der Krankheit s. Roßhalde. Tdr.

P 91   Martin Beheim-Schwarzbach: Der Gläubiger. [Lpz 1934.] Rez. – NZZ Nr. 1405
        v. 6. 8. 1934.

P 92   Der Beichtvater – NRs 47, 1936, S. 673–701; E 90.
        Bekenntnis s. Kurgast. Tdr.

P 93   Alemannisches Bekenntnis – Hg 1, S. 7–9.
        Bekenntnis und Glückwunsch s. B 164

P 94   Kleines Bekenntnis [zu Schopenhauer] – Jahrbuch d. Schopenhauer-Ges. (Heidel-
        berg) 25, 1938, S. 34; L 738, S. 74.

P 95   Die Belagerung von Kremna – März 8, 1914, I, S. 10–21; Schweiz 21, 1917,
        S. 635–640; Stimmen dt. Dichter. [Zch]: Büchergilde Gutenberg 1935, S. 5–21;
        Fbb.

P 96   Bemerkungen zu neuen Büchern – NRs 46, 1935, I, S. 664–672.
        Der Berg s. Der Monte Giallo

P 97   Bergamo – Bodenseeb 1, 1914, S. 41–44; **BB**; Europ. Revue (Lpz) 9, 1933, I
        S. 47–49.

P 98   In Bergamo – **KG.**

P 99 Viktor Berge und Henry W. Lanier: Der Perlentaucher. [Ffm 1932.] Rez. – BW 18, 1933, S. 62.

P 100 Wolf Bergmann: Verse und Gedichte. [Straßburg 1930.] Rez. – BW 17, 1932, S. 188 f.

P 101 Bergpaß – Schweiz 23, 1919, S. 176 f.; Wa.

Bergwanderungen s. Zwischen Winter und Frühling

P 102 Bericht an die Freunde. Zum Gedenken an Peter Suhrkamp – NZZ Nr. 1276 v. 26. 4. 1959; E 14; In memoriam Peter Suhrkamp. (Privatdr. Ffm: Suhrkamp 1959), S. 25–35: Tdr. u. d. T.: Freund Peter.

P 103 Bericht aus Normalien. Ein Fragment aus dem Jahre 1948 – E 15; SchwMtsh 31, 1951/52, S. 472–481; Bsg.

P 104 Hektor Berlioz' Erinnerungen. [Mchn 1914.] Rez. – März 8, 1914, III, S. 109 f.

P 105 Georges Bernanos: Ein Verbrechen. [Lpz 1935.] Rez. – NZZ Nr. 502 v. 24. 3. 1936.

P 106 H[ugo] A[dolf] Bernatzik: Gari-Gari. [Wien 1930.] Rez. – BW 15, 1930, S. 188.

P 107 Joseph Bernhart: Die philosophische Mystik des Mittelalters. [Mchn 1922.] Rez. – VV 3, 1922/23, S. 157.

P 108 Die Bernsteinhexe. [Von Wilhelm Meinhold. Lpz 1908.] Rez. – März 2, 1908, III, S. 247 f.

P 109 Berthold. Ein Romanfragment – NSRs NF 12, 1944/45, S. 58–65: Tdr.; E 16.

P 110 Ernst Bertram: Nietzsche. [Bln 1919.] Rez. – VV 1, 1919/20, S. 78.

P 111 Der Beruf des Schriftstellers – WiLeb 3, 1909/10, Bd. VI, S. 47–51; März 5, 1911, IV, S. 184–187 u. d. T.: Vom Schriftsteller.

P 112 Die Berufung – Corona 8, 1938, S. 223–270; E 90.

P 113 Beschreibung einer Landschaft. Ein Stück Tagebuch – NRs 58, 1947, S. 196–205; E 17; E 13; Die Stockholmer NRs. Auswahl. Bln u. Ffm: Suhrkamp (1949), S. 46–55; SpP.

P 114 Beschwörungen – NZZ Nr. 298 v. 7. 2. 1954 u. d. T.: Rundbrief im Februar; E 18; Bsg.

P 115 Besuch bei einem Dichter [Wilhelm Raabe] – VKMtsh 47, 1932/33, II, S. 517 bis 521 u. d. T.: Besuch bei Wilhelm Raabe; Ernte 17, 1936, S. 81–89; GB; Merian (Hambg.) 3, 1950, H. 3, S. 21–26.

P 116 Besuch aus Indien – NZZ Nr. 1449 v. 6. 11. 1922; Ernte 6, 1925, S. 139–142; BB; SchwSp 21, 1927, S. 10 f.; SoblBasNachr 21, 1927, S. 164.

P 117 Besuch bei Nina – BT Nr. 298 v. 26. 6. 1927; SoblBasNachr 24, 1930, S. 75 f. u. d. T.: Wiedersehen mit Nina; Schweizer Reise-Almanach (Zch) Jg. 1938, S. 41 bis 46 u. d. T.: Nina. Eine Tessiner Skizze; E 150; NatZ Nr. 265 v. 14. 6. 1953, Sobeil. u. d. T.: Nina.

P 118 Chinesische Betrachtung – NZZ Nr. 1855 v. 25. 12. 1921; Das werdende Zeitalter (Landschlacht) 5, 1926, H. 1, S. 6–8; BG; KF.

Betrachtung beim Lesen s. Beim Lesen eines Romans

Betrachtung über das Lesen s. Vom Bücherlesen

P 119 Der Bettler – NZZ Nr. 2092, 2100, 2111, 2123 vom 7.–11. 10. 1948; E 24; vJ; Dt. Beitrr. 4, 1950, S. 83–97; SpP; Die schönsten dt. Erzählgn. Hg. v. Ernst Penzoldt. Mchn: Desch (1954), S. 852–866.

P 120 Bhagavad-Gita. Übertr. v. Th. Springmann. [Hambg. 1920.] Rez. – VV 1, 1919/20, S. 732.

P 121 Eine deutsche Bibel – Prop 8, 1910/11, S. 438; Die heiligen Schriften des Alten u. Neuen Bundes. Dt. v. Martin Luther. Bd. 1–4. Mchn: Gg. Müller 1910, Beilage.

P 122 Die schöne Bibel. [Bln 1908.] Rez. – NRs 20, 1909, S. 461.

P 123 Deutsche Bibliothek – März 7, 1913, III, S. 285.

P 124 Bibliothek der Romane – März 6, 1912, I, S. 240.

P 125 Bibliothek der Romane – VV 1, 1919/20, S. 270.

P 126 Eine «Schweizerische Bibliothek» – Frankf. Ztg. Nr. 331 v. 30. 11. 1917, 2. Mbl.

P 127 Eine Bibliothek der Weltliteratur – E 25; Das Werk (Düsseldorf) 10, 1930, S. 101 bis 104, 177–179: Tdr.; BGa.

P 128 Ein Bibliotheksjahr – NZZ Nr. 811 v. 27. 6. 1915.

P 129 Bibliothèque Française – VV 2, 1921/22, S. 158.

P 130 Flodoard von Biedermann: Chronik von Goethes Leben. [Lpz 1931.] Rez. – BW 17, 1932, S. 16.

P 131 Biedermeier. [Von Max von Boehn. Bln 1911.] Rez. – März 6, 1912, I, S. 80.

P 132 Ein Biedermeierdichter [Michael von Jung] – SoblBasNachr 7, 1912, S. 105f.

P 133 Biedermeier-Poesie – Württ. Ztg. Nr. 30 v. 6. 2. 1912; März 6, 1912, I, S. 317f. u. d. T.: Biedermeier-Moritaten.

P 134 Bilderbeschauen in München – NZZ Nr. 1457 v. 28. 7. 1929; Bodenseeb 17, 1930, S. 19–21; Ernte 18, 1937, S. 40–44.

P 135 Bilderbogen von einer kleinen Reise – Köln. Ztg. Nr. 394b v. 29. 5. 1927, Unterhaltungs-Bl.

P 136 Bilderbücher der Volkskunst – März 7, 1913, IV, S. 832.

P 137 Bildschmuck im Eisenbahnwagen – Ww Nr. 577 v. 1. 12. 1944, S. 25; E 28.

P 138 Eine Billardgeschichte – StgtNTgbl Nr. 271 v. 4. 10. 1913, S. 17f.

P 139 Richard Billinger: Sichel am Himmel. Rosse. Rauhnacht. [Lpz 1931.] Rez. – BW 16, 1931, S. 86.

P 140 Eine Bitte an Bücherfreunde – NRs 28, 1917, H. 7, 3. Umschlagseite.

P 141 Blatt aus dem Notizbuch – NZZ Nr. 554 v. 14. 4. 1940; E 23; KF; NatZ Nr. 121 v. 15. 3. 1953, Sobeil.; BGa.

P 142 Franz Blei: Erzählung eines Lebens. [Lpz 1930.] Rez. – BW 17, 1932, S. 18.

P 143 Franz Blei: Die Lust der Kreatur. [Bln 1931.] Rez. – BW 16, 1931, S. 149.

P 144 Franz Blei: Männer und Masken. [Bln 1930.] Rez. – BW 15, 1930, S. 275.

P 145 Franz Blei: Talleyrand. [Bln 1932.] Rez. – BW 17, 1932, S. 205.

P 146 Blick nach dem fernen Osten – Univ 15, 1960, S. 379–386. – Enth. G 271, 63, 39, 723, 384, 375, 469.

P 147 Léon Bloys Briefe an seine Braut. [Salzburg 1935.] Rez. – NZZ Nr. 2252 v. 23. 12. 1936.

P 148 Der Blütenkranz des heiligen Franziskus von Assisi. [Jena 1905.] Rez. – Prop 2, 1904/05, S. 689–691; Der Kunstwart (Mchn) 19, 1905/06, I, S. 31 f.

P 149 Die blaue Blume. Eine Anthologie romantischer Lyrik. Hg. v. Friedrich von Oppeln u. Ludwig Jacobowski. [Lpz 1900.] Rez. – Sobeil. d. Allg. Schweizer Ztg. (Basel) 5, 1900, S. 44.

P 150 Der Blutregen – NTgbl Nr. 87 v. 16. 4. 1909, S. 7f.

P 151 Boccaccio – E 32.

P 152 Nochmals Boccaccio – NZZ Nr. 293 v. 22. 10. 1906, 2. Abl.

P 153 Hans Böhm: Lieder aus China. Nachdichtungen. [Mchn 1929.] Rez. – BW 15, 1930, S. 275.

P 154 Jakob Boehme – VV 1, 1919/20, S. 400.

P 155 Jakob Boehme: Schriften. [Lpz 1920.] Rez. – WiLeb 14, 1920/21, S. 337f.

P 156 Jakob Boehmes Berufung – NZZ Nr. 616 v. 27. 4. 1924; Daheim 61, 1924/25, H. 46, S. 13; BG; SchwSp 23, 1929, S. 305f. u. d. T.: Der Schuster von Görlitz; NatZ Nr. 545 v. 25. 11. 1951, Sobeil.

P 157 Theodor Bohner: Kwabla. Die Geschichte einer Jugend. [Basel 1921.] Rez. – VV 2, 1921/22, S. 638.

P 158 William Bolitho: Zwölf gegen das Schicksal. [Potsdam 1931.] Rez. – BW 16, 1931, S. 149.

P 159 Rudolf Borchardts Schriften. 1. Band der Prosaschriften. [Bln 1920.] Rez. – VV 2, 1921/22, S. 420.

P 160 Aus Brahmanas und Upanishaden. [Jena 1921.] Rez. – WiLeb 14, 1920/21, S. 992.

P 161 Hans Brandenburg: Festliches Land. [Mchn 1930.] Rez. – BW 15, 1930, S. 188.

P 162 Felix Braun: Laterna Magica. Ausgew. Erzählungen und Legenden. [Graz 1932.] Rez. – BW 18, 1933, S. 62.

P 163 Die Braut – VKMtsh 33, 1918/19, I, S. 365–368.

P 164 Bernard von Brentano: Der Beginn der Barbarei in Deutschland. [Bln 1932.] Rez. – BW 17, 1932, S. 112.

P 165 [Clemens] Brentanos Werke – NRs 34, 1923, S. 380f.; BG.

P 166 Friedrich Brie: Aesthetische Weltanschauung in der Literatur des 19. Jahrhunderts. [Freiburg i. Br. 1921.] Rez. – VV 3, 1922/23, S. 224f.
Ein Brief s. Brief eines Jünglings

P 167 Ein Brief – Bodenseeb 18, 1931, S. 76f. u. d. T.: Hochsommerbrief; NZZ Nr. 1553 v. 8. 9. 1935 u. d. T.: Brief im Spätsommer; Prop 37, 1939/40, S. 177f. u. d. T.: Brief über den ausklingenden Sommer; Ernte 22, 1941, S. 73–76; E 23; NatZ

Nr. 422 v. 12. 9. 1948, Sobeil. u. d. T.: Spätsommerblumen; Gartenfreuden. Eine Bilderfolge. Ausgew. v. Karl Jud. Zch: Verl. d. Arche (1950), S. 5–9. (Die kleinen Bücher der Arche. 81/82.)

P 168   Ein Brief meines Großvaters Gundert. Mitgeteilt. – NZZ Nr. 1419 v. 28. 6. 1952.

P 169   Brief eines Jünglings – Simpl 11, 1906/07, S. 220 u. d. T.: Ein Brief; Schweiz 18, 1914, S. 547–549 u. d. T.: Jünglingsbrief; Ikarus (Bln) 4, 1928, Nr. 8, S. 15–18; NZZ Nr. 90 v. 12. 1. 1956; E 202.

Brief aus dem Schnee s. Ins Gebirge verirrt

Brief im Spätsommer s. Ein Brief

P 170   Briefe von Jakob Burckhardt. [Briefe an einen Architekten. 1870–1889. Mchn 1912.] Rez. – März 6, 1912, IV, S. 200.

P 171   Die Briefe Mozarts. [Mchn 1914.] Rez. – März 8, 1914, II, S. 898f.

P 172   Briefe des Enea Silvio [Piccolomini. Jena 1911.] Rez. – März 5, 1911, II, S. 184.

P 173   Briefe der Gräfin Franziska zu Reventlow. [Mchn 1929.] Rez. – BW 15, 1930, S. 28.

P 174   Briefe eines Unbekannten. [Von Alexander von Villers. Lpz 1910.] Rez. – März 4, 1910, III, S. 336.

P 175   Statt eines Briefes – E 33.

P 176   Ein Briefwechsel – VKMtsh 22, 1907/08, I, S. 81–86.

P 177   Aus dem Briefwechsel eines Dichters – Die Gegenwart (Lpz) 38, 1909, Bd. 76, S. 718–720, 739f.; SoblBasNachr 7, 1912, S. 129–131.

P 178   Briefwechsel zwischen [Gustave] Flaubert und George Sand. [Potsdam 1919.] Rez. – VV 1, 1919/20, S. 203.

P 179   Der Briefwechsel zwischen Theodor Storm und Gottfried Keller – Rhlde 4, 1903/04, Bd. 8, S. 518f.

P 180   Lothar Brieger: Theodor Hosemann. Ein Altmeister Berliner Malerei. [Mchn 1920.] Rez. – VV 2, 1921/22, S. 547f.

Die Brinvilliers s. Die Verhaftung

P 181   Georg Britting: Lebenslauf eines dicken Mannes, der Hamlet hieß. [Mchn 1932.] Rez. – BW 17, 1932, S. 109.

P 182   Hermann Broch: Die Schlafwandler. [Mchn 1931. 1932.] Rez. – NZZ Nr. 1112 v. 15. 6. 1932.

P 183   Barthold Heinrich Brockes: Der Ring des Jahres. Gedichte. [Heilbronn 1920.] Rez. – WiLeb 14, 1920/21, S. 338; VV 2, 1921/22, S. 546.

P 184   Barthold Heinrich Brockes: Irdisches Vergnügen in Gott. Gedichte. [Hannover 1920.] Rez. – VV 2, 1921/22, S. 483.

P 185   Die süßen Brote – AlmVKMtsh 1908, S. 238–244 u. d. T.: Legende von den süßen Broten; – u. d. T.: Legende aus der Thebais: Schweiz 21, 1917, S. 255–258; Dreizehn aus Schwaben. Fröhliche Geschichten schwäb. Erzähler. Stgt: Strecker & Schroeder 1917, S. 59–68; – SoblBasNachr 23, 1929, S. 45f. u. d. T.: Legende von einem Eremiten; Fbb.

P 186 Die Brücke – Frankf. Ztg. Nr. 202 v. 16. 3. 1919, 1. Mbl.; **Wa.**

P 187 Die beiden Brüder – P 1474.

Die drei Brüder s. Drei Linden

P 188 Die Brüder Karamasoff oder der Untergang Europas. Einfälle bei der Lektüre Dostojewskis – NRs 31, 1920, S. 376–388; E 30; **BG**; Dt. Beitrr. 1, 1946/47, S. 333–345.

P 189 Der Brunnen im Maulbronner Kreuzgang – März 8, 1914, IV, S. 66–70; **AW**; SbKriegsgef 2, 1917, H. 33, S. 1–4; Lesez 15, 1927/28, S. 48–50; E 129; **Gbs**; **BBb**.

P 190 Laurids Bruun: Aus dem Geschlecht der Gyge. Roman. [Potsdam 1918.] Rez. – BW 5, 1916/20, S. 127.

P 191 Bryher: Schwert und Rose. Roman. [Freiburg i. Br. 1955.] Rez. – Ww Nr. 1144 v. 14. 10. 1955.

P 192 Martin Buber zum 80. Geburtstag – Neue dt. Hefte (Gütersloh) 4, 1957/58, S. 961 f.

Das Buch s. Der Umgang mit Büchern 2

Ein altes Buch s. Der Novalis

P 193 Das beste Buch des Jahres. (Antwort auf eine Umfrage) – Tgb 8, 1927, S. 1950 bis 1952.

Das Buch und die geistige Krise s. Weltkrise und Bücher

P 194 Was halten Sie vom broschierten Buch? (Antwort auf eine Umfrage) – NZZ Nr. 1524 v. 20. 6. 1954.

P 195 Das neue Buch – VV 2, 1921/22, S. 548.

P 196 Ein Buch vom Schützengrabenkrieg. [Albert Leopold: Im Schützengraben. Stgt 1915.] Rez. – NZZ Nr. 1386 v. 17. 10. 1915; März 9, 1915, IV, S. 120 u. d. T.: Im Schützengraben.

P 197 Das seltene Buch – Österr. Rs. (Wien) 3, 1905, H. 32, S. 280 f. u. d. T.: Das Büchlein; März 4, 1910, I, S. 164 f. u. d. T.: Eine Rarität; Der Spiegel. Anekdoten zeitgenöss. dt. Erzähler. Hg. v. Karl Lerbs. Potsdam: Kiepenheuer 1919, S. 132 bis 136; E 34; – u. d. T.: Das Büchlein: A 25; Stultifera Navis (Basel) 14, 1957, S. 1 f.

P 198 Johannes Buchholtz: Egholms Gott. Roman. [Bln 1920.] Rez. – VV 2, 1921/22, S. 547.

P 199 Buddha: Die Erlösung vom Leiden. Ausgewählte Reden. [Mchn 1921.] Rez. – BW 7, 1921, S. 47 f.

P 200 Billige Bücher – März 2, 1908, IV, S. 254–260.

P 201 Schöne Bücher für fünfzig Pfennig – März 7, 1913, IV, S. 828 f.

P 202 Bücher für Gefangene – Frankf. Ztg. Nr. 126 v. 7. 5. 1916, 3. Mbl.

Bücher für die Gefangenen s. Denket unserer Gefangenen

P 203 Gute deutsche Bücher – Prop 12, 1914/15, S. 451–453.

P 204 Gute neue Bücher – März 4, 1910, I, S. 281–288.

P 205 Zwei neue Bücher von Lafcadio Hearn. [Kwaidan. Kyushu. Ffm 1908. 1909.] Rez. – NZZ Nr. 237 v. 27. 8. 1909, 2. Abl.

P 206   Bücher und ihre Leser. (Antwort auf eine Umfrage) – Neue dt. Lit. (Bln) 3, 1955, H. 2, S. 114.

P 207   Die besten Bücher des Jahres. (Antwort auf eine Umfrage) – Tgb 7, 1926, S. 1891f.

P 208   Die besten Bücher des Jahres. (Antwort auf eine Umfrage) – Tgb 9, 1928, S. 2100f.

P 209   Die besten Bücher des Jahres. (Antwort auf eine Umfrage) – Tgb 10, 1929, S. 2098f.

P 210   Die besten Bücher des Jahres. (Antwort auf eine Umfrage) – Tgb 12, 1931, S. 1894f.

P 211   Die besten Bücher des Jahres. (Antwort auf eine Umfrage) – Tgb 13, 1932, S. 2014f.

P 212   Bücher der Jüngsten – VV 1, 1919/20, S. 518–520.

P 213   Bücher der Kultur – Prop 28, 1930/31, S. 60; SchwSp 24, 1930, S. 394f.

P 214   Bücher der Kultur – Prop 28, 1930/31, S. 131f.; SchwSp 25, 1931, S. 106f.

P 215   Bücher der Kultur und Kunst – Prop 28, 1930/31, S. 245f.; SchwSp 25, 1931, S. 212f.

P 216   Bücher der Kultur und Kunst – Prop 28, 1930/31, S. 300f.; SchwSp 25, 1931, S. 299f.

P 217   Bücher der Kultur und Kunst – Prop 28, 1930/31, S. 403f.; SchwSp 26, 1932, S. 155f.

P 218   Bücher der Kultur und Kunst – Prop 29, 1931/32, S. 59f.; SchwSp 26, 1932, S. 3f.

P 219   Bücher der Kultur und Kunst – Prop 29, 1931/32, S. 163f.; SchwSp 26, 1932, S. 107f.

P 220   Bücher der Kultur und Kunst – Prop 30, 1932/33, S. 19f.

P 221   Bücher der Kultur und Kunst – Prop 30, 1932/33, S. 82f.; SchwSp 27, 1933, S. 42f.

P 222   Bücher der Kultur und Kunst – Prop 30, 1932/33, S. 138f.

P 223   Bücher der Kultur und Kunst – Prop 30, 1932/33, S. 234.

P 224   Bücher der Kultur und Kunst – SchwSp 27, 1933, S. 277f.

P 225   Bücher der Kultur und Kunst – Prop 31, 1933/34, S. 43f.

P 226   Bücher der Kultur und Kunst – Prop 31, 1933/34, S. 268f.

P 227   Neue Bücher – März 3, 1909, III, S. 400–402.

P 228   Neue Bücher – März 11, 1917, III, S. 922f.

P 229   Ein paar deutsche Bücher – NZZ Nr. 2059 v. 26. 11. 1935.

P 230   Ein paar gute Bücher – März 7, 1913, II, S. 355–357.

P 231   Phantastische Bücher – Bildungspflege (Bln) 1, 1919/20, S. 292–294.

P 232   Schöne Bücher – März 5, 1911, IV, S. 296–300, 345–347.

P 233   Schöne Bücher – März 7, 1913, III, S. 208–210.

P 234 Schöne neue Bücher – März 11, 1917, IV, S. 1062–1064.

P 235 Über einige Bücher – NZZ Nr. 1050 v. 13. 7. 1919.

P 236 Über einige Bücher – NRs 45, 1934, II, S. 321–328.

P 237 Bücher für unterwegs. Sommerliche Eisenbahnfahrt – Frankf. Ztg. Nr. 448 v.
19. 6. 1927, Literaturbl. Nr. 25.
Verstaubte Bücher s. Bücher-Ausklopfen

P 238 Bücher für Weihnachten – BW 15, 1930, S. 317.

P 239 Die Bücher zum wirklichen Leben. (Antwort auf eine Umfrage) – Hermann Bahr:
Die Bücher zum wirklichen Leben. Wien: Heller 1908, S. 5f.

P 240 Bücher-Ausklopfen – NRs 42, 1931, S. 829–833; – u. d. T.: Verstaubte Bücher:
NZZ Nr. 2699 v. 12. 10. 1955; E 113.

P 241 Für Bücherfreunde – Prop 11, 1913/14, S. 2–4.

P 242 Für Bücherfreunde – Prop 11, 1913/14, S. 274f.

P 243 Bücherglosse – März 6, 1912, IV, S. 239f.
Bücherlesen s. Über das Lesen

P 244 Vom Bücherlesen – NZZ Nr. 519 v. 28. 3. 1920; BuB 3, 1923, S. 193–197; SN;
SoblBasNachr 21, 1927, S. 89f.; BG; Württemberg (Stgt) 6, 1934, S. 121–124
u. d. T.: Betrachtung über das Lesen; A 25.

P 245 Bücherlesen und Bücherbesitzen – RecUn 24, 1908, S. 784f.

P 246 Für Bücherliebhaber – Prop 10, 1912/13, S. 339f.; SchwSp 6, 1912/13, S. 186f.

P 247 Für Bücherliebhaber – Prop 10, 1912/13, S. 482–484; SchwSp 6, 1912/13, S. 274f.,
285f.

P 248 Für Bücherliebhaber – Prop 10, 1912/13, S. 691f.

P 249 Für Bücherliebhaber – Prop 11, 1913/14, S. 115–117.

P 250 Für Bücherliebhaber – Prop 11, 1913/14, S. 163f.; SchwSp 7, 1913/14, S. 148f.

P 251 Für Bücherliebhaber – Prop 11, 1913/14, S. 184f.

P 252 Für Bücherliebhaber – Prop 11, 1913/14, S. 387f.

P 253 Für Bücherliebhaber – Prop 11, 1913/14, S. 563f.

P 254 Für Bücherliebhaber – Prop 11, 1913/14, S. 739f.

P 255 Für Bücherliebhaber – Prop 12, 1914/15, S. 100–102.

P 256 Für Bücherliebhaber – Prop 12, 1914/15, S. 185f.

P 257 Von guten deutschen Büchern – Prop 12, 1914/15, S. 356–358.

P 258 Eine Bücherprobe – BW 5, 1916/20, S. 43f. + ebd. 12, 1926/27, S. 262–264; BG.

P 259 Bücherschau – März 5, 1911, III, S. 120–122, 159f.
Der Bücherwurm s. Der Mann mit den vielen Büchern
Das Büchlein s. Das seltene Buch

P 260 Johannes Bühler: Die Germanen in der Völkerwanderung. [Lpz 1922.] Rez. –
VV 2, 1921/22, S. 638f.

P 261   Johannes Bühler: Klosterleben im deutschen Mittelalter. [Lpz 1921.] Rez. – VV 2, 1921/22, S. 482.

P 262   Schweizer Bürgerhäuser – März 4, 1910, I, S. 108–111.
          Bummeltage in Singapore s. Spazierenfahren

P 263   Fritz Burger: Weltanschauungsprobleme und Lebenssysteme in der Kunst der Vergangenheit. [Mchn 1919.] Rez. – VV 1, 1919/20, S. 520.

P 264   [Über Wilhelm Busch] – Mitteilgn. d. Wilh. Busch-Ges. Nr. 9/10, 1939, S. 38.

P 265   Erhard Buschbeck: Die Sendung Theodor Däublers. Eine Streitschrift. [Wien 1920.] Rez. – VV 2, 1921/22, S. 109.

C

P 266   Cäsarius von Heisterbach – März 2, 1908, III, S. 33–38.

P 267   Cäsarius von Heisterbach. [Hg. v. Ernst Müller Holm. Bln 1910.] Rez. – März 5, 1911, III, S. 328.

P 268   Peter Camenzind. Roman – NRs 14, 1903, S. 1024–1053, 1143–1163, 1259–1286; E 35. – Enth. G 223.3.

P 269   Über Peter Camenzind. Gruß an die französischen Studenten zum Thema der diesjährigen Agrégation – NZZ Nr. 1688 v. 4. 8. 1951; E 36; Librairie Martin Flinker, Paris. Litt. allemande 1952. ([Catalogue.] Paris 1951: Impr. Union), S. 9–12.

P 270   Elias Canetti: Die Blendung. Roman. [Wien 1936.] Rez. – NZZ Nr. 56 v. 12. 1. 1936.

P 271   Karel Čapek: Das Jahr des Gärtners. [Bln 1932.] Rez. – Lesez 20, 1932/33, S. 100.
          Hans Carossa s. Erinnerung an ein paar Bücher. Tdr.

P 272   Hans Carossa: Der Arzt Gion. [Lpz 1931.] Rez. – BW 17, 1932, S. 16.

P 273   Hans Carossa: Die Schicksale Doktor Bürgers. [Lpz 1930.] Rez. – BW 16, 1931, S. 55.
          Casanova s. Gedanken über Casanova

P 274   [Giacomo] Casanova [: Erinnerungen. Mchn 1911.] Rez. – März 5, 1911, II, S. 391.

P 275   Casanovas Bekehrung – Süddt. Mtsh. (Mchn) 3, 1906, I, S. 353–371.

P 276   Miguel de Cervantes Saavedra: Don Quixote. [Mchn 1912.] Rez. – NZZ Nr. 738 v. 24. 5. 1912.
          Cesco und der Berg s. Der Monte Giallo

P 277   Chagrin d'Amour – SimplKal f. 1908, S. 57–59, 61–64; Schweiz 19, 1915, S. 265 bis 268 u. d. T.: Alte Geschichte; Von schwäb. Scholle (Heilbronn) Jg. 1920, S. 75–77; KlBd 2, 1921, S. 378f.; Amalthea-Almanach 1917–1927. Wien usw.: Amalthea-Verl. 1927, S. 16–24 u. d. T.: Alte Geschichte; Ikarus (Bln) 4, 1928, Nr. 10, S. 32–36 u. d. T.: Troubadour; SoblBasNachr 24, 1930, S. 13f.; NZZ Nr. 374, 377 v. 4. u. 5. 3. 1935; **Fbb**; A 20.

P 278 Jacques Chardonne: Eva. [Bln 1932.] Rez. – NZZ Nr. 174 v. 29. 1. 1933; BW 18, 1933, S. 63: Tdr.

P 279 G[ilbert] K[eith] Chesterton: Der unsterbliche Mensch. [Bremen 1930.] Rez. – BW 15, 1930, S. 109.

P 280 Chinas Verteidigung gegen europäische Ideen. [Von Ku Hung-Min. Jena 1911.] Rez. – März 6, 1912, I, S. 240.

P 281 Chinesisches – März 5, 1911, I, S. 142f.

P 282 Chinesisches – Voss. Ztg. v. 18. 7. 1926; SoblBasNachr 23, 1929, S. 139f.; SchwSp 24, 1930, S. 234f. u. d. T.: Chinesische Kultur [veränd. Fassg.].

P 283 Byzantinisches Christentum. [Von Hugo Ball. Mchn 1923.] Rez. – NRs 34, 1923, S. 1149f.; Werkland (Lpz) 4, 1924/25, S. 76f.

Nach einer alten Chronik s. Der Meermann

P 284 Ernest Claes: Flachskopf. [Lpz 1930.] Rez. – BW 15, 1930, S. 189.

P 285 Grete Coellen: Doktor Fofumoff. Roman. [Ffm 1930.] Rez. – BW 16, 1931, S. 149.

P 286 Paul Cohn: Um Nietzsches Untergang. [Hannover 1931.] Rez. – BW 16, 1931, S. 324.

P 287 Graf Federigo Confalonieri. [Ricarda Huch: Das Leben des Grafen F. C. Lpz 1910.] Rez. – März 4, 1910, III, S. 415f.

P 288 Confucius deutsch. [Gespräche. Jena 1910.] Rez. – Prop 7, 1909/10, S. 637.

P 289 Benjamin Constant: Reise durch die deutsche Kultur. [Potsdam 1919.] Rez. – VV 1, 1919/20, S. 523.

P 290 Anton Coolen: Die drei Brüder. [Lpz 1937.] Rez. – NZZ Nr. 646 v. 10. 4. 1938.

P 291 Hans Corrodi: Othmar Schoeck. Eine Monographie. [Frauenfeld 1930.] Rez. – BW 16, 1931, S. 121.

P 292 Egon Cäsar Conte Corti: Der Zauberer von Homburg und Monte Carlo. [Lpz 1932.] Rez. – BW 18, 1933, S. 38; Lesez 20, 1932/33, S. 96, 99.

P 293 Charles de Coster [: Tyll Ulenspiegel. Jena 1909.] Rez. – März 4, 1910, I, S. 325.

P 294 Louis Couperus: Aphrodite in Ägypten. Roman. [Bln 1920.] Rez. – VV 1, 1919/20, S. 817f.

P 295 Louis Couperus: Die Komödianten. Roman. [Mchn 1919.] Rez. – VV 1, 1919/20, S. 268.

P 296 Archibald J. Cronin: Drei Lieben. Roman. [Wien 1933.] Rez. – NZZ Nr. 615 v. 5. 4. 1933.

P 297 Hellmut von Cube: Das Spiegelbild. [Bln 1936.] Rez. – NZZ Nr. 2023 v. 23. 11. 1936.

P 298 Nikolaus Cusanus: Vom Wissen des Nichtwissens. [Hellerau 1919.] Rez. – VV 1, 1919/20, S. 660.

D

P 299 Theodor Däubler: Hymne an Italien. [Lpz 1919.] Rez. – VV 2, 1921/22, S. 109f.

Daniel und das Kind s. Vater Daniel

P 300   Dank für die Briefe und Glückwünsche zum 2. Juli 1952 – E 39.

P 301   Dank an Goethe – *französ.* u. d. T.: Remerciement à Goethe: Europe (Paris) 28, 1932, S. 749–758; – NRs 43, 1932, I, S. 522–529; E 40; Hamburger Akadem. Rs. 3, 1949, S. 561–568; BGa.

P 302   Dankadresse [anläßl. der Verleihung des Friedenspreises des deutschen Buchhandels] – NZZ Nr. 2674 v. 10. 10. 1955; Mitteilgn. d. Stadtverwaltg. Frankfurt am Main Nr. 42 v. 15. 10. 1955, S. 235f.; Bbl (Ffm) 11, 1955, S. 701f.; L 72, S. 25–31; E 113; Friedenspreis des dt. Buchhandels. Reden u. Würdigungen 1951 bis 1960. Ffm: Börsenverein d. Dt. Buchh. (1961), S. 104–107.

P 303   Danksagung und moralisierende Betrachtung – NatZ Nr. 459 v. 6. 10. 1946, Sobeil.; E 41; KFa; L 227, S. 32–35; BGa.

P 304   Dauer des Schönen. Aus einem Notizbuch – NZZ Nr. 2673 v. 1. 12. 1951; A 21.

P 305   Honoré Daumier: Lithographien 1828 bis 1851. [Mchn 1920.] Rez. – VV 2, 1921/22, S. 545.

P 306   Der Dekamerone. [Von Giovanni Boccaccio. Mchn 1912. 1913.] Rez. – März 6, 1912, III, S. 280.

P 307   Demian. Die Geschichte von Emil Sinclairs Jugend – NRs 30, 1919, S. 173–210, 291–328, 427–462 [pseud. Emil Sinclair]; E 42.

P 308   «Demian» [Preisgabe der Autorschaft] – VV 1, 1919/20, S. 658.

P 309   Individuelle Denkart in Deutschland – NZZ Nr. 889 v. 11. 7. 1915.

P 310   Wieder in Deutschland – NZZ Nr. 1348 v. 10. 10. 1915.

P 311   Aus dem Dialogus miraculorum des Cäsarius von Heisterbach. Mitgeteilt – März 2, 1908, III, S. 131–137, 225–229, 289–291.

P 312   Der Dichter – O mein Heimatland (Bern) 3, 1914, S. 76–81 u. d. T.: Der Weg zur Kunst; Rhlde 16, 1916, S. 214–216; Mä; A 3; A 20; A 29.

P 313   Der Dichter – Schwäb. Merkur (Stgt) v. 4. 5. 1930.

P 314   Ein Dichter [Christian Wagner] – März 6, 1912, I, S. 36f.

P 315   Ein Dichter [Christian Wagner] – NRs 24, 1913, S. 445.

P 316   Dichter und Buchhändler - Festbuch zur Pfingsttagung dt. Buchhandlungsgehilfen auf der Bugra 1914 in Leipzig. Hg. v. Max Dietrich. Lpz: Eule 1914, S. 117.

P 317   Der Dichter Jean Paul – Basilisk 3, 1922, Nr. 10.

P 318   Der Dichter Lenz. [Jakob Michael Reinhold Lenz: Gesammelte Schriften. Mchn 1909. 1910.] Rez. – NZZ Nr. 227 v. 17. 8. 1909, 2. Mbl.
         Ein Dichter der Romantik s. Eichendorff
         Drei schwäbische Dichter s. Im Presselschen Gartenhaus

P 319   Ein Schweizer Dichter [Albert Steffen] – BasNachr Nr. 110 v. 7. 3. 1914; Das Albert Steffen Buch. Basel: Birkhäuser 1944, S. 89–92: Tdr.
         Der Dichter und die Sprache s. Sprache

P 320   Ein süddeutscher Dichter [Emil Strauß] – SchwSp 9, 1915/16, S. 111f.; Schweiz 20, 1916, S. 233–236.

P 321 Der Dichter und unsre Zeit – LitW 3, 1927, Nr. 32, S. 1 o. T.; KlBd 9, 1928, S. 2.
Über einen vergessenen Dichter s. Ein Wort über Heinrich Leuthold

P 322 Verkannte Dichter unter uns? (Antwort auf eine Rundfrage) – NZZ Nr. 535 v.
4. 4. 1926; Eduard Korrodi: Verkannte Dichter unter uns? Eine Rundfrage. (Zch:
Buchdruckerei d. NZZ [1926]), S. 25–27.

P 323 Vom «großen» und vom «kleinen» Dichtertum – BuB 8, 1928, S. 161–163; E 43.

P 324 Dichtung und Christentum. (Antwort auf eine Umfrage) – Ostwart-Jahrbuch.
Hg. v. Viktor Kubczak. Breslau: Verl. des Bühnenvolksbundes 1926, S. 156f.

P 325 Frühe italienische Dichtung. [Mchn 1922.] Rez. – VV 3, 1922/23, S. 291.

P 326 Jüngste deutsche Dichtung – Schweizerland (Chur) 2, 1915/16, S. 399–401.

P 327 Die jüngste deutsche Dichtung – Voss. Ztg. v. 30. 7. 1920 u. d. T.: Unsere jüngste
Dichtung; WiLeb 13, 1919/20, S. 268–271.
Verfilmte Dichtung s. B 155. Tdr.

P 328 Klassische Dichtungen – März 6, 1912, III, S. 505–507.

P 329 Dichtungen des Ostens – VV 2, 1921/22, S. 275.

P 330 Westöstliche Dichtungen – März 4, 1910, I, S. 161–163.

P 331 Hans Dierlamms Lehrzeit – ÜbLdM 51, 1909, Bd. 101, S. 14–16, 45, 48–50;
BernWo 3, 1913, S. 1–4, 9–12, 17–20, 25–27; E 44.

P 332 Benjamin Disraeli: Contarini Fleming. [Bln 1909.] Rez. – NZZ Nr. 27 v. 28. 1.
1910, 3. Abl.

P 333 Hildur Dixelius: Sara Alelia. Roman. [Mchn 1930.] Rez. – BW 15, 1930, S. 188.

P 334 Bernhard Dörries: Mittelalter. 8 Steinzeichnungen. [Hannover 1919.] Rez. – VV 1,
1919/20, S. 78.

P 335 Die Dohle – NZZ Nr. 2751 v. 8. 12. 1951; E 46; L 702, S. 5–9; Akzente (Mchn) 1,
1954, S. 121–127; Bsg.

P 336 Doktor Knölge's Ende – Jugend (Mchn) Jg. 1910, S. 967f.; Ernste u. heitere Erzählungen. Mchn: Hirth 1917, S. 7–18. (Bücherei der Münchner «Jugend». 1.);
NatZ Nr. 527 v. 14. 11. 1954, Sobeil.; E 47.

P 337 Der Dom. [Hg. v. Martin Lang. Mchn 1911.] Rez. – NRs 22, 1911, S. 588.

P 338 Don Quichote in neuer Ausgabe. [Lpz 1908.] Rez. – NZZ Nr. 309 v. 6. 11. 1908,
3. Abl.

P 339 Don Quixote. [Von Miguel de Cervantes Saavedra. Mchn 1912.] Rez. – März 6,
1912, I, S. 440.
Donna Margherita und der Zwerg Filippo s. Der Zwerg

P 340 Dorf – Wa.
Das stille Dorf s. Eine Fußreise im Herbst 5

P 341 Der Dorfabend – P 1133.

P 342 Über Dostojewski – Werkland (Lpz) 4, 1924/25, Zwischenh. November 1925,
S. 3–5.

P 343   Über Dostojewski – Voss. Ztg. v. 22. 3. 1925, 4. Beil.; **BG.**

P 344   A[imée] Dostojewski: Dostojewski. Geschildert von seiner Tochter. [Mchn 1920.] Rez. – VV 1, 1919/20, S. 730 f.

P 345   Fedor Michailowitsch Dostojewski: Die Brüder Karamasow. [Lpz 1919.] Rez. – VV 1, 1919/20, S. 201.

P 346   Fedor Michailowitsch Dostojewski: Der Idiot. [Lpz 1920.] Rez. – VV 2, 1921/22, S. 547.

P 347   Fedor Michailowitsch Dostojewski: Autobiographische Schriften. [Mchn 1919.] Rez. – VV 1, 1919/20, S. 520 f.

P 348   Der Dreißigjährige. [Von Hans W. Fischer. Mchn 1910.] Rez. – März 4, 1910, I, S. 490 f.

P 349   Drugulindrucke – März 5, 1911, I, S. 288.

P 350   Dschelal ed-Din Rumi: Aus dem Rohrflötenbuch. [Hellerau 1930.] Rez. – BW 15, 1930, S. 303.

P 351   Du sollst nicht töten – VV 1, 1919/20, S. 4–7; **KF; BGa.**

P 352   Dürer's Kupferstiche. [Mchn 1914.] Rez. – März 8, 1914, II, S. 574 f.

P 353   Dürers Zeichnungen. [Mchn 1914.] Rez. – März 8, 1914, IV, S. 307 f.

P 354   Georges Duhamel: Spiegel der Zukunft. [Bln 1931.] Rez. – BW 16, 1931, S. 184 f.

P 355   Alexandre Dumas: Stille und bunte Welt. [Mchn 1913. 1914.] Rez. – VV 1, 1919/20, S. 523 f.

E

P 356   Ebenalp – P 1133.

P 357   Meister Eckharts mystische Schriften. [Hg. v. Martin Buber. Bln 1920.] Rez. – WiLeb 14, 1920/21, S. 338.

P 358   Edmund – u. d. T.: Der Student Edmund: NZZ Nr. 905 v. 20. 5. 1934; NRs 56/57, 1945/46, Sonderh. S. 42–47; – NSRs NF 11, 1943/44, S. 169–174; **Tf.**

P 359   Eduards des Zeitgenossen zeitgemäßer Zeitgenuß. Ein Scherz – Simpl 38, 1933/34, S. 149 f.

P 360   Albert Ehrenstein: Bericht aus einem Tollhaus. [Lpz 1919.] Rez. – VV 1, 1919/20, S. 399.

P 361   Eichendorff – Hg 5; Ex Libris (Zch) 7, 1952, H. 3, S. 4 f. u. d. T.: Ein Dichter der Romantik; Hg 6, S. 5–12.

P 362   [Josef von] Eichendorff [: Gesammelte Werke. Bd. 1. Mchn 1909.] Rez. – März 4, 1910, IV, S. 264.

P 363   Die Eidgenossenschaft – Civitas Nova (Lugano) Jg. 1938, Nr. 2, S. 6 f.

P 364   Walter Eidlitz: Der junge Gina. [Bln 1919.] Rez. – NZZ Nr. 315 v. 3. 3. 1919.

P 365 Eigensinn – Schweiz 22, 1918, S. 561–566 [pseud. Emil Sinclair]; VV 1, 1919/20, S. 172–176 [pseud. Emil Sinclair]; O mein Heimatland (Bern) 11, 1923, S. 54–57; SN; BG; KF; A 20.

P 366 Einführung – Ausstellung Cuno Amiet [in der] Kunsthalle Bern. April–Mai 1919. Katalog. Bern: Büchler & Co. (1919).

P 367 Zur Einführung (zu: Geschichten aus dem Mittelalter) – Hg 10, S. 7–11.

P 368 Einführung (zu: Gesta Romanorum) – Hg 12, S. 5–8.

Einführung (zu: Zum Sieg) s. Zum Sieg

P 369 Einleitung – Jean Paul: Ausgew. Werke. Zch: Scientia A.G. [1943], S. 5–23.

P 370 Einleitung – Frans Masereel: Die Idee. 83 Holzschnitte. 1.–4. Aufl. Mchn: Wolff (1927), S. 7–18. 5.–9. Aufl. 1928; NZZ Nr. 1809 v. 26. 10. 1927 u. d. T.: Zu einer Holzschnittfolge; Rudolf Hagelstange: Das Werk Frans Masereels. Hannover: Fackelträger-Verl. (1957), S. 49f., 52–54.

P 371 Einleitung (zu: Salomon Geßner: Dichtungen) – Hg 11, S. 5–21; DSL 23, 1922, Sp. 161–164: Tdr. u. d. T.: Salomon Geßner; KlBd 3, 1922, S. 145–147: Tdr.

Einleitung (zu: Johann Wolfgang von Goethe: 30 Gedichte) s. Über Goethes Gedichte

P 372 Norbert Einstein: Der Alltag. Aufsätze. [Mchn 1918.] Rez. – BW 5, 1916/20, S. 95.

P 373 Beim Einzug in ein neues Haus – E 48; GB.

P 374 Auf dem Eise – SchwSp 3, 1909/10, S. 102f.; Kriegs-Weihnachten 1915. (Stgt) 1915: (Die Lese), S. 20–28. (Die farbigen Heftchen der Waldorf-Astoria. 17/18.); SbKriegsgef 1, 1916, H. 21, S. 7–9.

P 375 Karl Eugen Eiselein – NZZ Nr. 359–363 v. 27.–31. 12. 1903; Schwäb. Merkur Nr. 316–328 v. 11.–18. 7. 1904; Prop 3, 1905/06, S. 614–616, 630–632, 646–648; E 135.

P 376 Alexander Eliasberg: Russische Literaturgeschichte. [Mchn 1922.] Rez. – WiLeb 15, 1921/22, S. 691f.

P 377 Arthur Eloesser: Deutsche Literatur vom Barock bis zu Goethes Tod. [Bln 1930.] Rez. – BW 15, 1930, S. 109.

Das Ende s. Knulp 3

P 378 Am Ende des Jahres – Rhlde 5, 1905, S. 6f. u. d. T.: Abends [veränd. Fassg.]; BG.

P 379 Franz Carl Endres: Du bist Ich. Träume und Gedanken zum Problem der Weltversöhnung. [Lpz 1922.] Rez. – VV 3, 1922/23, S. 157f.

P 380 Auf Erden. [Von Alfons Paquet. Jena 1908.] Rez. – März 2, 1908, IV, S. 490f.

P 381 Erinnerung an Asien – März 8, 1914, III, S. 190–193.

P 382 Zur Erinnerung an Carl Busse – NZZ Nr. 2223 v. 3. 12. 1928.

P 383 Erinnerung an S[amuel] Fischer – NRs 45, 1934, II, S. 571–573; S. Fischer zum Gedächtnis. Bln: S. Fischer 1934, S. 19–21; Das 70. Jahr. Almanach. Ffm: S. Fischer 1956, S. 110–112.

P 384   Erinnerung an André Gide – NZZ Nr. 587 v. 17. 3. 1951; E 49; Merkur (Stgt) 6, 1952, S. 139–143; NatZ Nr. 560 v. 2. 12. 1956, Sobeil.; L 75, S. 4: Tdr. u. d. T.: André Gide. – Enth. B 113.

P 385   Erinnerung an Hans – Corona 6, 1936, S. 189–240; **GB**; A 11; **Gbs.**

P 386   Erinnerung an Indien. Zu den Bildern des Malers Hans Sturzenegger – O mein Heimatland (Bern) 6, 1918, S. 51–56; **BB.**

P 387   Erinnerung an Klingsors Sommer – NSRs NF 12, 1944/45, S. 208f.; E 50; E 109a; **BGa.**

        Meine Erinnerung an Knulp s. Knulp 2

P 388   Erinnerung an David Herbert Lawrence – BW 18, 1933, S. 50f.

P 389   Erinnerung an Lektüre – NRs 36, 1925, S. 964–972; E 51.

        Erinnerung an Mwamba s. Mwamba

P 390   Erinnerung an ein paar Bücher – NRs 45, 1934, I, S. 454–458; L 75, S. 3: Tdr. u. d. T.: Hans Carossa.

P 391   Erinnerung an den jungen Alfons Paquet – Bibliographie Alfons Paquet. Hg. vom Paquet-Archiv. Ffm: Woeller (1958), S. 44.

        Erinnerungen s. Eine Fußreise im Herbst 4

P 392   Ein paar Erinnerungen an Ärzte (1. Besuch bei einem Dorfarzt; 2. Das Haus Rosengart; 3. Ein Arzt großen Stils; 4. Großvater Hesse) – Ciba-Symposium (Basel) 8, 1960, H. 5/6, S. 194–202.

P 393   Erinnerungen an Konrad Haußmann – NZZ Nr. 212 v. 16. 2. 1922.

P 394   Ein paar Basler Erinnerungen – NatZ Nr. 301 v. 4. 7. 1937, Sobeil.; Ww Nr. 906 v. 22. 3. 1951, S. 17; Merian (Hambg.) 9, 1956, H. 7, S. 14–18.

P 395   Erinnerungen an Othmar Schoeck – NRs 47, 1936, S. 1286–1295; Othmar Schoeck. Festgabe der Freunde zum 50. Geburtstag. Hg. v. Willi Schuh. Erlenbach-Zch: Rentsch (1936), S. 72–87; **GB.**

P 396   Erinnerungen an den Simplizissimus – NZZ Nr. 494 v. 28. 3. 1926.

P 397   Eduard Erkes: Chinesen. [Lpz 1920.] Rez. – VV 1, 1919/20, S. 732f.

P 398   Erklärung – NZZ Nr. 143 v. 26. 1. 1936.

        Erlebnis s. Das erste Abenteuer

P 399   Erlebnis auf einer Alp – NZZ Nr. 1568 v. 14. 8. 1947; NatZ Nr. 294 v. 29. 6. 1952, Sobeil. u. d. T.: Ein Knabe spricht Verse; **Bsg.**

        Inneres Erlebnis s. Traumfährte

        Erlebnis in der Knabenzeit s. Der Mohrle

P 400   Engadiner Erlebnisse – NSRs NF 21, 1953/54, S. 323–339; E 52; Akzente (Mchn) 2, 1955, S. 310–328; **Bsg.**

P 401   Herbstliche Erlebnisse. Gedenkblatt für Otto Hartmann – NZZ Nr. 2245 u. 2253 vom 13. u. 14. 10. 1952; StgtZtg Nr. 291 v. 13. 12. 1952; E 53; **Bsg.**

P 402   Paul Ernst: Jugenderinnerungen. [Mchn 1930.] Rez. – BW 15, 1930, S. 109.

P 403   Paul Ernst's [Gesammelte] Werke. [Mchn 1928.] Rez. – BW 15, 1930, S. 188.

P 404 Der Erzähler – Schweiz 8, 1904, S. 481–487, 505–510 u. d. T.: Des Herrn Piero Erzählung von den zwei Küssen; WMtsh 55, 1910/11, Bd. 110, S. 891–900 u. d. T.: Herr Piero; O mein Heimatland (Bern) 14, 1926, S. 23–33, 38–42; Weltstimmen (Stgt) 3, 1929, S. 361–370; **Fbb.**

P 405 Deutsche Erzähler – NRs 26, 1915, S. 188–208; Bildungspflege (Bln) 1, 1919/20, S. 113–119, 145–157.

P 406 Deutsche Erzähler. Hg. v. Hugo von Hofmannsthal. [Lpz 1912.] Rez. – NZZ Nr. 1725 v. 6. 12. 1912.

P 407 Indische Erzähler – Basilisk 4, 1923, Nr. 4.

P 408 Neue Erzähler – März 2, 1908, I, S. 559–561.

P 409 24 neue deutsche Erzähler. [Hg. v. Hermann Kesten. Bln 1929.] Rez. – BW 15, 1930, S. 274.

P 410 Exzentrische Erzählungen – März 3, 1909, II, S. 57–63.

P 411 Gute Erzählungen – Rhlde 9, 1909, S. 421 f.

P 412 Neue Erzählungen – März 4, 1910, IV, S. 408–414.

P 413 Die Erzählungen aus den tausendundein Nächten. [Lpz 1921. 1922.] Rez. – Basilisk 4, 1923, Nr. 33.

P 414 Neue Erzählungsliteratur – Prop 2, 1904/05, S. 26–28.

P 415 Neue Erzählungsliteratur – Prop 2, 1904/05, S. 97–100.

P 416 Neue Erzählungs-Literatur – Prop 2, 1904/05, S. 125–128.

P 417 Neue Erzählungsliteratur – Prop 2, 1904/05, S. 185–187.

P 418 Neue Erzählungs-Literatur – Prop 2, 1904/05, S. 277–279.

P 419 Neue Erzählungsliteratur – Prop 2, 1904/05, S. 405–407.

P 420 Neue Erzählungsliteratur – Prop 2, 1904/05, S. 505–508.

P 421 Neue Erzählungsliteratur – Prop 2, 1904/05, S. 641–643.

P 422 Neue Erzählungsliteratur – Prop 2, 1904/05, S. 789–791.

P 423 Über neuere Erzählungsliteratur. Ein Vorwort zu künftigen literarischen Monatsberichten – Prop 1, 1903/04, S. 771 f.
Es war einmal s. Kastanienbäume

P 424 Herbert Eulenberg: Der Bankrott Europas. [Bln 1919.] Rez. – VV 1, 1919/20, S. 528.

P 425 [Herbert] Eulenbergs Neue Bilder. [Bln 1912.] Rez. – März 6, 1912, III, S. 360.

P 426 Der Europäer – NZZ Nr. 1026 u. 1032 v. 4. u. 6. 8. 1918 [pseud. Emil Sinclair]; Hg 1, S. 91–95 [pseud. Emil Sinclair]; Tgb 1, 1920, S. 374–379 [pseud. Emil Sinclair]; **SN**; **BG**; E 129; NSRs NF 12, 1944/45, S. 278–284; **Tf**; E 55; **KF.**

P 427 Zu «Expressionismus in der Dichtung» – NRs 29, 1918, S. 838–843.

F

P 428   Fabeln. [Das Buch der Fabeln. Hg. v. Christian Heinrich Kleukens. Lpz 1913.]
         Rez. – März 7, 1913, IV, S. 794.

P 429   Robert Faesi: Gestalten und Wandlungen schweiz. Dichtung. [Wien 1922.] Rez. –
         VV 3, 1922/23, S. 157.

P 430   Ein Faksimiledruck. [Des Knaben Wunderhorn. Gesammelt v. Achim von Arnim
         u. Clemens Brentano. Lpz 1910.] Rez. – NZZ Nr. 348 v. 16. 12. 1909, 4. Mbl.

P 431   Faldum – u. d. T.: Das Märchen von Faldum: WMtsh 60, 1915/16, Bd. 120,
         S. 69–78; BernWo 8, 1918, S. 633–636, 645–649; – Mä.

P 432   Hans Fallada: Bauern, Bonzen und Bomben. Roman. [Bln 1931.] Rez. – BW 16,
         1931, S. 261.

P 433   Hans Fallada: Kleiner Mann was nun? [Bln 1932.] Rez. – BW 17, 1932, S. 163.

P 434   Alfred Fankhauser: Peter der Tor und seine Liebe. [Mchn 1919.] Rez. – VV 1,
         1919/20, S. 202.
         Die vergessene Farbe s. Aquarellmalen

P 435   G[ustav] Th[eodor] Fechner: Zend-Avesta. [Lpz 1919.] Rez. – VV 1, 1919/20,
         S. 818.

P 436   Feldgrau. [Von Martin Lang. Stgt 1914.] Rez. – März 9, 1915, I, S. 286f.

P 437   Der Feldteufel – u. d. T.: Legende vom Feldteufel: WiLeb 2, 1908/09, Bd. III,
         S. 4–10; **KG**; – **Fbb**.

P 438   In den Felsen. Notizen eines «Naturmenschen» – März 2, 1908, II, S. 51–59.

P 439   Vor meinem Fenster – NZZ Nr. 71 v. 12. 3. 1905; SoblBasNachr 5, 1910, S. 17f.;
         Rhlde 10, 1910, S. 105–107.

P 440   Ferienlektüre – März 4, 1910, III, S. 120–128.

P 441   Die blaue Ferne – Rhlde 13, 1913, S. 391f.; **BG**; **Gbs**.
         Nach dem Fest s. Nachweihnacht

P 442   Das Fest des Königs – **StM**; Schweiz 20, 1916, S. 496–503.

P 443   Lion Feuchtwanger: Erfolg. Roman. [Bln 1930.] Rez. – BW 16, 1931, S. 54;
         Lesez 19, 1931/32, S. 62.

P 444   Anselm Feuerbachs Briefe [an seine Mutter. Bln 1911.] Rez. – März 6, 1912, II,
         S. 398.

P 445   Feuerwerk – BT Nr. 388 v. 19. 8. 1930 u. d. T.: Venezianische Nacht; NZZ Nr.
         1646 v. 31. 8. 1931 u. d. T.: Hübscher Sommerabend; Voss. Ztg. v. 25. 6. 1933
         u. d. T.: Sommernachtsfest; E 57; DtZtgWi Nr. 4 v. 14. 1. 1950, S. 16 u. d. T.:
         Das Feuerwerk am See; NatZ Nr. 349 v. 2. 8. 1953, Sobeil. u. d. T.: Sommer-
         nacht mit Raketen.

P 446   Die Fiebermuse – **StM**.

P 447   Fiesole – P 1305; P 709.

P 448   Ludwig Finckh: Stern und Schicksal. [Stgt 1931.] Rez. – Lesez 19, 1931/32, S. 126.

P 449 Ludwig Finckh im literarischen Urteil. (Antwort auf eine Umfrage) – Achalm. Schwäb. Mtsschr. (Reutlingen) Jg. 1918/19, H. 4, S. 92.

P 450 Wilhelm Fischer: Sonnenopfer. [Roman. Mchn 1908.] Rez. – Der Kunstwart (Mchn) 21, 1907/08, I, S. 401.

P 451 Zu S[amuel] Fischers 70. Geburtstag – LitW 5, 1929, Nr. 51/52, S. 1.

P 452 Otto Flake: Die französische Revolution. [Lpz 1932.] Rez. – BW 18, 1933, S. 64f.

P 453 [Gustave] Flaubert: Ägypten. [Potsdam 1918.] Rez. – BW 5, 1916/20, S. 66.

P 454 Gustave Flaubert: Tagebücher und Reisebriefe. [Potsdam 1919.] Rez. – VV 2, 1921/22, S. 637f.; WiLeb 15, 1921/22, S. 843f.

P 455 Albert Fleiner: Mit Arnold Böcklin. [Frauenfeld 1915.] Rez. – Schweizerland (Chur) 2, 1915/16, S. 174f.

P 456 Marieluise Fleißer: Mehlreisende Frieda Geier. Roman. [Bln 1931.] Rez. – BW 17, 1932, S. 109.

P 457 Hans Flesch: Baltasar Tipho. Roman. [Wien 1919.] Rez. – VV 1, 1919/20, S. 399.

Der Flieger s. Herbst

Flöße auf der Nagold s. Floßfahrt

P 458 Flötentraum – u. d. T.: Märchen: LiSch 4, 1913/14, Nr. 13; AW; SbKriegsgef 2, 1917, H. 22, S. 1–6; Neue dt. Erzähler. Hg. v. J. Sandmeier. Bd. 1. Bln: Furche-Verl. 1918, S. 167–178; NZZ Nr. 1311 v. 28. 7. 1935; Mäa.

P 459 Der lustige Florentiner – Prop 8, 1910/11, S. 554f.

P 460 Floßfahrt – u. d. T.: Flöße auf der Nagold: Schwarzwaldztg. «Der Grenzer» (Freudenstadt) Nr. 59 v. 10. 3. 1928, S. 14; NZZ Nr. 257 v. 10. 2. 1929; – E 23; NatZ Nr. 462 v. 6. 10. 1945, S. 1f.; Gbs; NatZ Nr. 248 v. 2. 6. 1957, Sobeil.

P 461 Im Flugzeug – SchwSp 6, 1912/13, S. 228f., 238f.

P 462 Folkunger. [Verner von Heidenstam: Die Erben von Bjalbö. Mchn 1910.] Rez. – NZZ Nr. 233 v. 24. 8. 1910, 2. Mbl.

P 463 Oskar Maurus Fontana: Erweckung. Roman. [Lpz 1919.] Rez. – VV 1, 1919/20, S. 526.

P 464 Fragment aus der Jugendzeit – VKMtsh 27, 1912/13, III, S. 77–87; NZZ Nr. 84, 94, 102, 113 v. 14.–18. 1. 1948; E 58; Ernte 40, 1959, S. 7–25.

P 465 Harry Franck: Als Vagabund um die Erde. [Ffm 1912.] Rez. – BW 2, 1911/12, S. 250f.

P 466 Bruno Frank: Cervantes. [Amsterdam 1934.] Rez. – NZZ Nr. 2221 v. 9. 12. 1934.

P 467 Josef Maria Frank: Das Leben der Marie Szameitat. [Bln 1930.] Rez. – BW 16, 1931, S. 261.

P 468 Josef Maria Frank: Yung Fong-ying, ein kleines Fräulein aus China. Roman. [Bln 1932.] Rez. – NZZ Nr. 4 v. 1. 1. 1933.

P 469 Paul Frank: Der Gepard. Roman. [Zch 1918.] Rez. – VV 1, 1919/20, S. 591.

P 470 Franz von Assisi – E 59.

P 471 Franz von Assisi und die «Fioretti» – NZZ Nr. 140 v. 21. 5. 1905.
Franziskaner auf Wanderung s. Üble Aufnahme

P 472 Die Franzosen und wir. [Von Eduard Wechßler. Jena 1915.] Rez. – März 9, 1915, IV, S. 260.

P 473 Die Frau auf dem Balkon – PHelv 1, 1919, Nr. 4, S. 95–99; Wieland 5, 1919/20, H. 11, S. 6–10; NatZ Nr. 461 v. 7. 10. 1951, Sobeil.

P 474 An Frau Gertrud – StM; Schweiz 21, 1917, S. 457–459; SchwSp 21, 1927, S. 349 f.; Prop 25, 1927/28, S. 7 f.

P 475 Sigmund Freud: Über Psychoanalyse. Fünf Vorlesungen. [Wien 1919.] Rez. – VV 1, 1919/20, S. 589.

P 476 Sigmund Freud: Vorlesungen zur Einführung in die Psychoanalyse. [Wien 1918.] Rez. – VV 1, 1919/20, S. 588 f.

P 477 Von den kleinen Freuden – Dresdner Anz., Sobeil. Nr. 51 v. 17. 12. 1905, S. 209 f.
Freund Peter s. Bericht an die Freunde. Tdr.

P 478 Freunde. Erzählung – VKMtsh 23, 1908/09, III, S. 49–83; NZZ Nr. 1–110, Januar 1949; E 60.

P 479 Für Freunde guter Bücher – Prop 12, 1914/15, S. 755 f.

P 480 Für Freunde guter Bücher – Prop 13, 1915/16, S. 84 f.

P 481 Für Freunde guter Bücher – Für Freunde guter Bücher. Ein weihnachtlicher Berater. Unter Mitarbeit von HH. Mchn-Pasing: A. K. Lang & Co. 1915.

P 482 Für Freunde guter Bücher – Prop 13, 1915/16, S. 387–389.

P 483 Für Freunde guter Bücher – Prop 13, 1915/16, S. 691 f.

P 484 Für Freunde guter Bücher – Prop 14, 1916/17, S. 53 f.

P 485 Für Freunde guter Bücher – Für Freunde guter Bücher. Ein weihnachtlicher Berater. Hg. unter Mitarbeit von HH. Mchn-Pasing: A. K. Lang & Co. 1936 [d. i. 1916].

P 486 O Freunde, nicht diese Töne! – NZZ Nr. 1487 v. 3. 11. 1914; **BG**; **KF**.

P 487 Schöpferische Freundschaft. Hg. v. Hans Kern. [Jena 1932.] Rez. – BW 17, 1932, S. 146.

P 488 Soll Friede werden? – NZZ Nr. 2444 v. 30. 12. 1917; **BG**; **KF**.
Den Friedensleuten s. Den Pazifisten

P 489 Max J. Friedländer: Albrecht Dürer. [Lpz 1921.] Rez. – VV 2, 1921/22, S. 483.
Frühling in Florenz s. Anemonen
Zwischen Frühling und Sommer im Tessin s. Mai im Kastanienwald

P 490 Verregneter Frühling – BT Nr. 259 v. 3. 6. 1928.
Frühlingsblumen s. Anemonen

P 491 Georg Fuchs: Wir Zuchthäusler. [Mchn 1931.] Rez. – BW 16, 1931, S. 184.

P 492 Führung und Geleit – Hans Carossa. Eine Bibliographie zu s. 70. Geburtstag. (Murnau: Silomon) 1948, S. 15 f.

P 493 Eine Fußreise im Herbst (1. Seeüberfahrt; 2. Im Goldenen Löwen; 3. Sturm; 4. Erinnerungen; 5. Das stille Dorf; 6. Morgengang; 7. Ilgenberg; 8. Julie; 9. Nebel) – Rhlde 6, 1906, Bd. 11, S. 59–65, 115–120; E 45; **Gbs**.

G

P 494 Sir Galahad [d. i. Berta Eckstein-Diener]: Mütter und Amazonen. [Mchn 1932.] Rez. – BW 17, 1932, S. 51.

P 495 Eine Galgengeschichte aus dem 12. Jahrhundert – Schweiz 8, 1904, S. 161–166.

P 496 Mahatma Gandhi: Mein Leben. [Lpz 1930.] Rez. – BW 16, 1931, S. 148; Lesez 18, 1930/31, S. 149.

P 497 Gang im Frühling – NZZ Nr. 559 v. 4. 4. 1920; **BB**.

Gang durch Würzburg s. Spaziergang in Würzburg

P 498 Gargantua und Pantagruel. [Von François Rabelais. Mchn 1907–1909.] Rez. – März 4, 1910, I, S. 328.

P 499 Garibaldi. Novelle – NRs 15, 1904, S. 1520–1528; Jahresgabe 1905 d. Verbandes der Kunstfreunde in d. Ländern am Rhein. (Düsseldorf: Bagel [1905]), S. 69–79; E 135.

P 500 Gartenfrühling – Prop 7, 1909/10, S. 438f.; SchwSp 3, 1909/10, S. 210f.; Rhlde 11, 1911, S. 101–103 u. d. T.: Im Garten; ZtBild 10, 1912, S. 335f.

P 501 Im Presselschen Gartenhaus – WMtsh 58, 1913/14, Bd. 116, S. 673–687; Schweizerland (Chur) 2, 1915/16, S. 317–327; Hg 23, S. 21–44; E 63; Die dt. Novelle der Gegenwart. Hg. v. Hanns Martin Elster. Bln: Dt. Buch-Gemeinschaft [1925], S. 100–130; Ernte 12, 1931, S. 113–139 u. d. T.: Drei schwäbische Dichter; **Fbb**; Das Buch der Erzählgn. Bln: S. Fischer [1941], S. 217–248; Sieben aus Schwaben. Schwäb. Erzähler. Hg. v. Matthäus Gerster. Stgt: Schröder (1947), S. 7–46; Drei Nobelpreisträger. Hauptmann – Mann – H. Masterpieces of modern German prose. Ed. by Claude Hill. New York: Harper (1948), S. 123–170; **Gbs**.

P 502 Schlafloser Gast im Hotelzimmer – Simpl 32, 1927/28, S. 2; NZZ Nr. 24 v. 6. 1. 1929; Prop 27, 1929/30, S. 1f.

P 503 Th[éophile] Gautier: Der Seelentausch. [Potsdam 1918.] Rez. – BW 5, 1916/20, S. 128.

P 504 Ins Gebirge verirrt – Köln. Ztg. Nr. 79 v. 9. 2. 1928, Unterh.-Bl.; Schweizer Reisealmanach (Zch) Jg. 1937, S. 33–37 u. d. T.: Brief aus dem Schnee [veränd. Fassg.].

P 505 Geburtstag. Ein Rundbrief – NZZ Nr. 1551 v. 15. 7. 1952; StgtNachr Nr. 163 v. 18. 7. 1952 u. d. T.: HH's. Dank; E 64.

P 506 Zum fünfzigsten Geburtstag Ernst Kreidolfs – Prop 10, 1912/13, S. 289f.

P 507 Zum Gedächtnis – Schweiz 20, 1916, S. 261–267; Haus- und Feldbuch schwäb. Erzähler. Hg. v. Otto Güntter. Stgt: Grüninger [1916], S. 58–72; E 65; **KG**; **BB**; E 66; **GB**; **Gbs**.

Gedanken s. Krieg und Frieden

P 508 Gedanken – Wieland 4, 1918/19, H. 8, S. 21.

P 509   Gedanken über Casanova – NSRs 23, 1930, S. 209–212; NatZ Nr. 280 v. 21. 6. 1936, Sobeil.; NZZ Nr. 1127 v. 29. 4. 1955 u. d. T.: Casanova.

P 510   Gedanken zu Dostojewskis «Idiot» – VV 1, 1919/20, S. 245–250; Schweiz 24, 1920, S. 281–287; E 30; **BG**.

P 511   Gedanken über Gottfried Keller – Lesez 18, 1930/31, S. 141–144; NatZ Nr. 260 v. 10. 6. 1951, Sobeil.; E 67.

P 512   Gedanken über Lektüre – BT Nr. 63 v. 6. 2. 1926.

P 513   Gedanken bei der Lektüre des grünen Heinrich – März 1, 1907, I, S. 455–459; Schweizerland (Chur) 4, 1917/18, S. 51–53 u. d. T.: Beim Lesen des Grünen Heinrich [veränd. Fassg.].

P 514   Gedenkblatt [für Ernst Penzoldt] – Dichten u. Trachten (Ffm) Nr. 5, 1955, S. 15 f.

P 515   Gedenkblatt für Adele [Gundert geb. Hesse] – NSRs NF 17, 1949/50, S. 360–366; E 69; **GBb**.

           Gedenkblatt für Martin s. Schulkamerad Martin

P 516   Gedenkblatt für Franz Schall – NSRs NF 11, 1943/44, S. 306–308; E 71; **GBa**.

P 517   Gedichtbücher – März 1, 1907, IV, S. 86–90.

P 518   Über Gedichte – u. d. T.: Schlechte Gedichte [1. Fassg.]: Voss. Ztg. Nr. 550 v. 27. 10. 1918; LitE 21, 1918/19, Sp. 291: Tdr.; VV 1, 1919/20, S. 453–456; Basilisk 2, 1921, Nr. 15; SN; SchwSp 19, 1925, S. 298 f.; **BG** [**BGa**: 2. Fassg.]; SoblBasNachr 30, 1936, S. 8; E 9; – NatZ Nr. 336 v. 25. 7. 1954, Sobeil.

P 519   Gedichte der Frau. [Ilka Maria Unger: Feierabend. Bln 1910.] Rez. – NZZ Nr. 205 v. 27. 7. 1910, 3. Mbl.

P 520   Gedichte von Klabund [d. i. Alfred Henschke. Bln 1926.] Rez. – Frankf. Ztg. Nr. 251 v. 4. 4. 1926, Literaturbl. Nr. 44.

           Schlechte Gedichte s. Über Gedichte

P 521   Gedichte einer Toten. [Traum und Leben. Mchn 1910.] Rez. – März 4, 1910, I, S. 86.

P 522   Zwei Gefallene [Georg Trakl u. Ernst Stadler] – März 9, 1915, I, S. 239 f.

P 523   Denket unserer Gefangenen! – März 11, 1917, II, S. 545 f.; Prop 14, 1916/17, S. 357 u. d. T.: Helft!; Der Kunstwart (Mchn) 31, 1917/18, I, S. 165 u. d. T.: Bücher für die Gefangenen.

           Gegensätze s. Hochsommertag im Süden

P 524   Von der Gegenwart vergangener Literaturen – NRs 36, 1925, S. 1280–1299.

P 525   Das Geheimnis der goldenen Blüte. [Mchn 1929.] Rez. – BW 15, 1930, S. 186.

P 526   Geheimnisse – NSRs NF 14, 1946/47, S. 643–653; E 87; Univ 8, 1953, S. 579 bis 590; **Bsg**.

P 527   Gehöft – Schweiz 23, 1919, S. 178 f.; **Wa**.

P 528   [Gustav af] Geijerstam [: Gesammelte Romane. Bln 1910.] Rez. – März 4, 1910, II, S. 512.

P 529   Vom Geist Rußlands. [Karl Nötzel: Das heutige Rußland. Mchn 1915.] Rez. – März 9, 1915, II, S. 118 f.

P 530   Chinesische Geistergeschichten. [Hg. v. Martin Buber. Ffm 1911.] Rez. – NZZ Nr. 423 v. 25. 3. 1912; März 7, 1913, I, S. 179–182; BW 2, 1911/12, S. 156: Tdr.

P 531   Geleitwort – Emmy Ball-Hennings: Blume und Flamme. Geschichte einer Jugend. Einsiedeln: Benziger 1938. 4. Aufl. [1942], S. 7f.

P 532   Geleitwort – Bunte Feier. Erzählgn. u. Gedichte von Willy Romano Derungs, Karl Gemperle, Hans Gutknecht, Ruth Heller. St. Gallen: Widmer (1938).

P 533   Geleitwort – Monika Hunnius: Mein Onkel Hermann. Erinnerungen an Alt-Estland. Heilbronn: E. Salzer 1921. 86.–90. Tsd. 1955, S. 7f.

P 534   Geleitwort zur Ausgabe «Krieg und Frieden» 1946 – u. d. T.: Geleitwort zu einer Sammlung meiner «politischen» Betrachtungen seit 1914: NSRs NF 14, 1946/47, S. 110–113; Aussaat (Lorch) 1, 1946/47, H. 8/9, S. 8f.; – Umschau (Mainz) 1, 1946, S. 11–13; **KF**; **BGa**.

P 535   Geleitwort (zu: Gunter Böhmer [: Bildwiedergaben]) – Werk (Winterthur) 25, 1938, S. 65–67.

P 536   Geleitwort (zu: Dichtergedanken) – Hg 2.5.

P 537   Geleitwort (zu: Gerbersau) – **Gbs**.

P 538   Geleitwort (zu: Das Haus der Träume) – E 96.

P 539   Geleitwort (zu: Aus vielen Jahren) – **vJ**.

P 540   Geleitwort (zu: Hermann Lauscher) – **HLb**.
         Geleitwort (zu: Ernst Morgenthaler [: Bildwiedergaben]. 1936) s. Ernst Morgenthaler
         Geleitwort (zu: Ernst Morgenthaler. 1957) s. B 170
         Geleitwort zu einer Sammlung meiner «politischen» Betrachtungen seit 1914 s. Geleitwort zur Ausgabe «Krieg und Frieden» 1946

P 541   Geleitwort (zu: Wilhelm Schäfer: Anekdoten und Sagen) – Hg 2.9.

P 542   Geleitwort (zu: Eine Stunde hinter Mitternacht) – **StMa**.

P 543   Geleitwort (zu: Der Zauberbrunnen) – Hg 26, S. 3–6.

P 544   Die Gemeinschaft. Dokumente der geistigen Weltwende. Hg. v. Ludwig Rubiner. [Potsdam 1920.] Rez. – VV 1, 1919/20, S. 397f.

P 545   Genius. Zeitschrift für alte und werdende Kunst. 2. Buch 1919. Rez. – VV 1, 1919/20, S. 400.

P 546   Genius und Vorurteil. [Kurt Piper: Künstlertypen und Kunstprobleme. Mchn 1910.] Rez. – März 5, 1911, I, S. 96.

P 547   Hermann Gerstner: Buddha-Legende. Gedichte. [Würzburg 1932.] Rez. – BW 17, 1932, S. 146.

P 548   Gertrud. Roman – VKMtsh 24, 1909/10, I, S. 130–149, 249–288, 400–419; E 88. – Enth. G 102, 318, 117.

P 549   Die Gesamtausgabe Franz Kafkas. [Gesammelte Schriften. Hg. v. Max Brod. Bln 1935.] Rez. – NZZ Nr. 553 v. 31. 3. 1935.

         Das Geschenk meines Traumgottes s. Traumgeschenk

P 550 Billige Geschenkbücher – Württ. Ztg. (Stgt) Nr. 73 v. 30. 11. 1907, S. 1f.
Alte Geschichte s. Chagrin d'Amour

P 551 Die Geschichte Blacks. [Ernest Claes: Black. Lpz 1934.] Rez. – BT v. 7. 11. 1934.

P 552 Eine chinesische Geschichte. [Liä Dsi: Das wahre Buch vom quellenden Urgrund. Jena 1911.] Rez. – März 6, 1912, I, S. 200.
Merkwürdige Geschichte s. Ein Mensch mit Namen Ziegler
Seltsame Geschichte s. Ein Mensch mit Namen Ziegler
Eine alte Geschichte aus Venedig s. Der Zwerg
Venezianische Geschichte s. Der Zwerg
Eine Geschichte vom Zauberer Dr. Faust s. Ein Abend bei Doktor Faust

P 553 Geschichten aus dem Mittelalter. Erzählungen aus dem Dialogus des Cäsarius von Heisterbach, aus dem Lateinischen übertr. – Schweizerland (Chur) 7, 1921, S. 418–429; NRs 33, 1922, S. 1175–1186.
Geselle Zbinden s. Der Schlossergeselle

P 554 Das grüne Gesicht. [Von Gustav Meyrinck. Lpz 1917.] Rez. – März 10, 1916, IV, S. 239f.

P 555 Ein Gespräch – E 90.

P 556 Ein Gespräch am Abend – März 3, 1909, I, S. 119–125.
Gespräch über den Krieg und Zeitungen s. Der Steppenwolf. Tdr.
Gespräch mit Mozart s. Der Steppenwolf. Tdr.

P 557 Gespräch über die Neutöner – NZZ Nr. 52, 54, 60 vom 11.–13. 1. 1920; E 30.

P 558 Gespräch mit dem Ofen – VV 1, 1919/20, S. 254f. [pseud. Emil Sinclair]; SN; BG.

P 559 Gespräche mit dem Stummen – StM; Schweiz 20, 1916, S. 617–619; SchwSp 22, 1928, S. 238f.; Prop 30, 1932/33, S. 318.
Salomon Geßner s. Einleitung (zu: Salomon Geßner: Dichtungen). Tdr.

P 560 Eine Gestalt aus der Kinderzeit – LiSch 2, 1911/12, Nr. 1; E 97 u. d. T.: Der Hausierer; AW; SchwSp 20, 1926, S. 382; StgtNTgbl v. 17. 3. 1934, Beibl. Die geistige Welt Nr. 7 u. d. T.: Hotte Hotte Putzpulver; Gbs.
Über Gewaltpolitik, Krieg und das Böse in der Welt s. B 114. Tdr.

P 561 Der Giardino Boboli – P 1305; P 709.
André Gide s. Erinnerung an André Gide

P 562 André Gide: Europäische Betrachtungen. [Stgt 1931.] Rez. – BW 17, 1932, S. 146.

P 563 André Gide: Corydon. Vier sokratische Dialoge. [Stgt 1932.] Rez. – BW 18, 1933, S. 64.

P 564 André Gide: Deutsche Gesamtausgabe. Rez. – BW 15, 1930, S. 186.

P 565 André Gide: Kongo und Tschad. [Stgt 1930.] Rez. – BW 15, 1930, S. 189.

P 566 André Gide in deutscher Übersetzung – BW 15, 1930, S. 27.

P 567 André Gides Werke in deutscher Ausgabe – BW 16, 1931, S. 55.

P 568 Gilgamesch. [Lpz 1916.] Rez. – NZZ Nr. 1679 v. 22. 11. 1916.

P 569 Stefan Gilson: Der heilige Bonaventura. [Hellerau 1929.] Rez. – BW 15, 1930, S. 108.

P 570 Jean Giono: Der Hügel. Roman. [Ffm 1932.] Rez. – BW 17, 1932, S. 188.

P 571 Das schreibende Glas – NZZ Nr. 997 v. 30. 7. 1922; **BB**; SchwSp 21, 1927, S. 155f.

P 572 Helmuth von Glasenapp: Der Hinduismus. [Mchn 1922.] Rez. – Basilisk 4, 1923, Nr. 4; NRs 34, 1923, S. 668–670 u. d. T.: Hinduismus.

P 573 Curt Glaser: Lucas Cranach. [Lpz 1921.] Rez. – WiLeb 14, 1920/21, S. 536.

P 574 Das Glasperlenspiel. Versuch einer allgemeinverständlichen Einführung in seine Geschichte – NRs 45, 1934, II, S. 638–665; E 90.

P 575 Warum kommen im Glasperlenspiel keine Frauen vor? – Ww Nr. 588 v. 16.2.1945.

P 576 Nahum N. Glatzer u. Ludwig Straus: Sendung und Schicksal. [Bln 1931.] Rez. – Lesez 20, 1932/33, S. 18f.

P 577 Mein Glaube – Dichterglaube. Stimmen religiösen Erlebens. Hg. v. Harald Braun. Bln: Eckart-Verl. 1931, S. 123–127 o. T.; NSRs NF 13, 1945/46, S. 664 bis 667; E 92; L 738, S. 74–78; **BGa**.

P 578 Glück – NSRs NF 17, 1949/50, S. 3–11; E 93; Merkur (Stgt) 4, 1950, H. 32, S. 1058–1066; **SpP**; A 20; Oskar Jancke: Kunst u. Reichtum dt. Prosa von Lessing bis Thomas Mann. 2. erw. Aufl. Mchn: Piper (1954), S. 444–455.
Glückwunsch zu Thomas Manns 80. Geburtstag s. B 163
Glückwunsch für Peter Suhrkamp s. B 196

P 579 Gockel, Hinkel und Gackeleia. [Von Clemens Brentano. Bln 1912.] Rez. – März 6, 1912, III, S. 39f.

P 580 Albrecht Goes: Lob des Lebens. Betrachtungen. [Stgt 1936.] Rez. – NZZ Nr. 444 v. 12. 3. 1937.

P 581 Goethe und Bettina – NRs 35, 1924, S. 1061–1067; **BG**; E 40.

P 582 Goethe im Inselverlag – NZZ Nr. 2 v. 2. 1. 1909, 2. Mbl.

P 583 Der junge Goethe. [Hg. v. Max Morris. Lpz 1910–1912.] Rez. – März 5, 1911, III, S. 208.

P 584 Der junge Goethe. [Hg. v. Max Morris. Bd. 6. Lpz 1912.] Rez. – März 6, 1912, I, S. 440.

P 585 Goethe und das Nationale – NatZ Nr. 396 v. 28. 8. 1949, Sobeil.

P 586 Eine Goethebibliothek – BW 2, 1911/12, S. 211.

P 587 Goethebücher – März 5, 1911, III, S. 47f.

P 588 Goethes Briefe. [Hg. v. Ed. v. d. Hellen. Stgt 1901–1904.] Rez. – Rhlde 4, 1903/04, Bd. 8, S. 589f.

P 589 Goethes Ehe in Briefen. [Hg. v. Hans Gerhard Gräf. Ffm 1922.] Rez. – WiLeb 15, 1921/22, S. 195.

P 590 Goethes Erzählungen. [Novellen und Märchen. Bln 1914.] Rez. – März 9, 1915, II, S. 190f.

P 591   Über Goethes Gedichte – Hg 13: Einleitung; E 40; Bodenseeb 34/35, 1948/49, S. 66f.; **BGa**.

Der verschwundene Götze s. Innen und Außen

P 592   Margarete Goldsmith: Der Bruder des verlorenen Sohnes. Roman. [Bln 1932.] Rez. – BW 17, 1932, S. 205.

P 593   Oliver Goldsmith: Der Landprediger von Wakefield. [Bln 1921.] Rez. – WiLeb 15, 1921/22, S. 404.

P 594   Iwan Goll: Das Lächeln Voltaires. [Basel 1921.] Rez. – WiLeb 15, 1921/22, S. 98.

P 595   Ein deutscher Gontscharow – NZZ Nr. 348 v. 16. 12. 1909, 2. Mbl.

Gotama s. Siddhartha. Tdr.

P 596   Am Gotthard – Dresdner Anz. 1906, Montagsbeil. Nr. 14; SchwSp 1, 1907/08, S. 175f.; SoblBasNachr 5, 1910, S. 41f.; Rhlde 12, 1912, S. 24–26 u. d. T.: Winterferien; **BB**.

P 597   Jeremias Gotthelf [: Geld und Geist. Bern 1911.] Rez. – März 6, 1912, II, S. 199f.

P 598   Jeremias Gotthelf: Sämtliche Werke. [Bd. 1. 4. 11. Erlenbach-Zch 1921.] Rez. – VV 2, 1921/22, S. 484.

P 599   Jeremias Gotthelf: Sämtliche Werke. 19. Band. [Erlenbach-Zch 1920.] Rez. – VV 1, 1919/20, S. 334f.

Govinda s. Siddhartha. Tdr.

P 600   [Francisco] Goya's Tauromachie. [Mchn 1911.] Rez. – März 8, 1914, II, S. 536.

P 601   [Christian Dietrich] Grabbe's gesammelte Werke. [Weimar 1923.] Rez. – Werkland (Lpz) 4, 1924/25, S. 75.

P 602   Poetische Grabreden – NZZ Nr. 224 v. 9. 2. 1936.

P 603   Die Gräber von Palembang – **AI**.

P 604   Hans Grasberger: Novellen aus Italien und der Heimat. [Mchn 1905.] Rez. – LitE 7, 1904/05, Sp. 881.

P 605   Otto Grautoff: Die französische Malerei seit 1914. [Bln 1921.] Rez. – VV 2, 1921/22, S. 543.

P 606   Friedrich Grave: Marktzauber oder die Erlösung vom Zweck. [Jena 1929.] Rez. – BW 15, 1930, S. 275.

P 607   Grindelwald – Die Zeit (Wien) Jg. 1904, Nr. 494, S. 143f.; Prop 2, 1904/05, S. 302–304; März 2, 1908, IV, S. 450–458; SchwSp 23, 1929, S. 20–22.

P 608   Grock [d. i. Adrien Wettach]: Ich lebe gern. [Mchn 1931.] Rez. – BW 16, 1931, S. 261f.

P 609   Großväterliches – NZZ Nr. 848 v. 19. 4. 1952; E 94; StgtZtg Nr. 300 v. 24. 12. 1954, S. 17 u. d. T.: Mein Großvater und die Geniereise; **Bsg**.

P 610   George Grosz: Über Alles die Liebe. Bilder. [Bln 1930.] Rez. – BW 16, 1931, S. 54.

P 611   Ein Gruß [an Albert Schweitzer] – Ehrfurcht vor dem Leben. Albert Schweitzer. Eine Freundesgabe zu s. 80. Geburtstag. Bern: Haupt (1954), S. 265; StgtZtg Nr. 5 v. 8. 1. 1955, BrzW o. T.; Univ 15, 1960, S. 81f. o. T.

P 612   Gruß aus Bern. Für unsere gefangenen Brüder – Frankf. Ztg. Nr. 211 v. 2. 8. 1917, 1. Mbl.; E 95.

Gruß an die französischen Studenten zum Thema der diesjährigen Agrégation s. Über Peter Camenzind

P 613   Gruß an die Gefangenen – SbKriegsgef Jg. 1919, 3. Erg.-Heft, S. 3.

Letzter Gruß an Otto Hartmann s. B 122

P 614   Gubbio – März 1, 1907, II, S. 233–236; SoblBasNachr 6, 1911, S. 93 f.

P 615   Joh. Chr. Günther: Die deutsche Laute. Gedichte. [Bln 1921.] Rez. – WiLeb 15, 1921/22, S. 592.

P 616   Johannes von Günther: Martinian sucht den Teufel. Roman. [Mchn 1916.] Rez. – NZZ Nr. 3 v. 1. 1. 1918.

P 617   Maurice de Guérin: Der Kentaur. [Lpz 1919.] Rez. – VV 1, 1919/20, S. 203 f.

P 618   [Olaf] Gulbranssons Zeichnungen. [Mchn 1914.] Rez. – März 8, 1914, I, S. 287 f.

P 619   Der vollständige Gulliver. [Jonathan Swift: Lemuel Gullivers Reisen… Bln 1909.] Rez. – NZZ Nr. 125 v. 6. 5. 1909, 3. Mbl.

H

P 620   Francis Hackett: Heinrich VIII. [Bln 1932.] Rez. – BW 17, 1932, S. 187.

P 621   Theodor Haecker: Vergil, Vater des Abendlands. [Lpz 1931.] Rez. – BW 17, 1932, S. 18.

P 622   Oskar Hagen: Deutsche Zeichner von der Gotik bis zum Rokoko. [Mchn 1921.] Rez. – WiLeb 14, 1920/21, S. 296.

Halewijns Lied s. Strand

P 623   Halil Beg: Das Land der letzten Ritter. [Mchn 1936.] Rez. – NZZ Nr. 25 v. 6. 1. 1937.

P 624   Radclyffe Hall: Quell der Einsamkeit. Roman. [Lpz 1929.] Rez. – BW 15, 1930, S. 107.

P 625   Die Halsbandgeschichte. [Von Wilhelm Schäfer. Mchn 1910.] Rez. – März 4, 1910, III, S. 80.

P 626   Die Halsbandgeschichte – Wilhelm Schäfer. Zu s. 50. Geburtstag. Mchn: Gg. Müller [1918], S. 132–136.

P 627   Johann Georg Hamann: Schriften. [Lpz 1921.] Rez. – VV 2, 1921/22, S. 706.

P 628   [Knut Hamsun zum 50. Geburtstag] – LitW 5, 1929, Nr. 31, S. 1.

P 629   Handbuch der geographischen Wissenschaft. Hg. v. Fritz Klute. [Potsdam 1932 ff.] Rez. – BW 17, 1932, S. 187 f.

P 630   Handzeichnungen schweizerischer Meister des 15. bis 18. Jahrhunderts. [Hg. v. Paul Ganz. Basel 1908.] Rez. – März 2, 1908, IV, S. 238.

P 631   Dorette Hanhart: Das späte Schiff. [Stgt 1930.] Rez. – BW 15, 1930, S. 188.

P 632   Hannes – Simpl 11, 1906/07, S. 284 f. u. d. T.: Legende; **Fbb.**

P 633 Der Hanswurst – Schweiz 16, 1912, S. 268f.; **AI**; **BB**.

P 634 Walter Harich: Die Pest in Tulemont. [Bln 1920.] Rez. – VV 1, 1919/20, S. 399.

P 635 G[ustav] F[riedrich] Hartlaub: Kunst und Religion. [Mchn 1919.] Rez. – VV 1, 1919/20, S. 660.

P 636 Haßbriefe – VV 2, 1921/22, S. 235–239.

P 637 Adolf von Hatzfeld: Das glückhafte Schiff. Roman. [Stgt 1931.] Rez. – BW 17, 1932, S. 17f.; Lesez 19, 1931/32, S. 60.

       Haus zum Frieden s. Aufzeichnungen eines Herrn im Sanatorium

P 638 Rotes Haus – Schweiz 23, 1919, S. 181; Wieland 6, 1920, H. 2, S. 2; **Wa**.

P 639 Das Haus der Träume. Eine unvollendete Dichtung – Der schwäb. Bund (Stgt) 2, 1920/21, I, S. 92–114; Das Pantheon. Ein Hausbuch dt. Dichtg. u. Kunst in der Gegenwart. Hg. v. Hanns Martin Elster. Bln: Dt. Buch-Gemeinschaft (1925), S. 54–83; E 96.

P 640 Ein Hausbuch deutscher Lyrik – NZZ Nr. 2397 v. 19. 12. 1932.

P 641 Wilhelm Hausenstein: Vom Geist des Barock. [Mchn 1920.] Rez. – VV 1, 1919/20, S. 661.

P 642 Wilhelm Hausenstein: Vom Geist des Barock. [Mchn 1920.] Rez. – VV 2, 1921/22, S. 109.

P 643 Wilhelm Hausenstein: Kairuan, oder eine Geschichte vom Maler Klee. [Mchn 1921.] Rez. – VV 3, 1922/23, S. 224.

P 644 Heinrich Hauser: Die letzten Segelschiffe. [Bln 1930.] Rez. – Lesez 18, 1930/31, S. 107.

       Der Hausierer s. Eine Gestalt aus der Kinderzeit

P 645 Manfred Hausmann: Salut gen Himmel. Roman. [Bln 1929.] Rez. – BW 15, 1930, S. 28.

P 646 Werner Hegemann: Das steinerne Berlin. [Bln 1930.] Rez. – BW 15, 1930, S. 188.

P 647 Wer kennt Heidenstam? – NZZ Nr. 273 v. 1. 10. 1908, 3. Mbl.

P 648 Über [Verner von] Heidenstams Karl XII. [und seine Krieger. Mchn 1908.] Rez. – März 2, 1908, IV, S. 155f.

P 649 Heiligengestalten. [Von Ernst Hello. Lpz 1934.] Rez. – NZZ Nr. 675 v. 17. 4. 1934.

P 650 Heimat – SbKriegsgef 3, 1918, H. 5, S. 7f.; Wieland 4, 1918/19, H. 1, S. 2; **KG**; Schweiz 24, 1920, S. 447f.; Das Schwabenland. Ein Heimatbuch. Hg. v. Tony Kellen. Lpz: Brandstetter 1921, S. 284–286; **BB**; **Gbs**.

P 651 Heimgekehrt – SchwSp 5, 1911/12, S. 112.

P 652 Heimkehr. Erster Akt eines Zeitdramas – VV 1, 1919/20, S. 461–474.

P 653 Die Heimkehr – NRs 20, 1909, S. 540–571; E 192; Deutsche Kleinstadtgeschichten. Hg. v. Otto Zoff. Potsdam: Kiepenheuer 1919, S. 219–276. (Liebhaberbibliothek. 53.); **KW**; **Gbs**; A 16.

P 654   Der alte Grüne Heinrich – März 7, 1913, IV, S. 884–888; Lesez 1, 1913/14, S. 206–209.

P 655   Karl Borromäus Heinrich: Menschen von Gottes Gnaden. [Mchn 1910.] Rez. – NZZ Nr. 125 v. 7. 5. 1910, 2. Mbl.

P 656   Wilhelm Heinse – NZZ Nr. 424 v. 17. 3. 1926.

Helft! s. Denket unserer Gefangenen

P 657   Ernest Hemingway: In unserer Zeit. Erzählungen. [Bln 1932.] Rez. – BW 17, 1932, S. 190.

P 658   Herbst – Simpl 15, 1910/11, S. 423f.; – u. d. T.: Der Flieger: SoblBasNachr 5, 1910, S. 173; **KG**; – **BB**; Prop 29, 1931/32, S. 29f. u. d. T.: Wanderung im Weinmond; SoblBasNachr 29, 1935, S. 165f. u. d. T.: Weinmond.

P 659   Herbst – Ernte 9, 1928, S. 151–153.

Herbst im Tessin s. Tessiner Herbsttag

P 660   Es wird Herbst – u. d. T.: Herbstbeginn: NTgbl Nr. 213 v. 12. 9. 1905, S. 1; Rhlde 8, 1908, Bd. 16, S. 85f.; Prop 7, 1909/10, S. 1f.; SoblBasNachr 5, 1910, S. 139f.; **AW**; – **BB**.

Herbstbeginn s. Es wird Herbst

Herbstbeginn s. September

Herbstklang s. Zwischen Sommer und Herbst

P 661   Tessiner Herbsttag – NRs 43, 1932, II, S. 411–415; NZZ Nr. 1653, 1656 v. 24. u. 25. 9. 1935 u. d. T.: Herbst im Tessin; **GB**; A 20.

Herbsttage im Appenzell s. Reisebilder

P 662   Herbstwanderung – NZZ Nr. 1604 v. 20. 9. 1936; NatZ Nr. 417 v. 10. 9. 1950, Sobeil. – Enth. P 1385.

P 663   Herr Claassen – Corona 6, 1936, S. 593–617; **GB**; **Gbs.**

Herr Piero s. Der Erzähler

Zwei junge Herren in der Eisenbahn s. Von der Seele

Des Herrn Piero Erzählung von den zwei Küssen s. Der Erzähler

P 664   Bunte Herzen. [Von Eduard von Keyserling. Bln 1909.] Rez. – NZZ Nr. 215 v. 5. 8. 1909, 3. Mbl.

P 665   Herzensergießungen eines kunstliebenden Klosterbruders. [Von Wilhelm Heinrich Wackenroder u. Ludwig Tieck. Jena 1904.] Rez. – NZZ Nr. 144 v. 25. 5. 1904, 2. Abl.; Neckar-Ztg. (Heilbronn) Nr. 155 v. 6. 7. 1904.

P 666   Hermann Hesse [Autobiogr.] – Les Prix Nobel en 1946. Stockholm: Norstedt 1948, S. 112f.

Hesse über Jünger s. Nach der Lektüre von Ernst Jüngers Buch «An der Zeitmauer»

Hesse trifft Stevenson s. Die Nikobaren

P 667   Heumond – NRs 16, 1905, S. 457–485; E 45.

P 668   Kurt Heuser: Abenteuer in Vineta. Roman. [Bln 1933.] Rez. – NZZ Nr. 4 v. 1. 1. 1933.

P 669   Kurt Heuser: Die Reise ins Innere. Roman. [Bln 1931.] Rez. – Lesez 19, 1931/32, S. 15.

P 670   Theodor Heuß: Schwaben und der deutsche Geist. [Konstanz 1915.] Rez. – NZZ Nr. 1041 v. 11. 8. 1915.

P 671   Bewölkter Himmel – Schweiz 23, 1919, S. 179f.; Wieland 6, 1920, H. 2, S. 3f.; **Wa.**
         Hinduismus s. Helmuth von Glasenapp: Der Hinduismus

P 672   Hinrichtung. Eine Parabel – SchwSp 7, 1913/14, S. 183; **AW**; E 129.

P 673   Aus [Theodor Gottlieb von] Hippels Buch «Über die Ehe». [Lpz 1911.] – März 6, 1912, II, S. 159f.

P 674   Hochsommer – PHelv 2, 1920, Augustnummer S. 291f. u. d. T.: Sommertag am Bodensee; **BB**; Prop 29, 1931/32, S. 329f. u. d. T.: Sommer! Sommer!
         Hochsommerabend im Tessin s. Tessiner Sommerabend
         Hochsommerbrief s. Ein Brief

P 675   Hochsommertag im Süden – BT Nr. 320 v. 9. 7. 1928 [1. Fassg.]; O mein Heimatland (Bern) 21, 1933, S. 144–147 u. d. T.: Magnolie und Zwergbaum; NZZ Nr. 1810 v. 10. 10. 1934 u. d. T.: Gegensätze; NatZ Nr. 291 v. 29. 6. 1947, Sobeil. u. d. T.: Zwei Bäume.

P 676   Der Hodscha Nasreddin. [Hg. v. Albert Wesselski. Weimar 1911.] Rez. – März 6, 1912, II, S. 320.

P 677   Über Hölderlin – NZZ Nr. 1630 v. 31. 10. 1924; Der neue Merkur (Stgt) 8, 1924/25, S. 358–360 u. d. T.: Ein Wort über Hölderlin; SchwSp 19, 1925, S. 121f.; Prop 23, 1925/26, S. 409f.; **BG**; **Gbs.**

P 678   Der kranke Hölderlin. Hg. v. Erich Trummler. [Mchn 1920.] Rez. – VV 2, 1921/22, S. 157f.

P 679   E. Th. A. Hoffmann: Sämtliche Werke. [Lpz 1900.] Rez. – Sobeil. der Allg. Schweizer Ztg. (Basel) 5, 1900, S. 144.

P 680   E. Th. A. Hoffmann's Schriften. [Weimar 1924.] Rez. – Basilisk 5, 1924, Nr. 30.

P 681   E. Th. A. Hoffmanns Werke. [Dichtungen und Schriften. Weimar 1924.] Rez. – NRs 35, 1924, S. 1199f.

P 682   Hugo von Hofmannsthal: Der weiße Fächer. [Lpz 1907.] Rez. – Rhlde 8, 1908, Bd. 15, S. 116.

P 683   [Hugo von] Hofmannsthals Deutsches Lesebuch. [Mchn 1922. 1923.] Rez. – Lesez 11, 1923/24, S. 142–144.

P 684   [Hans] Holbein [d. J.: Des Meisters Gemälde. Stgt 1912.] Rez. – März 6, 1912, I, S. 199f.

P 685   Eine Holbeinpublikation. [Handzeichnungen von Hans Holbein d. J. Bln 1908.] Rez. – März 3, 1909, I, S. 239f.
         Der Holländer s. Kurgast. Tdr.

P 686   Arno Holz: Das ausgewählte Werk. [Bln 1919.] Rez. – VV 1, 1919/20, S. 336.
         Zu einer Holzschnittfolge s. Einleitung (zu: Frans Masereel: Die Idee)
         Hotte Hotte Putzpulver s. Eine Gestalt aus der Kinderzeit

P 687 Friedrich Huch: Enzio. Roman. [Mchn 1911.] Rez. – NZZ Nr. 301 v. 31. 10. 1910, 3. Mbl.

P 688 Ricarda Huch: Michael Bakunin und die Anarchie. [Lpz 1923.] Rez. – Werkland (Lpz) 4, 1924/25, S. 77.

P 689 Ricarda Huch: Neue Gedichte. [Lpz 1907.] Rez. – März 2, 1908, I, S. 575.

P 690 Ricarda Huch: Seifenblasen. Drei scherzhafte Erzählungen. [Stgt 1905.] Rez. – LitE 7, 1904/05, Sp. 811 f.

P 691 Richard Huelsenbeck: China frißt Menschen. [Zch 1930.] Rez. – BW 16, 1931, S. 55.

P 692 Richard Huelsenbeck: Doktor Billig am Ende. Roman. [Mchn 1921.] Rez. – VV 2, 1921/22, S. 420 f.

P 693 Richard Hughes: Ein Sturmwind von Jamaica. Roman. [Bln 1931.] Rez. – BW 16, 1931, S. 262; Lesez 19, 1931/32, S. 74.

Huldigung für Oskar Loerke s. Oskar Loerkes Tagebücher 1903–1939. Tdr.

P 694 Aldous Huxley: Nach dem Feuerwerk. Vier Novellen. [Lpz 1931.] Rez. – BW 17, 1932, S. 51.

I

Ilgenberg s. Eine Fußreise im Herbst 7

P 695 Klassische Illustratoren – März 5, 1911, I, S. 144.

P 696 Incipit vita nova – StM.

P 697 Aus Indien und über Indien – BT Nr. 452 v. 24. 9. 1925.

P 698 Innen und Außen – KlBd 1, 1920, S. 81 f., 89 f. u. d. T.: Außen und Innen; VV 2, 1921/22, S. 503–511; BT Nr. 271 v. 8. 6. 1924, 4. Beibl. u. d. T.: Der verschwundene Götze; SchwSp 27, 1933, S. 249 f., 259 f.; **Fbb.**

P 699 Von der seligen Insel. [Laurids Bruun: Die freudlose Witwe. Bln 1915.] Rez. – NZZ Nr. 491 v. 25. 4. 1915.

P 700 Insel-Bücherei – VV 1, 1919/20, S. 816.

P 701 Inselbücherei – VV 2, 1921/22, S. 158 f.

P 702 Inselbücherei – VV 2, 1921/22, S. 548.

P 703 Der Inseltraum – StM; Schweiz 21, 1917, S. 71–80.

P 704 Inselverlagbücher für fünfzig Pfennig – März 6, 1912, III, S. 240.

P 705 Iris – NRs 29, 1918, S. 1566–1579; E 127; **Mä**; A 20.

P 706 Irland. [Von Richard A. Bermann. Bln 1914.] Rez. – März 8, 1914, IV, S. 259 f.

P 707 In Italien vor fünfzig Jahren – NatZ Nr. 77 v. 16. 2. 1958, Sobeil.; E 101. – Enth. P 956.

P 708 Für Italienfreunde. [Olga von Gerstfeld u. Ernst Steinmann: Pilgerfahrten in Italien. Lpz 1912.] Rez. – März 6, 1912, III, S. 400.

P 709 Von meiner ersten Italienreise (1. Vorwort; 2. Fiesole; 3. Lo scoppio del carro; 4. Der Giardino Boboli; 5. Der Triumph des Todes; 6. Miniaturen; 7. In den Kanälen Venedigs) – NTgbl Nr. 215, 217, 222 vom 14., 16. u. 22. 9. 1904.

J

P 710 Jens Peter Jacobsen – Sobeil. der Allg. Schweizer Ztg. (Basel) 5, 1900, S. 23f.

P 711 Jacques le fataliste. [Von Denis Diderot. Mchn 1911.] Rez. – März 6, 1912, II, S. 280.

P 712 Das graphische Jahr. Almanach des Verlags Fritz Gurlitt. [Bln 1921.] Rez. – WiLeb 15, 1921/22, S. 644.

Aus dem Jahre 1925 s. Wenn der Krieg noch fünf Jahre dauert

Im Jahre 1920 s. Wenn der Krieg noch zwei Jahre dauert

P 713 Fünfzig Jahre Kurort Arosa – NZZ Nr. 1689 v. 21. 9. 1934.

P 714 40 Jahre Montagnola – Merian (Hambg.) 13, 1960, H. 5, S. 34.

P 715 Vor dreiunddreißig Jahren – NZZ Nr. 2362 v. 10. 7. 1960; StgtZtg Nr. 173 v. 30. 7. 1960; E 163 u. d. T.: Rückgriff. – Enth. P 1131.

Vor 25 Jahren über den Albula an den Comersee s. Eine Jugendwanderung

P 716 Kriegsgefangen vor 500 Jahren. [Hans Schiltberger: Reisebuch. Lpz 1917.] Rez. – NZZ Nr. 61 v. 13. 1. 1918.

P 717 Francis Jammes: Almaide. Roman. [Hellerau 1919.] Rez. – BW 5, 1916/20, S. 128.

P 718 Francis Jammes: Röslein. Roman. [Hellerau 1920.] Rez. – VV 1, 1919/20, S. 334; BW 5, 1916/20, S. 251.

P 719 Francis Jammes: Der Roman der drei Mädchen. [Lpz 1933.] Rez. – BW 18, 1933, S. 62.

Jasminduft s. Juninacht

Jean Paul s. Einleitung (zu: Jean Paul: Ausgewählte Werke)

P 720 Jean Paul: Blumen-, Frucht- und Dornenstücke. [Mchn 1924.] Rez. – Basilisk 6, 1925, Nr. 3.

P 721 Über Jean Paul – NZZ Nr. 911 u. 917 vom 22. u. 23. 6. 1921; Jean Paul: Der ewige Frühling. Ausgew. v. Carl Seelig. Wien: Tal 1922, S. 7–23: Vorwort; **BG.**

P 722 Wie steht es mit Jean Paul? – NRs 25, 1914, S. 423–426; EckLit 8, 1913/14, S. 418–420.

P 723 Zu Jean Pauls Siebenkäs – Jean Paul: Siebenkäs. Lpz: List [1925], S. 671–680. (Epikon.); Der magische Schrein. Mchn: List (1956), S. 47–54. (List-Bücher. 67.); Festgabe f. Eduard Berend zum 75. Geburtstag. Hg. v. Hans Werner Seiffert u. Bernhard Zeller. Weimar: Böhlau 1959, S. 15–20; Jean Paul: Siebenkäs. Mchn: List (1960), S. 693–702.

P 724 Alfred Jeremias: Allgemeine Religionsgeschichte. [Mchn 1918.] Rez. – VV 1, 1919/20, S. 520.

P 725 Gusti Jirku: Zwischen den Zeiten. [Wien 1931.] Rez. – BW 16, 1931, S. 262.

P 726 Hanns Johst: Der Anfang. Roman. [Mchn 1917.] Rez. – VV 1, 1919/20, S. 270.

P 727 Hanns Johst: Rolandsruf. Gedichte. [Mchn 1919.] Rez. – VV 1, 1919/20, S. 79.

P 728 Über den Judenhaß. Ein Wort an die deutsche Jugend – SchwMtsh 38, 1958/59, S. 271; Blickpunkt (Bln) 8, 1958, Nr. 75, S. 20f. u. d. T.: Ein Wort über den Antisemitismus.

P 729 Der verliebte Jüngling. Eine Legende – Simpl 12, 1907/08, S. 640f., 647 u. d. T.: Legende vom verliebten Jüngling; Schweiz 18, 1914, S. 417–419 u. d. T.: Liebeszauber; – u. d. T.: Legende vom verliebten Jüngling: O mein Heimatland (Bern) 15, 1927, S. 103–106; Prop 24, 1926/27, S. 230f.; SchwSp 21, 1927, S. 118f.; – **Fbb.**

Jünglingsbrief s. Brief eines Jünglings

P 730 Jünglingslektüre. [Gustav Schwab: Sagen des klass. Altertums. Basel 1913.] Rez. – NZZ Nr. 1639 v. 10. 12. 1914.

P 731 Schön ist die Jugend – März 1, 1907, III, S. 141–152, 236–242, 289–300; E 103; E 45a; **Gbs.**

P 732 Eine Jugendgeschichte. [Wilhelm Speyer: Oedipus. Roman. Bln 1907.] Rez. – Rhlde 7, 1907, Bd. 14, S. 159.

P 733 Eine Jugendwanderung – Schweizerland (Chur) 1, 1914/15, S. 77–79; Zürcher Illustrierte Jg. 1933, Nr. 33, S. 1054f. u. d. T.: Vor 25 Jahren über den Albula an den Comersee.

Aus der Jugendzeit s. Weinstudien

Julie s. Eine Fußreise im Herbst 8

P 734 Aus Jung-Wien. [Oskar Rosenfeld: Die vierte Galerie. Roman. Wien 1910.] Rez. – NZZ Nr. 205 v. 27. 7. 1910, 1. Abl.

P 735 Juninacht – Prop 6, 1908/09, S. 699f. u. d. T.: Jasminduft; Rhlde 11, 1911, S. 210f.; **AW.**

K

P 736 [Erich Kästner: Fabian. Stgt 1931.] Rez. – BW 17, 1932, S. 48.

P 737 Kafka-Deutungen – NZZ Nr. 313 v. 3. 2. 1956; E 202 u. d. T.: Leser und Dichtung; L 75, S. 3: Tdr. u. d. T.: Franz Kafka; **BGa.** – Enth. B 29.

P 738 Franz Kafkas Nachlaß – Lesez 16, 1928/29, S. 61f.

P 739 Kaminfegerchen – NZZ Nr. 428 v. 24. 2. 1953 u. d. T.: Skizzenbuchblatt; E 104; **Bsg.**

P 740 Der Kampf gegen den Krieg. Ein Anekdotenbuch vom Frieden. Hg. v. Adolf Saager. [Stgt 1920.] Rez. – VV 2, 1921/22, S. 111.

P 741 In den Kanälen Venedigs – P 1305; P 709.

P 742 In Kandy – Schweiz 16, 1912, S. 169–171.

P 743 Kanzelpfeffer. [Erbauliche Predigten. Hg. v. Peter Jerusalem. Mchn 1914.] Rez. – März 8, 1914, II, S. 864.

P 744   Kapelle – Schweiz 23, 1919, S. 177f.; **Wa.**

Tessiner Kapellen s. Kirchen und Kapellen im Tessin

P 745   Ein neues Kapitel der Gefangenenfürsorge. Bericht aus Davos – Der Tag (Bln).
Illustr. Teil Nr. 36, 39 vom 12. u. 16. 2. 1916.

P 746   Marta Karlweis: Ein österreichischer Don Juan. [Lpz 1930.] Rez. – BW 15, 1930,
S. 275.

P 747   Karneval – Simpl 10, 1905/06, S. 558; NTgbl Nr. 40 v. 17. 2. 1912, S. 17f.; PHelv
2, 1920, Nr. 2, S. 37–40.

P 748   Adam Karrillon: Michael Hely. Roman. [Bln 1904.] Rez. – Süddt. Mtsh. (Mchn)
2, 1905, I, S. 94.

P 749   Hermann Kasack: Echo. Achtunddreißig Gedichte. [Bln 1933.] Rez. – BW 18,
1933, S. 65.

P 750   Aus dem preußischen Kasernenleben um 1780. [Karl Friedrich Klöden: Jugenderinnerungen. Lpz 1911.] Rez. – März 5, 1911, IV, S. 118f.

P 751   Kastanienbäume – Simpl 11, 1906/07, S. 4; – u. d. T.: Es war einmal: Rhlde 16,
1916, S. 21–23; SchwSp 10, 1916/17, S. 47f.; O mein Heimatland (Bern) 6,
1918, S. 97–103; **KG**; Bodenseeb 19, 1932, S. 18f.; NZZ Nr. 423 v. 11. 3. 1934;
Bodenseeb 22, 1935, S. 60f.; – E 105; NatZ Nr. 67 v. 10. 2. 1957, Sobeil. u. d. T.:
Es war einmal; **BBb.**

P 752   Josef Kastein: Sabbatai Zewi, der Messias von Ismir. [Bln 1930.] Rez. – BW 16,
1931, S. 149.

P 753   Katharatnakara, das Märchenmeer. [Mchn 1921.] Rez. – VV 2, 1921/22, S. 544f.

Die Kathedralen Frankreichs s. Auguste Rodin

P 754   Kauf einer Schreibmaschine – NZZ Nr. 964 v. 19. 5. 1929 u. d. T.: Morgen-Erlebnis; NatZ Nr. 119 v. 12. 3. 1952, S. 2 u. d. T.: Ich kaufe eine Schreibmaschine;
E 106.

P 755   Ein Kaulbach-Buch. [Josefa Dürck: Erinnerungen an Wilhelm Kaulbach u. s.
Haus. Mchn 1918.] Rez. – DIZ 1918, H. 71, Beil. «Aus Büchern und Zeitschriften».

P 756   Etwas für Gottfried Keller-Freunde. [Fritz Hunziker: Glattfelden und Gottfried
Kellers Grüner Heinrich. Zch 1911.] Rez. – März 6, 1912, II, S. 160.

P 757   Gottfried Kellers Werke. [Hg. v. Harry Maync. Bln 1921. 1922.] Rez. – VV 3,
1922/23, S. 290.

P 758   Hermann Kesten: Glückliche Menschen. Roman. [Bln 1931.] Rez. – BW 16, 1931,
S. 185.

P 759   [Graf Hermann] Keyserlings Reisetagebuch [eines Philosophen. Darmstadt 1919.]
Rez. – VV 1, 1919/20, S. 780–782.

P 760   Sören Kierkegaard: Auswahl aus seinen Bekenntnissen und Gedanken. [Hg. v.
Fritz Droop. Mchn 1914.] Rez. – VV 1, 1919/20, S. 658f.

P 761   Sören Kierkegaard: Der Begriff des Auserwählten. [Hellerau 1917.] Rez. – VV 1,
1919/20, S. 659.

Das Kind s. Vater Daniel

P 762 Die Kinder und ihre Tiere. Hg. v. Karl Vaupel. [Ravensburg 1930.] Rez. – BW 15, 1930, S. 275.

P 763 Kinder der Zeit. [Von Knut Hamsun. Mchn 1915.] Rez. – NZZ Nr. 670 v. 1. 6. 1915.

P 764 Zwei Kinderbriefe. Mitgeteilt – DIZ Nr. 16 v. 6. 1. 1917, S. 10.

P 765 Kinder- und Bilderbücher – März 6, 1912, IV, S. 472–474.

P 766 Ein neues Kinderbuch. [Franz Karl Ginzkey: Hatschi-Bratschis Luftballon. Bln 1904.] Rez. – NZZ Nr. 7 v. 7. 1. 1905, Beil.

P 767 Kindergenesungsheim Milwaukee. Ein Aufruf an die gebürtigen Deutschen im Auslande [zus. mit Richard Woltereck] – VV 1, 1919/20, S. 337–343 u. d. T.: Milwaukee; E 107.

P 768 Kinderseele – Dt. Rs. Bd. 181, 1919, S. 177–200; Hg 1, S. 49–69; E 109; BernWo 12, 1922, S. 613–615, 625–628, 639–642, 651–654, 663–666; A 3; A 10; A 11; **Gbs.**

P 769 Aus Kinderzeiten – Rhlde 4, 1903/04, Bd. 8, S. 433–440; Prop 2, 1904/05, S. 938–940, 954–956; E 45; **Gbs.**

P 770 Aus der Kindheit des heiligen Franz von Assisi – VKMtsh 34, 1919/20, I, S. 697 bis 700; SoblBasNachr 16, 1922, S. 173f.; **Fbb**; A 20.

P 771 Meine Kindheit – **HL**; Rhlde 7, 1907, Bd. 13, S. 17–21, 62–64; E 66: Tdr.; A 11; **Gbs.**

P 772 Kindheit des Zauberers – Corona 7, 1937, S. 131–152; **Tf.** – Enth. G 750.

P 773 Kirchen und Kapellen im Tessin – Schweizerland (Chur) 6, 1920, S. 273–276; – u. d. T.: Tessiner Kapellen: Basilisk 6, 1925, Nr. 16; O mein Heimatland (Bern) 24, 1936, S. 77, 82–84.

Kirchenkonzert s. Alte Musik

P 774 Klabund: Das Blumenschiff. Nachdichtungen chines. Lyrik. [Bln 1921.] Rez. – VV 2, 1921/22, S. 706f.

P 775 Klabund: Dreiklang. Ein Gedichtwerk. [Bln 1920.] Rez. – VV 1, 1919/20, S. 398.

P 776 Klabund: Moreau. Mohammed. [Bln 1916. 1921.] Rez. – WiLeb 15, 1921/22, S. 352.

P 777 Klabunds Gesammelte Werke in sechs Bänden. [Wien 1930.] Rez. – BW 15, 1930, S. 186.

P 778 Theodor Klaiber: Friedrich Theodor Vischer. [Stgt 1920.] Rez. – VV 1, 1919/20, S. 818.

P 779 Klassikerausgaben – März 3, 1909, IV, S. 76.

P 780 Klassikerausgaben – März 7, 1913, IV, S. 540f.

P 781 Klein und Wagner – VV 1, 1919/20, S. 29–52, 131–171; E 109; A 19.

P 782 Die nürnberger Kleinmeister. [Von Emil Waldmann. Lpz 1911.] Rez. – März 5, 1911, II, S. 390f.

P 783 Klingsors letzter Sommer – NRs 30, 1919, S. 1471–1511; E 109; VV 2, 1921/22, S. 72–79: Tdr. u. d. T.: Die Musik des Untergangs. – Enth. G 650, 621.

Ein Knabe spricht Verse s. Erlebnis auf einer Alp

P 784 Des Knaben Wunderhorn. [Gesammelt von Achim von Arnim u. Clemens Brentano. Lpz 1910.] Rez. – März 4, 1910, I, S. 85f.

Knabenerlebnis s. Der Mohrle

P 785 Ein Knabenstreich – Das neue Magazin (Bln) 73, 1904, S. 85–87; SoblBasNachr 7, 1912, S. 81 u. d. T.: Der Sammetwedel; – u. d. T.: Aus der Knabenzeit [2. Fassg.]: SbKriegsgef 2, 1917, H. 6, S. 2–5; Das heitere Buch. Hg. v. Walter Jerven. Bd. 1. Mchn: H. Schmidt 1917, S. 313–320; SchwSp 22, 1928, S. 343f.

P 786 Josef Knecht an Carlo Ferromonte – NZZ Nr. 479 v. 10. 2. 1961; StgtZtg Nr. 41 v. 18. 2. 1961, Beil. BrzW; E 208a.

P 787 Jakob Kneip: Der lebendige Gott. Gedichte. [Jena 1919.] Rez. – VV 1, 1919/20, S. 524.

P 788 Knopf-Annähen – Die Terrasse (Lugano) 7, 1931, Nr. 9, S. 165f. u. d. T.: Stiller Abend [veränd. Fassg.]; NatZ Nr. 172 v. 16. 4. 1955, Sobeil.; E 111.

P 789 Knulp. Drei Geschichten aus dem Leben Knulps (1. Vorfrühling; 2. Meine Erinnerung an Knulp; 3. Das Ende) – E 112; Gbs. 1. Der Greif (Stgt) 1, 1913/14, II, S. 136–157; BernWo 5, 1915, S. 109–111, 121–123, 133–135, 145–147, 157–160; E 44. 2. NRs 19, 1908, S. 247–259. 3. Dt. Rs. Bd. 161, 1914, S. 321–341. – 1. Enth. G 178. 2. Enth. G 689, 499, 288. 3. Enth. G 142.

P 790 Max Koebel: Friedrich Weinbrenner. [Bln 1920.] Rez. – VV 2, 1921/22, S. 481.

P 791 Walter Kömpff – ÜbLdM 50, 1908, Bd. 99, S. 344–346, 367, 370f., 388–390, 410–412 u. d. T.: Der letzte Kömpff vom Markt; E 135; KW; Gbs.

Es war ein König in Indien s. Legende vom indischen König

P 792 Der schwarze König. Ein Gedenkblatt für Georg Reinhart – NZZ Nr. 2353 v. 9. 9. 1955; E 113; Georg Reinhart. 1877–1955. Zum Gedächtnis. (Verona: Officina Bodoni 1956), S. 27–37. – Enth. G 556; B 177.

Der suchende König s. Legende vom indischen König

P 793 König Yu – Annabelle (Zch) 4, 1941, Nr. 46, S. 54–56 u. d. T.: König Yu's Untergang; Tf.

P 794 Über den Koffer gebückt – Münchner N. Nachr. Nr. 253 v. 16. 9. 1928, S. 1f.; NZZ Nr. 2172 v. 10. 10. 1929.

P 795 Der gestohlene Koffer – Annabelle (Zch) 8, 1945, Nr. 86, S. 22f., 64, 66; E 150; SpP.

P 796 Annette Kolb: Kleine Fanfare. [Bln 1930.] Rez. – BW 16, 1931, S. 86.

P 797 Annette Kolb: Versuch über Briand. [Bln 1929.] Rez. – BW 15, 1930, S. 107.

P 798 Annette Kolbs Mozartbuch. [Wien 1936.] Rez. – NatZ Nr. 207 v. 9. 5. 1937; Frankf. Ztg. Nr. 282 v. 6. 6. 1937, Literaturbl. Nr. 25.

P 799 Emil Kolb – NRs 22, 1911, S. 366–392; E 192; KW; Gbs.

P 800 Max Kommerell: Jugend ohne Goethe. [Ffm 1931.] Rez. – BW 16, 1931, S. 148.

P 801 Ekstatische Konfessionen. [Von Martin Buber. Jena 1909.] Rez. – SchwSp 2, 1908/09, S. 274.

P 802 Eine Konzertpause – NZZ Nr. 2300 v. 22. 11. 1947; E 114; P 1047.

Der Korbstuhl s. Märchen vom Korbstuhl

Ohne Krapplack s. Aquarellmalen

P 803 Friedrich E. A. Krause: Ju-Tao-Fo. Die religiösen und philosophischen Systeme Ostasiens. [Mchn 1924.] Rez. – BW 9, 1924, S. 116.

P 804 Ernst Kreidolfs Bilderbücher – NZZ Nr. 347 v. 14. 12. 1908, 2. Abl.; SchwSp 3, 1909/10, S. 76f.; Prop 7, 1909/10, S. 163f.

P 805 Krieg und Frieden – NZZ Nr. 1318 v. 6. 10. 1918 u. d. T.: Gedanken; BG; KF; E 55.

P 806 Wenn der Krieg noch fünf Jahre dauert – u. d. T.: Aus dem Jahre 1925: NZZ Nr. 744 v. 20. 5. 1919 [pseud. Emil Sinclair]; SN; – BG; KF.

P 807 Wenn der Krieg noch zwei Jahre dauert – u. d. T.: Im Jahre 1920: NZZ Nr. 2150, 2157 vom 15. u. 16. 11. 1917 [pseud. Emil Sinclair]; SN; – BG; KF.

Kriegsangst s. B 9

P 808 Kriegsbilder – März 9, 1915, III, S. 265.

P 809 Ein Kriegsbuch. [Max Ludwig: Die Sieger. Roman. Mchn 1914.] Rez. – NZZ Nr. 1253 v. 24. 8. 1914.

P 810 Kriegslektüre – Die Zeit (Wien) Nr. 4478 v. 14. 3. 1915, S. 1f.; E 117.

P 811 Aus den ersten Kriegsmonaten in Frankreich. [Martin Lang: Feldgrau. Stgt 1914.] Rez. – NZZ Nr. 374 v. 30. 3. 1915.

P 812 Über gute und schlechte Kritiker. Notizen zum Thema Dichtung und Kritik – NRs 41, 1930, II, S. 761–773; BGa.

Kubu s. Der Waldmensch

Kuckuck im Kastanienwald s. Mai im Kastanienwald

P 813 Leonore Kühn: Das Buch Eros. [Jena 1920.] Rez. – VV 1, 1919/20, S. 269.

P 814 Otto Kümmel: Die Kunst Ostasiens. [Bln 1921.] Rez. – VV 2, 1921/22, S. 276.

P 815 Künstler und Gelehrte. [Julius Meier-Gräfe: Spanische Reise. Bln 1910.] Rez. – März 5, 1911, I, S. 472.

P 816 Künstler und Psychoanalyse – Frankf. Ztg. Nr. 195 v. 16. 7. 1918, 1. Mbl.; SoblBasNachr 17, 1923, S. 131f.; Almanach f. das Jahr 1926. Wien: Internat. Psychoanalyt. Verl. [1925], S. 34–38; Prop 24, 1926/27, S. 137f.; SchwSp 21, 1927, S. 207f.; BGa.

P 817 Ein rheinisches Künstlerfest – NZZ Nr. 161 v. 11. 6. 1905.

P 818 Basler Kultur – März 4, 1910, III, S. 365–368.

Chinesische Kultur s. Chinesisches

P 819 Die Kunst in Bildern – SchwSp 3, 1909/10, S. 114; Prop 7, 1909/10, S. 292f.

P 820 Exotische Kunst – NRs 33, 1922, S. 335f.; BG.

P 821 Junge Kunst – VV 1, 1919/20, S. 815f.

P 822 Die Kunst des Müßiggangs. Eine Anregung – Die Zeit (Wien) Jg. 1904, Nr. 504, S. 105–107; Dresdner Anz. 1906, Montagsbeil. Nr. 36.

P 823 Über vlämische Kunst – März 9, 1915, I, S. 23f.

P 824 Kleine Kunstbücher des Delphinverlags in München – VV 1, 1919/20, S. 521f.

P 825 Kurgast – Jugend (Mchn) Jg. 1912, S. 1042; SoblBasNachr 8, 1913, S. 89f.

P 826 Kurgast. Aufzeichnungen von einer Badener Kur – Basilisk 5, 1924, Nr. 2: Tdr.
u. d. T.: Im Kursaal; NRs 35, 1924, S. 41–55, 119–139, 236–248: Tdr. [Vorrede;
Kurgast; Tageslauf; Der Holländer] u. d. T.: Psychologia balnearia; NZZ Nr.
1150 v. 3. 8. 1924: Tdr. u. d. T.: Bekenntnis; E 155 [1. Ausg. u. d. T.: Psychologia
balnearia]; Almanach 1926 (Bln: S. Fischer), S. 59–78: Tdr. [Der Holländer].

L

P 827 Ladidel – März 3, 1909, III, S. 24–32, 105–112, 186–192, 272–280, 351–360, 433
bis 440; E 192; KW; A 10.

P 828 Die soziale Lage der deutschen Schriftsteller. (Antwort auf eine Umfrage) – Das
Blaubuch (Bln) 5, 1910, I, S. 198f.

P 829 Selma Lagerlöf: Christuslegenden. [Mchn 1904.] Rez. – LitE 7, 1904/05, Sp. 369f.

P 830 Selma Lagerlöf: Das heilige Leben. Roman. [Mchn 1919.] Rez. – VV 1, 1919/20,
S. 528.

P 831 Selma Lagerlöf: Die Silbergrube. [Mchn 1930.] Rez. – BW 16, 1931, S. 185.

P 832 Selma Lagerlöf. Zu ihrem 50. Geburtstag – NTgbl Nr. 272 v. 19. 11. 1908, S. 1f.;
E 119.

P 833 Die Lagune – P 1305.

P 834 Lagunenstudien – BB.

P 835 Friedo Lampe: Das Gesamtwerk. [Hambg. 1955.] Rez. – Ww Nr. 1148 v. 11. 11.
1955, S. 5.

P 836 Gustav Landauer: Der werdende Mensch. Aufsätze. [Potsdam 1921.] Rez. – VV 2,
1921/22, S. 275f.

P 837 Gustav Landauer: Shakespeare. [Ffm 1920.] Rez. – WiLeb 14, 1920/21, S. 434.
Das Landgut s. Wenkenhof

P 838 Paul Ludwig Landsberg: Die Welt des Mittelalters und wir. [Bonn 1922.] Rez.
– VV 3, 1922/23, S. 65f.

P 839 Landschaftliches – SoblBasNachr 4, 1909, S. 89; März 3, 1909, III, S. 484–487
u. d. T.: Vom Naturgenuß; NTgbl Nr. 184 v. 10. 8. 1910, S. 1; Kosmos (Stgt) 21,
1924, S. 2f. u. d. T.: Die Natur und der Mensch; SoblBasNachr 23, 1929, S. 73.
Für unsere Landsleute in Kriegsgefangenschaft s. Lektüre für Kriegsgefangene

P 840 Lao Tse: Tao teh King. [Mchn 1921.] Rez. – VV 2, 1921/22, S. 276f.

P 841 Der Lateinschüler – ÜbLdM 48, 1906, Bd. 95, S. 551–554, 577–580, 604f.; E 45;
Gbs; A 16.

P 842 Die Laterne. [Von Jakob Schaffner. Bln 1907.] Rez. – Rhlde 7, 1907, Bd. 14, S.192.

P 843 Heinrich Lautensack: Leben, Taten und Mitteilungen des russischen Detektivs
Maximow. [Bln 1920.] Rez. – VV 2, 1921/22, S. 548.

P 844 D[avid] H[erbert] Lawrence: Der Hengst St. Mawr. Roman. [Lpz 1931.] Rez. – Lesez 18, 1930/31, S. 60.

P 845 Ein Leben Leonardos. [Woldemar von Seidlitz: Leonardo da Vinci. Bln 1910.] Rez. – März 4, 1910, II, S. 511 f.

Ungelebtes Leben s. Von der Seele

P 846 Deutsches Leben der Vergangenheit in Bildern. [Hg. v. Eugen Diederichs. Bd. 1. Jena 1907.] Rez. – Württ. Ztg. Nr. 88 v. 18. 12. 1907, S. 1.

P 847 Deutsches Leben der Vergangenheit in Bildern. [Hg. v. Eugen Diederichs. Bd. 2. Jena 1908.] Rez. – Württ. Ztg. Nr. 145 v. 24. 6. 1908, S. 1.

P 848 Indischer Lebenslauf – NRs 48, 1937, II, S. 7–40; E 90.

P 849 Kurzgefaßter Lebenslauf – NRs 36, 1925, S. 841–856; E 121; Tf; A 20.

P 850 Lebensmorgen. [Von Wilhelm Fischer. Mchn 1906.] Rez. – NZZ Nr. 310 v. 8. 11. 1905, Mbl.

Legende s. Hannes

P 851 Die Legende – NRs 53, 1942, S. 315–323, 359–368: Tdr.; E 90.

Legende von den beiden Sündern s. Die beiden Sünder

P 852 Chinesische Legende – NZZ Nr. 1523 v. 17. 5. 1959; E 121a.

Legende von einem Eremiten s. Die süßen Brote

Legende vom Feldteufel s. Der Feldteufel

P 853 Legende vom indischen König – NRs 18, 1907, S. 1128–1130; Schweiz 19, 1915, S. 523–525 u. d. T.: Der suchende König; – u. d. T.: Es war ein König in Indien: KlBd 11, 1930, S. 249f.; SoblBasNachr 35, 1941, S. 151f.; – NZZ Nr. 500 v. 23. 3. 1946; E 122; Indien u. Deutschland. Hg. v. H[ans] O[tto] Günther. (Ffm): Europ. Verl.-Anst. (1956), S. 1–4.

Legende von den süßen Broten s. Die süßen Brote

Legende aus der Thebais s. Die süßen Brote

Eine thebaische Legende s. Vater Daniel

Legende vom verliebten Jüngling s. Der verliebte Jüngling

P 854 Alte deutsche Legenden. [Hg. v. Richard Benz. Jena 1910.] Rez. – NZZ Nr. 40 v. 10. 2. 1910, 2. Abl.

P 855 Legenden und Volksbücher – NZZ Nr. 172 v. 23. 6. 1911, 3. Mbl.

P 856 Lektüre im Bett – NatZ Nr. 151 v. 1. 4. 1947, S. 1f.

P 857 Gute Lektüre – März 4, 1910, II, S. 204–207.

P 858 Nach der Lektüre von Ernst Jüngers Buch «An der Zeitmauer» – StgtZtg Nr. 114 v. 18. 5. 1960 u. d. T.: Hesse über Jünger; E 10.

P 859 Lektüre für Kriegsgefangene – Prop 13, 1915/16, S. 292–294 u. d. T.: Für unsere Landsleute in Kriegsgefangenschaft; E 123.

P 860 Ein Leonardo-Buch. [Marie Herzfeld: Leonardo da Vinci. Lpz 1904.] Rez. – Die Zeit (Wien) Jg. 1904, Nr. 511, S. 31f.

P 861 Rudolf Leonhard: Das Wort. [Bln 1932.] Rez. – NZZ Nr. 4 v. 1. 1. 1933.

P 862   Über das Lesen – Rhlde 11, 1911, S. 419–421; – u. d. T.: Bücherlesen: Volksbildungsarchiv (Bln) 2, 1911, S. 430–433; Die Lebenskunst 7, 1912, S. 155–157; Junge Menschen (Hambg.) 2, 1921, S. 55f.

Vom Lesen s. Der Umgang mit Büchern 1

Beim Lesen des Grünen Heinrich s. Gedanken bei der Lektüre des Grünen Heinrich

P 863   Vom Lesen und von guten Büchern. (Antwort auf eine Umfrage) – Vom Lesen u. von guten Büchern. Eine Rundfrage, veranst. von d. Redaktion der «Neuen Blätter f. Lit. u. Kunst». Wien: Heller 1907, S. XII; Jahrbuch dt. Bibliophilen u. Literaturfreunde (Wien) 16/17, 1931, S. 120.

P 864   Beim Lesen eines Romans – NRs 44, 1933, I, S. 698–702; Württemberg (Stgt) 5, 1933, S. 484–487; NZZ Nr. 277 v. 15. 2. 1937 u. d. T.: Betrachtung beim Lesen; – u. d. T.: Nörgeleien: NatZ Nr. 521 v. 11. 11. 1951, Sobeil.; E 142; – **BGa**.

P 865   An den Leser – Justinus Kerner: Die Reiseschatten. 1.–3. Aufl. Weimar: Kiepenheuer 1913. 4.–8. Aufl. 1917, S. 5. (Liebhaberbibliothek. 14.)

Der Leser s. Der Mann mit den vielen Büchern

Leser und Dichtung s. Kafka-Deutungen

P 866   Nikolai Leskow: Die Klerisei. Roman. [Mchn 1920.] Rez. – VV 1, 1919/20, S. 526.

P 867   [Heinrich] Leutholds Gedichte. [Lpz 1910.] Rez. – März 4, 1910, III, S. 168.

P 868   Nochmals Leutholds Gedichte. [Lpz 1910.] Rez. – März 4, 1910, III, S. 256.

P 869   Don Levine: Stalin, der Mann von Stahl. [Hellerau 1931.] Rez. – BW 17, 1932, S. 188.

P 870   Libri librorum – VV 2, 1921/22, S. 275.

P 871   Mechtild Lichnowski: Geburt. Roman. [Bln 1921.] Rez. – WiLeb 15, 1921/22, S. 592.

P 872   Mechtild Lichnowski: An der Leine. Roman. [Bln 1930.] Rez. – BW 15, 1930, S. 274f.

Eine Liebesgeschichte s. Die Verlobung

P 873   Altchinesische Liebeskomödien. [Ausgew. v. Hans Rudelsberger. Wien 1924.] Rez. – NZZ Nr. 240 v. 17. 2. 1924.

P 874   Liebesopfer – SimplKal f. 1907, S. 41–49.

Liebeszauber s. Der verliebte Jüngling

P 875   Lieblingsgedichte – NatZ Nr. 387 v. 24. 8. 1958, Sobeil.

P 876   Lieblingslektüre – NZZ Nr. 585 v. 7. 4. 1945; E 25a; **BGa**.

Das hohe Lied s. B 147

P 877   Das Lied des Lebens – Schweiz 17, 1913, S. 265–267 u. d. T.: Abschied [veränd. Fassg.]; NZZ Nr. 1329 v. 24. 6. 1950; E 124.

P 878   Vergeßne Lieder und Verse. [Mchn 1911.] Rez. – Prop 9, 1911/12, S. 335.

P 879   [Detlev von] Liliencrons Werke. [Hg. v. Richard Dehmel. Bln 1911. 1912.] Rez. – März 6, 1912, III, S. 40.

P 880 Drei Linden – Die Alpen (Bern) 6, 1911/12, S. 625–629; SchwSp 6, 1912/13, S. 419f.; Rhlde 15, 1915, S. 305–307 u. d. T.: Die drei Brüder; Schünemanns Mtsh. (Bremen) Jg. 1928, H. 12, S. 1329–1332 u. d. T.: Eine Berliner Sage; NZZ Nr. 987 v. 24. 5. 1931; **Fbb.**

P 881 Der Lindenbaum. [Bln 1910.] Rez. – März 3, 1909, IV, S. 490f.

P 882 Lindenblüte – Rhlde 8, 1908, Bd. 15, S. 161f.; SchwSp 2, 1908/09, S. 292f.; SoblBasNachr 5, 1910, S. 97; **BB**; A 20.

P 883 Liselotte's Briefe. [Elisabeth Charlotte, Herzogin von Orleans: Briefe. Hg. v. Hans F. Helmolt. Lpz 1908.] Rez. – Prop 5, 1907/08, S. 587f.

P 884 Deutsche Literatur – RecUn 47, 1930/31, S. 81f.

Über die heutige deutsche Literatur s. B 213

P 885 Über die neuere französische Literatur – VV 1, 1919/20, S. 76f.

P 886 Literatur-Prognose 1953. (Antwort auf eine Umfrage) – Freude an Büchern (Wien) 4, 1953, S. 3.

In Locarno s. Die Nürnberger Reise. Tdr.

P 887 Oskar Loerke: Der Prinz und der Tiger. Erzählung. [Bln 1920.] Rez. – VV 1, 1919/20, S. 269.

P 888 Oskar Loerkes Tagebücher 1903–1939. [Heidelberg 1955.] Rez. – Ww Nr. 1167 v. 23. 3. 1956; Dt. Akademie f. Sprache u. Dichtung. Jahrbuch 1956. Heidelbg.: Schneider 1957, S. 135–137; Morgenbl. f. Freunde d. Lit. (Ffm) Nr. 13 v. 25. 9. 1958, S. 1: Tdr. u. d. T.: Huldigung für Oskar Loerke.

Im Goldenen Löwen s. Eine Fußreise im Herbst 2

P 889 Lulu. Ein Jugenderlebnis – Schweiz 10, 1906, S. 1–8, 29–35, 53–57; **HLa**; **Gbs.** – Enth. G 572, 343, 11, 125, 452, 292, 338, 346, 201.

P 890 Jean Lurçat – NZZ Nr. 1971 v. 16. 12. 1919.

P 891 Jean B. Lurçat: Die einsamen Liebenden. Deutsch – VV 1, 1919/20, S. 178–180.

P 892 David Luschnat: Abenteuer um Gott. [Mchn 1928.] Rez. – BW 15, 1930, S. 275.

P 893 Eine deutsche Luxusausgabe des «Tristram Shandy». [Von Lawrence Sterne. Mchn 1910.] Rez. – Frankf. Ztg. Nr. 126 v. 8. 5. 1910, 1. Mbl.

P 894 Deutsche Lyrik aus Österreich. [Hg. v. Camill Hoffmann. Bln 1912.] Rez. – März 6, 1912, II, S. 360.

M

P 895 Joachim Maass: Borbe. Erzählung. [Bln 1934.] Rez. – NZZ Nr. 2025 v. 11. 11. 1934.

P 896 Joachim Maass: Der Widersacher. Roman. [Bln 1932.] Rez. – BW 17, 1932, S. 188.

P 897 John Henry Mackay: Abrechnung. Randbemerkungen zu Leben und Arbeit. [Bln 1932.] Rez. – NZZ Nr. 960 v. 28. 5. 1933.

P 898 Madonna d'Ongero – NZZ Nr. 1093 v. 12. 8. 1923; Simpl 29, 1924/25, S. 78, 84; **BB.**

P 899 Madonnenfest im Tessin – Voss. Ztg. v. 2. 12. 1924; SchwSp 20, 1926, S. 202f.; **BB**; Schweizer Reise-Almanach (Olten) Jg. 1927, S. 63–69.

Märchen s. Flötentraum

Das Märchen von Faldum s. Faldum

P 900 Märchen vom Korbstuhl – u. d. T.: Der Korbstuhl: Wieland 4, 1918/19, H. 3, S. 14; **KG**; Basilisk 1, 1919/20, S. 357–359; – **Tf.**

Märchen vom Maler s. Der Maler

P 901 Morgenländische Märchen – Frankf. Ztg. Nr. 355 v. 23. 12. 1909, 1. Mbl.

P 902 Die Märchen der Weltliteratur. [Hg. v. Friedrich von der Leyen u. P. Zaunert. Jena 1919ff.] Rez. – VV 1, 1919/20, S. 731.

P 903 Die Märchen der Weltliteratur. [Hg. v. Friedrich von der Leyen u. P. Zaunert. Jena 1919ff.] Rez. – WiLeb 15, 1921/22, S. 692.

P 904 Ein Märchenbuch. [Die schönsten Märchen der Welt für 365 und einen Tag. Hg. v. Lisa Tetzner. Bd. 1. Jena 1926.] Rez. – Frankf. Ztg. Nr. 851 v. 14. 11. 1926, Literaturbl. Nr. 46.

P 905 Friedrich Märker: Lebensgefühl und Weltgefühl. [Mchn 1920.] Rez. – VV 2, 1921/22, S. 160.

P 906 März in der Stadt – BT Nr. 110 v. 6. 3. 1927.

P 907 Maurice Maeterlinck – Sobeil. der Allg. Schweizer Ztg. (Basel) 5, 1900, S. 114f.

P 908 Magie des Buches – Das Buch d. Jahres 1930. Hg. von der Vereinigten Verleger-gruppe. Lpz: Poeschel & Trepte [1930], S. III–VIII; E 128; BuB 11, 1931, S. 305–311; E 25a; A 25; **BGa**.

P 909 Magister Ludi – NRs 51, 1940, S. 577–589; E 90.

Magnolie und Zwergbaum s. Hochsommertag im Süden

P 910 Mai im Kastanienwald – BT Nr. 223 v. 12. 5. 1927; NZZ Nr. 1353 v. 25. 7. 1928 u. d. T.: Sommerbeginn im Süden [veränd. Fassg.]; Köln. Ztg. Nr. 322 v. 15. 6. 1929, Unterh.-Bl. u. d. T.: Zwischen Frühling und Sommer im Tessin [veränd. Fassg.]; SoblBasNachr 31, 1937, S. 77 u. d. T.: Mai im Wald [veränd. Fassg.]; NatZ Nr. 196 v. 29. 4. 1956, Sobeil. u. d. T.: Kuckuck im Kastanienwald [veränd. Fassg.].

Beim Malen s. Aquarell

P 911 Der Maler – **KG**; Schweiz 24, 1920, S. 179–181 u. d. T.: Märchen vom Maler; NZZ Nr. 1930 v. 16. 9. 1950; NatZ Nr. 59 v. 5. 2. 1956, Sobeil.

P 912 Maler Brahm – Simpl 11, 1906/07, S. 628f.

P 913 Maler und Schriftsteller – Ausstellung Ernst Morgenthaler [im] Museum Solo-thurn. [Katalog.] Solothurn 1945, S. 3f., 7–10; E 130; **GBa**; Ernst Morgenthaler: Ein Maler erzählt. Zch: Diogenes-Verl. (1957), S. 5–9.

Der Maler Albert Welti s. Albert Welti

P 914 Malfreude, Malsorgen – NZZ Nr. 356 v. 8. 2. 1957; E 132.

P 915 Heinrich Mann: Geist und Tat. Aufsätze. [Bln 1931.] Rez. – BW 16, 1931, S. 324.

P 916 Heinrich Mann: Die kleine Stadt. Roman. [Lpz 1910.] Rez. – NZZ Nr. 237 v. 28. 8. 1910, 2. Bl.

P 917   Der Mann mit den vielen Büchern – Schweizerland (Chur) 5, 1918/19, S. 233–236 u. d. T.: Der Bücherwurm; **KG** u. d. T.: Der Leser; SchwSp 24, 1930, S. 156f.; **Fbb**; A 20.

P 918   Maras – **AI; BB.**

P 919   Ludwig Marcuse: Heinrich Heine. [Bln 1932.] Rez. – BW 17, 1932, S. 130.

P 920   Hans von Marées: Briefe. [Mchn 1920.] Rez. – WiLeb 14, 1920/21, S. 296.

P 921   Die Marmorsäge – ÜbLdM 46, 1904, Bd. 92, S. 1115f., 1136–1138, 1160–1162; Der Monat. Oktav-Ausg. von ÜbLdM Jg. 1904/05, I, S. 283–295; E 45; A 2; **Gbs.**

P 922   Roger Martin du Gard: Die Thibaults. [Wien 1928. 1929.] Rez. – BW 15, 1930, S. 108.

P 923   Aus Martins Tagebuch. Ein Fragment aus dem Jahre 1918 – O mein Heimatland (Bern) 9, 1921, S. 84–86; **SN**; – u. d. T.: Tagebuchblatt. Fragment aus einem unvollendeten Roman: Ikarus (Bln) 5, 1929, Nr. 6, S. 10–14; SchwSp 24, 1930, S. 203f.; – NZZ Nr. 655 v. 6.4.1947; NatZ Nr. 97 v. 28. 2. 1954, Sobeil.; WMtsh 98, 1957, H. 7, S. 5–7.

Martins Traum s. Der schöne Traum

P 924   Für Marulla [Hesse] – u. d. T.: Nachruf für Marulla: NSRs NF 20, 1952/53, S. 707–712; E 137; – Univ 9, 1954, S. 721–727; **Bsg.**

P 925   Bei den Massageten – BT Nr. 454 v. 25. 9. 1927; NZZ Nr. 2184 v. 18. 12. 1927 u. d. T.: Ironische Reise; KlBd 11, 1930, S. 145f. u. d. T.: Reise zu einem verschollenen Volke; NatZ Nr. 192 v. 27. 4. 1952, Sobeil.; E 1.

P 926   Henri Massis: Verteidigung des Abendlandes. [Hellerau 1930.] Rez. – BW 15, 1930, S. 188.

P 927   André Maurois: Im Kreis der Familie. Roman. [Mchn 1932.] Rez. – BW 18, 1933, S. 63.

P 928   Fritz Mauthner: Der Atheismus und seine Geschichte im Abendlande. [Stgt 1920. 1921.] Rez. – VV 2, 1921/22, S. 348f.

P 929   [Fritz] Mauthners Wörterbuch [der Philosophie. Mchn 1910. 1911.] Rez. – März 4, 1910, IV, S. 352.

P 930   Der Meermann. Nach einer alten Chronik – u. d. T.: Nach einer alten Chronik: SimplKal f. 1910, S. 50–58; NZZ Nr. 1363 v. 14. 9. 1924; – Die Einkehr. Unterh.-Beil. d. Münchner N. Nachr. 6, 1925, S. 403; Prop 23, 1925/26, S. 311f.; SchwSp 20, 1926, S. 229f.; Basilisk 7, 1926, Nr. 51; Bodenseeb 18, 1931, S. 73–75; **Fbb.**

P 931   Julius Meier-Gräfe: Courbet. [Mchn 1921.] Rez. – VV 2, 1921/22, S. 546f.

P 932   [Julius] Meier-Gräfe's Entwicklungsgeschichte [der modernen Kunst. Mchn 1914. 1915.] Rez. – März 8, 1914, II, S. 755f.

P 933   Wilhelm Meinhold: Maria Schweidler, die Bernsteinhexe. Roman. [Lpz 1920.] Rez. – VV 1, 1919/20, S. 816.

P 934   Meister der Graphik – März 4, 1910, IV, S. 263.

P 935   Wilhelm Meisters Lehrjahre – Die Alpen (Bern) 7, 1912/13, S. 627–645; EckLit 8, 1913/14, S. 297–312; Schwäb. Heimatgabe f. Theodor Haering zum 70. Geburtstag. Hg. v. Hans Völter. Heilbronn: Salzer 1918, S. 115–132; Joh. Wolfg. v. Goethe:

Wilhelm Meisters Lehrjahre. Bln: Ullstein [1923]. (Sämtliche Werke. 11.): Einleitung; Goethe-Kalender (Lpz) 28, 1935, S. 34–68; E 40; **BGa**.

P 936   Ein Mensch mit Namen Ziegler – Simpl 13, 1908/09, S. 648, 653; – u. d. T.: Seltsame Geschichte: Wieland 5, 1919/20, H. 7, S. 6–8; KlBd 1, 1920, S. 1–3; – SoblBasNachr 24, 1930, S. 125f. u. d. T.: Merkwürdige Geschichte; **Fbb**; A 29.

P 937   Menschen, die Geschichte machten. Hg. v. Peter Richard Rohden u. Georg Ostrogorsky. [Wien 1931.] Rez. – BW 16, 1931, S. 358.

P 938   Menschen und Schicksale – März 6, 1912, I, S. 279f.

P 939   Sophie Mereau: Das Blütenalter der Empfindung. Ein Roman. [Mchn 1920.] Rez. – VV 2, 1921/22, S. 157.

P 940   Dimitri Mereschkowski: Auf dem Wege nach Emmaus. Essays. [Mchn 1919.] Rez. – VV 1, 1919/20, S. 731.

P 941   Kaspar Ludwig Merkl: Das Narrenseil. Zwei Novellen. [Bln 1920.] Rez. – VV 1, 1919/20, S. 818.

P 942   Wilhelm Michel: Das Leiden am Ich. [Bremen 1930.] Rez. – BW 15, 1930, S. 275.

P 943   Michelangelos Gedichte. [Dichtungen. Jena 1909.] Rez. – SchwSp 2, 1908/09, S. 258.

         Milwaukee s. Kindergenesungsheim Milwaukee

P 944   Miniaturen – P 709.

P 945   Die Mission – NRs 51, 1940, S. 317–329; E 90.

P 946   Mittagsrast – Voss. Ztg. Nr. 131 v. 12. 3. 1919; **Wa**.

         Mittagsspuk s. Sommerschreck

         Der Mönch Gennaro schreibt an eine Dame s. Der Tod des Bruders Antonio

         Ein Mönchsbrief s. Der Tod des Bruders Antonio

P 947   Über Eduard Mörike – Prop 2, 1904/05, S. 926–928.

P 948   Mörike für die Wohlhabenden – März 1, 1907, I, S. 577f.

P 949   Die große Mörike-Ausgabe. [Werke. Hg. v. Karl Fischer. Mchn 1906–1908.] Rez. – März 2, 1908, I, S. 284f.

P 950   Noch eine Mörike-Ausgabe. [Werke. Hg. v. Harry Maync. Lpz 1909.] Rez. – NRs 21, 1910, S. 432f.

P 951   [Eduard] Mörikes Haushaltungsbuch. [Stgt 1908.] Rez. – NZZ Nr. 190 v. 11. 7. 1907, 2. Mbl.

P 952   [Eduard] Mörikes Liebesbriefe. [Brautbriefe. Mchn 1908.] Rez. – März 1, 1907, IV, S. 531.

P 953   Der Mohrle – [1. Fassg.]: SchwSp 3, 1909/10, S. 246; SoblBasNachr 5, 1910, S. 133; O mein Heimatland (Bern) 2, 1913, S. 59–61; – [2. Fassg.]: E 129 u. d. T.: Knabenerlebnis; NZZ Nr. 699 v. 21. 4. 1935 u. d. T.: Erlebnis in der Knabenzeit; **GB**; **Gbs**; A 22.

P 954   Der Mondespfeil. [Hg. v. F. W. Bain. Bln 1911.] Rez. – März 6, 1912, I, S. 320.

P 955 Der Monte Giallo – Simpl 15, 1910/11, S. 125, 131, 135; SoblBasNachr 8, 1913, S. 65f.; Von schwäb. Scholle (Heilbronn) Jg. 1922, S. 61–64; SchwSp 26, 1932, S. 13f.; Neue Schweizer Bibliothek. Bd. 47. Zch: Schweizer Druck- u. Verlagshaus [1940], S. 5–16 u. d. T.: Der Berg; – u. d. T.: Cesco und der Berg: NatZ Nr. 274 v. 17. 6. 1956, Sobeil.; E 37.

P 956 Montefalco – März 1, 1907, II, S. 380–382; SoblBasNachr 6, 1911, S. 73; Basilisk 9, 1928, Nr. 22; NZZ Nr. 474 v. 18. 3. 1934 u. d. T.: Umbrischer Vorfrühlingstag; P 707; **BBb**.

P 957 Moppchen – Rhlde 8, 1908, Bd. 16, S. 128.

Morgen-Erlebnis s. Kauf einer Schreibmaschine

Morgengang s. Eine Fußreise im Herbst 6

P 958 Die Morgenlandfahrt – Corona 2, 1931/32, S. 11–42, 148–178; E 133. – Enth. G 716, 382.

Was die Morgenpost beschert s. Post am Morgen

P 959 Christian Morgenstern: Epigramme und Sprüche. [Mchn 1920.] Rez. – VV 1, 1919/20, S. 527.

P 960 [Christian] Morgensterns «Galgenlieder». [Bln 1932.] Rez. – NZZ Nr. 2261 v. 4. 12. 1932; Lesez 20, 1932/33, S. 85: Tdr.

P 961 Soma Morgenstern: Der Sohn des verlorenen Sohnes. [Bln 1935.] Rez. – NZZ Nr. 502 v. 24. 3. 1936.

P 962 Ernst Morgenthaler – Ernst Morgenthaler: [Bildwiedergaben]. Zch: Niehans (1936), S. 5–23: Geleitwort; **GBa**.

P 963 Mozarts Opern – Programm Blätter des Zürcher Stadttheaters, Spielzeit 1932/33, Nr. 8, S. 14.

P 964 Josef Mühlberger: Die Knaben und der Fluß. [Lpz 1934.] Rez. – NZZ Nr. 1405 v. 6. 8. 1934.

P 965 Dominik Müller: Felix Grollimunds russisches Abenteuer. Roman. [Lpz 1930.] Rez. – BW 16, 1931, S. 54; Lesez 18, 1930/31, S. 172.

P 966 Georg Müller † – NZZ Nr. 46 v. 10. 1. 1918.

P 967 Hans Müller: Der Garten des Lebens. [Stgt 1904.] Rez. – LitE 7, 1904/05, Sp. 737.

P 968 Robert Müller: Der Barbar. Roman. [Bln 1920.] Rez. – WiLeb 14, 1920/21, S. 640.

P 969 Thomas Münzer, sein Leben und seine Schriften. Hg. v. Otto H. Brandt. [Jena 1932.] Rez. – BW 18, 1933, S. 63f.

P 970 Prentice Mulford: Die Möglichkeit des Unmöglichen. Essays. [Wien 1919.] Rez. – VV 1, 1919/20, S. 269.

P 971 [Henri] Murgers Bohème in neuer Ausgabe. [Lpz 1906.] Rez. – NZZ Nr. 291 v. 20. 10. 1906, 3. Mbl.

P 972 [Johann Karl August] Musäus: Volksmärchen der Deutschen. [Bln o. J.] Rez. – Schweizerland (Chur) 7, 1921, S. 258f.

P 973 Musarion-Bücher – VV 2, 1921/22, S. 545.

P 974 Walter Muschg: Gotthelf. Die Geheimnisse des Erzählers. [Mchn 1931.] Rez. – BW 17, 1932, S. 18.

P 975 Musik – Schweiz 19, 1915, S. 147–150.

P 976 Alte Musik – Rhlde 14, 1914, S. 169f.; DIZ Nr. 105 v. 25. 12. 1918, S. 11f. u. d. T.: Kirchenkonzert; **BG**; Almanach 1929 (Bln: S. Fischer), S. 61–66; – u. d. T.: Kirchenkonzert: Prop 28, 1930/31, S. 34f.; SchwSp 25, 1931, S. 361f.; EckBll 7, 1931, S. 464–466.

P 977 Bei einer Musik von Schumann – P 1047.

Die Musik des Untergangs s. Klingsors letzter Sommer. Tdr.

P 978 Robert Musil: Der Mann ohne Eigenschaften. Roman. [Bd. 1. Bln 1930.] Rez. – Lesez 18, 1930/31, S. 74.

P 979 Robert Musil: Der Mann ohne Eigenschaften. Roman. [Bd. 2. Bln 1933.] Rez. – NZZ Nr. 174 v. 29. 1. 1933.

P 980 Mutter. Aus den Aufzeichnungen eines Neunzigjährigen – Schweiz 14, 1910, S. 443–450; Kunstverein f. die Rheinlande u. Westfalen. Sondergabe 1911. Düsseldorf 1911, S. 58–67; Von schwäb. Scholle (Heilbronn) Jg. 1913, S. 88–95.

P 981 Mwamba – Württ. Ztg. Nr. 148 v. 29. 6. 1909, S. 2; Prop 7, 1909/10, S. 218f.; NZZ Nr. 2318 v. 19. 12. 1937 u. d. T.: Erinnerung an Mwamba [veränd. Fassg.].

N

P 982 Nachbar Mario – BT Nr. 445 v. 20. 9. 1928; E 23; NatZ Nr. 471 v. 11. 10. 1948, S. 2f. u. d. T.: Beim Zeichnen im Wald; NatZ Nr. 398 v. 30. 8. 1959, Sobeil. u. d. T.: Ein Tessiner Bauer.

P 983 Nachbarn [Selbstanzeige] – WMtsh 53, 1908/09, Bd. 105, S. 481.

P 984 Nachbemerkung – E 45a.

P 985 Merkwürdige Nachricht von einem andern Stern – NZZ Nr. 562, 569, 575, 580 vom 9.–13. 5. 1915; **Mä**; Neue dt. Erzähler. Hg. vom Dürerbund. 2. Bd. Lpz: Schlüter (1928), S. 71–90; Neue dt. Erzähler. 2. Bd. Bln: Franke [1930], S. 71–90; Dichtermärchen d. Weltlit. Hg. v. Hermann Heinz Wille. Mchn: Drei Eichen Verl. (1949), S. 9–40.

P 986 Nachruf. Beitrag zur André Gide-Feier im Radio Paris – NatZ Nr. 115 v. 11. 3. 1951, Sobeil.; E 49.

P 987 Nachruf an Hugo Ball – E 136; **BG** [nur 1. Ausg.]; L 45c, S. 341f.; **GB**a.

Nachruf für Marulla s. Für Marulla

P 988 Nachruf auf Christoph Schrempf – NSRs NF 11, 1943/44, S. 717–726; E 138; **GB**a.

Eine Nacht. Aus dem Tagebuch eines Schriftstellers s. Eine Arbeitsnacht

P 989 Tausend und eine Nacht in Auswahl. [Hg. v. Paul Ernst. Lpz 1911.] Rez. – März 5, 1911, III, S. 496.

P 990 Nacht auf Deck – **AI**; **BB**.

Unentbehrliche Nacht s. Eine Arbeitsnacht

Venezianische Nacht s. Feuerwerk

Eine Nacht auf Wenkenhof s. Wenkenhof

P 991 Nachtgesicht – Jugend (Mchn) Jg. 1913, S. 1076; O mein Heimatland (Bern) 7, 1919, S. 78–80; KG; Prop 23, 1925/26, S. 57; BB.

P 992 Das Nachtpfauenauge – Jugend (Mchn) Jg. 1911, S. 617–620; SoblBasNachr 8, 1913, S. 161 f.; SchwSp 7, 1913/14, S. 130–132; Kindergeschichten. Mchn: Hirth 1919, S. 135–146. (Bücherei der Münchner «Jugend». 13.); KG; Ernte 30, 1949, S. 15–21 u. d. T.: Der Schmetterling; A 22.

P 993 Die Nachtwachen des Bonaventura. [Lpz 1909.] Rez. – Prop 7, 1909/10, S. 237.

P 994 Die Nachtwachen des Bonaventura. [Lpz 1909.] Rez. – NRs 21, 1910, S. 141.

P 995 Nachweihnacht – BT Nr. 1 v. 1. 1. 1928; NZZ Nr. 2399 v. 31. 12. 1933 u. d. T.: Nach dem Fest; NatZ Nr. 600 v. 27. 12. 1949, S. 2 u. d. T.: Nach der Weihnacht.

P 996 Nachwort – Justinus Kerner: Die Reiseschatten. 1.–3. Aufl. Weimar: Kiepenheuer 1913. 4.–8. Aufl. 1917, S. 267–271. (Liebhaberbibliothek. 14.)

P 997 Nachwort – Frans Masereel: Geschichte ohne Worte. Ein Roman in Bildern. Lpz: Insel-Verl. (1933). 46.–55. Tsd. 1957, S. 67–71. (Insel-Bücherei. 433.)

P 998 Nachwort (zu: Aus [Achim von] Arnims Wintergarten) – Hg 8.4, S. 181 f.

P 999 Nachwort (zu: Blätter aus Prevorst) – Hg 9.5, S. 189 f.

P 1000 Nachwort (zu: Briefe. 2. Auflage) – E 209a.

P 1001 Nachwort (zu: Matthias Claudius: Der Wandsbecker Bote) – Hg 3, [1915]. 143. bis 152. Tsd. 1958, S. 94.

P 1002 Nachwort (zu: Morgenländische Erzählungen) – Hg 7, 1913. 2. Aufl. 1957, S. 297 f.

P 1003 Nachwort (zu: Zwei jugendliche Erzählungen) – E 54.

P 1004 Nachwort an meine Freunde – Kr.

P 1005 Nachwort (zu: Zum Gedächtnis unseres Vaters) – E 66.

P 1006 Nachwort (zu: Die Gedichte) – GG.

P 1007 Nachwort (zu: Die Geschichte von Romeo und Julie) – Hg 9.1, S. 121 f.

P 1008 Nachwort (zu: Geschichten aus Japan) – Hg 8.3.

P 1009 Nachwort (zu: Haus zum Frieden) – E 11a.

P 1010 Nachwort (zu: Hölderlin. Dokumente seines Lebens) – Hg 9.2, S. 229–231.

P 1011 Nachwort (zu: Jean Paul: Die wunderbare Gesellschaft in der Neujahrsnacht) – Hg 8.1, S. 155–157.

P 1012 Nachwort (zu: Jean Paul: Titan) – Hg 15, S. 403–406.

P 1013 Nachwort (zu: Ein Luzerner Junker vor hundert Jahren) – Hg 16, S. 202–205.

P 1014 Nachwort (zu: Adelbert von Keller: Zwei altfranzösische Sagen) – Hg 8.6, S. 205 f.

Nachwort (zu: Klingsors letzter Sommer) s. Erinnerung an Klingsors Sommer

P 1015 Nachwort (zu: Des Knaben Wunderhorn) – Hg 17, S. 233–235.

P 1016   Nachwort (zu: Kurgast/Die Nürnberger Reise) – E 155, Neudr. 2.

P 1017   Nachwort (zu: Märchen und Legenden aus der Gesta Romanorum) – Hg 20, [1926]. Neudr. 1956, S. 72f.

P 1018   Nachwort (zu: Mordprozesse) – Hg 8.5.

P 1019   Nachwort zu «Novalis. Dokumente seines Lebens und Sterbens» – NRs 36, 1925, S. 558f. u. d. T.: Über Novalis; Hg 9.3, S. 160–164; BG.

P 1020   Nachwort (zu: Der Novalis) – E 147.

P 1021   Nachwort (zu: Novellino) – Hg 8.2.

P 1022   Nachwort zu «Schubart» – Hg 9.6, S. 182–187; BG.

P 1023   Nachwort (zu: Sesam. Orientalische Erzählungen) – Hg 9.4, S. 159.

P 1024   Nachwort zum «Steppenwolf» – E 176a; Morgenbl. f. Freunde d. Lit. (Ffm) Nr. 3 vom 25. 9. 1952, S. 6; BGa.

P 1025   Nachwort (zu: Unterwegs. 2. Auflage) – Uwa.

P 1026   Nachwort (zu: Weg nach innen) – S 1.

P 1027   Schlaflose Nächte – Stuttgarter Morgenpost Nr. 154 v. 4. 7. 1905, S. 2f.

P 1028   Schlaflose Nächte – HLa.

P 1029   Narziß und Goldmund. Erzählung – NRs 40, 1929, II, S. 443–471, 673–708, 736–760, ebd. 41, 1930, I, S. 21–70, 160–187, 313–350, 446–484; E 140; Almanach 1931 (Bln: S. Fischer), S. 74–94: Tdr. u. d. T.: Der schwarze Tod.
Die Natur und der Mensch s. Landschaftliches
Vom Naturgenuß s. Landschaftliches
Nebel s. Eine Fußreise im Herbst 9

P 1030   Ein Neger als Dichter [Claude Mackay] – Lit 28, 1925/26, S. 79–82; KlBd 7, 1926, S. 20–22; SoblBasNachr 20, 1926, S. 99f.

P 1031   Neuausgaben – März 4, 1910, IV, S. 504–512.

P 1032   Wertvolle Neuausgaben – März 6, 1912, II, S. 110–112.

P 1033   Ein Neudruck des Robinson [Crusoe. Von Daniel Defoe. Lpz 1909.] Rez. – NZZ Nr. 349 v. 17. 12. 1909, 1. Mbl.; Prop 7, 1909/10, S. 372.

P 1034   Neues vom alten Yorick. [Lawrence Sterne: Yoricks empfindsame Reise... Bln 1910.] Rez. – Prop 7, 1909/10, S. 487f.

P 1035   Neues vom Inselverlag – NZZ Nr. 253 v. 12. 9. 1906, 2. Abl.

P 1036   Neues von Hieronymus Jobs. [Carl Arnold Kortum: Die Jobsiade. Lpz 1906.] Rez. – Prop 4, 1906/07, S. 225.

P 1037   Neues für Liebhaber guter Bücher – Prop 12, 1914/15, S. 646f.
Neugierde s. Reiselust

P 1038   Die Nichtraucherin – KlBd 1, 1920, S. 41f.; NatZ Nr. 440 v. 23. 9. 1956, Sobeil. [veränd. Fassg.].

P 1039   Die Nikobaren – Schweiz 18, 1914, S. 200–203; Frankf. Ztg. Nr. 675 v. 11. 9.
1927 u. d. T.: Hesse trifft Stevenson; – u. d. T.: Eine Reiseerinnerung: O mein
Heimatland (Bern) 26, 1938, S. 69–72, 76; Ww Nr. 680 v. 22. 11. 1946, S. 17; –
NatZ Nr. 607 v. 31. 12. 1954, Sobeil.; E 141.

Nina. Eine Tessiner Skizze s. Besuch bei Nina

« – noch ein dritter gefallen » s. Eugen Siegel

P 1040   Nocturne – Berner Rs. 1, 1906/07, S. 349f.; Jugend (Mchn) Jg. 1913, S. 780; KG

Nörgeleien s. Beim Lesen eines Romans

P 1041   Notiz aus dem Sommer 1949 – u. d. T.: Stunden am Schreibtisch: NatZ Nr. 256
v. 12. 6. 1949, Sobeil.; E 182; – E 212; HBr; – u. d. T.: Am Schreibtisch: StgtZtg
Nr. 87 v. 16. 4. 1955; Univ 10, 1955, S. 1277–1282; – Br.

P 1042   Notizblätter um Ostern – NZZ Nr. 1198 v. 16. 5. 1954; E 143; Bsg.

P 1043   Notizblatt von einer Reise – NZZ Nr. 530 v. 21. 4. 1922; BB; NatZ Nr. 556 v.
30. 11. 1952, Sobeil. u. d. T.: Reise-Erlebnis.

P 1044   Aus einem Notizbuch – Hortulus (St. Gallen) 1, 1951, S. 38–41; E 144; NatZ
Nr. 588 v. 20. 12. 1953, Sobeil. u. d. T.: Ein Traum.

P 1045   Venezianisches Notizbüchlein – SoblBasNachr 4, 1909, S. 77f.

P 1046   Notizen über Bücher – NRs 40, 1929, II, S. 409–414.

P 1047   Musikalische Notizen (1. Ein Satz über die Kadenz; 2. Bei einer Musik von Schumann; 3. Virtuosen-Konzert; 4. Eine Konzertpause; 5. Nicht abgesandter Brief
an eine Sängerin) – NSRs NF 15, 1947/48, S. 598–616; E 145.

P 1048   Notizen zu neuen Büchern – NRs 45, 1934, II, S. 744–750.

P 1049   Notizen zu neuen Büchern – NRs 46, 1935, I, S. 325–335.

P 1050   Notizen zu neuen Büchern – NRs 46, 1935, II, S. 664–672.

P 1051   Notizen aus diesen Sommertagen – NatZ Nr. 362 v. 8. 8. 1948, Sobeil.; E 146;
NZ Nr. 79 v. 23. 9. 1948 u. d. T.: Notizen aus diesen Tagen.

P 1052   Notizen im Speisesaal – BT Nr. 496 v. 20. 10. 1929, 1. Beibl.; NZZ Nr. 2026 v.
20. 10. 1930 u. d. T.: Physiognomische Studien.

Notizen zum Thema Dichtung und Kritik   s. Über gute und schlechte Kritiker

P 1053   Notturno – StM.

P 1054   Novalis – Sobeil. der Allg. Schweizer Ztg. (Basel) 5, 1900, S. 12.

P 1055   Der Novalis. Aus den Papieren eines Altmodischen – März 1, 1907, I, S. 517–528,
II, S. 49–61; Sieben Schwaben. Ein neues Dichterbuch. Einltg. v. Theodor Heuß.
Heilbronn: Salzer 1909, S. 99–136 u. d. T.: Ein altes Buch; E 147; A 9. – Enth.
G 740.

Über Novalis s. Nachwort zu « Novalis. Dokumente seines Lebens und Sterbens »

P 1056   Der endgültige Novalis. [Schriften. Hg. v. Jakob Minor. Jena 1907.] Rez. – März
1, 1907, II, S. 424.

P 1057   Novalis' religiöse Schriften. [Hg. v. Paul Ludwig Landsberg. Köln 1923.] Rez.
– VV 3, 1922/23, S. 290f.

P 1058   Altdeutsche Novellen. [Von Leo Greiner. Bln 1912.] Rez. – NZZ Nr. 1835 v. 23. 12. 1912.

P 1059   Altfranzösische Novellen. [Ausgew. v. Paul Ernst. Lpz 1909.] Rez. – Prop 7, 1909/10, S. 298f.

P 1060   Altitalienische Novellen. [Hg. v. Paul Ernst. Lpz 1907.] Rez. – Rhlde 7, 1907, Bd. 14, S. 192.

P 1061   Die Novembernacht. Eine Tübinger Erinnerung – HL; Rhlde 6, 1906, Bd. 12, S. 185–189; Gbs.

P 1062   Zur fünfzigsten Nummer [der DIZ] – DIZ Nr. 50 v. 2. 9. 1917, S. 1.

P 1063   Nya tyska böcker – Bonniers Litterära Magasin (Stockholm) 4, 1935, H. 3, S. 26–34; H. 7, S. 50–57; H. 9, S. 22–29; ebd. 5, 1936, H. 1, S. 32–39.

O

P 1064   Die Offizina Bodoni in Montagnola – NZZ Nr. 1515 v. 4. 11. 1923; E 148.

P 1065   Kazuko Okakura: Die Ideale des Ostens. [Lpz 1922.] Rez. – VV 2, 1921/22, S. 705f.

P 1066   Oktober – KlBd 14, 1933, S. 337f.

P 1067   Zwei Orden – Corona 9, 1939/40, S. 54–91; E 90.

P 1068   José Ortega y Gasset: Der Aufstand der Massen. [Stgt 1931.] Rez. – BW 17, 1932, S. 17; Lesez 19, 1931/32, S. 43.

P 1069   Die neue «ortografi». (Antwort auf eine Umfrage) – Ww Nr. 1076 v. 25. 6. 1954, S. 5; Neue dt. Lit. (Bln) 2, 1954, H. 9, S. 158.
        Die Ostindienreise s. Anton Schievelbeyn's ohn-freywillige Reisse nacher Ost-Indien

P 1070   Dr. Owlglass [d. i. Hans Erich Blaich]: Lichter und Gelichter. [Mchn 1931.] Rez. – BW 16, 1931, S. 262.

P

P 1071   Palembang – AI; BB.

P 1072   Palmström. [Von Christian Morgenstern. Bln 1910.] Rez. – NRs 21, 1910, S. 1316.

P 1073   Das persische Papageienbuch. [Bln 1905.] Rez. – NZZ Nr. 149 v. 30. 5. 1905, 2. Beil.

P 1074   Giovanni Papini: Der heilige Augustinus. [Wien 1930.] Rez. – BW 16, 1931, S. 87.

P 1075   Schwäbische Parodie – Bodenseeb 23, 1936, S. 18–20; Tf; Gbs.

P 1076   Pater Matthias. Novelle – März 5, 1911, IV, S. 347–356, 390–400, 431–439; E 192; Das 26. Jahr. Almanach. Bln: S. Fischer 1912, S. 106–141.

P 1077   Adolf Paul: Die Madonna mit dem Rosenbusch. [Hambg. 1903.] Rez. – LitE 6, 1903/04, Sp. 1447.

P 1078 Den Pazifisten – Die Zeit (Wien) Nr. 4713 v. 7. 11. 1915, S. 1f.; – u. d. T.: Den Friedensleuten: SchwSp 9, 1915/16, S. 37f.; Prop 13, 1915/16, S. 180f.

P 1079 An die Pazifisten. Eine Erwiderung – Die Zeit (Wien) Nr. 4742 v. 7. 12. 1915, S. 1. Von den Pazifisten. Antwort auf den offenen Brief von Herrn Dr. Adolf Saager s. B 183

P 1080 Pedrotallagalla – WMtsh 57, 1912/13, Bd. 113, S. 109f.; Prop 10, 1912/13, S. 357f.; AI; BB.

P 1081 Pelaiang – AI; BB.

P 1082 Ernst Penzoldt: Kleiner Erdenwurm. [Bln 1934.] Rez. – NZZ Nr. 1133 v. 24. 6. 1934.

P 1083 Friedrich Perzynski: Von Chinas Göttern. [Mchn 1920.] Rez. – VV 2, 1921/22, S. 277.

P 1084 Ein Pestalozzi-Roman. [Wilhelm Schäfer: Lebenstag eines Menschenfreundes. Mchn 1916.] Rez. – Schweiz 20, 1916, S. 179f.

P 1085 Pfarrhaus – Frankf. Ztg. Nr. 202 v. 16. 3. 1919, 1. Mbl.; Wa.

P 1086 Der Pfirsichbaum – NZZ Nr. 422 v. 10. 3. 1945; E 150; NZ Nr. 39 v. 2. 4. 1949; SpP; Aufbau (Bln) 13, 1957, II, S. 14–17.

P 1087 Kurt Pfister: Vincent van Gogh. [Potsdam 1922.] Rez. – VV 3, 1922/23, S. 418.

P 1088 Phantasien – O mein Heimatland (Bern) 8, 1920, S. 117–120; BG.

P 1089 Vom Philister. [Eugen von Vaerst: Kavaliersperspektive. Mchn 1911.] Rez. – März 5, 1911, III, S. 412.

P 1090 Im Philisterland – Rhlde 8, 1908, Bd. 16, S. 125f.; SchwSp 3, 1909/10, S. 18f.; SoblBasNachr 7, 1912, S. 173f.; BB.

P 1091 Jakob Picard: Der Gezeichnete. Jüdische Geschichten aus einem Jahrhundert. [Bln o. J.] Rez. – NZZ Nr. 642 v. 11. 4. 1937.

P 1092 Max Picard: Das Ende des Impressionismus. [Erlenbach-Zch 1916.] Rez. – VV 1, 1919/20, S. 816.

P 1093 Max Picard: Die Flucht vor Gott. [Erlenbach-Zch 1934.] Rez. – NatZ v. 10. 11. 1934.

P 1094 Max Picard: Mittelalterliche Holzfiguren. [Erlenbach-Zch 1920.] Rez. – VV 1, 1919/20, S. 335.

Pierres Tod s. Roßhalde. Tdr.

P 1095 Piktors Verwandlungen – E 151; Mäb.

P 1096 Giovanni Battista Piranesi. [Von Albert Giesecke. Lpz 1911.] Rez. – BW 2, 1911/12, S. 281f.

P 1097 Der alte Pitaval. [Geschichten aus dem alten Pitaval. Hg. v. Paul Ernst. Lpz 1910.] Rez. – März 5, 1911, I, S. 382f.

P 1098 Ägyptische Plastik. [Hedwig Fechheimer: Die Plastik der Ägypter. Bln 1914.] Rez. – März 8, 1914, I, S. 429f.

P 1099 Edgar Allan Poes Werke in 6 Bänden. [Bln 1922.] Rez. – VV 2, 1921/22, S. 706.

P 1100   Keltische Poesie. [Fiona MacLeod: Wind und Woge. Jena 1905.] Rez. – NZZ Nr. 55 v. 24. 2. 1905, Mbl.; Rhlde 5, 1905, S. 119f. u. d. T.: Wind und Woge.

P 1101   Poetenleben. [Von Robert Walser. Frauenfeld 1918.] Rez. – NZZ Nr. 2222 v. 25. 11. 1917.

P 1102   Eduard Pötzl – NZZ Nr. 1263 v. 27. 8. 1914.

P 1103   Die beiden Pole – E 90.

P 1104   Josef Ponten: Der Meister. Novelle. [Stgt 1919.] Rez. – VV 1, 1919/20, S. 525.

P 1105   [Alexander] Popes Lockenraub deutsch. [Lpz 1908.] Rez. – NZZ Nr. 176 v. 26. 6. 1908, 3. Mbl.; Prop 5, 1907/08, S. 649f.; Rhlde 8, 1908, Bd. 16, S. 64.

P 1106   Porträt – Rhlde 13, 1913, S. 391; **BB.**

P 1107   Allerlei Post – NZZ Nr. 236 v. 2. 2. 1952; E 152; **Bsg.**

P 1108   Post am Morgen – BT Nr. 42 v. 25. 1. 1929; KlBd 10, 1929, S. 333f. u. d. T.: Der Schwimmer; Münchner N. Nachr. Nr. 22 v. 24. 1. 1932, S. 1f. u. d. T.: Was die Morgenpost beschert; NZZ Nr. 490 v. 4. 3. 1953 u. d. T.: Abstecher in den Schwimmsport.

P 1109   Ein mustergiltiges Prachtwerk. [Giovanni Boccaccio: Decamerone. Lpz 1912.] Rez. – NZZ Nr. 1620 v. 18. 11. 1912.

        Preziosität s. B 141

P 1110   Das Problem Deutschland. (Antwort auf eine Umfrage) – Freies Volk (Bern) Nr. 24 v. 15. 6. 1945, S. 3.

P 1111   Das Problem der Todesstrafe. (Antwort auf eine Umfrage) – Das Problem der Todesstrafe. Hg. v. Eugen Gömöri. Schaan: Alpenland-Verl. 1931, S. 18.

P 1112   Promenadenkonzert – Simpl 14, 1909/10, S. 324f.; O mein Heimatland (Bern) 12, 1924, S. 114–117; SoblBasNachr 18, 1924, S. 125f.

P 1113   Ein Protest. Erklärung zugunsten Dr. Bermann-Fischers [unterzeichnet von Thomas Mann, HH. u. Annette Kolb] – NZZ Nr. 97 v. 18. 1. 1936; Das neue Tagebuch (Paris) 4, 1936, S. 82.

P 1114   Marcel Proust – L 75, S. 4.

        Psychologia balnearia s. Kurgast

P 1115   Der Pyramidenrock. [Von Hans Arp. Erlenbach-Zch 1924.] Rez. – NRs 36, 1925, S. 220f.

Q

P 1116   Quellen zur Geschichte der italienischen Renaissance – Prop 10, 1912/13, S. 595f.

R

P 1117   Unterm Rad. Roman – NZZ Nr. 95 v. 5. 4. 1904, 1. Abl. bis Nr. 137 v. 17. 5. 1904, 1. Abl.; E 156; Der Kunstwart (Mchn) 19, 1905/06, II, S. 186–196: Tdr.; **Gbs.**

P 1118   Das Rätsel des Publikumserfolges. (Antwort auf eine Umfrage) – LitW 4, 1928, Nr. 21/22, S. 4.

P 1119   E[lijahu] Rappeport: Das Buch Jeschua. [Wien o. J.] Rez. – WiLeb 14, 1920/21, S. 435.

Eine Rarität s. Das seltene Buch

P 1120   Walther Rathenau: Von kommenden Dingen. [Bln 1917.] Rez. – NZZ Nr. 1762 v. 23. 9. 1917; SchwSp 11, 1917/18, S. 9f.; Prop 15, 1917/18, S. 65f.

P 1121   Für und wider das Rauchen. (Antwort auf eine Umfrage) – O mein Heimatland (Bern) 6, 1918, S. 181.

P 1122   Maurice Raynal: Picasso. [Mchn 1920.] Rez. – WiLeb 14, 1920/21, S. 640.

P 1123   Reden des Buddha. [Hg. v. Hermann Oldenberg. Mchn 1922.] Rez. – NZZ Nr. 1068 v. 16. 8. 1922; VV 3, 1922/23, S. 155–157.

P 1124   Die Reden Buddhas. [Hg. v. Karl E. Neumann. Mchn 1921.] Rez. – NRs 32, 1921, S. 1117f.; Almanach 1904–1924 des Verlages R. Piper & Co. Mchn: Piper (1923), S. 132: Tdr.

P 1125   Der Regenmacher – NRs 45, 1934, I, S. 476–512; E 90.

P 1126   An einem Regensonntag – Münchner N. Nachr. Nr. 105 v. 19. 4. 1931, S. 3; [veränd. Fassg.]: Der Tag (Bln) v. 7. 6. 1931; NatZ Nr. 515 v. 6. 11. 1955, Sobeil. u. d. T.: Regensonntag im November.

P 1127   Regenwetter – Voss. Ztg. Nr. 131 v. 12. 3. 1919; Wa.

P 1128   Erik Reger: Das wachsame Hähnchen. Roman. [Bln 1932.] Rez. – NZZ Nr. 2348 v. 14. 12. 1932; BW 18, 1933, S. 62.

P 1129   Das Reich – NZZ Nr. 1623 v. 8. 12. 1918; KF; BG.

P 1130   Eduard Reinacher: Die Hochzeit des Todes. [Stgt 1921.] Rez. – VV 2, 1921/22, S. 639.

Ironische Reise s. Bei den Massageten

P 1131   Kleine Reise – KlBd 12, 1931, S. 216; P 715.

P 1132   Die Nürnberger Reise – NRs 37, 1926, I, S. 255–268, 377–414; E 158; Almanach 1928 (Bln: S. Fischer), S. 27–30: Tdr. u. d. T.: In Locarno.

Reise zu einem verschollenen Volke s. Bei den Massageten

P 1133   Reisebilder (1. Abfahrt; 2. Im Appenzell; 3. Unter Bauern; 4. Ebenalp; 5. Der Dorfabend; 6. Vaduz) – SchwSp 7, 1913/14, S. 27f., 39f.; RecUn 25, 1909, S. 1237–1244 u. d. T.: Herbsttage im Appenzell [ohne: Der Dorfabend]; Rhlde 10, 1910, S. 333–337 u. d. T.: Ausflug im Herbst [ohne: Ebenalp].

P 1134   Reisebrief – BT Nr. 537 v. 12. 11. 1925.

Eine Reiseerinnerung s. Die Nikobaren

Reise-Erlebnis s. Notizblatt von einer Reise

P 1135   Reiselust – SoblBasNachr 8, 1913, S. 17; BG; SoblBasNachr 28, 1934, S. 9 u. d. T.: Neugierde [veränd. Fassg.].

P 1136   Über das Reisen – Die Zeit (Wien) Jg. 1904, Nr. 500, S. 55–57; Prop 2, 1904/05, S. 781–784; Der Kunstwart (Mchn) 18, 1904/05, II, S. 601f.: Tdr.; Dürerbund.

Vierzehnte Flugschrift zur ästhet. Kultur. (Mchn: Callwey 1906), S. 1–12 [mit Zwischentext].

P 1137   Reisen und Abenteuer – März 5, 1911, III, S. 410–412.

P 1138   Ein Reisetag – SchwSp 6, 1912/13, S. 393–395; SoblBasNachr 8, 1913, S. 117f.; – u. d. T.: Italienischer Reisetag: Atlantis (Zch) 4, 1932, S. 385–389; Der getreue Eckart (Wien) 13, 1935/36, S. 414–418.

P 1139   Georg Rendl: Vor den Fenstern. Roman. [Stgt 1932.] Rez. – BW 17, 1932, S. 190.

P 1140   Ludwig Renn: Nachkrieg. [Bln 1930.] Rez. – BW 16, 1931, S. 324.

P 1141   Reporter – SoblBasNachr 4, 1909, S. 129.

P 1142   Rétif de la Bretonne: Revolutionsnächte. [Mchn 1920.] Rez. – VV 2, 1921/22, S. 158.

P 1143   Rigi-Tagebuch – NSRs NF 13, 1945/46, S. 263–271; E 159; E 55; **KF**: Tdr.; E 13; **SpP**; **BGa**: Tdr.
          Rainer Maria Rilke s. Anmerkungen zu Büchern. Tdr.

P 1144   Rainer Maria Rilke: Briefe und Tagebücher aus der Frühzeit. [Lpz 1931.] Rez. – BW 17, 1932, S. 17.

P 1145   Rainer Maria Rilkes Gesammelte Werke. [Lpz 1927.] Rez. – NRs 39, 1928, I, S. 222f.; Inselschiff (Lpz) 9, 1928, S. 163f.

P 1146   [Arthur] Rimbaud: Leben, Werk, Briefe. Hg. v. Alfred Wolfenstein. [Bln 1930.] Rez. – BW 15, 1930, S. 274.

P 1147   Arthur Rimbauds Leben und Dichtung. [Lpz 1921.] Rez. – WiLeb 15, 1921/22, S. 55f.

P 1148   Auguste Rodin: Die Kathedralen Frankreichs. [Lpz 1917.] Rez. – DIZ 1917, H. 67, Beil.«Aus Büchern u. Zeitschriften»; März 11, 1917, IV, S. 1132f. u. d. T.: Die Kathedralen Frankreichs.

P 1149   Ein Rodinbuch. [Auguste Rodin: Die Kunst. Gespräche des Meisters. Lpz 1912.] Rez. – März 6, 1912, III, S. 360.

P 1150   Roland-Bücher – VV 1, 1919/20, S. 661.

P 1151   Romain Rolland: Johann Christof. [Bd. 1. Ffm 1914.] Rez. – BT v. 4. 5. 1915.

P 1152   Romain Rolland: Johann Christof in Paris. [Ffm 1917.] Rez. – März 11, 1917, II, S. 616f.

P 1153   Romain Rolland: Clerambault. [Ffm 1922.] Rez. – VV 3, 1922/23, S. 291.

P 1154   Romain Rolland: Das Leben Michelangelos. [Ffm 1919.] Rez. – BW 5, 1916/20, S. 129.

P 1155   Romain Rolland: Meister Breugnon. [Ffm 1920.] Rez. – VV 1, 1919/20, S. 268f.

P 1156   Romain Rolland und Malvida von Meysenburg. [Ein Briefwechsel 1890–1891. Stgt 1932.] Rez. – NZZ Nr. 2172 v. 22. 11. 1932.

P 1157   Über Romain Rolland – E 160; KFa; L 75, S. 3f.; **BGa**.

P 1158   Über Romain Rollands «Leben Tolstois». [Ffm 1922.] Rez. – Frankf. Ztg. Nr. 157 v. 28. 2. 1922.

P 1159 Ein amerikanischer Roman. [Maria van Vorst: Die Bekenntnisse einer glücklichen Frau. Bln 1913.] Rez. – März 6, 1912, IV, S. 120.

P 1160 Eine neue Romanbibliothek – März 5, 1911, III, S. 248.

P 1161 Romane – März 2, 1908, II, S. 334–337.

P 1162 Die Romane von [Daniel] Defoe. [Mchn 1919.] Rez. – VV 1, 1919/20, S. 202.

P 1163 Gute neue Romane – März 3, 1909, II, S. 373–379.

P 1164 Romane und Novellen – März 3, 1909, IV, S. 197–201.

P 1165 Romantisch – Sobeil. der Allg. Schweizer Ztg. (Basel) 5, 1900, S. 96; Prop 3, 1905/06, S. 354f.; Dt. Beitrr. 1, 1946/47, S. 386–388.

P 1166 Emil Roniger – VV 1, 1919/20, S. 79.

P 1167 Arthur Rosenberg: Geschichte des Bolschewismus von Marx bis zur Gegenwart. [Bln 1932.] Rez. – BW 17, 1932, S. 187.

P 1168 Der Rosendoktor. [Von Ludwig Finckh. Stgt 1906.] Rez. – Rhlde 5, 1905, S. 439f.

P 1169 Dante Gabriel Rossetti: Das Haus des Lebens. Sonette. [Lpz 1900.] Rez. – Sobeil. der Allg. Schweizer Ztg. (Basel) 5, 1900, S. 84.

P 1170 Roßhalde. Roman – VKMtsh 27, 1912/13, III, S. 321–348, 481–523; E 161; Das 28./29. Jahr. Almanach. Bln: S. Fischer 1914/15, S. 251–257: Tdr. u. d. T.: Pierres Tod; Die Einsamen. Kindheitsnovellen. Hg. v. Heinz Stroh. Potsdam: Kiepenheuer 1921, S. 29–44: Tdr. u. d. T.: Beginn der Krankheit.

Rückgriff s. Vor dreiunddreißig Jahren

P 1171 Rückkreise – u. d. T.: Rückkreise aus Indien: Rhlde 12, 1912, S. 282f.; SchwSp 6, 1912/13, S. 181; – AI; BB.

P 1172 Arthur Rümann: Das illustrierte Buch des 19.Jahrhunderts. [Lpz 1930.] Rez. – BW 16, 1931, S. 86.

Rundbrief im Februar s. Beschwörungen

P 1173 Rundbrief an einige Freunde in Schwaben – DtZtgWi Nr. 55 v. 12. 7. 1950, S. 11; E 213; HBr; Br.

P 1174 Rundbrief aus Sils-Maria – NZZ Nr. 1999, 2000, 2004, 2005 vom 18. 8. 1954; E 164; StgtZtg Nr. 206 v. 4. 9. 1954: Tdr. u. d. T.: Wiedersehen in Maloja; Bsg.

P 1175 Das Rundschreiben – E 90. – Enth. P 1216.

P 1176 Die großen Russen – März 3, 1909, III, S. 495.

S

P 1177 Martha Saalfeld: Gedichte. [Bln 1931.] Rez. – BW 17, 1932, S. 51f.

P 1178 In eigener Sache – NZZ Nr. 1468 v. 2. 11. 1915; Württ. Ztg. Nr. 258 v. 4. 11. 1915, S. 2; LitE 18, 1915/16, Sp. 296: Tdr.

P 1179 P. Sackarndt: Katzen. [Mchn 1929.] Rez. – BW 15, 1930, S. 108.

Eine Berliner Sage s. Drei Linden

P 1180 Die Sagen der Juden, gesammelt von Micha Josef bin Gorion. [Bd. 3. Ffm 1919.] Rez. – VV 1, 1919/20, S. 731f.

P 1181 Martin Salander – SoblBasNachr 5, 1910, S. 113; März 4, 1910, III, S. 148–151.

P 1182 J[erome] D. Salinger: Der Mann im Roggen. [Zch 1954.] Rez. – Ww Nr. 1050 v. 24. 12. 1953, S. 5.

Der Sammetwedel s. Ein Knabenstreich

P 1183 San Vigilio – Bodenseeb 1, 1914, S. 44–46; Freundesgabe f. Eduard Korrodi zum 60. Geburtstag. (Zch: Fretz & Wasmuth; Erlenbach-Zch: Rentsch [1945]), S. 238–242; **BBb**.

P 1184 Ein Satz über die Kadenz – P 1047; Gruß der Insel an Hans Carossa. [Wiesbaden]: Insel-Verl. 1948, S. 148f.

P 1185 Wilhelm Schäfer: Der Hauptmann von Köpenick. [Mchn 1930.] Rez. – BW 15, 1930, S. 186.

P 1186 Wilhelm Schäfer: Das Haus mit den drei Türen. [Mchn 1931.] Rez. – BW 16, 1931, S. 324.

P 1187 Wilhelm Schäfer: Lebensabriß. [Mchn 1918.] Rez. – VV 1, 1919/20, S. 204.

P 1188 Albrecht Schaeffer: Elli oder sieben Treppen. [Lpz 1919.] Rez. – VV 1, 1919/20, S. 335f.

P 1189 Albrecht Schaeffer: Helianth. [Lpz 1920.] Rez. – VV 2, 1921/22, S. 419f.

P 1190 Albrecht Schaeffer: Das Opfertier. Erzählungen. [Lpz 1931.] Rez. – BW 17, 1932, S. 17.

P 1191 Unbekannte Schätze – März 1, 1907, I, S. 246–250.

P 1192 Schattenbilder. [Von Herbert Eulenberg. Bln 1910.] Rez. – März 4, 1910, III, S. 416.

P 1193 Schattenspiel – Simpl 11, 1906/07, S. 88f., 103.

P 1194 [Josef Viktor von] Scheffel [: Ausgew. Werke. Stgt 1914.] Rez. – März 9, 1915, II, S. 96.

P 1195 Werner Schendell: Dienerin. Roman. [Bln 1919.] Rez. – VV 1, 1919/20, S. 268.

P 1196 Emil Schibli: Die innere Stimme. [Lpz 1923.] Rez. – VV 3, 1922/23, S. 417f.

P 1197 René Schickele – VV 2, 1921/22, S. 547.

P 1198 René Schickele's «Himmlische Landschaft». [Bln 1933.] Rez. – NZZ Nr. 90 v. 16. 1. 1933.

P 1199 Anton Schievelbeyn's ohn-freywillige Reisse nacher Ost-Indien – Schweiz 9, 1905, S. 481–487; März 7, 1913, III, S. 116–131 u. d. T.: Die Ostindienreise; E 166; **Fbb**.

P 1200 Alfred Schlenker. Nachruf – L 765, S. 60f.: Tdr.

P 1201 Rudolf Schlichter: Zwischenwelt. [Bln 1931.] Rez. – BW 16, 1931, S. 261.

Der fremde Schlosser s. Der Schlossergeselle

Eine Schlossergeschichte s. Aus der Werkstatt

P 1202 Der Schlossergeselle – Simpl 10, 1905/06, S. 14f.; Schweiz 22, 1918, S. 640–643; Bodenseeb 20, 1933, S. 47–49 u. d. T.: Geselle Zbinden; Ernte 28, 1947, S. 31–35 u. d. T.: Der fremde Schlosser; NatZ Nr. 39 v. 25. 1. 1953, Sobeil.; E 167.

P 1203 Herbert Schlüter: Die Rückkehr der verlorenen Tochter. Roman. [Bln 1932.] Rez. – BW 17, 1932, S. 206.

P 1204 Iwan Schmeljow: Vorfrühling. Roman. [Erlenbach 1931.] Rez. – BW 17, 1932, S. 17.

Schmetterling. Dreifaches Gleichnis s. Augenlust

Der Schmetterling s. Das Nachtpfauenauge

P 1205 Hans Rudolf Schmid: HH. [Frauenfeld u. Lpz 1928.] Rez. – Neue Badische Landesztg. (Mannheim) v. 17. 11. 1928.

P 1206 Paul Schmid: Brüder. Eine Dichtung wider den Tod. [Stgt o. J.] Rez. – VV 1, 1919/20, S. 524f.

P 1207 Erich Schmidts kleiner Goethe. [Joh. Wolfg. v. Goethe: Werke. Lpz 1909.] Rez. – März 4, 1910, III, S. 493.

P 1208 Oskar A. H. Schmitz: Das dionysische Geheimnis. [Mchn o. J.] Rez. – WiLeb 14, 1920/21, S. 736f.

P 1209 Oskar A. H. Schmitz: Märchen aus dem Unbewußten. [Mchn 1932.] Rez. – BW 18, 1933, S. 63; Lesez 20, 1932/33, S. 103.

P 1210 Reinhold Schneider: Das Leiden des Camoes [Hellerau 1930.] Rez. – BW 15, 1930, S. 303.

P 1211 Reinhold Schneider: Philipp II. [Lpz 1931.] Rez. – Lesez 19, 1931/32, S. 124.

P 1212 Der Schnitter Tod – Rhlde 10, 1910, S. 32f.; NTgbl Nr. 142 v. 22. 6. 1910, S. 11f.; SchwSp 4, 1910/11, S. 331f.; SoblBasNachr 6, 1911, S. 121.

P 1213 Othmar Schoeck – Schweiz. Musikztg. (Zch) 71, 1931, S. 61; Blätter d. Stadttheaters Zürich, Spielzeit 1946/47, Nr. 14, S. 15–19.

P 1214 Friedrich Anton von Schönholz: Traditionen zur Charakteristik Österreichs. [Mchn 1914.] Rez. – NZZ Nr. 1382 v. 5. 10. 1914.

P 1215 Wilhelm von Scholz: Die Beichte. [Mchn 1919.] Rez. – VV 1, 1919/20, S. 525.

P 1216 Das Schreiben des Magister Ludi an die Erziehungsbehörde – P 1175; Dt. Geist. Ein Lesebuch. 14.–20. Tsd. Bln u. Ffm: Suhrkamp (1959), Bd. 2, S. 754–772.

P 1216a Schreiben und Schriften – NZZ Nr. 2986 v. 15. 8. 1961; StgtZtg Nr. 196 v. 26. 8. 1961, Beil. BrzW; E 168a.

Die Schreibmaschine s. B 188

Ich kaufe eine Schreibmaschine s. Kauf einer Schreibmaschine

Am Schreibtisch s. Notiz aus dem Sommer 1949

P 1217 Christoph Schrempf – Frankf. Ztg. Nr. 93 v. 20. 2. 1938, Literaturbl. Nr. 8.

P 1218 Christoph Schrempf: Gesammelte Werke. [Stgt 1930ff.] Rez. – BW 15, 1930, S. 186.

P 1219 Christoph Schrempf: Gesammelte Werke. 7. Band. [Stgt 1932.] Rez. – BW 17, 1932, S. 206.

P 1220 Christoph Schrempf. Zu seinem 75. Geburtstag – NZZ Nr. 737 v. 28. 4. 1935; NRs 46, 1935, I, S. 540–543.

P 1221 Über Christoph Schrempf – NRs 41, 1930, I, S. 552–558; Im Banne des Unbedingten. Christoph Schrempf zugeeignet. Stgt: Frommann 1930, S. 5–13 o. T.

P 1222 Eine Schrift-Rundfrage über die Tempelfraktur – Der Zwiebelfisch (Mchn) 2, 1910/11, S. 187.

Vom Schriftsteller s. Der Beruf des Schriftstellers

P 1223 Vom Schriftsteller. [Wilhelm Schäfer: Der Schriftsteller. Ffm 1911.] Rez. – März 5, 1911, I, S. 335f.

P 1224 Rudolf Alexander Schröder: Der Wanderer und die Heimat. [Lpz 1931.] Rez. – BW 16, 1931, S. 324.

P 1225 Aus meiner Schülerzeit – VKMtsh 41, 1926/27, II, S. 524–528; Ernte 10, 1929, S. 179–189; NZZ Nr. 487 v. 22. 3. 1936, Nr. 584, 589 v. 5. u. 6. 4. 1936; Bodenseeb 24, 1937, S. 72–78; **GB**; **Gbs.**

Im Schützengraben s. Ein Buch vom Schützengrabenkrieg

P 1226 Die alte Schule. [Von Johannes Kühnel. Lpz 1924.] Rez. – NRs 35, 1924, S. 863.

Der Schulkamerad s. Eugen Siegel

P 1227 Schulkamerad Martin – u. d. T.: Gedenkblatt für Martin: NZZ Nr. 1513, 1556 v. 23. u. 30. 7. 1949; E 70; – Ernte 32, 1951, S. 48–61 u. d. T.: Ein Schulkamerad; **SpP**; Aufbau (Bln) 13, 1957, II, S. 17–26.

P 1228 Unterbrochene Schulstunde – SchwMtsh 28, 1948/49, S. 561–573; **vJ**; **SpP**; Neue dt. Lit. (Bln) 4, 1956, H. 12, S. 24–36.

P 1229 Fr. Schulze-Maizier: Deutsche Selbstkritik. [Bln 1932.] Rez. – BW 17, 1932, S. 187.

P 1230 Schundliteratur? [betr. L 1341] – Schweiz. Zs. f. Gemeinnützigkeit (Zch) 61, 1922, H. 11, S. 415f.

P 1231 Arthur Schurig's Mozartwerk. [Lpz 1913.] Rez. – März 8, 1914, I, S. 139–141.

P 1232 Wilhelm Schussen: Erste Liebe. Erzählungen. [Stgt 1919.] Rez. – VV 1, 1919/20, S. 527f.

Der Schuster von Görlitz s. Jakob Boehmes Berufung

Der Schwimmer s. Post am Morgen

P 1233 Lo scoppio del carro – P 1305; P 709.

P 1234 See, Baum, Berg – Wieland 6, 1920, H. 2, S. 2f.; **Wa.**

P 1235 Von der Seele – Wieland 3, 1917/18, H. 7, S. 8–18; Prop 15, 1917/18, S. 169–171 u. d. T.: Ungelebtes Leben; SchwSp 11, 1917/18, S. 89–91 u. d. T.: Zwei junge Herren in der Eisenbahn; Schweiz 22, 1918, S. 1–7; **KG**; NZZ Nr. 718 v. 1. 5. 1927; **BG.**

P 1236 Seenacht – Simpl 16, 1911/12, S. 467–469; Ernte 1, 1920, S. 33–38.

Seeüberfahrt s. Eine Fußreise im Herbst 1

P 1237 Anna Seghers: Auf dem Wege zur amerikanischen Botschaft. [Bln 1930.] Rez. – Lesez 19, 1931/32, S. 14f.

P 1238 Sehnsucht nach Indien – BT Nr. 587 v. 12. 12. 1925.

P 1239 Die Sehnsucht unserer Zeit nach Weltanschauung – Uhu (Bln) 3, 1926/27, H. 2, S. 3f., 6–10, 12–14.

P 1240 Seldwyla im Abendrot. Zu Gottfried Kellers 100.Geburtstag – Voss. Ztg. Nr.351 v. 13. 7. 1919.

P 1241 Ein Maulbronner Seminarist – StgtZtg Nr. 104 v. 7. 5. 1955; NatZ Nr. 455 v. 2. 10. 1955, Sobeil.; E 185; **Bsg**; Aufbau (Bln) 13, 1957, II, S. 26–29. Die Sendung des Dichters s. B 134

P 1242 Vor einer Sennhütte im Berner Oberland – LiSch 4, 1913/14, Nr. 26; Württ. Ztg. Nr. 84 v. 11. 4. 1914, S. 2; Prop 12, 1914/15, S. 503f. u. d. T.: Ein Tag außerhalb der Zeit [veränd. Fassg.]; **AW**; O mein Heimatland (Bern) 23, 1935, S. 158–164 u. d. T.: Zwischen Winter und Frühling; **BBb**.

P 1243 September – BT Nr. 416 v. 3. 9. 1926; NZZ Nr. 1626 v. 9. 9. 1928 u. d. T.: Sommers Ende; SoblBasNachr 23, 1929, S. 174f. u. d. T.: Herbstbeginn; Prop 29, 1931/32, S. 395f. u. d. T.: Sommers Ende.

P 1244 Zum achten September [Eduard Mörike zum 100. Geburtstag] – Rhlde 4, 1903/04, Bd. 8, S. 493f.

P 1245 Septembermorgen am Bodensee – Stuttgarter Morgenpost Nr. 232, 233 vom 3. u. 4. 10. 1905; SoblBasNachr 6, 1911, S. 149f.; **BB**.

P 1246 Siddhartha. Eine indische Dichtung – NZZ Nr. 1296, 1303 vom 6. u. 7. 8. 1920: Tdr. u. d. T.: Bei den Asketen; SoblBasNachr 15, 1921, S. 77f.: Tdr. u. d. T.: Gotama; NRs 32, 1921, S. 701–724: Tdr. [1. Teil]; Genius. Zs. f. alte u. werdende Kunst (Lpz) 3, 1921, Buch 2, S. 340–354: Tdr. u. d. T.: Siddharthas Weltleben [Kamala; Bei den Kindermenschen; Sansara]; E 170; Ernte 4, 1923, S. 58–64: Tdr. u. d. T.: Der Sohn des Brahmanen; Almanach 1925 (Bln: S. Fischer), S. 21–33: Tdr. u. d. T.: Govinda; A 19. – Enth. G 386.

P 1247 Zum Sieg – E 171; Zum Sieg. Ein Brevier für den Feldzug von Wilhelm Schussen, Ludwig Finckh, Auguste Supper, A. Dörrfuß. Stgt: Die Lese [1915], S. 5–8: Einführung.

P 1248 Eugen Siegel – u. d. T.: «– noch ein dritter gefallen»: StgtNTgbl Nr. 255 v. 22. 5. 1915, S. 5; Prop 13, 1915/16, S. 736f.; Der Weltkrieg 1914–1915. St. Gallen 1915: Schwald, Bd. 1, S. 123–128; Kriegsnovellen 1914/15. [Bd.] 1: Dt. Sturmflut. Gesammelt v. Heinrich Goebel. Bln: Morawe & Scheffelt [1915], S. 42–47; – Unter dt. Eichen. 4. Liebesgabe dt. Hochschüler. Kassel: Furche-Verl. 1915, S. 111 bis 118 u. d. T.: Der Schulkamerad; NZZ Nr. 796, 799 v. 9. u. 10. 5. 1936; **GB; Gbs**.

P 1249 Hans Siemsen: Rußland. Ja und Nein. [Bln 1931.] Rez. – BW 16, 1931, S. 324f.

P 1250 Silbernagel – Simpl 14, 1909/10, S. 124f.

P 1251 [Frans Eemil] Sillanpää: Silja, die Magd. Roman. [Lpz 1932.] Rez. – BW 18, 1933, S. 63.

P 1252 Wie denken Sie über den Simplizissimus? (Antwort auf eine Umfrage) – Simpl 25, 1920/21, S. 12.

In Singapore s. Augenlust

P 1253 Singapore-Traum – Simpl 17, 1912/13, S. 628f.; **AI**; **BB**.

Aus einem Skizzenbuch vom Jahr 1919 s. Der kleine Weg

Skizzenbuchblatt s. Kaminfegerchen

P 1254 Albert Soergel: Kristall der Zeit. [Lpz 1929.] Rez. – BW 15, 1930, S. 187f.

Der Sohn des Brahmanen s. Siddhartha. Tdr.

P 1255 Soldatenpsychologie. [Erich Everth: Von der Seele des Soldaten im Felde. Jena 1915.] Rez. – NZZ Nr. 1697 v. 12. 12. 1915.

P 1256 Dem Sommer entgegen – Rhlde 10, 1910, S. 172; SchwSp 7, 1913/14, S. 274f.; PHelv 1, 1919, Nr. 5, S. 108–110; **BB**.

P 1257 Zwischen Sommer und Herbst – BT Nr. 416 v. 4. 9. 1930; O mein Heimatland (Bern) 22, 1934, S. 102f., 108–110 u. d. T.: Spätsommer. Eine Studie; Bodenseeb 25, 1938, S. 12–14 u. d. T.: Herbstklang; E 23; Ww Nr. 576 v. 24. 11. 1944, S. 25; NatZ Nr. 409 v. 6. 9. 1953, Sobeil.

Sommer! Sommer! s. Hochsommer

Tessiner Sommer s. Strand

Hübscher Sommerabend s. Feuerwerk

P 1258 Tessiner Sommerabend – Simpl 26, 1921/22, S. 350–352 u. d. T.: Tessiner Abend; VKMtsh 38, 1923/24, II, S. 495f. u. d. T.: Hochsommerabend im Tessin; **BB**.

Sommerbeginn im Süden s. Mai im Kastanienwald

P 1259 Sommerbrief – NZZ Nr. 2479, 2480 v. 18. 8. 1959; Univ 14, 1959, S. 1169–1174; E 173.

P 1260 Sommerbriefe – SoblBasNachr 7, 1912, S. 112.

P 1261 Sommerbücher – März 2, 1908, II, S. 465–470.

P 1262 Sommerlektüre – März 6, 1912, III, S. 112–114.

Sommernacht mit Raketen s. Feuerwerk

Sommernachtsfest s. Feuerwerk

P 1263 Sommerreise – Münchner N. Nachr. v. 2. 9. 1905.

Sommers Ende s. September

P 1264 Sommerschreck – Simpl 11, 1906/07, S. 348; KlBd 10, 1929, S. 223f. u. d. T.: Mittagsspuk; Ernte 20, 1939, S. 71–74.

Sommertag am Bodensee s. Hochsommer

P 1265 Sommertag im Süden – **BB**.

P 1266 Eine Sonate – Simpl 11, 1906/07, S. 792f.; Schweiz 23, 1919, S. 591–594; NatZ Nr. 378 v. 19. 8. 1951, Sobeil.; E 174.

P 1267 In der alten Sonne – Süddt. Mtsh. (Mchn) 2, 1905, I, S. 341–361, 437–448; E 135; E 45a; **Gbs**.

P 1268 Der Sonnengesang des heiligen Franz von Assisi. [Hartenstein i. Sa. o. J.] Rez. – VV 1, 1919/20, S. 818f.

P 1269 Sor acqua – März 1, 1907, I, S. 61–71; SoblBasNachr 6, 1911, S. 1–3 u. d. T.: Ein alter Angler; PHelv 1, 1919, Nr. 8, S. 215–220, Nr. 9, S. 252–254; E 54.

P 1270 Sozieteit – **AI**.
Spätsommer. Eine Studie s. Zwischen Sommer und Herbst
Spätsommerblumen s. Ein Brief

P 1271 Spazierenfahren – Schweiz 16, 1912, S. 315f.; ZtBild 10, 1912, S. 1754–1757
u. d. T.: Bummeltage in Singapore; **AI**; **BB**.

P 1272 Spazierenfliegen – BT Nr. 189 v. 21. 4. 1928.

P 1273 Spazierfahrt in der Luft – SoblBasNachr 6, 1911, S. 141f.

P 1274 Spaziergang am Comer See – Bodenseeb 1, 1914, S. 39–41; **BB**.

P 1275 Spaziergang in Kandi – **AI**; **BB**.

P 1276 Spaziergang in Würzburg – NZZ Nr. 354 v. 24. 2. 1929; Bodenseeb 17, 1930,
S. 17–19; Ernte 18, 1937, S. 44–48 u. d. T.: Gang durch Würzburg; E 175; Me-
rian (Hambg.) 1, 1948, H. 1, S. 26–29 u. d. T.: Wassermann und Madonna; NatZ
Nr. 172 v. 16. 4. 1950, Sobeil. u. d. T.: Einst in Würzburg.
Spaziergang im Zimmer s. Herbstlicher Tag

P 1277 Nächtliche Spiele – u. d. T.: Traumtheater: NatZ Nr. 188 v. 25. 4. 1948, Sobeil.;
E 190; – NZZ Nr. 3065 v. 5. 12. 1954; **Bsg**.

P 1278 Ein neues Spielmannsbuch. [Spielmannsgeschichten. Hg. v. Paul Ernst. Mchn
1910.] Rez. – NZZ Nr. 157 v. 8. 6. 1911, 1. Mbl.

P 1279 Carl Spitzweg. [Von Hermann Uhde-Bernays. Mchn 1913.] Rez. – März 8, 1914,
I, S. 322f.

P 1280 Sprache – Frankf. Ztg. Nr. 221 v. 11. 8. 1918, 1. Mbl.; LitE 20, 1917/18, S. 1491:
Tdr.; SchwSp 12, 1918/19, S. 137f.; VV 1, 1919/20, S. 703–707; BuB 1, 1921,
S. 201–204; KlBd 4, 1923, S. 28f. u. d. T.: Der Dichter und die Sprache; **BG**.

P 1281 Sprüche des Confucius. [Gespräche. Jena 1910.] Rez. – März 4, 1910, III, S. 168.

P 1282 Sprüche und Widersprüche. [Von Karl Kraus. Mchn 1909.] Rez. – März 4, 1910,
I, S. 406.

P 1283 Spukgeschichten aus Transvaal. [Perceval Gibbon: Was Vrouw Grobelaar erzählt. Ffm 1909.] Rez. – März 3, 1909, IV, S. 158f.

P 1284 Fjodor Ssologub: Der Kuß des Ungeborenen und andere Novellen. [Potsdam
1918.] Rez. – BW 5, 1916/20, S. 128.

P 1285 An einen Staatsminister – NZZ Nr. 1478 v. 12. 8. 1917; **BG**; **KF**.

P 1286 Die Stadt – LiSch 1, 1910/11, Nr. 12; Schweiz 20, 1916, S. 140–143; SchwSp 21,
1927, S. 257f.; **Tf**.

P 1287 In einer kleinen Stadt. Eine unvollendete Romanhälfte – VKMtsh 32, 1917/18,
II, S. 1–11.

P 1288 Der Städtebauer – Rhlde 11, 1911, S. 26–28; SoblBasNachr 6, 1911, S. 137f. +
ebd. 20, 1926, S. 121f.

P 1289 Georg Stammler: Worte an eine Schar. [Heidelberg 1914.] Rez. – VV 1, 1919/20,
S. 524.

P 1290   Albert Steffen: Die Heilige mit dem Fische. [Bln 1919.] Rez. – VV 1, 1919/20, S. 201.

P 1291   Albert Steffen: Ott, Alois und Werelsche. Roman. [Bln o. J.] Rez. – LitW 5, 1929, Nr. 8, S. 6.

P 1292   Henrik Steffens [: Lebenserinnerungen aus dem Kreis der Romantik. Jena 1908.] Rez. – März 2, 1908, IV, S. 398f.

P 1293   Stendhal: Das Leben eines Sonderlings. [Lpz 1921.] Rez. – VV 2, 1921/22, S. 482f.

P 1294   Stendhal: Von der Liebe. [Lpz 1920.] Rez. – VV 2, 1921/22, S. 543f.

P 1295   Über Stendhal – SoblBasNachr 16, 1922, S. 116.

P 1296   Deutsche Stendhal-Ausgaben – WiLeb 14, 1920/21, S. 890f.

P 1297   Der Steppenwolf – Tdr. u. d. T.: Traum von einer Audienz bei Goethe: Frankf. Ztg. Nr. 680 v. 12. 9. 1926; Bodenseeb 14, 1927, S. 112–114; – LitW 3, 1927, Nr. 4, S. 3f.: Tdr. u. d. T.: Gespräch über den Krieg und Zeitungen; – Tdr. u. d. T.: Gespräch mit Mozart: NSRs 20, 1927, S. 80f.; Prop 24, 1926/27, S. 169; SchwSp 21, 1927, S. 68; – Tdr. u. d. T.: Abendstunde in einer kleinen Kneipe: BT Nr. 42 v. 26. 1. 1927; SoblBasNachr 22, 1928, S. 97f.; – E 176. – Enth. P 1360; G 339, 371.

P 1298   Vom Steppenwolf – NRs 39, 1928, I, S. 409–415; SchwSp 22, 1928, S. 170f.; Tf.

P 1299   Lawrence Sterne: Yoricks empfindsame Reise durch Frankreich und Italien. [Bln 1920.] Rez. – VV 2, 1921/22, S. 481f.

P 1300   Adalbert Stifter: Bunte Steine. [Lpz 1923.] Rez. – VV 3, 1922/23, S. 359f.

P 1301   Adalbert Stifter: Witiko. [Lpz 1921.] Rez. – WiLeb 15, 1921/22, S. 495f.

P 1302   Eine Stifter-Biographie. [Von Urban Roedl. Bln o. J.] Rez. – NZZ Nr. 60 v. 12. 1. 1937.

P 1303   Die Stillen. Dichtungen. Hg. v. Max Tau. [Trier 1921.] Rez. – VV 3, 1922/23, S. 224.

P 1304   Henrich Stillings Jugend. [Lpz 1907.] Rez. – März 1, 1907, IV, S. 263.

Die Stimmen und der Heilige s. Ein Stück Tagebuch

P 1305   Stimmungsbilder aus Ober-Italien (1. Lo scoppio del carro; 2. Fiesole; 3. Il Giardino di Boboli; 4. Der Triumph des Todes; 5. In den Kanälen Venedigs; 6. Die Lagune) – Schweizer Hausfreund. Ill. Sobeil. zum Basler Anz. 16, 1901, S. 147f., 151f., 155f., 159f., 163f., 171f.

P 1306   Alfred Stirm: Ein Leben. Gedichte. [Stgt 1930.] Rez. – BW 15, 1930, S. 186f.

P 1307   [Über Theodor Storm] – Theodor Storm. Gedenkbuch zu des Dichters 100.Geburtstage. Hg. v. Friedrich Düsel. Braunschweig: Westermann (1916), S. 32.

P 1308   Theodor Storms Sämtliche Werke. [Lpz 1919.] Rez. – VV 1, 1919/20, S. 79f.

P 1309   Strand – Ikarus (Bln) 2, 1926, Nr. 7, S. 9f. u. d. T.: Tessiner Sommer; BB; – u. d. T.: Halewijns Lied: Prop 29, 1931/32, S. 269f.; SoblBasNachr 30, 1936, S. 141f.

Straßen im Dezember s. Augenlust

P 1310 Emil Strauß: Das Riesenspielzeug. Roman. [Mchn 1935.] Rez. – NZZ Nr. 1933 v. 28. 10. 1934.

P 1311 Emil Strauß: Der Schleier. [Mchn 1930.] Rez. – BW 15, 1930, S. 303.

P 1312 Emil Strauß. Zum 70. Geburtstag – NZZ Nr. 172 v. 31. 1. 1936.

P 1313 Strindberg – NZZ Nr. 22 v. 22. 1. 1909, 1. Mbl.

P 1314 Strindberg – NZZ Nr. 1289 v. 2. 7. 1947.

P 1315 August Strindberg: Inferno. [Bln 1919.] Rez. – VV 1, 1919/20, S. 270.

P 1316 Eduard Stucken: Die weißen Götter. Roman. [Bln 1918–1920.] Rez. – VV 1, 1919/20, S. 526.

Der Student Edmund s. Edmund

P 1317 Ein österreichischer Studentenalmanach – März 5, 1911, I, S. 184f.

Physiognomische Studien s. Notizen im Speisesaal

P 1318 Studienjahre – NRs 50, 1939, II, S. 320–335; NSRs NF 9, 1941/42, S. 378–386: Tdr.; E 90; Das Silberboot (Salzburg) 3, 1947, S. 231–252.

P 1319 Ein Stück Tagebuch – Schweiz 22, 1918, S. 267–270; KG; NRs 38, 1927, I, S. 477–482; BG; – u. d. T.: Die Stimmen und der Heilige: EckBll 7, 1931, S. 201 bis 204; SchwSp 27, 1933, S. 59f.; E 177; – NatZ Nr. 596 v. 24. 12. 1950, Sobeil.

P 1320 Ein Stückchen Theologie – NRs 43, 1932, I, S. 736–747; L 738, S. 78–91; E 179 u. d. T.: Stufen der Menschwerdung; BGa.

Stunden am Schreibtisch s. Notiz aus dem Sommer 1949

Sturm s. Eine Fußreise im Herbst 3

P 1321 André Suarès: Die Fahrten des Condottiere. [Mchn 1919.] Rez. – VV 1, 1919/20, S. 202.

P 1322 Die beiden Sünder – SimplKal f. 1911, S. 72–88 u. d. T.: Legende von den beiden Sündern; Fbb.

P 1323 Nachts im Suezkanal – AI; BB.

P 1324 Ein deutscher Swift. [Jonathan Swift: Prosaschriften. Bln 1909. 1910.] Rez. – NZZ Nr. 316 v. 15. 11. 1910, 2. Mbl.

P 1325 Jonathan Swift: Gullivers Reisen. [Stgt 1922.] Rez. – BW 9, 1924, S. 114.

P 1326 Swinburne – VV 2, 1921/22, S. 110f.

T

P 1327 Taedium vitae. Novelle – NRs 19, 1908, S. 1053–1068.

Ein Tag außerhalb der Zeit s. Vor einer Sennhütte im Berner Oberland

P 1328 Herbstlicher Tag – BT Nr. 471 v. 5. 10. 1928 u. d. T.: Spaziergang im Zimmer; NZZ Nr. 1744 v. 8. 10. 1935 u. d. T.: Übergang; E 150.

P 1329 Tausend und ein Tag. [Hg. v. Paul Ernst. Lpz 1909. 1910.] Rez. – NZZ Nr. 214 v. 4. 8. 1909, 2. Mbl.

P 1330   Verbummelter Tag – SchwSp 24, 1930, S. 65f.; Menschen auf der Straße. Stgt: Engelhorn (1931), S. 30–35; StgtZtg Nr. 65 v. 19. 3. 1955 u. d. T.: Verbummelter Vorfrühlingstag.

P 1331   Grindelwalder Tage – Rhlde 15, 1915, S. 76–78.

P 1332   Tagebuch 1900 – **HL.**

P 1333   Aus dem Tagebuch eines Entgleisten – Simpl 27, 1922/23, S. 19, 30 u. d. T.: Aus dem Tagebuch eines Wüstlings; NZZ Nr. 1680 v. 31. 8. 1930; NatZ Nr. 440 v. 24. 9. 1950, Sobeil.; E 183.

P 1334   Aus einem Tagebuch des Jahres 1920 – Corona 3, 1932/33, S. 192–209; Das 47. Jahr. Almanach. Bln: S. Fischer 1933, S. 100–106: Tdr.; E 184.

         Aus dem Tagebuch eines Wüstlings s. Aus dem Tagebuch eines Entgleisten

P 1335   Tagebuchblatt – Zeit-Echo. Ein Kriegstagebuch der Künstler (Mchn) Jg. 1914/15, H. 5, S. 66f.

         Tagebuchblatt. Fragment aus einem unvollendeten Roman s. Aus Martins Tagebuch

P 1336   Tagebuchblatt aus Kandi – WMtsh 57, 1912/13, Bd. 113, S. 108f.; Prop 10, 1912/13, S. 357; **AI**; **BB.**

P 1337   Tagebuchblatt. 13. März 1955 – NZZ Nr. 678 v. 16. 3. 1955; E 185; **Bsg.**

P 1338   Tagebuchblatt. 14. Mai 1955. 15. Mai – NZZ Nr. 1374 v. 24. 5. 1955; **Bsg.**

P 1339   Tagebuchblatt. 1. Juli 1955 – NZZ Nr. 1788 v. 4. 7. 1955; StgtZtg Nr. 160 v. 16. 7. 1955; **Bsg.**

P 1340   Rabindranath Tagore: Das Heim und die Welt. Roman. [Mchn 1920.] Rez. – VV 1, 1919/20, S. 817.

P 1341   Tagwerden – Frankf. Ztg. Nr. 204 v. 25. 7. 1918, Abl.

P 1342   X. Takeutschi: Die Wahrheitssucher. [Lpz 1923.] Rez. – Basilisk 4, 1923, Nr. 33.

P 1343   Das verlorene Taschenmesser – Ernte 7, 1926, S. 145–148; **BB**; NatZ Nr. 230 v. 23. 5. 1948, Sobeil.

P 1344   Otto von Taube: Die Metzgerpost. [Merseburg 1936.] Rez. – NZZ Nr. 2001 v. 17. 11. 1935.

P 1345   Über einen Teppich – Werk (Winterthur) 32, 1945, S. 190–192 u. d. T.: Über den von Frau M. Geroe-Tobler gewebten Teppich in meinem Atelier; E 9.

P 1346   Charles Sanford Terry: Johann Sebastian Bach. [Lpz 1929.] Rez. – BW 15, 1930, S. 108.

P 1347   Wieder im Tessin – NZZ Nr. 1053 v. 8. 6. 1928; E 163.

P 1348   Lisa Tetzner: Hans Urian. [Stgt 1931.] Rez. – NZZ Nr. 2056 v. 30. 10. 1931.

P 1349   [William Macpeace] Thackeray [: Gesammelte Werke. Mchn 1909ff.] Rez. – März 6, 1912, III, S. 320.

P 1350   Eine deutsche Theologie. [Lpz 1920.] Rez. – VV 1, 1919/20, S. 816f.

P 1351   Frank Thieß: Der Tanz als Kunstwerk. [Mchn 1920.] Rez. – VV 1, 1919/20, S. 397.

P 1352 Anton Thiry: Das schöne Jahr des Carolus. Roman. [Bln 1932.] Rez. – BW 17, 1932, S. 190.

P 1353 Thule – März 6, 1912, I, S. 200.

P 1354 Tierskizzen. [Hellmut von Cube: Tierskizzenbüchlein. Bln 1935.] Rez. – NZZ Nr. 718 v. 25. 4. 1935.

P 1355 Felix Timmermans: Pallieter. [Lpz 1921.] Rez. – WiLeb 14, 1920/21, S. 937.

P 1356 Der Tod des Bruders Antonio – März 2, 1908, I, S. 321–327; Schweiz 20, 1916, S. 375–379 u. d. T.: Ein Mönchsbrief; KG; Frühlings-Almanach des Phaidon-Verlags. Hg. v. Ludwig Goldscheider. Wien 1928, S. 33–43; Der getreue Eckart (Wien) 7, 1929/30, S. 152–155; Ernte 16, 1935, S. 97–103 u. d. T.: Der Mönch Gennaro schreibt an eine Dame; Fbb; A 20.

Der schwarze Tod s. Narziß und Goldmund. Tdr.

P 1357 [Rudolf] Töpffers humoristische Bilderfolgen – März 6, 1912, IV, S. 40.

P 1358 Leo Tolstoi: Tagebuch der Jugend. 1. Band. [Mchn 1919.] Rez. – BW 5, 1916/20, S. 66.

P 1359 Tragisch – NZZ Nr. 899, 905, 910 vom 2.–4. 7. 1923; NRs 35, 1924, S. 705–714; Dt. Erzähler der Gegenwart. Bd. 1. Bln: Volksverband d. Bücherfreunde (1928), S. 207–224; E 186; Tf; A 25; Der goldene Schnitt. Große Erzähler der NRs. 1890 – 1960. Hg. v. Christoph Schwerin. Ffm: S. Fischer (1959), S. 274–282.

P 1360 Traktat vom Steppenwolf – NRs 38, 1927, I, S. 456–477; P 1297.

P 1361 Der Trauermarsch. Gedenkblatt für einen Jugendkameraden – NZZ Nr. 3443 v. 2. 12. 1956; E 187.

Der Traum s. Der schöne Traum

P 1362 Ein Traum – Württemberg (Stgt) 4, 1932, S. 560f.

Ein Traum s. Aus einem Notizbuch

P 1363 Der Traum vom Ährenfeld – StM.

Traum von einer Audienz bei Goethe s. Der Steppenwolf. Tdr.

P 1364 Traum am Feierabend – KlBd 2, 1921, S. 273f.; BG; KF.

P 1365 Der Traum von den Göttern – Jugend (Mchn) Jg. 1914, S. 1157f., 1160; NZZ Nr. 1140 v. 1. 8. 1924; BB.

Traum eines Knaben s. Der schöne Traum

P 1366 Der Traum der roten Kammer. [Lpz 1932.] Rez. – NZZ Nr. 2348 v. 14. 12. 1932; Lesez 20, 1932/33, S. 102.

P 1367 Der schöne Traum – LiSch 2, 1911/12, Nr. 33; KG [veränd. Fassg.]; – u. d. T.: Martins Traum [veränd. Fassg.]: Schweiz 19, 1915, S. 651–653; Basilisk 1, 1919/20, S. 33–35; O mein Heimatland (Bern) 19, 1931, S. 124–127; Ernte 37, 1956, S. 27 – 30; – Bodenseeb 21, 1934, S. 52–54 u. d. T.: Der Traum; NZZ Nr. 1825 v. 23. 10. 1936 u. d. T.: Traum eines Knaben; NatZ Nr. 222 v. 14. 5. 1949, S. 2.

P 1368 Traumfährte. Eine Aufzeichnung – u. d. T.: Inneres Erlebnis: Die Horen (Bln) 3, 1927, S. 11–20; Ewige Gegenwart. Zwölf Erzählungen von Thomas Mann, HH. u. a. Bln: Die Buchgemeinde 1928, S. 22–41; – Letzte Reife. Novellen. Zch u. Lpz: Orell Füssli (1933), S. 81–105; Tf.

P 1369   Eine Traumfolge – Die weißen Blätter (Lpz) 3, 1916, IV, S. 199–211; **Mä.**

P 1370   Traumgeschenk – NZZ Nr. 1995 v. 5. 11. 1946; NZ Nr. 166 v. 15. 7. 1950 u. d. T.: Das Geschenk meines Traumgottes; **SpP.**

         Traumtheater s. Nächtliche Spiele

P 1371   Tristan und Isolde – März 6, 1912, I, S. 319f.

P 1372   Der Triumph des Todes – P 1305; P 709.

         Troubadour s. Chagrin d'Amour

P 1373   Adrien Turel: Selbsterlösung. [Bln 1919.] Rez. – VV 1, 1919/20, S. 336.

         U

P 1374   Überfahrt – **AI; BB.**

         Übergang s. Herbstlicher Tag

P 1375   Vom Überschätzen und Unterschätzen – NZZ Nr. 2408 v. 3. 11. 1951.

P 1376   Übersetzungen – März 2, 1908, III, S. 239f.

P 1377   Überwindung der Einsamkeit – Jahresgabe dt. Dichter. In Wiedergabe der Urschriften. Stgt: Hädecke [1920], S. 32f. [Faksim.]

P 1378   Umfrage über den Schutzumschlag – Bübl 4, 1940, Nr. 7, S. 1.

P 1379   Der Umgang mit Büchern (1. Vom Lesen; 2. Das Buch) – Moderne Kultur. Ein Handbuch d. Lebensbildg. u. des guten Geschmacks. Hg. v. Ed[uard] Heyck. Stgt: Dt. Verl.-Anst. [1907]. Bd. 2, S. 389–402; NZZ Nr. 361 v. 30. 12. 1907, 3. Mbl.: Tdr.; Literar. Neuigkeiten (Lpz) 8, 1908, Nr. 3, S. 4–9.

P 1380   Umzug – SchwSp 6, 1912/13, S. 42f.

P 1381   Unsterblichkeit. [Von Graf Hermann Keyserling. Mchn 1907.] Rez. – NZZ Nr. 343 v. 11. 12. 1907, 2. Mbl.

P 1382   Untersee – Württ. Ztg. Nr. 79 v. 3. 4. 1912, S. 2f.; Prop 9, 1911/12, S. 626f.

P 1383   Unterwegs. Ein Reisefragment – Berner Rs. 1, 1906/07, S. 246–250.

P 1384   [Adolf] Uzarski: Die spanische Reise. [Düsseldorf 1919.] Rez. – VV 1, 1919/20, S. 526f.

         V

P 1385   Vaduz – P 1133; **BB;** P 662; Ernte 41, 1960, S. 41–44.

P 1386   W[ilhelm] R[einhold] Valentiner: Zeiten der Kunst und der Religion. [Bln 1919]. Rez. – VV 1, 1919/20, S. 522f.

P 1387   Berthold Vallentin: Winckelmann. [Bln 1931.] Rez. – BW 17, 1932, S. 52.

P 1388   Variationen über ein Thema von Wilhelm Schäfer – Tgb 1, 1920, S. 945–948; SoblBasNachr 14, 1920, S. 193f.; SchwSp 21, 1927, S. 201f.; **BG.**

P 1389 Vater Daniel – Die Alpen (Bern) 6, 1911/12, S. 463–469; – u. d. T.: Daniel und das Kind: SoblBasNachr 16, 1922, S. 65 f.; Die Einkehr. Unterh.-Beil. d. Münchner N. Nachr. 6, 1925, S. 121 f.; – NZZ Nr. 3 v. 1. 1. 1936; Ernte 26, 1945, S. 43–48 u. d. T.: Das Kind; NatZ Nr. 581 v. 16. 12. 1951, Sobeil. u. d. T.: Eine thebaische Legende.

P 1390 Lieber Vater. Briefe berühmter Deutscher an ihre Väter. Hg. v. P[aul] Elbogen. [Bln 1932.] Rez. – BW 17, 1932, S. 51.

P 1391 Emile Verhaeren: Ausgewählte Gedichte. [Bln 1904.] Rez. – LitE 7, 1904/05, Sp. 156.

P 1392 Die Verhaftung – LiSch 1, 1910/11, Nr. 40; Ernte 2, 1921, S. 123–128 u. d. T.: Die Brinvilliers; Für unsere kleinen russ. Brüder. Genf: Hohes Kommissariat (1922), S. 154–160; **Fbb.**

P 1393 Der Verlag Eugen Diederichs – März 3, 1909, II, S. 318–320.

P 1394 Die Verlobung – u. d. T.: Eine Liebesgeschichte: März 2, 1908, III, S. 354–360, 454–459, IV, S. 45–51; SoblBasNachr 3, 1908, S. 167 f., 170–172; – E 135; Hausbuch schwäb. Erzähler. Hg. v. Otto Güntter. Stgt u. Marbach: Schwäb. Schillerverein 1911, S. 432–453; Hg 2. 8, S. 83–106; A 2; **KW**; **Gbs**; A 16; A 17; A 19.

P 1395 Die Vernachlässigten – Die Lebenden. Flugblätter (Bln) 3. Reihe 1930, Nr. 1/2.

P 1396 Verrat am Deutschtum. [Von Wilhelm Michel. Hannover 1922.] Rez. – VV 3, 1922/23, S. 62 f.

Versuch einer Rechtfertigung s. B 89

P 1397 G[eorg] S. Viereck u. P. Eldridge: Autobiographie des ewigen Juden. [Lpz 1928.] Rez. – BW 15, 1930, S. 108.

P 1398 Charles Vildrac: Das Inselparadies. Roman. [Weimar 1930.] Rez. – BW 16, 1931, S. 262.

P 1399 François Villon: Balladen. [Bln 1930.] Rez. – BW 15, 1930, S. 303.

P 1400 Virtuosen-Konzert – NZZ Nr. 1767 v. 15. 9. 1929; Zs. f. Musik (Regensburg) 97, 1930, S. 919–921; P 1047.

P 1401 Friedrich Theodor Vischer: Auch Einer. [Lpz 1919.] Rez. – VV 1, 1919/20, S. 527.

P 1402 Vivos voco [zus. mit Richard Woltereck] – VV 1, 1919/20, S. 1–3.

P 1403 Wir und die farbigen Völker. (Antwort auf eine Umfrage) – Ww Nr. 1355 v. 30. 10. 1959.

P 1404 Vogel. Ein Märchen – Corona 3, 1932/33, S. 529–548; Ernte 24, 1943, S. 163–177; **Tf.**

P 1405 Helene Voigt: Unterstrom. Gedichte. [Lpz 1901.] Rez. – Sobeil. d. Allg. Schweizer Ztg. (Basel) 6, 1901, S. 56.

P 1406 Wissenschaftliche Volksbücher – März 5, 1911, III, S. 456.

P 1407 Chinesische Volksmärchen. [Hg. v. Richard Wilhelm. Jena 1914.] Rez. – März 8, 1914, III, S. 218.

P 1408 Irische Volksmärchen. [Hg. v. Douglas Hyde. Bln 1920.] Rez. – VV 2, 1921/22, S. 277.

P 1409 Voltaires Erzählungen und Romane. [Hg. v. Ludwig Rubiner. Potsdam 1919.]
        Rez. – VV 2, 1921/22, S. 159f.; BW 7, 1921, S. 19.

P 1410 Voltaires Romane. [Bln o. J.] Rez. – VV 2, 1921/22, S. 483.

P 1411 Vorbemerkung – E 208a.

P 1412 Vorbereitungen – E 90.
        Vorfrühling s. Knulp 1
        Umbrischer Vorfrühlingstag s. Montefalco
        Verbummelter Vorfrühlingstag s. Verbummelter Tag

P 1413 Vorrede zu dieser Ausgabe – HLa.

P 1414 Vorrede eines Dichters zu seinen ausgewählten Werken – NZZ Nr. 1656 v. 20. 11.
        1921; Voss. Ztg. Nr. 195 v. 26. 4. 1922; VV 3, 1922/23, S. 220–223; BG.
        Vorrede zu einer lyrischen Anthologie s. Vorwort (zu: Lieder deutscher Dichter)

P 1415 Vorschläge zu einem Buchgeschenk. (Antwort auf eine Umfrage) – Ww Nr. 996
        v. 12. 12. 1952, S. 19.

P 1416 Vorstoß. Prosa der Ungedruckten. Hg. v. Max Tau u. Wolfgang von Einsiedel.
        [Bln 1930.] Rez. – BW 16, 1931, S. 86.

P 1417 Vorwort – Falterschönheit. Exot. Schmetterlinge in farb. Naturaufnahmen. Ein-
        führg. v. Adolf Portmann. Bern: Iris-Verl. (1935), S. 5–12. [Neudr.] 1951.

P 1418 Vorwort – Heinrich Leuthold: Der schwermütige Musikant. Ausgew. v. Carl
        Seelig. Wien: Tal 1922; [Neudr.] Zch: Oprecht & Helbing 1934.

P 1419 Vorwort – Eduard Mörike. Lpz: Hesse & Becker [1911], S. 3–13. (Hesses Volks-
        bücherei. 598. = Dt. Lyriker. 8.)

P 1420 Vorwort – Josef Mühlberger: Der Galgen im Weinberg. Erzählgn. (Mchn u. Eß-
        lingen): Bechtle (1960), S. 5.

P 1421 Vorwort – Detlef Michael Noack: Griechenland. Bln: Rembrandt-Verl. (1957),
        S. 6.

P 1422 Vorwort – Wilhelm Schussen: Der verliebte Emerit. Erzählg./Vinzenz Faulhaber.
        Ein Schelmenroman. Bln: Dt. Buch-Gemeinschaft (1927), S. 7–10.

P 1423 Vorwort – Jonathan Swift: Lemuel Gullivers Reisen in verschiedene ferne Länder
        der Welt. Lpz: List (1925); [Neudr.] Lpz: L. Joachim-Verl. [1925], S. 7–12;
        [Neudr.] Zch: Steinberg-Verl. (1945); [Neudr.] Zch: Manesse-Verl. (1955), S. 7
        bis 12. (Manesse-Bibliothek d. Weltlit.)

P 1424 Vorwort (zu: Briefe eines Frühvollendeten von Hugo Ball) – NRs 39, 1928, II,
        S. 679–687; Emmy Ball-Hennings: Hugo Ball. Sein Leben in Briefen u. Gedich-
        ten. Bln: S. Fischer (1930), S. 9–19; Hugo Ball: Briefe 1911–1927. Einsiedeln usw.:
        Benziger (1957), S. 7–13.

P 1425 Vorwort (zu: Eine Bibliothek der Weltliteratur) – E 25a.

P 1426 Vorwort (zu: Gedichte von Emanuel von Bodman) – März 5, 1911, I, S. 165.

P 1427 Vorwort (zu: Gedichte von Max Dauthendey) – März 5, 1911, II, S. 240.

P 1428 Vorwort (zu: Josef von Eichendorff: Gedichte und Novellen) – Hg 4.

P 1429 Vorwort (zu: Gedichte von Ludwig Finckh) – März 6, 1912, II, S. 348f.

P 1430 Vorwort (zu: Gedichte von Bruno Frank) – März 6, 1912, III, S. 381.

P 1431 Vorwort (zu: Gedichte von Franz Karl Ginzkey) – März 6, 1912, I, S. 147.

P 1432 Vorwort des Herausgebers – HL.
Vorwort (zu: Jean Paul: Der ewige Frühling) s. Über Jean Paul

P 1433 Vorwort (zu: Lieder deutscher Dichter) – WiLeb 7, 1913/14, Bd. XIV, S. 472–476
u. d. T.: Vorrede zu einer lyrischen Anthologie; Hg 18, S. 5–11.

P 1434 Vorwort (zu: Das Meisterbuch) – Hg 22, S. V–VII.

P 1435 Vorwort (zu: Gedichte von Christian Morgenstern) – März 6, 1912, II, S. 501.

P 1436 Vorwort (zu: Gedichte von Alfons Paquet) – März 4, 1910, II, S. 197.

P 1437 Vorwort (zu: Gedichte von Wilhelm von Scholz) – März 5, 1911, III, S. 190.
Vorwort (zu: Die heiligen Schriften des Alten und Neuen Bundes) s. Eine deutsche Bibel

P 1438 Vorwort (zu: Sinclairs Notizbuch) – SN.

P 1439 Vorwort (zu: Christian Wagner: Gedichte) – Hg 25, S. 5–8.

P 1440 Georg von der Vring: Der Wettlauf mit der Rose. Roman. [Stgt 1932.] Rez. –
BW 17, 1932, S. 190.

W

P 1441 Wilhelm Heinrich Wackenroder [u. Ludwig Tieck]: Herzensergießungen eines
kunstliebenden Klosterbruders. [Lpz 1921.] Rez. – VV 2, 1921/22, S. 482.

P 1442 Wärisbühel – LiSch 1, 1910/11, Nr. 6; SoblBasNachr 9, 1914, S. 45–47; Von
schwäb. Scholle (Heilbronn) Jg. 1917, S. 73–78; BernWo 7, 1917, S. 343f., 354f.,
367f.; Ernte 3, 1922, S. 81–90.

P 1443 K[arl] H[einrich] Waggerl: Schweres Blut. Roman. [Lpz 1931.] Rez. – BW 17,
1932, S. 16f.

P 1444 Albert Malte Wagner: Lessing. Das Erwachen des deutschen Geistes. [Lpz 1931.]
Rez. – BW 16, 1931, S. 148f.

P 1445 Christian Wagner – März 6, 1912, III, S. 320.

P 1446 Christian Wagner: Gesammelte Dichtungen. [Stgt 1918.] Rez. – NZZ Nr. 64 v.
14. 1. 1919.

P 1447 An Christian Wagner. Zu seinem 80. Geburtstag – u. d. T.: Ein Achtzigjähriger:
NZZ Nr. 1009 v. 5. 8. 1915; BG [nur 1. Ausg.]; Morgenrot. Jahresgabe uns. Dichter. Hg. v. Otto Lautenschlager. Stgt: K. Mayer (1947), S. 9–13; Gbs; – GBa.

P 1448 Bei Christian Wagners Tod – SchwSp 11, 1917/18, S. 93; DIZ Nr. 75 v. 24. 3. 1918,
S. 15f. u. d. T.: Der Bauerndichter Christian Wagner; BG [nur 1. Ausg.]; Gbs;
GBa.

P 1449 Wahlheimat. Dank an den Tessin – NZZ Nr. 764 v. 20. 4. 1930.

P 1450   Friedrich Wilhelm Waiblinger: Phaeton. [Dresden 1920.] Rez. – VV 2, 1921/22, S. 420.

P 1451   E[mil] Waldmann: Albrecht Dürers Handzeichnungen. [Lpz 1918.] Rez. – BW 5, 1916/20, S. 96.

P 1452   Der Waldmensch – Simpl 22, 1917/18, S. 42f., 48 u. d. T.: Kubu; NZZ Nr. 673, 678 v. 22. u. 23. 5. 1922; **Fbb**.

P 1453   Waldnacht – Simpl 17, 1912/13, S. 391f.; **AI**; **BB**.

P 1454   Gustav Waldt: Laurin. Epische Dichtung. [Gettenbach 1934.] Rez. – NZZ Nr. 2025 v. 11. 11. 1934.

P 1455   Waldzell – Corona 8, 1938, S. 341–370; E 90.

P 1456   Robert Walser – SoblBasNachr 4, 1909, S. 141f.

P 1457   Robert Walsers «Gehülfe» in neuer Ausgabe. [Zch 1936.] Rez. – NZZ Nr. 1361 v. 9. 8. 1936.

P 1458   [Karl] Walsers «Theater». [Bln 1912.] Rez. – März 7, 1913, I, S. 122f.

P 1459   Auf der Walze. Aus den Aufzeichnungen eines wandernden Sattlergesellen – Rhlde 7, 1907, Bd. 14, S. 182f.; SoblBasNachr 7, 1912, S. 73; **BB**.

P 1460   Ein Wandertag vor hundert Jahren – u. d. T.: Ein Wandertag. Idylle: März 4, 1910, III, S. 201–211, 289–298; Bodenseeb 4, 1917, S. 30–41; E 89; BernWo 10, 1920, S. 585–588, 601–604, 613–615, 625f.; Wandervogelgeschichten. Heilbronn: Salzer 1922, S. 5–35; – Ernte 15, 1934, S. 21–39; **Fbb**; **Gbs**.
         Wanderung im Weinmond s. Herbst

P 1461   Was sollen wir lesen? [Joh. Wolfg. v. Goethe: Briefe an Charlotte von Stein. Jena 1908.] Rez. – Prop 6, 1908/09, S. 319.

P 1462   Was sollen wir lesen? [Joh. Jakob Christoph von Grimmelshausen: Der abenteuerliche Simplizissimus. Lpz 1908.] Rez. – Prop 6, 1908/09, S. 255.

P 1463   Was sollen wir lesen? [Johannes Jegerlehner: Sagen u. Märchen aus dem Oberwallis. Basel 1913.] Rez. – Prop 11, 1913/14, S. 110f.

P 1464   Was sollen wir lesen? [Lawrence Sterne: Yoricks empfindsame Reise... Bln 1910.] Rez. – Prop 7, 1909/10, S. 814; SchwSp 4, 1910/11, S. 8.

P 1465   Wasmuths Kunsthefte – VV 1, 1919/20, S. 522.

P 1466   Wassermärchen – **AI**; **BB**.
         Wassermann und Madonna s. Spaziergang in Würzburg

P 1467   Antoine Watteau [: Des Meisters Werke. Hg. v. E. H. Zimmermann. Stgt 1912.] Rez. – März 6, 1912, III, S. 280.

P 1468   Leopold Weber: Asgard. Die Götterwelt unserer Ahnen. [Stgt 1920.] Rez. – VV 2, 1921/22, S. 277.

P 1469   Leopold Weber: Die Götter der Edda. [Mchn 1919.] Rez. – VV 2, 1921/22, S. 545.

P 1470   Der kleine Weg – Simpl 26, 1921/22, S. 142 u. d. T.: Ein Weg im Tessin; PHelv 3, 1921, Nr. 4, S. 196f. + ebd. Sommernummer 1924, S. 52; **BB**; NatZ Nr. 31 v.

20. 1. 1952, Sobeil. u. d. T.: Aus einem Skizzenbuch vom Jahr 1919.

Der Weg zur Kunst s. Der Dichter

P 1471 Der Weg der Liebe – VV 1, 1919/20, S. 619–622; SN; BG; KF.

P 1472 Der schwere Weg – NRs 28, 1917, S. 542–546; Schweiz 22, 1918, S. 61–65; Mä; Basilisk 8, 1927, Nr. 51; Märchen dt. Dichter d. Gegenwart. Hg. v. Hanns Arens. Eßlingen: Bechtle (1951), S. 20–25.

Ein Weg im Tessin s. Der kleine Weg

Andere Wege zum Frieden s. B 9

P 1473 Weihnacht – NZZ Nr. 2425 v. 25. 12. 1917; BG; KF.

Nach der Weihnacht s. Nachweihnacht

P 1474 Weihnacht mit zwei Kindergeschichten – NZZ Nr. 33 v. 6. 1. 1951; E 201; SpP; Ernte 36, 1955, S. 26–32 u. d. T.: Ein Weihnachtsabend. – Enth. P 187.

P 1475 Zu Weihnachten – DIZ Nr. 65/66 v. 16. 12. 1917, S. 1.

P 1476 Etwas für Weihnachten – März 6, 1912, IV, S. 439f.

P 1477 Etwas für Weihnachten. [Rembrandt: Sämtliche Radierungen. Mchn 1914.] Rez. – März 8, 1914, IV, S. 236.

Ein Weihnachtsabend s. Weihnacht mit zwei Kindergeschichten

P 1478 Weihnachtsgaben. Ein Rückblick – NZZ Nr. 209 v. 24. 1. 1956; E 202.

P 1479 Alter Wein in neuen Schläuchen – Prop 5, 1907/08, S. 132–134.

Weinmond s. Herbst

P 1480 Weinstudien – Stuttgarter Morgenpost Nr. 259 v. 3. 11. 1905, S. 2f.; SoblBasNachr 4, 1909, S. 146f. u. d. T.: Aus der schlimmen Jugendzeit; ZtBild 11, 1913, S. 674f. u. d. T.: Aus der Jugendzeit.

P 1481 Indische Weisheit. [Paul Eberhardt: Der Weisheit letzter Schluß. Jena 1912.] Rez. – NZZ Nr. 1798 v. 18. 12. 1912.

P 1482 Weisheit des Ostens. [Lao-Tse: Buch vom höchsten Wesen und vom höchsten Gut. Tüb 1910.] Rez. – Prop 8, 1910/11, S. 533.

P 1483 Ernst Weiß: Nahar. Roman. [Bln 1930.] Rez. – BW 15, 1930, S. 303.

P 1484 Maria Luise Weißmann: Gesammelte Dichtungen. [Pasing b. Mchn 1932.] Rez. – BW 18, 1933, S. 65.

P 1485 Aus der Welt der Bücher – Schweizerland (Chur) 1, 1914/15, S. 478–480.

P 1486 Aus der Welt der Bücher – Schweizerland (Chur) 1, 1914/15, S. 597–599.

P 1487 Aus der Welt der Bücher – Schweizerland (Chur) 2, 1915/16, S. 52–55.

P 1488 Aus der Welt der Bücher – Schweizerland (Chur) 2, 1915/16, S. 225–227.

P 1489 Aus der Welt der Bücher – Schweizerland (Chur) 2, 1915/16, S. 346–348.

P 1490 Weltgeschichte – NZZ Nr. 1527 v. 21. 11. 1918; SN; BG; KF.

P 1491 Albert Welti – März 6, 1912, II, S. 475f.

P 1492 Albert Welti – Albert Welti: Gemälde u. Radierungen. Bln: Furche-Verl. [1917], S. 3–11. (Liebesgaben dt. Hochschüler. 7. Kunstgabe.) 21.–25. Tsd. 1925; Heißt ein Haus zum Schweizerdegen. Hg. v. Emanuel Stickelberger. Olten: Walter 1939. Bd. 2, S. 47–50 u. d. T.: Der Maler Albert Welti. – Enth. P 1493.

P 1493 Über Albert Welti – Schweiz 20, 1916, S. 633–636; P 1492.

P 1494 Welti-Publikationen – März 6, 1912, IV, S. 527f.

P 1495 Weltkrise und Bücher. Antwort auf eine Umfrage – Prager Presse v. 28. 3. 1937, S. 7 u. d. T.: Das Buch und die geistige Krise; KF; BGa.

P 1496 Weltliteratur der Gegenwart. Hg. v. Wilhelm Schuster und Max Wieser. [Bln 1931.] Rez. – Lesez 19, 1931/32, S. 164.

P 1497 Der Weltverbesserer – März 5, 1911, II, S. 70–80, 120–129, 169–176, 202–213; E 192; KW; A 17.

P 1498 Hermann Wendel: Französische Menschen. [Bln 1932.] Rez. – BW 17, 1932, S. 52.

P 1499 Lisa Wenger: Amoralische Fabeln. [Jena 1920.] Rez. – VV 2, 1921/22, S. 110.

P 1500 Wenkenhof – Jugend (Mchn) Jg. 1905, S. 47, 49 u. d. T.: Eine Nacht auf Wenken-hof; Rhlde 13, 1913, S. 469f. u. d. T.: Das Landgut; NatZ Nr. 495 v. 27. 10. 1957, Sobeil.; E 203.

P 1501 Franz Werfel: Der Gerichtstag. [Mchn 1919.] Rez. – VV 1, 1919/20, S. 204f.

P 1502 D[eutscher] W[erk-] B[und] – März 6, 1912, III, S. 199f.

P 1503 Schweizerischer Werkbundkalender 1918. [Zch 1918.] Rez. – DIZ 1918, H. 69/70, Beil. «Aus Büchern u. Zeitschriften».

P 1504 Aus der Werkstatt – Rhlde 9, 1909, S. 94–96; SoblBasNachr 6, 1911, S. 105f.; NatZ Nr. 551 v. 27. 11. 1949, Sobeil.; Ernte 39, 1958, S. 57–63 u. d. T.: Eine Schlossergeschichte.

P 1505 Aus der Werkstatt des Schriftstellers. (Antwort auf eine Umfrage) – Die Kultur (Mchn) 7, 1958/59, Nr. 128, S. 7.

P 1506 Die kulturellen Werte des Theaters. (Antwort auf eine Umfrage) – Nord u. Süd (Bln) 32, 1908, Bd. 125, S. 73; E 204.

P 1507 Albert Wesselski: Die Schwänke und Schnurren des Pfarrers Arlotto. [Weimar 1910.] Rez. – Prop 8, 1910/11, S. 349.

P 1508 Paul Westheim: Die Welt als Vorstellung. [Potsdam 1919.] Rez. – VV 1, 1919/20, S. 397.

P 1509 Johann Carl Wezel: Herrmann und Ulrike. Roman. [Mchn 1921.] Rez. – VV 2, 1921/22, S. 481.

P 1510 Widmung – E 23.

P 1511 Wie wir einst so glücklich waren. [Von Wilhelm Speyer. Mchn 1909.] Rez. – NZZ Nr. 166 v. 17. 6. 1909, 1. Mbl.

P 1512 Zum Wiederaufbau des Goethehauses – Die Brücke (Paris: Weltbund CVJM) H. 19, Nov. 1947, S. 15; Einweih. des Goethehauses. Ansprachen. Ffm 1951: J. Weisbecker, S. 7.

P 1513 Wiederbegegnung mit zwei Jugendgedichten – WMtsh 97, 1956, H. 9, S. 27f.; E 205. – Enth. G 721, 133.

Wiedersehen in Maloja s. Rundbrief aus Sils-Maria. Tdr.

Wiedersehen mit Nina s. Besuch bei Nina

P 1514 Paul Wiegler: Geschichte der deutschen Literatur. [Bln 1930.] Rez. – BW 15, 1930, S. 303.

P 1515 Über Wieland – Festschr. zum 200. Geburtstag d. Dichters Christoph Martin Wieland. Biberach/Riß 1933: (Dorn), S. 116; NZZ Nr. 1572 v. 1. 9. 1933.

P 1516 [Richard Wilhelm †] – BW 15, 1930, S. 109.

P 1517 Richard Wilhelm: Der Mensch und das Sein. [Jena 1931.] Rez. – BW 17, 1932, S. 146f.

P 1518 Richard Wilhelms letztes Werk. [Li-Gi, das Buch der Sitte. Verdeutscht. Jena 1930.] Rez. – BW 15, 1930, S. 302.

Wind und Woge s. Keltische Poesie

P 1519 Ludwig Winder: Steffi. Roman. [Mährisch-Ostrau 1935.] Rez. – NZZ Nr. 1200 v. 9. 7. 1935.

Zwischen Winter und Frühling s. Vor einer Sennhütte im Berner Oberland

P 1520 Zwischen Winter und Frühling. Ein Brief – Rhlde 12, 1912, S. 101f.; SoblBas-Nachr 8, 1913, S. 25f. u. d. T.: Winterbrief; SchwSp 7, 1913/14, S. 171f. u. d. T.: Bergwanderungen.

P 1521 Winterbrief aus dem Süden – Tgb 1, 1920, S. 224–226; **BB**.

Winterferien s. Am Gotthard

P 1522 Ein Wintergang – u. d. T.: Winterglanz: Rhlde 8, 1908, Bd. 15, S. 24f.; Prop 6, 1908/09, S. 307f.; SoblBasNachr 6, 1911, S. 5; – PHelv 1, 1919, Nr. 11, S. 328 bis 330; **AWa**; **BBb**.

P 1523 Friderike Maria Winternitz: Vögelchen. Roman. [Bln 1919.] Rez. – VV 1, 1919/20, S. 203.

P 1524 Wintertage in Graubünden – Prop 7, 1909/10, S. 202f.

P 1525 Aus Winterthur – VV 1, 1919/20, S. 399f.

P 1526 Philipp Witkop: Heinrich von Kleist. [Lpz 1922.] Rez. – WiLeb 15, 1921/22, S. 403f.

P 1527 Wohnhausneubau. [Heinrich Tessenow: Der Wohnhausbau. Mchn 1909.] Rez. – März 3, 1909, IV, S. 309f.

P 1528 Der Wolf – März 1, 1907, IV, S. 493–496; **AW**; E 129; Tiere in Not. Drei Tiergeschichten. Bern: Haupt [1949], S. 5–8. (Schweizer Realbogen. 100.); A 22; **BBb**.

P 1529 Thomas Wolfe: Schau heimwärts, Engel! [Bln 1932.] Rez. – NZZ Nr. 640 v. 9. 4. 1933.

Eine Wolke s. Drei Zeichnungen 2

P 1530 Wolken – SchwSp 1, 1907/08, S. 257f.

P 1531 A. L. Wolynski: Das Reich der Karamasow. [Mchn 1920.] Rez. – VV 1, 1919/20, S. 521.

P 1532   [Wilhelm] Worringers «Formprobleme der Gotik». [Mchn 1911.] Rez. – Schweizerland (Chur) 1, 1914/15, S. 295.

P 1533   Das Wort – Du. Schweiz. Mtsschr. (Zch) 20, 1960, H. 1, S. 53; E 206.
Ein Wort über den Antisemitismus s. Über den Judenhaß

P 1534   Über das Wort «Brot» – SchwMtsh 39, 1959/60, S. 314–316; NatZ Nr. 222 v.
15. 5. 1960, Sobeil.

P 1535   Das gestrichene Wort – NZZ Nr. 810 v. 17. 4. 1948; E 210.
Ein Wort über Hölderlin s. Über Hölderlin

P 1536   Ein Wort über Heinrich Leuthold – KlBd 4, 1923, S. 205–207; – u. d. T.: Über
einen vergessenen Dichter: Frankf. Ztg. Nr. 332 v. 4. 5. 1924; Voss. Ztg. Nr. 184
v. 9. 8. 1927, Unterh.-Bl.; Bodenseeb 31, 1944, S. 92f.; – Prop 24, 1926/27,
S. 354f.; Ernte 8, 1927, S. 156–160.

P 1537   Das erste Wort der Liebe. Bekenntnisse. Hg .v. Lotte Borkowski. [Dresden 1932.]
Rez. – BW 17, 1932, S. 186f.

P 1538   Worte zum Bankett anläßlich der Nobelfeier – NZZ Nr. 2277 v. 10. 12. 1946;
KFa; BGa.

P 1539   Worte des Rama Krishna. Hg. v. Emma von Pelet. [Erlenbach-Zch 1930.] Rez. –
Lesez 18, 1930/31, S. 90.

P 1540   Worte beim Tod eines nahen Freundes – NZZ Nr. 262 v. 30. 1. 1955.
Einst in Würzburg s. Spaziergang in Würzburg

P 1541   Anton Wurzer: Zwischen Steinen und Sternen. Gedichte. [Weimar o. J.] Rez. –
BW 17, 1932, S. 205f.

Y

P 1542   Yorick redivivus. [Lawrence Sterne: Yoricks empfindsame Reise... Mchn 1910.]
Rez. – NZZ Nr. 99 v. 11. 4. 1910, 4. Mbl.
Yüan-wus Niederschrift von der smaragdenen Felswand s. B 116

Z

P 1543   Ernst Zahn: Die Clari-Marie. Roman. [Stgt 1905.] Rez. – LitE 7, 1904/05, Sp.
520f.

P 1544   Zarathustras Wiederkehr [Selbstanzeige] – BW 5, 1916/20, S. 258.

P 1545   Zarathustras Wiederkehr. Ein Wort an die deutsche Jugend – Schweizerland
(Chur) 5, 1918/19, S. 225–227: Tdr. u. d. T.: Zarathustra an die deutsche Jugend
[anonym]; Freidt. Jugend (Hambg.) 5, 1919, S. 147–153: Tdr. [anonym]; E 207
[1. Aufl. anonym]; Simpl 24, 1919/20, S. 18: Tdr. u. d. T.: Das Vaterland und die
Feinde; KF; BGa.

P 1546   Zu «Zarathustras Wiederkehr» [Preisgabe der Autorschaft] – VV 1, 1919/20,
S. 72f.
Beim Zeichnen im Wald s. Nachbar Mario

P 1547 Ein schwäbischer Zeichner [Hermann Zerweck] – SchwSp 2, 1908/09, S. 333f.; Prop 6, 1908/09, S. 673.

P 1548 Drei Zeichnungen (1. Apollo. Ein Wandertag am Vierwaldstätter See; 2. Eine Wolke; 3. Abendfarben) – SchwSp 2, 1908/09, S. 13f.; SoblBasNachr 5, 1910, S. 141f.; **BB**. 2. Jugend (Mchn) Jg. 1911, S. 1334; **KG**; KlBd 5, 1924, S. 323. 3. Deutschland. Mtsschr. (Bln) Jg. 1905, H. 31, S. 45–47; SchwSp 3, 1909/10, S. 404f.

P 1549 Zeichnungen von [Emil] Orlik. [Lpz 1914.] Rez. – März 8, 1914, III, S. 388.

P 1550 Von der alten Zeit – SchwSp 1, 1907/08, S. 9f.; SoblBasNachr 4, 1909, S. 205; Prop 9, 1911/12, S. 449f.; SbKriegsgef 2, 1917, H. 15, S. 12–15.

P 1551 Was ich in letzter Zeit gelesen habe – Weltstimmen (Stgt) 3, 1929, H. 6, Beil. Skizzenbuch.

P 1552 Was ich in letzter Zeit gelesen habe – Weltstimmen (Stgt) 3, 1929, H. 12, Beil. Skizzenbuch.

P 1553 Der kluge Zeitgenosse. Hg. v. Rudolf K. Goldschmit. [Freiburg i. Br. 1930.] Rez. – BW 16, 1931, S. 262.

P 1554 Eine deutsche Zeitschrift [Die weißen Blätter] – NZZ Nr. 195 v. 18. 2. 1915.

P 1555 Das hohe Ziel der Erkenntnis. [Von Omar al Raschid Bey. Mchn 1912.] Rez. – Prop 9, 1911/12, S. 806.

P 1556 Heinrich Zimmer: Anbetung mir. Indische Offenbarungsworte. [Mchn 1929.] Rez. – BW 16, 1931, S. 54.

P 1557 Die Zuflucht – Marsyas (Bln) 1, 1917/19, H. 3, S. 268–270; VKMtsh 35, 1920/21, I, S. 513–515; O mein Heimatland (Bern) 10, 1922, S. 71–73; SN; Prop 23, 1925/26, S. 185f.; SchwSp 20, 1926, S. 73f.; **BG**.

P 1558 Stefan Zweig: Marceline Desbordes-Valmore. Das Lebensbild einer Dichterin. [Lpz 1920.] Rez. – VV 2, 1921/22, S. 543.

P 1559 Stefan Zweig: Die Liebe der Erika Ewald. Novellen. [Bln 1904.] Rez. – LitE 7, 1904/05, Sp. 291f.

P 1560 Stefan Zweig: Drei Meister. Essays. [Lpz 1920.] Rez. – VV 1, 1919/20, S. 817.

P 1561 Stefan Zweig: Romain Rolland. [Ffm 1921.] Rez. – WiLeb 14, 1920/21, S. 740.

P 1562 Die vier Zweige des Mabinogi. [Lpz 1914.] Rez. – NZZ Nr. 1690 v. 20. 12. 1914.

P 1563 Der Zwerg – Rhlde 4, 1903/04, Bd. 7, S. 180–184, 200–206 u. d. T.: Donna Margherita und der Zwerg Filippo; ZtBild 11, 1913, S. 1485–1488 u. d. T.: Eine alte Geschichte aus Venedig; Schweizerland (Chur) 3, 1916/17, S. 41–52; E 89; Weltstimmen (Stgt) 5, 1931, S. 1–8, 53–57 u. d. T.: Venezianische Geschichte; Ernte 14, 1933, S. 72–90; **Fbb**; A 9.

P 1564 Der Zyklon – NRs 24, 1913, S. 969–981; O mein Heimatland (Bern) 4, 1915/16, S. 37–47; E 103; A 3; E 45a; **Gbs**.

LYRIK

A

Abend (Aus dem Wasser blickt die Nacht)

Abend (Der Tag ist aus. In einem langen Zug)

Abend (Nun der Tag mich müd gemacht)

Abend (Um die stille Abendzeit)

Abend im April (Blau und Pfirsichblüte)

Abend mit Doktor Ling (Das Leben ist darum so beschissen)

Einsamer Abend (In der leeren Flasche und im Glas)

Abend im Februar (Bläulich dämmert am Hügel hinab zum See)

Nach dem Abend im Hirschen (Wir schliefen alle, leicht betrunken, in der Bar)

Abend am Kamin (Im Kamin krümmt sich in Schmerzen das brennende Scheit)

Mißglückter Abend (Sie hatten mich zu Abend eingeladen)

Müder Abend (Abendwindes Lallen)

Abend an der Piazzetta in Venedig (Wie wenn auf grünem Teppich leise rollt)

Abend auf dem Roten Meer (Von brennenden Wüsten her)

Schlimmer Abend (Jetzt sind sie im Odeon, fragen nach mir)

Dunkler Abend auf der Wanderung (Wenn auch der Abend kalt und traurig ist)

Abendgespräch (Was blickst du träumend ins verwölkte Land?)

G 1   Feierliche Abendmusik (1. Allegro; 2. Andante; 3. Adagio) – SchwSp 7, 1913/14, S. 266; **MdE**; **St**. 1. Simpl 16, 1911/12, S. 854. 2. Simpl 17, 1912/13, S. 63 u. d. T.: Unterwegs. 3. Die Alpen (Bern) 6, 1911/12, S. 709.

G 2   Abends gehn die Liebespaare (Abends) – Wieland 5, 1919/20, H. 8, S. 19; Hg 1, S. 100; **Wa**; **AG**; WiLeb 15, 1921/22, S. 913; **TN**; **BL**; **BZ**; **St**.

G 3   Abends muß ich auf der Brücke stehen (Abends auf der Brücke) – ÜbLdM 47, 1905, Bd. 93, S. 273; **JGa**; **BZ**.

G 4   Abendwindes Lallen (Müder Abend) – NZZ Nr. 2804 v. 22. 8. 1960; **St**.

Abendwolken (Was so ein Dichter sinnt und treibt)

Der Abenteurer (Mein Herz ist müd, mein Herz ist schwer)

G 5   Abgelaufen ist mein Heimatschein (Auf einem Polizeibüro) – Simpl 24, 1919/20. S. 118; Tgb 11, 1930, S. 945 u. d. T.: Polizei-Bureau.

Abschied (Drunten pfeift ein Zug durchs grüne Land)

Abschied (Gleichtönig, leis und klagend rinnt)

Abschied (Verblühte Malven stehen)

Bei einem Abschied (O Abschiednehmen für ungewisse Zeit)

Abschied vom Urwald (Auf meiner Kiste sitz ich am Strand)

Abschiednehmen (O Abschiednehmen für ungewisse Zeit)

Absterben (Wenn ich Kinder spielen sehe)

Adagio s. Feierliche Abendmusik 3

G 6   Äcker tragen Korn und kosten Geld (Malerfreude) – Simpl 23, 1918/19, S. 26; VV 1, 1919/20, S. 312 u. d. T.: Der Maler; **Wa**; **GdM**; **JZ**; L 1584.

Ähren (Weites, goldenes Ährenmeer)

Ähren im Sturm (O wie der Sturm so dunkel braust!)

Älterwerden (Sterne der Jugend, wohin)

Beim Älterwerden (Jung sein und Gutes tun ist leicht)

Gegenüber von Afrika (Heimathaben ist gut)

Ahnungen (Manchmal tut mir leid, daß ich dies Leben)

G 7   All der Tand, den Jugend schätzt (Altwerden) – Simpl 24, 1919/20, S. 232; Schweiz 25, 1921, S. 61 u. d. T.: Altersweisheit; Prop 31, 1933/34, S. 277 u. d. T.: Wenn man alt wird; **GG**.

G 8   Alle Bücher dieser Welt (Bücher) – VKMtsh 33, 1918/19, I, S. 498; O mein Heimatland (Bern) 8, 1920, S. 88; BernWo 13, 1923, S. 440; TN; A 25; St.

G 9   Alle meine Jugendzeit (Beides gilt mir einerlei) – Der Greif (Stgt) 1, 1913/14, II, S. 457 u. d. T.: Wandlung; **MdE**; **AG**; **BL**.

G 10   Alle Tode bin ich schon gestorben (Alle Tode) – u. d. T.: O zitternd gespannter Bogen: Der schwäb. Bund (Stgt) 1, 1919/20, II, S. 169; KlBd 2, 1921, S. 365; – WiLeb 15, 1921/22, S. 1005f.; SchwSp 22, 1928, S. 354 u. d. T.: Kreislauf der Geburten; Prop 26, 1928/29, S. 1 u. d. T.: Kreislauf; **TN**; **BL**; **BZ**; **vJ**; **TB**; **St**.

Allegro s. Feierliche Abendmusik 1

Allein (Es führen über die Erde)

G 11   Aller Friede senkt sich nieder – P 889.

G 12   Alles ist mir ganz willkommen (Zu Johannes dem Täufer / Sprach Hermann der Säufer) – **Kr**.

G 13   Alles läßt mich im Stich (Mit diesen Händen) – Simpl 32, 1927/28, S. 318 u. d. T.: Wüstlings Ende; **Kr**.

G 14   Alles will sich nun verhüllen und entfärben (November) – PHelv 3, 1921, Nr. 11, S. 475; Basilisk 9, 1928, Nr. 47 u. d. T.: Spätherbst; **TN**.

Über die Alpen (Das ist ein Wandern, wenn der Schnee)

Alpenpaß (Durch viele Täler wandernd kam ich her)

G 15   Als ich das erste Weib genoß (O wilde Nächte!) – **JG** [nur 1. Aufl.].

G 16   Als ich ein Knabe war, in Weihnachtszeiten (Weihnacht des Alten) – PHelv 9, 1927, Winterh. S. 101; – u. d. T.: Weihnacht des alten Mannes: SchwSp 25, 1931, S. 405; SoblBasNachr 28, 1934, S. 212; – **GG**.

G 17   Alt geworden bist du, grünes Jahr (Erster Schnee) – Simpl 24, 1919/20, S. 554 u. d. T.: Das Jahr geht zu Ende; – u. d. T.: Jahres Ende: SoblBasNachr 16, 1922, S. 169; EckBll 7, 1931, S. 33; SchwSp 25, 1931, S. 412; – Ikarus (Bln) 3, 1927, Nr. 12, S. 19 u. d. T.: Am Ende des Jahres; Bodenseeb 19, 1932, S. 58 u. d. T.: Winter; **NG**.

Altern (So ist das Altern: was einst Freude war)

Altersweisheit (All der Tand, den Jugend schätzt)

G 18   Altes bröckelndes Gemäuer (Alter Park) – **GdS1933**.

G 19   Altmodisch steht mit schmächtigen Pilastern (Zu spät) – **RL**; WMtsh 57, 1912/13, Bd. 113, S. 392.

Altwerden (All der Tand, den Jugend schätzt)

Altwerden (Von der Wand schilfert Kalk herunter)

Im Altwerden (Jung sein und Gutes tun ist leicht)

G 20   Am Abhang hinterm Hause hab ich heute (Tagebuchblatt) – NatZ Nr. 218 v. 14. 5. 1939, Sobeil.; NRs 50, 1939, II, S. 177; **ZehnG**; Bodenseeb 28, 1941, S. 5.

G 21   Am Berge steht mein neues Haus (Mein neues Haus) – ÜbLdM 51, 1909, Bd. 101, S. 508.

G 22   Am dunklen Fenster stand ich lang (Weihnachtsabend) – VKMtsh 17, 1902/03, I, S. 483; Prop 4, 1906/07, S. 198; Neckar-Ztg. Beil. Heilbronner Unterhaltungsbl. Nr. 152 v. 24. 12. 1907, S. 606; SchwSp 2, 1908/09, S. 92f.; Junge Menschen (Hambg.) 1, 1920, S. 268.

G 23   Am Hang die Heidekräuter blühn (Rückgedenken) – **GdS1933**; FG u. d. T.: Rückgedenken im Spätsommer; Simpl 39, 1934/35, S. 302 u. d. T.: Rückgedenken im Frühherbst; Bodenseeb 22, 1935, S. 51 u. d. T.: Rückgedenken im Hochsommer; Das 49. Jahr. Almanach. Bln: S. Fischer 1935, S. 30f.; **JL**; **BZ**; **St.**

G 24   Am hohen Hang zur Fahrt bereit (Ski-Rast) – Simpl 17, 1912/13, S. 696; **MdE**; **JL**; **St.**

G 25   Am nächsten ist mein Herz bei denen (Die Traurigen) – SbKriegsgef 3, 1918, H. 10, S. 8.

Am Sarge reiben sich die nassen Seile s. Nach einem Begräbnis 1

G 26   Am Waldrand tränen die Knospen (Frühling) – Wieland 1, 1915/16, H. 5, S. 2 u. d. T.: Frühling 1915; **ZG**; **vJ.**

Und unser ist das Amt (Im Anfang herrschten jene frommen Fürsten)

G 27   An dem Gedanken bin ich oft erwacht (In der Nacht) – **JG**; **St.**

G 28   An dem grün beflognen Hang (März) – PHelv 3, 1921, Nr. 3, S. 101; Simpl 28, 1923/24, S. 48 u. d. T.: April; Ikarus (Bln) 4, 1928, Nr. 3, S. 12; **JZ**; Ernte 13, 1932, S. 192; **JL**; **GG**; **St.**

G 29   An den Platanenstämmen spielt noch Licht (Sommerabend vor einem Tessiner Waldkeller) – NZZ Nr. 1865 v. 28. 9. 1930; **GdS1929**; Württemberg (Stgt) 5, 1933, S. 510; **vJ**; **St.**

G 30   An der letzten Grenze des Bewußtseins (Schlaflosigkeit) – NRs 19, 1908, S. 1834f.; Uw [nur 1. Aufl.]; **MdE**; **AG**; **vJ.**

An meine Schulter lehne s. Meiner Liebe 1

G 31   An Tagen, wo ich meine Finger biegen kann (Gicht) – **VK**; **St.**

Andacht (Was Menschen wollen)

Andante s. Feierliche Abendmusik 2

G 32   Andre gibt es, die schlafen, essen, verdauen (Kranker Künstler) – NZZ Nr. 1941 v. 24. 10. 1928; Tgb 9, 1928, S. 1854; **TN.**

Angst (Verglimmende Fackelbrände)

Angst in der Nacht (Die Uhr spricht ängstlich mit dem Spinnweb an der Wand)

Ankunft in Ceylon (Hohe Palmen am Strand)

Ankunft in Cremona (Der Regen singt, die Ebene liegt voll Nacht)

Ankunft im Süden (Kühler Gassen enge Schattenkluft)

Ankunft in Venedig (Du lautlos dunkler Kanal)

G 33   Anmutig, geistig, arabeskenzart (Doch heimlich dürsten wir) – **GJK**; **St.**

Antwort (Du hast ja recht! Und bald wird Hochzeit sein)

April (An dem grün beflognen Hang)

April (O wie sind heute die Berge schön)

Bei Arcegno (Hier ist mir jeder Wegesrank vertraut)

Im malayischen Archipel (In allen Nächten steht die Heimat nah)

Der Aretiner (Hast du vom Aretiner nie gelesen)

G 34   Arme Schwestern, liebe Schmerzen (Liebe Schmerzen) – u. d. T.: Die Schmerzen:
VKMtsh 41, 1926/27, II, S. 528; KlBd 9, 1928, S. 257; – **TN**.

Aschermittwoch-Morgen (O noch niemals schlief ich so gut)

Assistono diversi santi (Nicht andres haben wir zu tun)

G 35   Auch die Blumen leiden den Tod (Auch die Blumen) – Simpl 21, 1916/17, S. 229;
Die Horen (Bln) 4, 1927/28, S. 199; RecUn 46, 1929/30, S. 1027; Bodenseeb 18,
1931, S. 7; SchwSp 28, 1934, S. 378; **GG**.

G 36   Auch in diesen dunklern Stunden (An die Freunde in schwerer Zeit) – Daheim 53,
1916/17, H. 7, S. 11; SchwSp 12, 1918/19, S. 14; **TN**; **BL**; **TB**; **St.**

G 37   Auch zu mir kommst du einmal (Bruder Tod) – Simpl 23, 1918/19, S. 646; **Wa**
u. d. T.: Der Wanderer an den Tod; **AG**; **TN**; **BL**; **BZ**; L 765, S. 88 [Faksim.];
St.

G 38   Auf Dach und Simsen überall (Regennacht) – VKMtsh 18, 1903/04, II, S. 449;
Uw; Schweiz 17, 1913, S. 217; **BZ**.

G 39   Auf dem stillen Flusse sind wir am Abend gefahren (An eine chinesische Sängerin) – Simpl 18, 1913/14, S. 59 u. d. T.: An die Sängerin Ying-Yang; **MdE**;
P 146; **St.**

G 40   Auf dem Tisch ein kleiner Strauß (Levkoyen und Reseden) – **RL**.

G 41   Auf der Gefühle Zauberflöte (Gruß an Conrad Haußmann) – StgtZtg Nr. 147
v. 29. 6. 1957, Beil. BrzW [Faksim.].

G 42   Auf der Straße und in allen Fabriken (Die Maschinenschlacht) – Simpl 31,
1926/27, S. 265; **TN**; **TB**.

G 43   Auf einer Reise, heiß und matt (Bahnhofstück) – **RL**.

G 44   Auf fernen Schwingen fliegt ein Ton (Sarasate) – **RL**.

G 45   Auf marmorner Treppe (Narrenlied für die schöne Lulu) – **JG**.

G 46   Auf meiner Kiste sitz ich am Strand (Abschied vom Urwald) – März 8, 1914, I,
S. 244; **MdE**.

G 47   Auf schlankem Rößlein reiten (Der Straßenkehrer) – Dichterh 18, 1898, S. 249; **RL**.

G 48   Auf weißen Säulen weiße Büsten (Villalilla) – Dichterh 18, 1898, S. 371; **RL**; **JG**.

Aufhorchen (Ein Klang so zart, ein Hauch so neu)

Aufstieg s. Hochgebirgswinter 1

Dunkle Augen (Mein Heimweh und meine Liebe)

G 49   Augen, in die ich einst liebend geblickt (Kranken-Nacht) – NRs 53, 1942, S. 289; E 115; **GG.**

Augenblick vor dem Gewitter (Noch einmal im verfinsterten Gewühle)

August (Das war des Sommers schönster Tag)

G 50   Aus dem Wasser blickt die Nacht (Seeabend) – Schweiz 14, 1910, S. 263 u. d. T.: Abend; **Uw** (1. Aufl. u. d. T.: Unterwegs).

G 51   Aus den Edelsteinaugen (In einer Sammlung ägyptischer Bildwerke) – NRs 25, 1914, S. 1144f.; **MdE; AG; BL; vJ; St.**

G 52   Aus der Kindheit her – Simpl 23, 1918/19, S. 543; O mein Heimatland (Bern) 10, 1922, S. 16 u. d. T.: Der Klang; SoblBasNachr 17, 1923, S. 13; **TN; BZ; St.**

G 53   Aus dunkler Brandung gärend (Symphonie) – **MdE** u. d. T.: Symphoniekonzert.

G 54   Aus einem argen Traume aufgewacht (Traum) – u. d. T.: Böser Traum: WMtsh 52, 1907/08, Bd. 104, S. 136; **Uw** (2. Aufl. u. d. T.: Traum); – Die Alpen (Bern) 7, 1912/13, S. 414 u. d. T.: Der schlimme Traum.

G 55   Aus grünem Blattkreis kinderhaft beklommen (Leben einer Blume) – NZZ Nr. 1468 v. 16. 8. 1934; E 120; Die Garbe (Basel) 18, 1934/35, S. 622; VKMtsh 50, 1935/36, II, S. 246; Das 49. Jahr. Almanach. Bln: S. Fischer 1935, S. 29f.; **NG; St.**

G 56   Aus Haßtraum und Blutrausch (Dem Frieden entgegen) – Ww Nr. 601 v. 18. 5. 1945; E 61; **SpG.**

G 57   Aus lang verschwundener Völker Liedern her (Zusammenhang) – LiSch 2, 1911/12, Nr. 47 u. d. T.: So gehn wir; **MdE;** Von schwäb. Scholle (Heilbronn) Jg. 1920, S. 28.

G 58   Aus Leides Trunkenheit (Erwachen aus der Verzweiflung) – NZZ Nr. 795 v. 13. 5. 1920 u. d. T.: Aus Leides Trunkenheit; Simpl 26, 1921/22, S. 38 u. d. T.: Beginnende Genesung; Bodenseeb 11/12, 1924/25, S. 4 u. d. T.: Genesung; Europ. Revue (Lpz) 3, 1927/28, I, S. 438; **TN; BL.**

G 59   Aus Mutterleib gekommen (Beim Einzug in ein neues Haus) – NZZ Nr. 500 v. 17. 3. 1932; Bodenseeb 21, 1934, S. 54; **NG.**

Ausflug im Herbst (Nach Abend wendet)

Der Ausgestoßene (Wolken wirr verzogen)

Ausklang (Wolkenflug und herber Wind)

Auskunft (In Welschland, wo die braunen)

Zu einer Auswahl meiner Gedichte s. Widmungsverse zu einem Gedichtbuch 3

Auszug der Handwerksburschen (Singe du, Büblein am Zaune)

Im Auto über den Julier (Stein-Öde, Trümmerfelder tot)

B

Bahnhofstück (Auf einer Reise, heiß und matt)

G 60   Bald geh ich heim (Sterbelied des Dichters) – Simpl 31, 1926/27, S. 23; **Kr.**

G 61   Banges, müd gewordnes Herz (Träumerei am Abend) – Treue Begleiter. 5. Folge. St. Gallen: Tschudy 1953, [S. 32].

Barcarole (Spiegellichter flackern hin und wieder)

Bartolommeos Turm wird heut gekrönt s. Der Campanile von San Marco in Venedig 1

Baum im Herbst (Noch ringt verzweifelt mit den kalten)

G 62 Nach einem Begräbnis (1. Am Sarge reiben sich die nassen Seile; 2. In jener Nacht, nachdem du fortgegangen; 3. Seither indessen hab in manchen Stunden) – NRs 47, 1936, S. 225–228; Bodenseeb 24, 1937, S. 78f.; NG.

G 63 Bei den wehenden Lichtern (Nachtfest der Chinesen in Singapore) – WiLeb 6, 1912/13, Bd. XII, S. 193 u. d. T.: Chinesenfest in Singapore; AI; TB; P 146; St.

G 64 Bei einem Meister stand ein Bursch (Lied auf der Landstraße) – Simpl 12, 1907/08, S. 879.

Beides gilt mir einerlei (Alle meine Jugendzeit)

Bekenntnis (Holder Schein, an deine Spiele)

Belehrung (Mehr oder weniger, mein lieber Knabe)

La belle qui veut (Kennst du mich noch? Wir wurden alt)

Berge in der Nacht (Der See ist erloschen)

Berggeist s. Hochgebirgswinter 2

Bergnacht (Wie der Sterne große Schar)

Bericht des Schülers (Mein Lehrer liegt und schweigt schon manche Tage)

G 65 Bescheiden klopf ich wieder an dein Tor (Beim Wiederlesen des Maler Nolten) – ÜbLdM 59, 1917, Bd. 117, S. 32; Die Garbe (Basel) 1, 1917/18, S. 9 u. d. T.: Beim Wiederlesen eines alten Buches; Simpl 27, 1922/23, S. 130; TN; BL; St.

Besinnung (Göttlich ist und ewig der Geist)

Besuch (Es klopft. Der Chasseur kommt. Ich höre mit Erstaunen)

Besuch in der Heimat (Die Wiesen und Stege)

Besuch bei den hundert kranken deutschen Kriegsgefangenen in Davos (Wunderlich rührend zu sehen)

Betrachtung (Ich bin einmal ein Dichter gewesen)

Bhagavad Gita (Wieder lag ich schlaflos Stund um Stund)

G 66 Biegt sich in berauschter Nacht (Verzückung) – Schweizerland (Chur) 6, 1920, S. 395 u. d. T.: Entzückung; Simpl 29, 1924/25, S. 314; Ikarus (Bln) 2, 1926, Nr. 2, S. 24; TN; BL; St.

Zu einem Bilde (So bin ich einst gefahren)

Drei Bilder aus einem alten Tessiner Park s. In einem alten Tessiner Park

Zu einem Bildnis (Dunkel blicken aus den köstlichen)

Neues goldenes Billard-A-B-C für Basel (Stets ist der Hesse sehr verwundert)

Die Birke (Eines Dichters Traumgerank)

G 67 Bis in den Schlaf vernahm ich ihn (Nächtlicher Regen) – Simpl 38, 1933/34, S. 326; GdS1933; L 765, S. 147 [Faksim.]; St.

G 68 Bist allein im Leeren (Blume, Baum, Vogel) – Marsyas (Bln) 1, 1917/19, H. 6, S. 201; Schweiz 23, 1919, S. 355 u. d. T.: Media in vita; Simpl 27, 1922/23, S. 198 u. d. T.: Traumlandschaft; TN; BL; St.

Bitte (Wenn du die kleine Hand mir gibst)

G 69   Blätter gelb und rot sich drehen (Der böse Tag) – **JG.**

Blätter wehen vom Baume s. Widmungsverse zu einem Gedichtbuch 3

G 70   Blätterfall und rauher Wind (Armes Volk) – **RL;** WMtsh 55, 1910/11, Bd. 110, S. 763 u. d. T.: Arme Leute; ZtBild 11, 1913, S. 1109 u. d. T.: Fahrendes Volk.

G 71   Bläue über dir und Sonnenglut (Gondel) – **VT;** VKMtsh 22, 1907/08, I, S. 512; – u. d. T.: Venezianische Gondel: Simpl 16, 1911/12, S. 78; **Uw** (2. Aufl. u. d. T.: Gondel); – **BZ; St.**

G 72   Bläulich dämmert am Hügel hinab zum See (Februarabend) – LiSch 1, 1910/11, Nr. 24 u. d. T.: Märzabend; Schweiz 16, 1912, S. 51 u. d. T.: Februar; **Uw** (1. Aufl. u. d. T.: Abend im Februar); **St.**

Das treibende Blatt (Vor mir her getrieben)

Welkes Blatt (Jede Blüte will zur Frucht)

G 73   Blau und Pfirsichblüte (Abend im April) – Weltwoche-Almanach 1944. Zch: Weltwoche-Verl. (1943), S. 48.

G 74   Bleich blickt die föhnige Nacht herein (Wache Nacht) – NatZ Nr. 103 v. 3. 3. 1946, Sobeil.; NRs 56/57, 1945/46, S. 467; **SpG;** L 1542, S. 243; **TB.**

Blick nach Italien (Über dem See und hinter den rosigen Bergen)

Der Blütenzweig (Immer hin und wider)

Blume, Baum, Vogel (Bist allein im Leeren)

G 75   Blume duftet im Tal (Die Nacht) – NRs 29, 1918, S. 110; DIZ Nr. 100 v. 15. 10. 1918, S. 24; Hg 2.3, S. 23f.; Schweiz 24, 1920, S. 132f.; Europ. Revue (Lpz) 3, 1927/28, I, S. 436f.; **TN; St.**

Blumen (Euch, schöne Schwestern, lieb ich mit Neid)

Die ersten Blumen (Neben dem Bach)

Blumen nach einem Unwetter (Geschwisterlich, und alle gleichgerichtet)

Blumengießen (Noch einmal, ehe der Sommer verblüht)

Zu einem Blumenstrauß (So wie der Menschen Ungestüm und Schuld)

Die Blutbuche (Eine junge Blutbuche stand)

O zitternd gespannter Bogen (Alle Tode bin ich schon gestorben)

Bonifazios Bild (Ich kenne Eine, die dich wohl erreicht)

Bootnacht (Der Tag ist um; schon wird die Ferne trüber)

Der Brief (Es geht ein Wind von Westen)

Ein Brief (Mein hochgeehrter Herr von Klein)

Brief an Edith (Heut spiel ich dir ein Lied)

Brief aus dem Krankenbett (Im Bett, im Wickel, in der stillen Schwebe)

Höflicher Brief an einen Literaten (Es läßt so wenig sich mit Worten sagen)

Brief im Mai (Oft war ich müd und glaubte alt zu sein)

Brief von einer Redaktion (Wir danken sehr für Ihr ergreifendes Gedicht)

Bruder Christ (Du bist gestorben, lieber Bruder Christ)

Meinem Bruder (Wenn wir jetzt die Heimat wieder sehen)

Bruder Tod (Auch zu mir kommst du einmal)

Abends auf der Brücke (Abends muß ich auf der Brücke stehen)

Brunngäßlein 11 (Ein altes Haus mit alter Tür)

Bubenlied (Die Mägdlein dürfen spielen)

Buchstaben (Gelegentlich ergreifen wir die Feder)

Uralte Buddha-Figur, in einer japanischen Waldschlucht verwitternd (Gesänftigt und gemagert, vieler Regen)

Bücher (Alle Bücher dieser Welt)

Poetischer Büchersturz (Immer wieder aus der Vergessenheit Nacht)

Bulletin (Im Bett, im Wickel, in der stillen Schwebe)

Bummeltag (Paläste stehn wie Perlen aufgereiht)

G 76 Busch und Wiese, Feld und Baum (Gang bei Nacht) – Simpl 18, 1913/14, S. 475; MdE.

C

G 77 Der Campanile von San Marco in Venedig (1. Bartolommeos Turm wird heut gekrönt; 2. Ein Schwanken – Stöhnen – dann ein jäher Krach) – VKMtsh 17, 1902/03, I, S. 122.

Chinesenfest in Singapore (Bei den wehenden Lichtern)

Chinesisch (Mondlicht aus opalener Wolkenlücke)

Chioggia (Wetterbraune, dichtgedrängte Fassaden)

Chopin (Schütte wieder ohne Wahl)

Chopin. Berceuse (Sing mir dein liebes Wiegenlied)

Chopin. Grande Valse (Ein kerzenheller Saal)

G 78 Chopins Nocturne Es-dur. Der Bogen (Nocturne) – JG.

Vor Colombo (In grünem Licht verglimmt der heiße Tag)

Con Sordino s. Der Geiger 2

D

G 79 Da ging ich weit auf Reisen hin (Kein Entrinnen) – Simpl 15, 1910/11, S. 866.

G 80 Da ich ein Jüngling war (Wandlung) – NRs 23, 1912, S. 1304f.; Von schwäb. Scholle (Heilbronn) Jg. 1914, S. 68; MdE.

G 81 Da ich in Jugendnot und Scham (Zu spät) – Simpl 14, 1909/10, S. 261; Uw.

G 82 Da ich verschlafen lag (Morgen) – Simpl 14, 1909/10, S. 429; Uw; Schweiz 22, 1918, S. 261 u. d. T.: Morgenfrühe; St.

G 83 Da schon die Sonne sich verbarg (Das Wiedersehen) – JG.

Den Daheimgebliebenen (Feinde stehen kampfbereit)

Einer sentimentalen Dame (Gehört ich zu den Veilchen, Rosen, Nelken)

Dank (Oft bin ich, alter Vagabund, auch in Zürich gewesen)

Darf ich dir sagen, daß du mir s. Elisabeth [A] 4

G 84 Das Blau der Ferne klärt sich schon (Höhe des Sommers) – GdS1933; St.

G 85 Das fernste Schiff, das abendlich besonnt (Odysseus) – JG.

G 86   Das Geld ist aus, die Flasche leer (Handwerksburschenpenne) – **JG**; **St.**
Das Heu ist reif und duftet fein s. Monatssprüche 6

G 87   Das ist das Glück: am Feierabend müd (Feierabend) – VKMtsh 20, 1905/06, II, S. 539; Schweiz 14, 1910, S. 557 u. d. T.: Glück; **Uw.**

G 88   Das ist die tiefste Lebenslist (Sphinxe) – **RL.**

G 89   Das ist ein Denken wunderbar (Und morgen bin ich tot) – **RL.**

G 90   Das ist ein Wandern, wenn der Schnee (Über die Alpen) – **JG**; **It.**

G 91   Das ist mein Leid, daß ich in allzuvielen (Das ist mein Leid) – **HL**; **St.**

G 92   Das ist so süß wie Traum und Tod (Meermittag) – **VeV**; – u. d. T.: Mittag im Boot: ÜbLdM 52, 1910, Bd. 104, S. 664; Arena. Oktav-Ausg. von ÜbLdM [Ausg. A] Jg. 1909/10, III, S. 470 + ebd. [Ausg. B] Jg. 1909/10, H. 13, S. 406; **Uw**; SchwSp 5, 1911/12, S. 371; Rhlde 13, 1913, S. 70; Bodenseeb 2, 1915, S. 129; **It**; – Jugend (Mchn) Jg. 1913, S. 272 u. d. T.: Mittag.

G 93   Das Karussell war in der Nacht verglüht (Klingsor an den «Schatten») – Simpl 31, 1926/27, S. 181 u. d. T.: Erinnerung an einen Reiseabend; Bodenseeb 15, 1928, S. 55; Tgb 10, 1929, S. 2307 u. d. T.: Erinnerung an den Sommer Klingsors; Basilisk 10, 1929, Nr. 26; **NG.**

G 94   Das Leben ist darum so beschissen (Abend mit Doktor Ling) – **Kr.**

G 95   Das Lied ist aus (Schizophren) – **Kr.**

G 96   Das Meer klopft an die Wand (Nachts in der Kabine) – **AI**; Das 27. Jahr. Almanach. Bln: S. Fischer 1913, S. 146f.; **MdE**; **AG.**
Das milde Gold auf See und Ried s. Monatssprüche 9

G 97   Das Schreiben so im Liegen fällt mir schwer (Die erwartete Postkarte) – **VK.**

G 98   Das sind die Stunden, die wir nicht begreifen (Dunkelste Stunden) – **JG.**

G 99   Das Vöglein im Wald – L 1050, 1953, S. 217; L 50, 1954, S. 19.

G 100   Das war des Sommers schönster Tag (August) – **JG.**

G 101   Das war die erste Amsel schon (Die Dichter. Eine Jugenddichtung) – Schweiz 25, 1921, S. 241–251.

G 102   Daß bei jedem Föhn (Im Leide) – Jugend (Mchn) Jg. 1909, S. 360; P 548 o. T.; **Uw.**

G 103   Daß das Schöne und Berückende (In Sand geschrieben) – NZZ Nr. 1880 v. 27. 9. 1947; E 165; **DrG**; E 86; **GGc**; **TB**; **St.**

G 104   Daß du bei mir magst weilen (Für Ninon) – NZZ Nr. 3 v. 1. 1. 1928; **TN**; **BZ**; **St.**

G 105   Daß ich so oft mit leisem Leid (Daß ich so oft –) – **JG.**

G 106   Deine hellen Augen sind zugetan (Einem im Felde gefallenen Freunde) – Der Tag (Bln) v. 14. 3. 1915; Poesie des Krieges. NF. Hg. v. Alfred Biese. Bln: Grote 1915, S. 91 u. d. T.: Auf ein Soldatengrab; **ZG.**
Deinem Blick darf meiner nicht begegnen s. Marienlieder 3

G 107   Dem Menschen ist's gegeben (Protest) – **Kr.**

G 108 Dem Regen lausch ich gerne und dem Wind (Vereinsamung) – Simpl 17, 1912/13, S. 232; MdE [nur 1. Ausg.]; GG.

G 109 Den alten Wanderstecken (Am Ende eines Urlaubs in der Kriegszeit) – TN.

G 110 Den ewigen Bildern treu, standhaft im Schauen (Der Dichter und seine Zeit) – BT Nr. 470 v. 5. 10. 1929; KlBd 10, 1929, S. 377 u. d. T.: Der Dichter in unsrer Zeit; BW 16, 1931, S. 33; – u. d. T.: Der Dichter: E 129; Simpl 38, 1933/34, S. 111; – NG; vJ; St.

G 111 Den ganzen Abend durfte ich meine Gedichte vorlesen (Nachdem ich aus dem «Steppenwolf» vorgelesen hatte) – BT Nr. 307 v. 1. 7. 1927; Kr.

G 112 Den Schornstein hält er in der Hand – P 3.

Denken an den Freund bei Nacht (Früh kommt in diesem bösen Jahr der Herbst)

G 113 Dennoch von meiner Jugend Stunden (Dennoch) – HL.

G 114 Der Berg steht schwarz und der Himmel von Stahl (Es kommt ein Gewitter) – GdM; VKMtsh 36, 1921/22, I, S. 498.

G 115 Der Donner spielt und knurrt wie eine Katze (Scheingewitter) – GdS1933.

G 116 Der Duft des Veilchens/schwingt sich zart und lustbeklommen (Die Düfte) – JG [nur 1. Aufl.].

G 117 Der Föhn schreit jede Nacht (Vorfrühling) – Simpl 13, 1908/09, S. 830; P 548 o. T.; Uw; Bodenseeb 1, 1914, S. 11 u. d. T.: Der Föhn; St.

G 118 Der Garten trauert (September) – NZZ Nr. 1611 v. 26. 9. 1927; TN; JZ; BL; BZ; St.

G 119 Der Herbst ist jetzt gekommen (Mit den Kindern am Kaminfeuer) – Die Garbe (Basel) 1, 1917/18, S. 93; Ikarus (Bln) 3, 1927, Nr. 11, S. 21 u. d. T.: Herbstabend am Kaminfeuer.

G 120 Der Herbst streut weiße Nebel aus (Herbstbeginn) – RecUn 27, 1911, S. 1229; Uw; Das 25. Jahr. Almanach. Bln: S. Fischer 1911, S. 188 f.; SchwSp 5, 1911/12, S. 371; WiLeb 6, 1912/13, Bd. XI, S. 86; Rhlde 13, 1913, S. 71.

G 121 Der Herr von nebenan scheint recht nervös (Krank im Hotelzimmer) – VK.

G 122 Der Himmel gewittert (Frühsommernacht) – RL; JG; WMtsh 55, 1910/11, Bd. 109, S. 165 u. d. T.: Sommernacht; St.

G 123 Der König mit den Mannen saß beim Mahl (Sage) – JG; BZ.

G 124 Der laue März und der feuchte April (Frühling) – VKMtsh 22, 1907/08, II, S. 344; BernWo 6, 1916, S. 145 u. d. T.: Frühlingstage.

Der laute Wind an Thor und Thür s. In der Einsamkeit 2

Der Meister schwieg und tat die Geige aus der Hand (Du aber) s. Maria 3

G 125 Der müde Sommer senkt das Haupt (Jugendflucht) – RL; P 889 o. T.; Knodt 1902, S. 130; JG; Nord u. Süd (Bln) 34, 1910, Bd. 134, S. 99; AG; BL; St.

G 126 Der Regen fällt (Weinerlich) – LitW 4, 1928, Nr. 4, S. 3; Kr.

G 127 Der Regen singt, die Ebene liegt voll Nacht (Ankunft in Cremona) – Daheim 50, 1913/14, H. 22, S. 18; MdE; It; St.

G 128 Der Schäfer mit den Schafen (Dorfabend) – **RL**; Knodt 1902, S. 133; **JG**; **AG**; **BZ**; **St.**

G 129 Der scheue Blick an allen Enden (Regentage) – März 7, 1913, III, S. 390; **MdE**.
Der Schneewind packt mich jäh von vorn (Schlittenfahrt) s. Hochgebirgswinter 5

G 130 Der See ist erloschen (Berge in der Nacht) – Simpl 11, 1906/07, S. 179; **Uw**; Die Alpen (Bern) 7, 1912/13, S. 81; **St.**

G 131 Der See starrt wie Glas (Windiger Tag im Juni) – NRs 21, 1910, S. 1445; **Uw**; – u. d. T.: Sommertag am Bodensee: Schweizerland (Chur) 1, 1914/15, S. 9; Bodenseeb 2, 1915, S. 129; – **AG**; **BL**; **St.**

G 132 Der Tag ist aus. In einem langen Zug (Abend) – RecUn 27, 1911, S. 60.

G 133 Der Tag ist um; schon wird die Ferne trüber (Bootnacht) – WMtsh 47, 1902/03, Bd. 94, S. 57 u. d. T.: Genfersee; – u. d. T.: Nächtliche Bootreise: Schweiz 11, 1907, S. 256; **Uw** (2. Aufl. u. d. T.: Bootsnacht); – P 1513 [Faksim.].

G 134 Der Tag tut frische Augen auf (Weg zur Geliebten) – SimplKal f. 1912, S. 74 u. d. T.: Weg zu dir; **MdE**.

G 135 Der Tod ging nachts durch eine Stadt (Der Tod ging nachts –) – **JG**.

G 136 Der Vater Boos, das ist ein Frommer (Auf der Walze) – Simpl 11, 1906/07, S. 406.

G 137 Der Wald – ! Die Nacht – ! Glühwürmer staunen (Waldnacht) – s'Handörgeli. Ein blauweißer Almanach. Zum Münchnerfest des Lesezirkels Hottingen. Zch: Verl. d. Lesez. Hottingen (1911), S. 20.

G 138 Der Weg ist schwer, der Weg ist weit (Wer einmal dein ist) – Schweiz 23, 1919, S. 59; SoblBasNachr 26, 1932, S. 188 u. d. T.: Einsamkeit.
Der Wind ruht in den Ästen s. Sommerruhe 1

G 139 Der Wind weht über den Wald (Zechen im Waldkeller) – Schweiz 23, 1919, S. 591 u. d. T.: Tessiner Weinkeller im Wald; Simpl 25, 1920/21, S. 165 u. d. T.: Weinkeller im Wald; Ikarus (Bln) 3, 1927, Nr. 8, S. 32 u. d. T.: Tessiner Grotte; – u. d. T.: Tessiner Weinkeller im Wald: Tgb 12, 1931, S. 228; SoblBasNachr 26, 1932, S. 170; Prop 30, 1932/33, S. 313; – **GG**.

G 140 Der Zeller Hirt treibt heim. Der laute Bach – P 15.
Dezember (Feuerzungen flackern im Kamin)
Der Dichter (Den ewigen Bildern treu, standhaft im Schauen)
Der Dichter (Immer und immer fühl ich's, ob alt oder jung)
Der Dichter (Nachts kann ich oft nicht schlafen)
Der Dichter (Nachtwandler, tast ich mich durch Wald und Schlucht)
Der Dichter (Nur mir dem Einsamen)
Der Dichter (Reiner atmet der Garten im Tau der Nacht)
Der Dichter (Schöne Verse einer Dame zu Ehren)
Der Dichter (Zu schönem Spiel und liebem Tand)
Die Dichter. Eine Jugenddichtung (Das war die erste Amsel schon)
Besoffener Dichter (Ich wollt, ich wär ein Katholik)
An den indischen Dichter Bhartrihari (Wie du, Vorfahr und Bruder, geh auch ich)
Einem Dichter (Über die Straße wehen)

Der Dichter und seine Zeit (Den ewigen Bildern treu, standhaft im Schauen)

Dichters Ende (Spät noch sitz ich bei meinem Dichtertand)

G 141 Die Bäume tropfen vom Gewitterguß (Sommernacht) – Simpl 23, 1918/19, S. 186; PHelv 3, 1921, Nr. 7, S. 305 u. d. T.: Juli-Nacht; SoblBasNachr 28, 1934, S. 92; **TN**; **JL**; **St.**

G 142 Die Blumen müssen/alle verdorren – P 789.3.

G 143 Die dunklen Büsche duften schwer (Das Fest) – **JG.**

Die erste nicht (Nein, Kind, du bist die erste nicht)

G 144 Die ewig Unentwegten und Naiven (Entgegenkommen) – NatZ Nr. 96 v. 28. 2. 1937, Sobeil.; NRs 48, 1937, I, S. 190; **GJK**a.

Die Frauen von Ravenna tragen s. Ravenna 2

Die ganze Straße war in Ruh s. Der Toten 1

G 145 Die Geigen schwirren hoch und weich (Konzert) – Schweiz 23, 1919, S. 117 u. d. T.: Im Konzertsaal; – u. d. T.: In einem Konzert: Der schwäb. Bund (Stgt) 1, 1919/20, I, S. 432; SchwSp 22, 1928, S. 50; Prop 25, 1927/28, S. 121; – **GG.**

G 146 Die ihr meine Brüder seid (Einsame Nacht) – **JG**; **AG**; **BL**; **BZ**; **St.**

G 147 Die Jahre, die euch schwer gewesen – L 1050, 1953, S. 273.

Die Jahre sind vergangen s. Elisabeth [B] 2

Die lauten mögen mit Böllern schießen s. Monatssprüche 10

G 148 Die Lichter sind erloschen (Reich des Todes) – **RL.**

G 149 Die Linden und Kastanien hundertjährig (Sommermittag auf einem alten Land-sitz) – **GG**; L 765, S. 166 [Faksim.]; **St.**

G 150 Die Mägdlein dürfen spielen (Mailied der Knaben) – VKMtsh 21, 1906/07, II, S. 347; Schweiz 17, 1913, S. 334 u. d. T.: Bubenlied; **MdE.**

G 151 Die mir noch gestern glühten (Traurigkeit) – NatZ Nr. 33 v. 21. 1. 1945, Sobeil.; **SpG.**

G 152 Die Nacht fällt ein (Vorwurf) – **JG**; **AG.**

G 153 Die Nacht ist ganz von Blitzen hell (Gewitter im Urwald) – Daheim 49, 1912/13, H. 4, S. 14 u. d. T.: Nächtliches Gewitter; **AI** u. d. T.: Pelaiang; **MdE.**

G 154 Die Nacht ist mir so nah bekannt (Die Nacht) – Schweiz 12, 1908, S. 176; Simpl 15, 1910/11, S. 140; **Uw.**

G 155 Die Nacht ist voll von reinen Sternen (Und morgen) – **RL.**

G 156 Die sanfte Wiese flieht (Die sanfte Wiese) – u. d. T.: Frühling: Die Zeit (Wien) Nr. 2743 v. 15. 3. 1910, Beil.; NTgbl Nr. 114 v. 20. 5. 1910; – LiSch 1, 1910/11, Nr. 27 u. d. T.: Frühlingstag; Uw; – u. d. T.: Frühlingstag: SchwSp 5, 1911/12, S. 371; Rhlde 13, 1913, S. 70.

G 157 Die Sonne spricht zu uns mit Licht (Sprache) – NZZ Nr. 547 v. 25. 3. 1928; Tgb 10, 1929, S. 576; **TN**; **E** 129; **vJ**; **St.**

G 158 Die Stunden eilen – Mitternacht! (Gebet der Schiffer) – **JG.**

G 159 Die Stunden eilen. Wie ein Segelglanz (Le ore passano e la morte è vicina) – **JG.**

G 160   Die Uhr spricht ängstlich mit dem Spinnweb an der Wand (Angst in der Nacht) – Simpl 24, 1919/20, S. 159; **TN**; **BL**; **BZ**; St.

G 161   Die warme Zeit ist wieder da (Der alte Landstreicher) – VKMtsh 16, 1901/02, II, S. 198; **JG**.

G 162   Die Welle rauschte so frisch, so kalt – L 45, 1927, S. 66.

G 163   Die Wellen liegen verstummet – P 90.

G 164   Die Welt fällt von dir ab (Weg in die Einsamkeit) – u. d. T.: Einsamkeit: Der schwäb. Bund (Stgt) 1, 1919/20, I, S. 69; Basilisk 3, 1922, Nr. 7; – KlBd 9, 1928, S. 69 u. d. T.: Vereinsamung; Tgb 10, 1929, S. 2182 u. d. T.: Krisis; **NG**.

Die Wetterhörner schimmern fahl (Nebel) s. Hochgebirgswinter 4

G 165   Die Wiesen und Stege (Besuch in der Heimat) – Daheim 47, 1910/11, H. 49, S. 20; Ernte 1, 1920, S. 63.

G 166   Die Zeit der vielen Falter ist gekommen (Schmetterlinge im Spätsommer) – **GdS1933**; Simpl 39, 1934/35, S. 230; **TB**.

Dienst (Im Anfang herrschten jene frommen Fürsten)

G 167   Diesmal bist du nicht das blonde Kind (Heilands Geburtstag) – Simpl 19, 1914/15, S. 500; Bab 1915, S. 179.

Dir liegt auf Stirne, Mund und Hand s. Elisabeth [A] 1

Doch heimlich dürsten wir (Anmutig, geistig, arabeskenzart)

Ein Dörflein (Ein Dörflein lag am Waldesrand)

Tessiner Dorf am Abend (Im späten schrägen Goldlicht steht)

Dorfabend (Der Schäfer mit den Schafen)

Dorfabend (Vor den blanken Fenstern glühen)

Dorfkirchhof (So nahe lieget ihr beisammen)

Dort am Horizonte kannst du sehen s. Venezianische Gondelgespräche 5

G 168   Dort, wo mein Leben aus dem Kinderland (Meiner ersten Liebe) – RecUn 23, 1907, S. 983; Schweiz 12, 1908, S. 104.

G 169   Draußen auf den warmen Wiesen (Traum von der Mutter) – Dt. Heimat (Lpz) 6, 1902/03, H. 25, S. 788; ÜbLdM 47, 1905, Bd. 94, S. 858; **JGa**.

G 170   Drüben überm Berge (Drüben) – WMtsh 52, 1907/08, Bd. 103, S. 726; **Uw**; Schweiz 17, 1913, S. 217 u. d. T.: Drüben überm Berge.

G 171   Drunten pfeift ein Zug durchs grüne Land (Abschied) – Simpl 25, 1920/21, S. 400; BernWo 12, 1922, S. 443 u. d. T.: Sommers Ende; SchwSp 22, 1928, S. 139; Prop 25, 1927/28, S. 233 u. d. T.: Von der Reise; Prop 29, 1931/32, S. 25 u. d. T.: Der ewige Pendelschlag.

Du aber s. Maria 3

G 172   Du auch bist schön, Fabrik im grünen Tal (Der Maler malt eine Fabrik im Tal) – VKMtsh 35, 1920/21, II, S. 577 u. d. T.: Fabrik im Tal; **GdM**; **TB**.

G 173   Du bist gestorben, lieber Bruder Christ (Jesus und die Armen) – Tgb 10, 1929, S. 2257 u. d. T.: Bruder Christ [Wir leiden wie du, lieber Bruder Christ]; **NG**; **vJ**.

G 174   Du bist, mein fernes Tal (Die Kindheit) – Simpl 17, 1912/13, S. 143 u. d. T.: Gedächtnis der Kindheit; **MdE**; **AG**; **BL**.

Du braunes Holz, behutsam leg (Meiner Geige) s. Der Geiger 3

Du gehst (So oft ich spät noch auf der Straße geh)

G 175 Du hast ja recht! Und bald wird Hochzeit sein (Antwort) – **RL**; Simpl 15, 1910/11, S. 280.

Du hohe Kunst, der ich geglaubt (An die Kunst) s. Der Geiger 5

G 176 Du lachst, weil ich gebetet habe (In der Nachtherberge) – **JG**.

G 177 Du lautlos dunkler Kanal (Ankunft in Venedig) – Simpl 17, 1912/13, S. 329 u. d. T.: Venedig; SoblBasNachr 23, 1929, S. 13; **GG**.

G 178 Du meinst, ich werd dich nehmen – P 789.1.

G 179 Du mit der Stirne voller Licht (Lady Rosa) – **JG**.

G 180 Du, See, hast mich gebadet und gebräunt (Rebhügel, See und Berge) – Schweiz 24 1920, S. 179; **GdM**; Bodenseeb 14, 1927, S. 117.

Du stehst – vielleicht – und siehst den Sichelmond s. Früh kommt in diesem bösen Jahr der Herbst. Tdr.

G 181 Du stehst von Sommerfreude trunken (Enzianblüte) – **MdE**.

G 182 Du weißer Schnee, du kühler Schnee (Das Mädchen sitzt daheim und singt) – SchwSp 8, 1914/15, S. 90 u. d. T.: Das Mädchen singt; RecUn 31, 1915, S. 396 u. d. T.: Das Lied der Kriegsbraut; März 9, 1915, IV, S. 256; **ZG**.

Die Düfte (Der Duft des Veilchens/schwingt sich zart und lustbeklommen)

In den Dünen (Eingewiegt vom tönenden Meere)

G 183 Dunkel blicken aus den köstlichen (Zu einem Bildnis) – **NG**.

G 184 Dunkel streift der feuchte Wind (Mondaufgang) – Berner Rs. 1, 1906/07, S. 33; ÜbLdM 52, 1910, Bd. 104, S. 664; Arena. Oktav-Ausg. von ÜbLdM [Ausg. A] Jg. 1909/10, III, S. 45 + ebd. [Ausg. B] Jg. 1909/10, H. 10, S. 29; ZtBild 12, 1914, S. 744; Heute u. Morgen (Düsseldorf) Jg. 1952, S. 577.

G 185 Dunkle du, Urmutter aller Lust (Hingabe) – **Kr**; **BL**; **BZ**.

G 186 Durch den Regen floß ich und die Nacht (Heimkehr um Mitternacht nach einem Gelage) – Simpl 24, 1919/20, S. 298; PHelv 3, 1921, Nr. 8, S. 349 u. d. T.: Nacht im August; Die Horen (Bln) 4, 1927/28, S. 845 u. d. T.: Nach einem sommerlichen Gelage; **TN**.

G 187 Durch des Lebens Wüste irr ich glühend (Irgendwo) – Bodenseeb 14, 1927, S. 21 u. d. T.: Wanderer; Basilisk 9, 1928, Nr. 18 u. d. T.: Heimlicher Trost; KlBd 10, 1929, S. 156 u. d. T.: In schwerer Zeit; **NG**; **St**.

G 188 Durch dünne Lüfte hingerissen (Fahrt im Aeroplan) – Schweiz 17, 1913, S. 169.

G 189 Durch kahlen Waldes Astgeflecht (Wanderer im Spätherbst) – NZZ Nr. 1906 v. 30. 6. 1957; E 197; **LG**; **St**.

G 190 Durch viele Täler wandernd kam ich her (Alpenpaß) – LiSch 1, 1910/11, Nr. 42; **MdE**; **It**.

Durchblick aus einem alten Tessiner Park s. In einem alten Tessiner Park 2

Durchblick ins Seetal s. In einem alten Tessiner Park 2

E

G 191   Eben war ich noch ein Kind (Wie schnell das geht!) – Tgb 9, 1928, S. 600; **Kr.**
        Gestutzte Eiche (Wie haben sie dich, Baum, verschnitten)

G 192   Ein altes Haus mit alter Tür (Brunngäßlein 11) – L 711; L 713.

G 193   Ein altes Herzweh in vernarbter Brust (Zuschauer) – **JG.**

G 194   Ein Dörflein lag am Waldesrand (Ein Dörflein) – Rhlde 5, 1905, S. 370; VKMtsh
        21, 1906/07, I, S. 77 u. d. T.: Nachtlager.

G 195   Ein Frühlingsabend. Meine Gondel sucht (Venedig) – JG [nur 1. Aufl.].

G 196   Ein Haus bei Nacht durch Strauch und Baum (Flötenspiel) – NatZ Nr. 160 v.
        7. 4. 1940, Sobeil.; NRs 51, 1940, S. 260; **GG; BZ;** St.

G 197   Ein Hof liegt in der stillen Nacht (Der stille Hof) – **JG; AG; BZ.**

G 198   Ein Hund hat mich ins Bein gebissen (Reaktion auf einen Zeitungsangriff) –
        Tgb 9, 1928, S. 890; **Kr.**

G 199   Ein kerzenheller Saal (Chopin. Grande Valse) – Dichterh 17, 1897, S. 394; **RL.**

G 200   Ein Klang so zart, ein Hauch so neu (Aufhorchen) – NatZ Nr. 565 v. 3. 12. 1944,
        Sobeil.; **BZ; SpG;** St.

G 201   Ein König lag in Banden – P 889.
        Ein Lieblingstraum, aus goldnen Nächten (So schön bist du!) s. Maria 1

G 202   Ein Ritter und sein Knappe (Moritat) – L 712, S. 2.

G 203   Ein schlichtes Haus. Am Fenster zerrt der Föhn (Der Tod des Lionardo da Vinci)
        – VKMtsh 18, 1903/04, I, S. 244; NZZ Nr. 893 v. 29. 4. 1950; FAZ Nr. 37 v.
        13. 2. 1954; NatZ Nr. 167 v. 11. 4. 1954, Sobeil.
        Ein Schwanken – Stöhnen – dann ein jäher Krach s. Der Campanile von San
        Marco in Venedig 2

G 204   Ein seliger Tag, die Alpen flammen rot (Hochgebirgsabend) – VKMtsh 17,
        1902/03, II, S. 697; **JGa.**
        Ein starker Geist hält seine weiße Hand (Berggeist) s. Hochgebirgswinter 2

G 205   Ein Tanz von Chopin lärmt im Saal (Valse brillante) – **JG; St.**

G 206   Ein Traum: du stehest fern und still (Und jede Nacht derselbe Traum) – **JG.**

G 207   Ein Wändeviereck blaß, vergilbt und alt (Der Kreuzgang von Santo Stefano) –
        JG; St.

G 208   Eine Glocke läutet (Aus zwei Tälern) – **JG.**

G 209   Eine junge Blutbuche stand (Die Blutbuche) – **RL.**
        Eine rote Sonne liegt s. Sommerruhe 2

G 210   Eine schmale, weiße (Die leise Wolke) – **JG; St.**

G 211   Eine silberne Spieluhr spielte (Rokoko) – Simpl 14, 1909/10, S. 347; Schweiz 19,
        1915, S. 587.

G 212 Eine Stimme singt in der Nacht (Dreistimmige Musik) – NZZ Nr. 1312 v. 21. 7. 1934; Simpl 39, 1934/35, S. 503; FG; Das 49. Jahr. Almanach. Bln: S. Fischer 1935, S. 31 f.; NG.

G 213 Eine Stunde hinter Mitternacht – RL; JG [nur 1. Aufl.].

G 214 Eines Dichters Traumgerank (Die Birke) – JG; St.

G 215 Eingewiegt vom tönenden Meere (In den Dünen) – Simpl 18, 1913/14, S. 306 u. d. T.: Strandstimmung; Uwa.

Einmal (Irgendwo in einem Walde wars)

G 216 Einmal, Herz, wirst du ruhn (Media in vita) – Der neue Merkur (Stgt) 8, 1924/25, S. 183–185; Die Ausfahrt. Ein Buch neuer dt. Dichtg. Hg. v. Otto Heuschele. I. Reihe. Stgt: Silberburg-Verl. 1927, S. 176–179; TN; vJ; St.

G 217 Einmal in Kindertagen (Verlorener Klang) – NZZ Nr. 1603 v. 19. 10. 1919; Der schwäb. Bund (Stgt) 1, 1919/20, I, S. 621 u. d. T.: Der Klang; SoblBasNachr 23, 1929, S. 37 u. d. T.: Einmal in Kindertagen; TN.

G 218 Einmal wird dies alles nicht mehr sein (Müßige Gedanken) – NatZ Nr. 57 v. 4. 2. 1940, Sobeil. u. d. T.: Müßige Gedanken eines Soldaten; NSRs NF 9, 1941/42, S. 444; GG; BZ; vJ; St.

G 219 Einsam steh ich, vom Wind gezerrt (Der Einsame an Gott) – MdE.

G 220 Einsam steht und verloren im Bilderbuch meiner Erinnrung (Der lahme Knabe) – Corona 6, 1936, S. 48–58; E 110; S 4.

Der Einsame an Gott (Einsam steh ich, vom Wind gezerrt)

Einsamkeit (Der Weg ist schwer, der Weg ist weit)

Einsamkeit (Die Welt fällt von dir ab)

Einsamkeit (Immer wieder gab ich meine Hände)

G 221 In der Einsamkeit. An Gertrud (1. Im Kamin die müden Flammen; 2. Der laute Wind an Thor und Thür) – Dichterh 17, 1897, S. 563 f.

G 222 Einst war, so scheint es uns, das Leben wahrer (Nach dem Lesen in der Summa contra Gentiles) – NatZ Nr. 306 v. 7. 7. 1935, Sobeil.; GJK.

Mit der Eintrittskarte zur Zauberflöte (So werd ich dich noch einmal wiederhören)

Beim Einzug in ein neues Haus (Aus Mutterleib gekommen)

Eleanor (Herbstabende erinnern mich an dich)

Elegie im September (Feierlich leiert sein Lied in den düsteren Bäumen der Regen)

Elisabeth (Verblühte Malven stehen)

G 223 Elisabeth [A] (1. Dir liegt auf Stirne, Mund und Hand; 2. Ich soll erzählen; 3. Wie eine weiße Wolke; 4. Darf ich dir sagen, daß du mir) – JG. 1. TB; St. 2. 3. AG; BL. 3. P 268 o. T.; L 765, S. 42 [Faksim.].

G 224 Elisabeth [B] (1. Ich kann nicht mehr zufrieden sein; 2. Die Jahre sind vergangen; 3. Weh, daß ich schon erwacht –) – Uw. 1. Daheim 44, 1907/08, H. 30, S. 12. 2. AlmVKMtsh 1908, S. 153. 3. ÜbLdM 50, 1908, Bd. 99, S. 100; Schweiz 17, 1913, S. 463 u. d. T.: Nachts.

An Elisabeth (Ich soll von dir geschieden sein)

Nach dem Empfang einer Todesnachricht (Schnell welkt das Vergängliche)

Am Ende (Plötzlich ist verzuckt das Flackerlicht)
Ende August (Noch einmal hat, auf den wir schon verzichtet)
Am Ende des Jahres (Alt geworden bist du, grünes Jahr)
Am Ende eines Urlaubs in der Kriegszeit (Den alten Wanderstecken)
Entgegenkommen (Die ewig Unentwegten und Naiven)
Die Entgleisten (O fröhliche Jugend, wie wurdest du fremd!)
Kein Entrinnen (Da ging ich weit auf Reisen hin)
Entsagung (Wer viele Wege durch die Welt gereist)
Entschluß (Ich will nicht länger in dem Dunkel tasten)
Entschluß (Was ich bis heut an Versen schrieb)
Der Enttäuschte (Viel bunte Falter dacht ich mir zu fangen)
Entzückung (Biegt sich in berauschter Nacht)
Enzianblüte (Du stehst von Sommerfreude trunken)

G 225   Er ging im Dunkel gern, wo schwarze Bäume (Er ging im Dunkel –) – **JG.**

G 226   Er sehnte sich nach Ruhe, Stille, Nacht (An einem Grabe) – NatZ Nr. 257 v. 8. 6. 1941, Sobeil.; **GG.**

G 227   Erdbeeren glühn im Garten (Gute Stunde) – LiSch 3, 1912/13, Nr. 1; **MdE; AG; BL.**
Erinnerung (Ich weiß nicht mehr wie alles kam)
Erinnerung (Wer an die Zukunft denkt)
Erinnerung (Wo war das doch? – Die Sonne war verloht)
Erinnerung an einen Reiseabend (Das Karussell war in der Nacht verglüht)
Erinnerung an den Sommer Klingsors (Das Karussell war in der Nacht verglüht)
Neues Erleben (Wieder seh ich Schleier sinken)
Das Erlebnis (Heute ist's nicht kleiner Kreis)
Das große Erlebnis (Wieder seh ich Schleier sinken)
Erntezeit (Weites, goldenes Ährenmeer)
Erschütterung (Trübe ward mir plötzlich der Wein im Becher)
Erwachen (Nun lockt mich keine Liebesnacht)
Erwachen (Stille Zeit kam träg geschlichen)
Erwachen in der Nacht (Mond vom Fenster weckte mich)
Erwachen aus der Verzweiflung (Aus Leides Trunkenheit)

G 228   Erzählen soll ich dir? Von Welschland? – Heute nicht! (Lorenzos Lied) – Schweiz 14, 1910, S. 436; Uw [nur 1. Aufl.]; **GG.**

G 229   Es destilliert aus Studien und Gedanken (Seifenblasen) – NatZ Nr. 38 v. 24. 1. 1937, Sobeil.; **GJK**a; **St.**

G 230   Es duften blaue Blumen hier und dort (Paradies-Traum) – **Kr.**

G 231   Es fahren leise junge Wolken durchs Blaue (Frühling) – Simpl 13, 1908/09, S. 45; Uw (1. Aufl. u. d. T.: Es wird Frühling).

G 232   Es führen über die Erde (Allein) – Simpl 14, 1909/10, S. 745; Uw; Kriegs-Weihnachten 1915. (Stgt) 1915: (Die Lese), S. 29f. (Die farb. Heftchen der Waldorf-

Astoria. 17/18.); Hg 2. 3, S. 30; Von schwäb. Scholle (Heilbronn) Jg. 1920, S. 28; AG; Ernte 4, 1923, S. 183; BL; BZ; St.
Es geht besser (Heut hab ich etwas Hühnerfleisch bekommen)

G 233 Es geht ein greiser Mann (Traumfigur) – Simpl 31, 1926/27, S. 85 + ebd. S. 164; Kr.

G 234 Es geht ein Wind von Westen (Der Brief) – JG; St.
Es geht kein Rauschen übers Feld (Es geht kein Rauschen) s. Der Geiger 4

G 235 Es gibt ein Land, mir träumte oft davon (Meinen Freunden) – Knodt 1902, S. 135–137.

G 236 Es giebt so Schönes in der Welt (Es giebt so Schönes –) – JG [nur 1. Aufl.]; BernWo 2, 1912, S. 89.

G 237 Es hält der blaue Tag (Mittag im September) – NRs 21, 1910, S. 1446; Uw; AG; BL; Bodenseeb 25, 1938, S. 14; TB; St.

G 238 Es ist ein grauer Wintertag (Grauer Wintertag) – NatZ Nr. 553 v. 30. 11. 1947; DrG; GGd; St.

G 239 Es ist immer derselbe Traum (Traum) – JG; St.

G 240 Es ist kein Tag so streng und heiß (Vergiß es nicht) – Schweiz 14, 1910, S. 377 u. d. T.: Es ist kein Tag so streng; Uw (1. Aufl. u. d. T.: Es ist kein Tag so streng); Von schwäb. Scholle (Heilbronn) Jg. 1913, S. 57 u. d. T.: Rat; BernWo 6, 1916, S. 421.

G 241 Es klopft. Der Chasseur kommt. Ich höre mit Erstaunen (Besuch) – VK.

G 242 Es läßt so wenig sich mit Worten sagen (Höflicher Brief an einen Literaten) – Tgb 10, 1929, S. 788; Simpl 39, 1934/35, S. 3.

G 243 Es liegt die Welt in Scherben (Leb wohl, Frau Welt) – NatZ Nr. 232 v. 21. 5. 1944, Sobeil. u. d. T.: Alte Leute; NSRs NF 12, 1944/45, S. 66; NRs 56/57, 1945/46, S. 190f.; BZ; Ernte 27, 1946, S. 16; Bodenseeb 32, 1946, S. 25 u. d. T.: Alte Leute; SpG; St.

G 244 Es nachtet schon, die Straße ruht (Nachtgang) – JG (1. Aufl. u. d. T.: Nacht-wanderung); Internat. Bodensee-Zs. (Amriswil) 6, 1956/57, S. 63; A 23; St.

G 245 Es schlug vom Turm die Mitternacht (Nacht im Odenwald) – JG.

G 246 Es singt ein Schnitter auf der Rast (Sommerabend) – ÜbLdM 47, 1905, Bd. 94, S. 1013; JGa.

G 247 Es sitzt der Tod und angelt uns mit schnöder (Der Tod als Angler) – VK; TB; St.
Es war ein Traum. – Vor mir unendlich lag s. Makuscha 2

G 248 Es war noch Zeit; ich konnte gehn (Die Stunde) – JG; AG; BL.

G 249 Es war so warm. – Die Ampel hing (Mansarde) – RL.

G 250 Es wird dir sonderbar erscheinen – JG.

G 251 Euch, schöne Schwestern, lieb ich mit Neid (Blumen) – NZZ Nr. 205 v. 5. 2. 1928; Tgb 12, 1931, S. 191.

F

Fabrik im Tal (Du auch bist schön, Fabrik im grünen Tal)

Fahrt im Aeroplan (Durch dünne Lüfte hingerissen)

Neue Fahrt (Was ich bis heut an Versen schrieb)

Der Falter (In meinen Becher mit Wein ist ein Falter geflogen)

Blauer Falter (Flügelt ein kleiner blauer)

Falter im Wein (In meinen Becher mit Wein ist ein Falter geflogen)

G 252   Fast eine deutsche Stadt, so eng gebaut (Padua) – **JG**; **It.**

Der poetische Faun (Wenn ich abends meine Flöte blase)

Februar (Bläulich dämmert am Hügel hinab zum See)

Februar (Schön ist der Morgenglanz im fernen Schnee)

Februarabend (Bläulich dämmert am Hügel hinab zum See)

Feierabend (Das ist das Glück: am Feierabend müd)

G 253   Feierlich leiert sein Lied in den düstern Bäumen der Regen (Elegie im September) – Simpl 18, 1913/14, S. 452; **MdE.**

G 254   Feinde stehen kampfbereit (Den Daheimgebliebenen) – Simpl 19, 1914/15, S. 651; SchwSp 8, 1914/15, S. 142; **ZG**; Bodenseeb 3, 1916, S. 7.

Einem im Felde gefallenen Freunde (Deine hellen Augen sind zugetan)

Über die Felder (Über den Himmel Wolken ziehn)

G 255   Fern aus den Büschen der Eulenruf hallt (Lenau im Urwald) – L 765, S. 16 [Faksim.].

G 256   Ferneher der Donner ruft (Pilger) – **JG.**

Das Fest (Die dunklen Büsche duften schwer)

Nach dem Fest (Von der Tafel rinnt der Wein)

Nach einem Fest (Wieder klirrt ein Fest in Scherben)

Fest am Samstagabend (Heut war die schöne Mailänderin dabei)

G 257   Feuerzungen flackern im Kamin (Winternacht) – PHelv 3, 1921, Nr. 12, S. 531 u. d. T.: Dezember; **JZ**; **JL.**

Fieber (Zu meiner Geliebten fuhr ich in der Eisenbahn)

G 258   Fieber kann ich schlecht vertragen (Noch immer krank) – **Kr.**

Der Fieberkranke (Voll Sünden war mein Leben)

Fiesole (Über mir im Blauen reisen)

Der erhobene Finger (Meister Djü-dschi war, wie man uns berichtet)

G 259   Fingerlein schreibt ein Gedicht (Sommerabend) – NZZ Nr. 1290 v. 31. 7. 1927; **TN.**

Die Flamme (Ob du tanzen gehst in Tand und Plunder)

Flötenspiel (Ein Haus bei Nacht durch Strauch und Baum)

Fluch (Mit blassen Flatterwolken)

G 260   Flüchtig wie auf hohen Matten (Lulu) – **JG**; **St.**

G 261   Flügelt ein kleiner blauer (Blauer Schmetterling) – NZZ Nr. 1157 v. 24. 6. 1928; VKMtsh 42, 1927/28, II, S. 180 u. d. T.: Blauer Falter; **TN**; **JZ**; **BL**; **BZ**; **St.**

Fluß im Urwald (Seit tausend Jahren fließt er durch den Wald)
Der Föhn (Der Föhn schreit jede Nacht)
Fragment (Manchmal scheint uns alles falsch und traurig)
Einer Frau (Ich bin keiner, keiner Liebe wert)

G 262 Frau Gertrud mir am Bette stand (Frau Gertrud) – **RL.**
Leb wohl, Frau Welt (Es liegt die Welt in Scherben)

G 263 Freund meiner Jugend, zu dir kehr ich voll Dankbarkeit (Ode an Hölderlin) –
Der Greif (Stgt) 1, 1913/14, I, S. 309; **MdE; AG; St.**
Einem Freunde (Wie kommt es, daß du mich verstehst)
Einem Freunde mit dem Gedichtbuch (Was mich je bewegte und erfreute)
An die Freunde in schwerer Zeit (Auch in diesen dunklern Stunden)
Meinen Freunden (Es gibt ein Land, mir träumte oft davon)
Friede (Jeder hat's gehabt)
Dem Frieden entgegen (Aus Haßtraum und Blutrausch)
Ländlicher Friedhof (So nahe lieget ihr beisammen)
Ländlicher Friedhof (Über schiefen Kreuzen Efeuhang)
Den Fröhlichen (Ich sah euch wohl und hab euch liebgehabt)

G 264 Früh kommt in diesem bösen Jahr der Herbst (Denken an den Freund bei Nacht)
– Simpl 19, 1914/15, S. 366; Bab 1915, S. 119f.; Der Weltkrieg 1914–1915. St. Gallen 1915: Schwald. Bd. 1, S. 134: Tdr. o. T.; **ZG.**

G 265 Frühe schon zum Klassiker berufen (Auf den Tod eines Dichters) – Simpl 31,
1926/27, S. 615; Tgb 10, 1929, S. 239.
Frühling (Am Waldrand tränen die Knospen)
Frühling (Der laue März und der feuchte April)
Frühling (Die sanfte Wiese flieht)
Frühling (Es fahren leise junge Wolken durchs Blaue)
Frühling (In dämmrigen Grüften)
Frühling (O wie sind heute die Berge schön)
Frühling (Seit wir, wilde Knabenhorden)
Frühling (Wieder schreitet er den braunen Pfad)
Frühling in Locarno (Wipfel wehn in dunklem Feuer)
Frühling 1915 (Am Waldrand tränen die Knospen)
Im Frühling 1915 (Manchmal seh ich unsre Zeit so hell)
Schweizer Frühling (O wie sind heute die Berge schön)
Toskanischer Frühling (Nun kommt die Zeit der großen Anemonen)

G 266 Frühlinge und Sommer steigen (Spielmann) – **HL; JG.**
Frühlingsfahrt (Von Festen und roten Feuern)
Frühlingsmittag (Primeln quellen saftig im lichten Gekräut)
Frühlingsnacht (Im Kastanienbaum der Wind)
Frühlingstag (Die sanfte Wiese flieht)
Frühlingstag (Wind im Gesträuch und Vogelpfiff)
Frühlingstage (Der laue März und der feuchte April)

Frühsommer 1915 (Wieder tragen die Soldaten)

Frühsommernacht (Der Himmel gewittert)

G 267   Für Augenblicke schweigt die Ferne mir (Herbsttag) – SchwSp 8, 1914/15, S. 34; – u. d. T.: Schweizer Herbsttag: Bab 1915, S. 166; **ZG.**

«Ich habe den Fuß zu setzen...» (Wendet die Blicke, Fragende, wendet)

G

Der Gärtner (Mit einem weichen Schlag)

Ins Gästebuch (Verzaubert in der Jugend grünem Tale)

Gang am Abend (Spät auf staubiger Straße geh ich)

Gang bei Nacht (Busch und Wiese, Feld und Baum)

Gang in der Nacht (Schuh um Schuh im Finstern setz ich)

Nächtlicher Gang (Im Erlenbusch ist noch ein Vogel wach)

Gang im Spätherbst (Herbstregen hat im grauen Wald gewühlt)

Der ferne Garten (Meine Jugend war ein Gartenland)

Gartensaal s. In einem alten Tessiner Park 1

Gavotte (In einem welken Garten singt)

Gebet (Laß mich verzweifeln, Gott, an mir)

Gebet (Wenn ich einmal vor deinem Antlitz stehe)

Gebet der Schiffer (Die Stunden eilen – Mitternacht!)

Gedächtnis (Nun ist's ein Jahr – wie doch die Zeit vergeht)

Gedächtnis der Kindheit (Du bist, mein fernes Tal)

Gedächtnis der Mutter (Lange ging ich auf den Straßen)

Müßige Gedanken (Einmal wird dies alles nicht mehr sein)

Gedenken an den Sommer Klingsors (Zehn Jahre schon, seit Klingsors Sommer glühte)

Gedenktag (Nun ist's ein Jahr – wie doch die Zeit vergeht)

Mit einem kleinen Gedichtbuch s. Widmungsverse zu einem Gedichtbuch 3

Den Gefallenen (Ihr, die ihr im fernen Lande liegt)

Die Geheimnisvolle (So viele Frauen, wenn sie lieben, geben)

G 268   Gehört ich zu den Veilchen, Rosen, Nelken (Einer sentimentalen Dame) – **VK**; Tgb 10, 1929, S. 113.

Eine Geige in den Gärten (Weit aus allen dunkeln Talen)

Meiner Geige s. Der Geiger 3

G 269   Der Geiger (1. Stradivari; 2. Con Sordino; 3. Meiner Geige; 4. Es geht kein Rauschen; 5. An die Kunst; 6. Ich habe nichts mehr) – **JG.**   4. **AG.**

Nach einem sommerlichen Gelage (Durch den Regen floß ich und die Nacht)

G 270   Gelegentlich ergreifen wir die Feder (Buchstaben) – u. d. T.: Hieroglyphen: NZZ Nr. 320 v. 24. 2. 1935; E 98; – **GJK**; A 25.

Der Geliebten (Ich wollt ich wär eine Blume)

Der Geliebten (Im kalten Vorsaal schlägt die Uhr)

Der Geliebten (Wieder fällt ein Blatt von meinem Baum)

Genesung (Aus Leides Trunkenheit)

Genesung (Lange waren meine Augen müd)

Genfersee (Der Tag ist um; schon wird die Ferne trüber)

G 271 Gesänftigt und gemagert, vieler Regen (Uralte Buddha-Figur, in einer japanischen Waldschlucht verwitternd) – NZZ Nr. 602 v. 1. 3. 1959 u. d. T.: Verwitternde Buddha-Figur in einer japanischen Waldschlucht; vsG; LG; P 146; St.

G 272 Geschwisterlich, und alle gleichgerichtet (Blumen nach einem Unwetter) – NatZ Nr. 311 v. 9. 7. 1933, Sobeil.; GdS1933.

Geständnis (Wer meine Freunde sind?)

G 273 Gewartet habe ich vor vielen Türen (Verführer) – Simpl 31, 1926/27, S. 215; Kr.

Gewissen (Manchmal tut mir leid, daß ich dies Leben)

G 274 Gewissermaßen hattest du ja recht (Morgen nach dem Maskenball) – LitW 4, 1928, Nr. 4, S. 3; Kr.

G 275 Gewissermaßen und beziehungsweise (Leicht betrunken) – Europ. Revue (Lpz) 3, 1927/28, I, S. 438 u. d. T.: Melancholische Spielerei; Kr.

Das Gewitter (Noch einmal im verfinsterten Gewühle)

Es kommt ein Gewitter (Der Berg steht schwarz und der Himmel von Stahl)

Nächtliches Gewitter (Die Nacht ist ganz von Blitzen hell)

Gewitter im Urwald (Die Nacht ist ganz von Blitzen hell)

Gewitterregen in der Sommernacht (Tropfen sinken, die Luft ist bang)

Gewölk zerreißt; vom glühenden Himmel her (Allegro) s. Feierliche Abendmusik 1

Bei Giacomuzzi (Zuweilen freut es mich, still und allein)

G 276 Gib uns deine milde Hand (An die Schönheit) – Monatsbll. f. dt. Lit. (Lpz) 5, 1901, S. 386; Knodt 1902, S. 131; JG.

Gicht (An Tagen, wo ich meine Finger biegen kann)

Gimmelfahrt s. Hochgebirgswinter 5

Gina (Wie mal ich dich? – An abendlicher Treppe)

Giorgione (So müssen Künstler von der Erde scheiden!)

Das Glasperlenspiel (Musik des Weltalls und Musik der Meister)

Der letzte Glasperlenspieler (Sein Spielzeug, bunte Perlen, in der Hand)

Gleichnisse (Meine Liebe ist ein stilles Boot)

G 277 Gleichtönig, leis und klagend rinnt (Sommers Ende) – Schweiz 11, 1907, S. 256 u. d. T.: Abschied; Uw; St.

Globetrotter (Wieder mit geraffter Schleppe)

Glück (Das ist das Glück: am Feierabend müd)

Glück (Solang du nach dem Glücke jagst)

Glut der Schmerzen (So hat mein Weg durch Not und Reue)

G 278 Göttlich ist und ewig der Geist (Besinnung) – NatZ Nr. 550 v. 26. 11. 1933, Sobeil.; NRs 45, 1934, I, S. 131; E 20; BL; Prop 34, 1936/37, S. 313; NG; L 738, S. 73; vJ; E 21; St.

Gondel (Bläue über dir und Sonnenglut)

Die venezianische Gondel (Wie ein Lied, zur Dämmerung gesungen)

G 279   Venezianische Gondelgespräche (1. Komm, wir wollen einen Schmuck erdenken; 2. Was ich träume, fragst du? Daß wir beide; 3. In Burano, wo an ihren Spitzen; 4. Meiner Heimat Namen soll ich sagen?; 5. Dort am Horizonte kannst du sehen; 6. Sieh, die Glockenmänner sind am Schlagen) – **JG.**   1–3: VKMtsh 16, 1901/02, I, S. 411 f.

Gondeltage (Leise wie die Gondeln auf den klaren)

G 280   Gottes Atem hin und wider (Magie der Farben) – Schweizerland (Chur) 5, 1918/19, S. 137; VV 1, 1919/20, S. 312; **Wa**; **GdMa**; L 1584; **TB**.

An einem Grabe (Er sehnte sich nach Ruhe, Stille, Nacht)

Auf der Gräberinsel bei Venedig (Wie rinnt die schöne Zeit mir aus der Hand)

Dem Grafen Wiser (Sich nicht dem breiten Strome anbequemen)

Im Grase (Im Grase hingestreckt)

Im Grase liegend (Ist dies nun alles, Blumengaukelspiel)

G 281   Grau und blau getürmtes Schattenland (Morgenstunde) – NZZ Nr. 935 v. 29. 3. 1959; **LG**; **St.**

Grindelwald s. Hochgebirgswinter 3

Tessiner Grotte (Der Wind weht über den Wald)

Gruß aus Altbasel (Zwischen Tür- und Schlüsselklirren)

Gruß an Conrad Haussmann (Auf der Gefühle Zauberflöte)

H

Mit diesen Händen (Alles läßt mich im Stich)

Häuser am Abend (Im späten schrägen Goldlicht steht)

Häuser, Felder, Gartenzaun (Liebe Häuser, lieber Gartenzaun)

Hafen von Livorno (Nach einem Bild, das ich vor Jahren sah)

Der stille Hain (Hier will ich ruhn. Es flügelt lind)

G 282   Hallo, nun brennt mir wieder (Jenseits des Sankt Gotthard) – **JG.**

Handwerksburschenlied (Was rechte Wanderbursche sind)

Handwerksburschenpenne (Das Geld ist aus, die Flasche leer)

G 283   Hast du das ganz vergessen (Wiedersehen) – Kriegs-AlmVKMtsh 1917, S. 31.

G 284   Hast du vom Aretiner nie gelesen (Der Aretiner) – ÜbLdM 48, 1906, Bd. 95, S. 223.

G 285   Hat man mich gestraft (Kleiner Knabe) – NZZ Nr. 1762 v. 22. 5. 1960; **St.**

Mein neues Haus (Am Berge steht mein neues Haus)

Mit einem Heft Gedichte s. Widmungsverse zu einem Gedichtbuch 3

Der Heiland (Immer wieder wird er Mensch geboren)

Heilands Geburtstag (Diesmal bist du nicht das blonde Kind)

Heimat (O Heimatland, o sichere Friedensbucht)

G 286   Heimat, Jugend, Lebens-Morgenstunde (Licht der Frühe) – L 1554; **GeJ.**

G 287 Heimathaben ist gut (Gegenüber von Afrika) – **AI**.
Heimkehr (Nun bin ich lang gewesen)
Heimkehr (Von langer Reise zurückgekommen)
Heimkehr um Mitternacht nach einem Gelage (Durch den Regen floß ich und die Nacht)
Nächtliche Heimkehr von einer Reise (Von langer Reise zurückgekommen)
Heimweg vom Fest (Wieder klirrt ein Fest in Scherben)
Heimweg vom Wirtshaus (Wunderliches Wehgefühl)

G 288 Hell und sonntagsangetan – P 789.2.
Herbst (Ihr Vögel im Gesträuch)
Herbst (In ihrem schönsten Kleide)
Herbst (Wie hing voll reicher Blüte, Traum an Traum)
Verfrühter Herbst (Schon riecht es scharf nach angewelkten Blättern)

G 289 Herbst will es werden allerwärts (September) – VKMtsh 23, 1908/09, I, S. 316; Uw (1. Aufl. u. d. T.: Neige des Sommers); Schweiz 17, 1913, S. 415 u. d. T.: Wenn es Herbst werden will; RecUn 30, 1914, S. 13 u. d. T.: Sommers Ende; **JL**.
Herbstabend am Kaminfeuer (Der Herbst ist jetzt gekommen)
Herbstabend 1918 (In der Ulme rauscht Nacht)

G 290 Herbstabende erinnern mich an dich (Eleanor) – **RL**; RecUn 27, 1911, S. 640.
Herbstbeginn (Der Herbst streut weiße Nebel aus)
Herbstgeruch (Wieder hat ein Sommer uns verlassen)

G 291 Herbstregen hat im grauen Wald gewühlt (Gang im Spätherbst) – Simpl 24, 1919/20, S. 501; PHelv 3, 1921, Nr. 10, S. 433 u. d. T.: Morgen im Oktober; **TN**; **St**.
Herbsttag (Für Augenblicke schweigt die Ferne mir)
Herbsttag (Waldränder glühen golden)

G 292 Herrin, wirst du lachen müssen? – P 889; L 596, S. 66.

G 293 Herwandernd aus den Bergen durch die Nacht (Auf einer Nachtwanderung) – Schweiz 10, 1906, S. 204; **JGa**; **St**.
Und dennoch hofft mein Herz – (Ich habe so viel Schlechtes geschrieben)

G 294 Heut geht ein kalter Wind (Postkarte an die Freundin) – Tgb 11, 1930, S. 1964 u. d. T.: Postkarte; **GG**.

G 295 Heut hab ich einen Fehler gemacht (Die Zauberflöte am Sonntagnachmittag) – **Kr**.

G 296 Heut hab ich etwas Hühnerfleisch bekommen (Es geht besser) – **VK**; **TB**.

G 297 Heut ist der erste Feiertag (Maisonntag) – VKMtsh 18, 1903/04, II, S. 344; Heute u. Morgen (Düsseldorf) Jg. 1952, S. 577.

G 298 Heut spiel ich dir ein Lied (Klingsor an Edith) – Simpl 24, 1919/20, S. 626 u. d. T.: Lied am Winterabend; Frauenzimmer-Almanach auf das Jahr 1923. Wien: Rikola-Verl. [1922], S. 173 u. d. T.: Brief an Edith; Tgb 10, 1929, S. 152 u. d. T.: Klingsors Winterlied an Edith; **GG**.

G 299 Heut war die schöne Mailänderin dabei (Fest am Samstagabend) – **Kr**.

G 300   Heute ist's nicht kleiner Kreis (Das Erlebnis) – Frankf. Ztg. Nr. 357 v. 25. 12.
        1914, 3. Mbl.; LitE 17, 1914/15, Sp. 552; Schweizerland (Chur) 1, 1914/15, S. 330;
        EckLit 9, 1914/15, S. 313; SchwSp 8, 1914/15, S. 98; ZG.

        Schönes Heute (Morgen – was wird morgen sein?)

        Hier haben ihre Frauen sich gefächert (Gartensaal) s. In einem alten Tessiner
        Park 1

G 301   Hier ist mir jeder Wegesrank vertraut (Bei Arcegno) – Schweiz 22, 1918, S. 260;
        TN.

G 302   Hier will ich ruhn. Es flügelt lind (Der stille Hain) – JG; A 23 o. T.

        Hieroglyphen (Gelegentlich ergreifen wir die Feder)

        Hingabe (Dunkle du, Urmutter aller Lust)

G 303   Hinter roten Fensterblumen taucht (Im Schlendern durch eine fremde Stadt) –
        MdE; JL.

G 303a Hinter strengem Felsenriegel (Lej Nair. Kleiner schwarzer Waldsee im Engadin) –
        NZZ Nr. 3208 v. 3. 9. 1961.

        Über Hirsau (Rast haltend unter Edeltannen)

        Hochgebirgsabend (Ein seliger Tag, die Alpen flammen rot)

G 304   Hochgebirgswinter (1. Aufstieg; 2. Berggeist; 3. Grindelwald; 4. Nebel; 5. Gim-
        melfahrt [GG u. d. T.: Schlittenfahrt]) – JG. [4. nur 1. Aufl.]

G 305   Hochmütig, schön und rätselhaft (Porträt) – JG.

        Höhe des Sommers (Das Blau der Ferne klärt sich schon)

        Hölle speit, gewaltig mahlen (Die Kinder) s. Kriegerisches Zeitalter 5

        Der stille Hof (Ein Hof liegt in der stillen Nacht)

G 306   Hohe Palmen am Strand (Ankunft in Ceylon) – AI.

G 307   Holder Schein, an deine Spiele (Bekenntnis) – NZZ Nr. 993 v. 28. 7. 1918; –
        u. d. T.: Holder Schein: Simpl 25, 1920/21, S. 116; Ernte 2, 1921, S. 56; – TN;
        BL; BZ; St.

G 308   Hollunderblüte geistert in der Nacht (Sommernacht) – NZZ Nr. 1200 v. 1. 7.
        1917; BernWo 8, 1918, S. 345.

        Krank im Hotelzimmer (Der Herr von nebenan scheint recht nervös)

        Huldigung (Schöne, Liebe, die du alle Klagen)

        Huldigung an Gina (In meinen Becher mit Wein ist ein Falter geflogen)

        Hundstage (Wie nun am dürren Ginsterhang)

        # I

        Ich bin auch in Ravenna gewesen s. Ravenna 1

G 309   Ich bin der Hirsch und du das Reh (Liebeslied) – TN; St.

G 310   Ich bin ein Stern am Firmament (Ich bin ein Stern) – RL.

G 311   Ich bin einmal ein Dichter gewesen (Betrachtung) – Kr.

G 312 Ich bin keiner, keiner Liebe wert (Einer Frau) – VV 1, 1919/20, S. 177 u. d. T.: Der Verführer; Simpl 25, 1920/21, S. 472; Chorus eroticus. Neue dt. Liebesgedichte. Hg. v. Karl Lerbs. Lpz: Wunderlich 1921, S. 76; TN.

Ich bin nur Einer – (Ich möchte wohl, wie große Dichter tun)

G 313 Ich bin zuweilen wie ein wilder Mann (Sonderling) – JG.

G 314 Ich blicke in den braunen See (Spiegel) – VKMtsh 23, 1908/09, II, S. 430.

G 315 Ich dachte hundertmal daran (Hast du nie an Selbstmord gedacht?) – JG [nur 1. Aufl.].

Ich fragte dich, warum dein Auge gern (Ich fragte dich) s. Maria 4

Ich hab dir Märchen oft erzählt s. Krankheit 1

G 316 Ich hab kein Glück. Zuerst war alles gut (Armer Teufel am Morgen nach dem Maskenball) – LitW 4, 1928, Nr. 4, S. 3 u. d. T.: Morgen nach dem Maskenball; Kr.

G 317 Ich habe keinen Kranz ersiegt (Wie kommt es?) – JG; Internat. Bodensee-Zs. (Amriswil) 6, 1956/57, S. 63 u. d. T.: Müde.

G 318 Ich habe meine Kerze ausgelöscht (Nacht) – Jugend (Mchn) Jg. 1907, S. 550; P 548 o. T.; Schweiz 15, 1911, S. 159; Uw; ÜbLdM 54, 1912, Bd. 108, S. 24; AG; BL; St.

Ich habe nichts mehr zu sagen (Ich habe nichts mehr) s. Der Geiger 6

G 319 Ich habe so viel Schlechtes geschrieben (Und dennoch hofft mein Herz –) – JG; AG.

G 320 Ich habe wenig Lieder (Lieder) – JG; Internat. Bodensee-Zs. (Amriswil) 6, 1956/57, S. 63 u. d. T.: Zigeuner.

G 321 Ich hatte dir ein Lied gespielt (Purpurrose) – JG.

G 322 Ich hatte dir so viel zu sagen (Meiner Mutter) – JG; L 1050, 1953, S. 280.

G 323 Ich hatte eine seltne Violine (Risse) – RL.

Ich kann nicht mehr zufrieden sein s. Elisabeth [B] 1

G 324 Ich kann nicht schlafen. Das Sternenlicht (Schlaflosigkeit) – VKMtsh 23, 1908/09, I, S. 82 u. d. T.: Insomnia; Uw; WiLeb 7, 1913/14, Bd. XIII, S. 513 u. d. T.: Schlaflose Nacht.

G 325 Ich kenne Eine, die dich wohl erreicht (Bonifazios Bild) – VT; GG.

G 326 Ich liebe Frauen, die vor tausend Jahren (Ich liebe Frauen –) – JG.

G 327 Ich liebe solche bunt beglänzte Nächte (Italienische Nacht) – HL; JG; It.

G 328 Ich log! Ich log! Ich bin nicht alt (Ich log) – JG; AG.

G 329 Ich möchte wohl, wie große Dichter tun (Ich bin nur Einer –) – JG.

G 330 Ich reite stumm aus dem Turnier (Der schwarze Ritter) – HL; JG; AG.

G 331 Ich sagte nicht: ich liebe dich (Rücknahme) – JG; AG; BZ.

G 332 Ich sah euch wohl und hab euch liebgehabt (Den Fröhlichen) – AlmVKMtsh 1911, S. 26; GG.

G 333 Ich sang auf Bergen im Morgenwind (Schlechte Zeit) – **JG** [nur 1. Aufl.].

G 334 Ich singe von deinem seidenen Schuh (Liebeslied) – AlmVKMtsh 1909, S. 202;
Uw; Schweiz 15, 1911, S. 203 u. d. T.: O du!

G 335 Ich soll dir Lieder singen – (Ich soll dir Lieder –) – **JG** [nur 1. Aufl.].
Ich soll erzählen s. Elisabeth [A] 2

G 336 Ich soll von dir geschieden sein – VKMtsh 18, 1903/04, II, S. 449; Schweiz 15,
1911, S. 127 u. d. T.: An Elisabeth.

G 337 Ich stehe allein auf dem Berge – L 765, S. 22 [Faksim.].

G 338 Ich stehe hier und harre – P 889.

G 339 Ich Steppenwolf trabe und trabe (Steppenwolf) – P 1297 o. T.; SchwSp 22, 1928,
S. 174f.; **Kr**; Almanach 1928 (Bln: S. Fischer), S. 25f.; **TB**; **St**.

G 340 Ich träume wieder von der Unbekannten (Mon rêve familier) – **JG**; **St**.

G 341 Ich weiß: an irgend einem fernen Tag (Vollendung) – Knodt 1902, S. 125; Brücken
zum Ewigen. Die religiöse Dichtg. d. Gegenw. Hg. v. Wilhelm Knevels. 3. Aufl.
Braunschweig: Wollermann 1927, S. 100 o. T.

G 342 Ich weiß auf Erden keine reinere Lust (Reine Lust) – **JG**; **It**.
Ich weiß, du gehst – (So oft ich spät noch auf der Straße geh)

G 343 Ich weiß einen alten Reigen – P 889.

G 344 Ich weiß nicht mehr wie alles kam (Erinnerung) – **JG**.
Ich weiß von solchen (In manchen Seelen wohnt so tief die Kindheit)

G 345 Ich weiß, was du mir sagen (Nicht heut) – **JG**.

G 346 Ich will mich tief verneigen – P 889; L 596, S. 62.

G 347 Ich will nicht länger in dem Dunkel tasten (Entschluß) – Nord u. Süd (Bln) 31,
1907, Bd. 123, S. 127; Schweiz 12, 1908, S. 176 u. d. T.: Dem Licht entgegen;
Uwa.

G 348 Ich wollt, ich wär ein Katholik (Besoffener Dichter) – **Kr**.

G 349 Ich wollt ich wär eine Blume (Liebeslied) – Simpl 27, 1922/23, S. 220; Ernte 6,
1925, S. 39 u. d. T.: Der Geliebten; **GG**.

G 350 Ihm macht das Verseschreiben kein Vergnügen (Prosa. Auf einen Dichter) – NatZ
Nr. 27 v. 18. 1. 1942, Sobeil.; NSRs NF 9, 1941/42, S. 775f.; E 153; NRs 53,
1942, S. 461; **GG**; A 25; **TB**; **St**.
Ihr, die ihr geht an mir vorbei s. Der Trinker 1

G 351 Ihr, die ihr im fernen Lande liegt (Den Gefallenen) – Daheim 51, 1914/15, H. 24,
S. 12; SchwSp 8, 1914/15, S. 170; Prop 12, 1914/15, S. 734.

G 352 Ihr Vögel im Gesträuch (Herbst) – VV 1, 1919/20, S. 177; PHelv 3, 1921, Nr. 9,
S. 397 u. d. T.: September; KlBd 9, 1928, S. 325 u. d. T.: Oktober; **TN**; **BL**; **JL**
u. d. T.: Ihr Vögel im Gesträuch; **St**.

G 353 Ihr wißt nichts von der Zeit (Den Kindern) – März 9, 1915, II, S. 282f.; BernWo 5,
1915, S. 577; Poesie des Krieges. NF. Hg. v. Alfred Biese. Bln: Grote 1915,
S. 106f.; **ZG**; **vJ**.

G 354 Im alten loderlohen Glanze (Jahrestag) – **JG**.

G 355 Im Anfang herrschten jene frommen Fürsten (Dienst) – NatZ Nr. 12 v. 12. 1. 1936, Sobeil. u. d. T.: Und unser ist das Amt; **GJK**; **St**.

G 356 Im Astwerk wiegt sich der müde (Liebesmüde) – **JG**.

G 357 Im Bett, im Wickel, in der stillen Schwebe (Bulletin) – NZZ Nr. 1921 v. 13. 11. 1927 u. d. T.: Brief aus dem Krankenbett; **VK**.

G 358 Im Erlenbusch ist noch ein Vogel wach (Nachtgang) – LiSch 2, 1911/12, Nr. 13; – u. d. T.: Nächtlicher Gang: Schweiz 18, 1914, S. 173; BernWo 5, 1915, S. 301; – **MdE**.

G 359 Im Garten meiner Mutter steht – **JG**.

G 360 Im Grase hingestreckt – u. d. T.: Im Grase: SchwSp 8, 1914/15, S. 154; Prop 12, 1914/15, S. 591; – **Uwa**.

G 361 Im kalten Vorsaal schlägt die Uhr (Der Geliebten) – Simpl 29, 1924/25, S. 50.

Im Kamin die müden Flammen s. In der Einsamkeit 1

G 362 Im Kamin krümmt sich in Schmerzen das brennende Scheit (Schmerzen) – Schweiz 25, 1921, S. 736 u. d. T.: Im Leide; Simpl 27, 1922/23, S. 582; – u. d. T.: Abend am Kamin: SchwSp 22, 1928, S. 66; Prop 25, 1927/28, S. 177; – **TN**; **BL**; **St**.

G 363 Im Kastanienbaum der Wind (Frühlingsnacht) – Dt. Heimat (Lpz) 6, 1902/03, H. 25, S. 787f.; VKMtsh 18, 1903/04, II, S. 288; **JGa**.

G 364 Im späten schrägen Goldlicht steht (Häuser am Abend) – NZZ Nr. 1296 v. 16. 7. 1933 u. d. T.: Tessiner Häuser am Abend; **GdS1933**; KlBd 15, 1934, S. 281 u. d. T.: Dorf am Spätsommerabend; Simpl 40, 1935/36, S. 86 u. d. T.: Tessiner Dorf am Abend; Das 49. Jahr. Almanach. Bln: S. Fischer 1935, S. 29 u. d. T.: Dorf am Abend; **JL** u. d. T.: Tessiner Dorf am Sommerabend; **BZ**; **St**.

Im Teich ein trüber s. Teich 2

G 365 Im trocknen Grase lärmen Grillenchöre (Heißer Mittag) – NatZ Nr. 358 v. 6. 8. 1933, Sobeil.; **GdS1933**.

G 366 Im Walde blüht der Seidelbast (Wanderschaft) – NTgbl Nr. 97 v. 28. 4. 1909; Simpl 14, 1909/10, S. 57; **Uw**; Bodenseeb 1, 1914, S. 15.

G 367 Immer bin ich ohne Ziel gegangen (Dem Ziel entgegen) – **JGa**; Simpl 11, 1906/07, S. 563; – u. d. T.: Das Ziel: **MdE**; **AG**; **BL**; – A 23 o. T.

G 368 Immer hin und wider (Der Blütenzweig) – **MdE**; **AG**; **BL**; **BZ**; A 11; **St**.

G 369 Immer und immer fühl ich's, ob alt oder jung (O brennende Welt –) – AlmVKMtsh 1920, S. 30 u. d. T.: Der Dichter; **Wa** u. d. T.: Herrliche Welt; **TN**.

G 370 Immer war ich auf der Fahrt (Der Pilger) – VKMtsh 40, 1925/26, I, S. 344; **GG**; **St**.

G 371 Immer wieder aus der Erde Tälern (Die Unsterblichen) – NZZ Nr. 243 v. 14. 2. 1926; P 1297; SchwSp 22, 1928, S. 175; **Kr**; Almanach 1928 (Bln: S. Fischer), S. 26f.; **BL**; **vJ**; **St**.

G 372 Immer wieder aus der Vergessenheit Nacht (Poetischer Büchersturz) – März 5, 1911, II, S. 65–70.

G 373   Immer wieder gab ich meine Hände (Einsamkeit) – VKMtsh 22, 1907/08, II, S. 527.
Immer wieder tröstlich (Andante) s. Feierliche Abendmusik 2

G 374   Immer wieder wird er Mensch geboren (Der Heiland) – NatZ Nr. 597 v. 22. 12.
1940, Sobeil.; Corona 10, 1940/43, S. 393; **GG**; **BZ**; **vJ**; St.
Immerzu (Mein Herz geht seine Wege)

G 375   In allen Nächten steht die Heimat nah (Unterwegs nach Sumatra) – **AI** u. d. T.:
Im malayischen Archipel; P 146.
In Burano, wo an ihren Spitzen s. Venezianische Gondelgespräche 3

G 376   In dämmrigen Grüften (Frühling) – **JG**; St.

G 377   In den Bergen ist der Sturm erwacht (So wie heut hab ich sie nie geliebt) – Dichterh
16, 1896, S. 510f.

G 378   In der leeren Flasche und im Glas (Einsamer Abend) – Schweiz 21, 1917, S. 625;
Simpl 22, 1917/18, S. 527; **TN**; **BZ**; St.
In der Nacht, im Traum, sah ich dich s. Makuscha 1

G 379   In der Ulme rauscht Nacht (Herbstabend 1918) – Die weißen Blätter (Lpz) 5,
1918, H. 4, S. 30; Tgb 10, 1929, S. 321 u. d. T.: Herbstabend im fünften Kriegsjahr; **TN**.

G 380   In einem Kloster im Gebirg zu Gast (Ein Traum) – u. d. T.: Ein Traum Josef
Knechts: Die Zeit (Bern) 4, 1936, H. 5, S. 144f.; NRs 47, 1936, S. 1009–1012;
E 188; Das 50. Jahr. Almanach. Bln: S. Fischer 1936, S. 9–12; – **GJK**a.

G 381   In einem welken Garten singt (Gavotte) – **RL**; Jugend (Mchn) Jg. 1911, S. 1040
u. d. T.: Alter Tanz.

G 382   In Erd und Luft, in Wasser und in Feuer – P 958.

G 383   In großen Takten singt das Meer (Bei Spezia) – Knodt 1902, S. 134 u. d. T.:
Nacht am Meer; **JG**.

G 384   In grünem Licht verglimmt der heiße Tag (Vor Colombo) – **AI**; Das 27. Jahr.
Almanach. Bln: S. Fischer 1913, S. 147f.; P 146.

G 385   In ihrem schönsten Kleide (Oktober) – Simpl 13, 1908/09, S. 483 u. d. T.: Herbst;
Uw; Bodenseeb 4, 1917, S. 162.

G 386   In ihren schattigen Hain trat die schöne Kamala – P 1246.
In jener Nacht, nachdem du fortgegangen s. Nach einem Begräbnis 2

G 387   In manchen Seelen wohnt so tief die Kindheit (Ich weiß von solchen) – NZZ
Nr. 731 v. 22. 4. 1928; VKMtsh 42, 1927/28, II, S. 625; **TN**; Almanach 1930
(Bln: S. Fischer), S. 70; **BL**; St.

G 388   In meinen Becher mit Wein ist ein Falter geflogen (Falter im Wein) – Der schwäb.
Bund (Stgt) 1, 1919/20, II, S. 356 u. d. T.: Huldigung an Gina; – u. d. T.: Der
Falter: Schweiz 23, 1919, S. 475; AlmVKMtsh 1924, S. 106; Ikarus (Bln) 3, 1927,
Nr. 7, S. 20; – **GG**.

G 389   In meiner Brust erglüht (Eine andre Welt) – **GG**.

G 390   In mildem Takt ein leiser Tropfenfall (Venedig) – **VT** u. d. T.: Regennacht;
Simpl 15, 1910/11, S. 456; Uw.

G 391 In Mutters Zimmer stand ein Bild (Madonna) – Dichterh 16, 1896, S. 187.

G 392 In Weihnachtszeiten reis' ich gern (In Weihnachtszeiten) – Schweiz 17, 1913, S. 566; Uwa; SbKriegsgef 2, 1917, H. 34, S. 18.

G 393 In Welschland, wo die braunen (Auskunft) – JG [nur 1. Aufl.].
Insomnia (Ich kann nicht schlafen. Das Sternenlicht)
Inspiration (Nacht. Finsternis. In müder Hand)
Inspiration (Nacht, Wolkensturm und Wipfeltanz)
Irgendwo (Durch des Lebens Wüste irr ich glühend)

G 394 Irgendwo in einem Walde wars (Einmal) – WiLeb 7, 1913/14, Bd. XIV, S. 733.
Ist auch alles Trug und Wahn s. Junger Novize im Zen-Kloster 2

G 395 Ist dies nun alles, Blumengaukelspiel (Im Grase liegend) – Schweiz 17, 1913, S. 317; MdE; St.
Ist's auch nicht mehr Überschwang s. Widmungsverse zu einem Gedichtbuch 1

J

Das Jahr geht zu Ende (Alt geworden bist du, grünes Jahr)
Jahrestag (Im alten loderlohen Glanze)
Januartag im Gebirge (Singe, mein Herz, heut ist deine Stunde!)

G 396 Jede Blüte will zur Frucht (Welkes Blatt) – GdS1933; BZ; E 29 [Faksim.]; L 765, S. 153 [Faksim.]; St.

G 397 Jede Nacht der gleiche Jammer (Jede Nacht) – Kr.

G 398 Jedem Tag ein kleines Glück (Neujahrsblatt ins Album) – VKMtsh 16, 1901/02, I, S. 530.

G 399 Jeden Abend sollst du deinen Tag (Jeden Abend) – LiSch 2, 1911/12, Nr. 32; MdE.

G 400 Jeder hat's gehabt (Friede) – StgtNTgbl v. 10. 12. 1914; Simpl 19, 1914/15, S. 406; Bab 1915, S. 178; ZG; AG; BL; E 61; L 765, S. 80f. [Faksim.]; St.

G 401 Jedes Kind weiß, was der Frühling spricht (Sprache des Frühlings) – NatZ Nr. 163 v. 10. 4. 1932, Sobeil.; VKMtsh 48, 1933/34, II, S. 88; NG.

G 402 Jenes Licht, das einst in den Stuben (Klage und Trost) – NZZ Nr. 802 v. 4. 4. 1954; E 108; Internat. Bodensee-Zs. (Amriswil) 5, 1955/56, S. 44; GeJ; American-German Rev. 23, 1956/57, S. 21; LG.
Jesus und die Armen (Du bist gestorben, lieber Bruder Christ)

G 403 Jetzt bist du schon gegangen, Kind (Auf den Tod eines kleinen Kindes) – VKMtsh 45, 1930/31, II, S. 652; FG; NG.
Jetzt kannst du's nimmer hören s. Der Toten 2

G 404 Jetzt muß ich, da ich krank und wehrlos bin (Sterben) – LitW 4, 1928, Nr. 4, S. 3; Tgb 11, 1930, S. 274.

G 405 Jetzt sind sie im Odeon, fragen nach mir (Schlimmer Abend) – Kr.

G 406 Jetzt steht der ganze Garten leer (Novembertag) – PHelv 1, 1919, Nr. 11, S. 309;
VKMtsh 38, 1923/24, I, S. 298 u. d. T.: Spätherbst.

Zu Johannes dem Täufer/Sprach Hermann der Säufer (Alles ist mir ganz willkommen)

Jüngling (O wie die Tage verblühn)

Der Jüngling s. Kriegerisches Zeitalter 4

Jüngling, fühle in der Brust s. Monatssprüche 5

Jugend (Morgen – was wird morgen sein?)

Gemeinsame Jugend (Wenn wir jetzt die Heimat wieder sehen)

Zu Jugendbildnissen (So blickt aus sagenhafter Frühe)

Jugendflucht (Der müde Sommer senkt das Haupt)

Jugendgarten (Meine Jugend war ein Gartenland)

Julikinder (Wir Kinder im Juli geboren)

Juli-Nacht (Die Bäume tropfen vom Gewitterguß)

G 407 Jung sein und Gutes tun ist leicht (Im Altwerden) – Daheim 51, 1914/15, H. 52,
S. 12 u. d. T.: Beim Älterwerden; März 10, 1916, IV, S. 193 u. d. T.: Vom Tode;
GG.

Juni (Rote Nelke blüht im Garten)

K

Nachts in der Kabine (Das Meer klopft an die Wand)

An den Kaiser (Rings stehen deine tapfern Heere)

G 408 Kalt knistert Herbstwind im dürren Rohr (Skizzenblatt) – NatZ Nr. 579 v. 15. 12.
1946, Sobeil.; SchwMtsh 27, 1947/48, S. 35; Dem Dichter des Friedens Johannes
R. Becher zum 60. Geb. Bln: Aufbau-Verl. 1951, S. 121; **GGb; St.**

Einem Kameraden (Weißt du die Nächte noch, da wir vom Lido her)

Karfreitag (Verhangener Tag, im Wald noch Schnee)

G 409 Kastanienblüte, abendlicher Hain (Südlicher Sommer) – Wieland 6, 1920, H. 5,
S. 11; Bodenseeb 14, 1927, S. 20 u. d. T.: Wieder Sommer; **TN; BZ; St.**

G 410 Kennst du das auch, daß manchesmal (Kennst du das auch?) – Knodt 1902,
S. 129; **JG; AG; BZ.**

G 411 Kennst du mich noch? Wir wurden alt (La belle qui veut) – **JG** [nur 1. Aufl.].

Kind im Frühling (So weiß im reichen Maienblust)

Die Kinder s. Kriegerisches Zeitalter 5

Den Kindern (Ihr wißt nichts von der Zeit)

Mit den Kindern am Kaminfeuer (Der Herbst ist jetzt gekommen)

Kindheit (Mit blauen Himmeln wunderhold)

Die Kindheit (Du bist, mein fernes Tal)

Kindlein unterm Blütenbaum (So weiß im reichen Maienblust)

Klage (Uns ist kein Sein vergönnt. Wir sind nur Strom)

Klage und Trost (Jenes Licht, das einst in den Stuben)

Der Klang (Aus der Kindheit her)

Verlorener Klang (Einmal in Kindertagen)

G 412 Klavier und Geige, die ich wahrlich schätze (Pfeifen) – **VK**; Tgb 9, 1928, S. 2228; **St.**

Klingsor an Edith (Heut spiel ich dir ein Lied)

Klingsor an den «Schatten» (Das Karussell war in der Nacht verglüht)

Klingsor zecht im herbstlichen Walde (Trunken sitz ich des Nachts im durchwehten Gehölz)

Klingsors Winterlied an Edith (Heut spiel ich dir ein Lied)

Kleiner Knabe (Hat man mich gestraft)

Der lahme Knabe (Einsam steht und verloren im Bilderbuch meiner Erinnrung)

Knaben (Zwei Knaben, müd vom Spiel und Lauf)

Königskind (Wenn alle Nachbarn schlafen gangen)

G 413 Komm ich in mein Zimmer (Widerlicher Traum) – Tgb 10, 1929, S. 1942 u. d. T.: Schlechter Traum; Simpl 37, 1932/33, S. 10; **GG.**

G 414 Komm mit! – **RL.**

Komm, wir wollen einen Schmuck erdenken s. Venezianische Gondelgespräche 1

Konzert (Die Geigen schwirren hoch und weich)

Kopfschütteln (Wär ich einsam und Asket geblieben)

Der Kranke (Voll Sünden war mein Leben)

Der Kranke (Wie Wind ist mein Leben verweht)

Kranken-Nacht (Augen, in die ich einst liebend geblickt)

Krankheit (Willkommen Nacht! Willkommen Stern!)

G 415 Krankheit (1. Ich hab dir Märchen oft erzählt; 2. Nun ist der Tag zu Ende) – **RL.**

Kreislauf (Alle Tode bin ich schon gestorben)

Kreuzfahrer (Scharen schiffen über See)

Der Kreuzgang von Santo Stefano (Ein Wändeviereck blaß, vergilbt und alt)

Das Kreuzlein (Spätsommers. Meine Birke regt)

Der Krieger s. Kriegerisches Zeitalter 3

Im vierten Kriegsjahr (Wenn auch der Abend kalt und traurig ist)

Krisis (Die Welt fällt von dir ab)

Kritiker und Dichter (Was hast du denn mit dem gemeint)

G 416 Kühler Gassen enge Schattenkluft (Süden) – VKMtsh 31, 1916/17, III, S. 398; Die Horen (Bln) 4, 1927/28, S. 844f. u. d. T.: Ankunft im Süden; **TN**; **BZ**; **St.**

Der Künstler (Was ich schuf in heißer Jahre Glut)

Kranker Künstler (Andre gibt es, die schlafen, essen, verdauen)

Der Künstler an die Krieger (Nie begehr ich ein Gewehr zu tragen)

An die Kunst s. Der Geiger 5

L

Lady Rosa (Du mit der Stirne voller Licht)

G 417   Längs dem Strom in blauen Hecken (Unser Schloß) – RL; ÜbLdM 53, 1911, Bd. 105, S. 61 u. d. T.: Das Schloß.

Lagune (Von keiner starken Welle je erreicht)

Lampions in der Sommernacht (Warm in dunkler Gartenkühle)

Landschaft (Wälder stehen, See und Land)

Der alte Landstreicher (Die warme Zeit ist wieder da)

Landstreicherherberge (Wie fremd und wunderlich das ist)

G 418   Lange ging ich auf den Straßen (Gedächtnis der Mutter) – Simpl 23, 1918/19, S. 109; TN; E 129.

G 419   Lange hab ich nun dem Regenlied gelauscht (Regenzeit) – NZZ Nr. 654 v. 4. 5. 1919; Wieland 5, 1919/20, H. 6, S. 6; – u. d. T.: Regen: SchwSp 22, 1928, S. 42; Prop 25, 1927/28, S. 401; – TN; St.

G 420   Lange waren meine Augen müd (Genesung) – Schweiz 10, 1906, S. 272; JGa; WMtsh 55, 1910/11, Bd. 109, S. 165; Uw [nur 1. Aufl.]; MdE.

G 421   Langweilig Schauspiel, nimm ein End (Schauspiel) – RL.

G 422   Laß mich verzweifeln, Gott, an mir (Gebet) – TN.

G 423   Laternen spiegeln durch die Nacht (Spät auf der Straße) – JG; AG; BL.

G 424   Lauer Regen, Sommerregen (Regen) – Wa; NZZ Nr. 606 v. 24. 4. 1921 u. d. T.: Mairegen; TN; BZ; St.

G 425   Laufeuchte Winde schweifen (Zunachten) – NRs 17, 1906, S. 375; JGa; AG; BL; Bodenseeb 25, 1938, S. 14; BZ; A 23 o. T.; St.

Leben einer Blume (Aus grünem Blattkreis kinderhaft beklommen)

Noch ist mein Leben der Erfüllung bar – (Mit aller weiten Fahrten Lust)

Leg mir aufs Haar s. Meiner Liebe 2

Leicht betrunken (Gewissermaßen und beziehungsweise)

G 426   Leid und Finsternis, wohin ich seh (Winter 1914) – SchwSp 8, 1914/15, S. 46; Prop 12, 1914/15, S. 290 u. d. T.: Winter 1915.

Im Leide (Daß bei jedem Föhn)

Im Leide (Im Kamin krümmt sich in Schmerzen das brennende Scheit)

Die Leidenden (Oft ist das Leben lauter Licht)

G 427   Leidenschaftlich strömt der Regen (Oktober 1944) – NatZ Nr. 491 v. 22. 10. 1944, Sobeil.; SpG; St.

G 428   Leise wie die Gondeln auf den klaren (Leise wie die Gondeln) – VeV u. d. T.: Gondeltage; SimplKal f. 1909, S. 77 u. d. T.: Venedig; Uwa.

Lej Nair. Kleiner schwarzer Waldsee im Engadin (Hinter strengem Felsenriegel)

Lenau im Urwald (Fern aus den Büschen der Eulenruf hallt)

Beim Lesen in einem alten Philosophen (Was gestern noch voll Reiz und Adel war)

Nach dem Lesen in der Summa contra Gentiles (Einst war, so scheint es uns, das Leben wahrer)

Alte Leute (Es liegt die Welt in Scherben)
Alte Leute (Weit ist der Weg von mir zu dir)
Arme Leute (Blätterfall und rauher Wind)
Levkoyen und Reseden (Auf dem Tisch ein kleiner Strauß)
Dem Licht entgegen (Ich will nicht länger in dem Dunkel tasten)
Licht der Frühe (Heimat, Jugend, Lebens-Morgenstunde)
Liebe (Wieder will mein froher Mund begegnen)

G 429   Liebe Häuser, lieber Gartenzaun (Häuser, Felder, Gartenzaun) – WiLeb 14,
1920/21, S. 43; **GdM**; Simpl 26, 1921/22, S. 266 u. d. T.: Der Maler malt eine
Landschaft; **BL.**

Meine Liebe (Sie schweigt und denkt mit trauervollen)
Meine fröhliche Liebe (Meine fröhliche Liebe hat mich verlassen)

G 430   Meiner Liebe (1. An meine Schulter lehne; 2. Leg mir aufs Haar) – **HL.**

Meiner ersten Liebe (Dort, wo mein Leben aus dem Kinderland)
Neue Liebe (Oft war ich müd und glaubte alt zu sein)
Ohne Liebe (Wie über eines tiefen Brunnens Rand)
Der Liebende (Nun liegt dein Freund wach in der milden Nacht)
Der Liebende (Oft wenn ich zu Bette geh)
Liebesbrief (O du, ich kann nicht sagen)
Liebeslied (Ich bin der Hirsch und du das Reh)
Liebeslied (Ich singe von deinem seidenen Schuh)
Liebeslied (Ich wollt ich wär eine Blume)
Liebeslied (O du, ich kann nicht sagen)
Liebeslied (Schöne, Liebe, die du alle Klagen)
Liebeslied (Wo mag meine Heimat sein?)
Liebesmüde (Im Astwerk wiegt sich der müde)
Das Lied von Abels Tod (Tot in den Gräsern liegt Abel)
Das Lied der Kriegsbraut (Du weißer Schnee, du kühler Schnee)
Lied auf der Landstraße (Bei einem Meister stand ein Bursch)
Lied am Winterabend (Heut spiel ich dir ein Lied)
Lieder (Ich habe wenig Lieder)
Mit einem Liederheft (Nun bückst du dich nieder)

G 431   Liegt irgendwo ein wildes Meer (Melodie) – **RL.**

Lorenzos Lied (Erzählen soll ich dir? Von Welschland? – Heute nicht!)
Lulu (Flüchtig wie auf hohen Matten)
Reine Lust (Ich weiß auf Erden keine reinere Lust)

M

Madonna (In Mutters Zimmer stand ein Bild)
Einem Mädchen (Von allen den Blumen)
Das Mädchen sitzt daheim und singt (Du weißer Schnee, du kühler Schnee)

März (An dem grün beflognen Hang)

März im Schwarzwald (Was heut modern und raffiniert)

Märzabend (Bläulich dämmert am Hügel hinab zum See)

Märzsonne (Trunken von früher Glut)

G 432 Mag Menschenkampf und Menschenhaß (Bei Mondschein) – AlmVKMtsh 1909, S. 156.

Magie der Farben (Gottes Atem hin und wider)

Magst noch so viele Sorgen haben s. Monatssprüche 12

Mailied der Knaben (Die Mägdlein dürfen spielen)

Mairegen (Lauer Regen, Sommerregen)

Maisonntag (Heut ist der erste Feiertag)

G 433 Makuscha (1. In der Nacht, im Traum, sah ich dich; 2. Es war ein Traum. – Vor mir unendlich lag) – Dichterh 16, 1896, S. 312.

Der Maler (Äcker tragen Korn und kosten Geld)

Der Maler malt eine Fabrik im Tal (Du auch bist schön, Fabrik im grünen Tal)

Der Maler malt eine Gärtnerei (Was geht die Gärtnerei mich an?)

Der Maler malt eine Landschaft (Liebe Häuser, lieber Gartenzaun)

Der Maler malt einen arg gestutzten Eichenbaum (Wie haben sie dich, Baum, verschnitten)

Alter Maler in der Werkstatt (Vom großen Fenster scheint Dezemberlicht)

Malerfreude (Äcker tragen Korn und kosten Geld)

G 434 Man hatte mich eingeladen (Soirée) – Schweiz 14, 1910, S. 382; Jugend (Mchn) Jg. 1913, S. 336.

Manchmal (Manchmal scheint uns alles falsch und traurig)

Manchmal (Manchmal, wenn ein Vogel ruft)

G 435 Manchmal duftet aus dem öden Grau (Weg zur Mutter) – NSRs 19, 1926, S. 1118 o. T.; Tgb 9, 1928, S. 932; **Kr.**

G 436 Manchmal scheint uns alles falsch und traurig (Manchmal) – NZZ Nr. 1794 v. 20. 12. 1923 u. d. T.: Fragment; **GGd.**

G 437 Manchmal seh ich unsre Zeit so hell (Im Frühling 1915) – **ZG.**

G 438 Manchmal tut mir leid, daß ich dies Leben (Gewissen) – **Kr** u. d. T.: Ahnungen.

G 439 Manchmal, wenn ein Vogel ruft (Manchmal) – Schweiz 10, 1906, S. 204; Simpl 11, 1906/07, S. 390; **JGa; MdE; AG; BL; St.**

Der alte Mann s. Kriegerisches Zeitalter 1

Der alte Mann und seine Hände (Mühsam schleppt er sich die Strecke)

Mansarde (Es war so warm. – Die Ampel hing)

G 440 Maria (1. So schön bist du!; 2. So ziehen Sterne –; 3. Du aber; 4. Ich fragte dich; 5. Wenn doch mein Leben) – **RL.** 2. ZtBild 10, 1912, S. 548.

G 441 Marienlieder (1. Schilt nicht! Ich kann nicht beten; 2. Ohne Schmuck und Perlenglanz; 3. Deinem Blick darf meiner nicht begegnen) – **JG.** 2. 3. **HL.**

Auf einem nächtlichen Marsch (Sturm und schräger Regenstrich)

Die Maschinenschlacht (Auf der Straße und in allen Fabriken)

Media in vita (Bist allein im Leeren)

Media in vita (Einmal, Herz, wirst du ruhn)

Meermittag (Das ist so süß wie Traum und Tod)

G 442 Mehr oder weniger, mein lieber Knabe (Belehrung) – VK; Almanach 1930 (Bln: S. Fischer), S. 72; St.

G 443 Mein Heimweh und meine Liebe (Dunkle Augen) – RL.

G 444 Mein Herz geht seine Wege (Immerzu) – Schweiz 15, 1911, S. 439.

G 445 Mein Herz ist müd, mein Herz ist schwer (Der Abenteurer) – VKMtsh 16, 1901/02, II, S. 712; JG; AG; It.

G 446 Mein Herz ist wie ein Kind (Melancholie) – Simpl 14, 1909/10, S. 830; Uw.

G 447 Mein hochgeehrter Herr von Klein (Ein Brief) – Tgb 9, 1928, S. 355; Kr.

G 448 Mein Kissen schaut mich an zur Nacht (Ohne dich) – VKMtsh 28, 1913/14, I, S. 99; BernWo 3, 1913, S. 305; MdE.

G 449 Mein Leben ist hingeronnen (Verse in schlafloser Nacht) – KlBd 8, 1927, S. 377; Kr.

G 450 Mein Lehrer liegt und schweigt schon manche Tage (Bericht des Schülers) – NatZ Nr. 568 v. 7. 12. 1941, Sobeil.; NSRs NF 9, 1941/42, S. 656; GG; St.

G 451 Mein Liebling du, verwölkte Nacht (Verwölkte Nacht) – JG; AG; BL.

G 452 Mein Vater hat viel Schlösser – P 889.

G 453 Meine fröhliche Liebe hat mich verlassen (Meine fröhliche Liebe) – JG.

G 454 Meine Jugend war ein Gartenland (Jugendgarten) – LiSch 1, 1910/11, Nr. 48; Schweiz 18, 1914, S. 197 u. d. T.: Der ferne Garten; MdE; AG; BL.

G 455 Meine Liebe ist ein stilles Boot (Gleichnisse) – JG; BZ.

G 456 Meine Lieder stehen (Im Scherz) – RL.

G 457 Meine Seele, kannst du nicht beten? (Sternklare Nacht) – JG.

Meiner Heimat Namen soll ich sagen? s. Venezianische Gondelgespräche 4

Meines Vaters Haus im Süden steht s. Junger Novize im Zen-Kloster 1

Der Meister (Nein, Junge, suche du allein)

G 458 Meister Djü-dschi war, wie man uns berichtet (Der erhobene Finger. Für Wilhelm Gundert) – NZZ Nr. 240 v. 22. 1. 1961; E 208a.

Melancholie (Mein Herz ist wie ein Kind)

An die Melancholie (Zum Wein, zu Freunden bin ich dir entflohn)

Melodie (Liegt irgendwo ein wildes Meer)

Menschen (Wir leben hin in Form und Schein)

Harte Menschen (Wie ist euer Blick so hart)

G 459 Mir war ein Weh geschehen (Der Schmetterling) – ÜbLdM 49, 1907, Bd. 98, S. 1220; Schweiz 15, 1911, S. 91; MdE.

Mir zittern die Saiten (Con Sordino) s. Der Geiger 2

G 460 Mit aller weiten Fahrten Lust (Noch ist mein Leben der Erfüllung bar –) – **JG.**

G 461 Mit blassen Flatterwolken (Fluch) – **JG.**

G 462 Mit blauen Himmeln wunderhold (Kindheit) – VKMtsh 22, 1907/08, II, S. 69; RecUn 28, 1912, S. 118 u. d. T.: An die Kindheit.

G 463 Mit Dämmerung und Amselschlag (Nacht) – **JG; St.**

G 464 Mit einem weichen Schlag (Der Gärtner) – SchwSp 8, 1914/15, S. 10f.; **ZG.**

Mittag im Boot (Das ist so süß wie Traum und Tod)

Heißer Mittag (Im trocknen Grase lärmen Grillenchöre)

Mittag im September (Es hält der blaue Tag)

G 465 Mitternacht schlägt eine Uhr im Tal (Wanderer im Schnee) – SoblBasNachr 16, 1922, S. 29 u. d. T.: Letzter Weg; Simpl 33, 1928/29, S. 476; **GG.**

G 466 Möchten viele Seelen dies verstehen (Verwelkende Rosen) – Tgb 10, 1929, S. 484; **TN; BL; BZ.**

G 467 Monatssprüche (1. Rein wie der weiße Schnee im Feld; 2. Wenn du einen Kater hast; 3. Seele, laß das Trauern; 4. Nun mache deine Augen klar; 5. Jüngling, fühle in der Brust; 6. Das Heu ist reif und duftet fein; 7. Streck dich hin am Gartenhag; 8. Schau nur dem Schnitter zu; 9. Das milde Gold auf See und Ried; 10. Die lauten mögen mit Böllern schießen; 11. Schaue trauernd, wie im Wald; 12. Magst noch so viele Sorgen haben) – SimplKal f. 1907, S. 5–27.

G 468 Mond vom Fenster weckte mich (Erwachen in der Nacht) – WMtsh 70, 1925/26, Bd. 140, S. 688; Ikarus (Bln) 3, 1927, Nr. 6, S. 23 u. d. T.: Phantasieren im Halbschlaf; **TN; St.**

Mondaufgang (Dunkel streift der feuchte Wind)

G 469 Mondlicht aus opaler Wolkenlücke (Chinesisch) – NZZ Nr. 1770 v. 3. 10. 1937; NRs 48, 1937, II, S. 519; E 38; **ZehnG; P 146; St.**

Bei Mondschein (Mag Menschenkampf und Menschenhaß)

Morgen (Da ich verschlafen lag)

Morgen (Nun lockt mich keine Liebesnacht)

Morgen nach dem Maskenball (Gewissermaßen hattest du ja recht)

Morgen nach dem Maskenball (Ich hab kein Glück. Zuerst war alles gut)

Morgen im Oktober (Herbstregen hat im grauen Wald gewühlt)

G 470 Morgen – was wird morgen sein? (Schönes Heute) – **VT**; ÜbLdM 53, 1911, Bd. 105, S. 580 u. d. T.: Jugend; **GG.**

Morgenfrühe (Da ich verschlafen lag)

Die Morgenlandfahrt (Verloren in der Welt, vom Kreuzheer abgesprengt)

G 471 Morgens so gegen die sieben verlaß ich die Stube und trete (Stunden im Garten. Eine Idylle) – NRs 46, 1935, II, S. 225–237; E 181; S 4.

Morgenstunde (Grau und blau getürmtes Schattenland)

Morgenstunde im Dezember (Regen schleiert dünn, und träge Flocken)

Moritat (Ein Ritter und sein Knappe)

Mückenschwarm (Viel tausend glänzende Punkte)

Müde (Ich habe keinen Kranz ersiegt)

G 472 Mühsam schleppt er sich die Strecke (Der alte Mann und seine Hände) – NZZ Nr. 171 v. 20. 1. 1957; NatZ Nr. 63 v. 8. 2. 1959, Sobeil.; vsG; LG.

Müßt ihr denn schon wieder kriegen? (Der alte Mann) s. Kriegerisches Zeitalter 1

G 473 Musik des Weltalls und Musik der Meister (Das Glasperlenspiel) – NRs 45, 1934, II, S. 637; GJK; BZ; St.

Dreistimmige Musik (Eine Stimme singt in der Nacht)

Meiner Mutter (Ich hatte dir so viel zu sagen)

N

G 474 Nach Abend wendet (Ausflug im Herbst) – NatZ Nr. 493 v. 24. 10. 1943, Sobeil.

G 475 Nach einem Bild, das ich vor Jahren sah (Hafen von Livorno) – JG.

Bei der Nachricht vom Tod eines Freundes (Schnell welkt das Vergängliche)

Nachruf (O Freund, daß du so früh gegangen bist)

Nacht (Ich habe meine Kerze ausgelöscht)

Nacht (Mit Dämmerung und Amselschlag)

Bei Nacht (Nachts, wenn das Meer mich wiegt)

Die Nacht (Blume duftet im Tal)

Die Nacht (Die Nacht ist mir so nah bekannt)

Nacht im August (Durch den Regen floß ich und die Nacht)

Und jede Nacht derselbe Traum (Ein Traum: du stehest fern und still)

Einsame Nacht (Die ihr meine Brüder seid)

G 476 Nacht. Finsternis. In müder Hand (Inspiration) – VKMtsh 27, 1912/13, I, S. 48; MdE.

Föhnige Nacht (Schaukelt im wehenden Föhnwind der Feigenbaum)

Frohe Nacht (Schlimm ist's, schlaflos zu liegen, wenn man betrübt ist)

In der Nacht (An dem Gedanken bin ich oft erwacht)

Italienische Nacht (Ich liebe solche bunt beglänzte Nächte)

Jede Nacht (Jede Nacht der gleiche Jammer)

Nacht am Meer (In großen Takten singt das Meer)

Nacht im Odenwald (Es schlug vom Turm die Mitternacht)

Schlaflose Nacht (Ich kann nicht schlafen. Das Sternenlicht)

Schlaflose Nacht (Wie der stöhnende Wind durch die Nacht)

Sternklare Nacht (Meine Seele, kannst du nicht beten?)

Verwölkte Nacht (Mein Liebling du, verwölkte Nacht)

Wache Nacht (Bleich blickt die föhnige Nacht herein)

G 477 Nacht, Wolkensturm und Wipfeltanz (Inspiration) – Knodt 1902, S. 127: Tdr. u. d. T.: O Nacht, du silberbleiche; JG.

Nachtfest der Chinesen in Singapore (Bei den wehenden Lichtern)

Nachtgang (Es nachtet schon, die Straße ruht)

Nachtgang (Im Erlenbusch ist noch ein Vogel wach)

Nachtgang (Wohin? Wohin?)

Nachtgedanken (Wir Menschen schlagen einer den andern tot)

Nachtgefühl (Tief mit blauer Nachtgewalt)

Belauschtes Nachtgespräch (Zwei Deutsche im Gespräch. Fremdländisch klang)

In der Nachtherberge (Du lachst, weil ich gebetet habe)

Nachtlager (Ein Dörflein lag am Waldesrand)

Nachts s. Elisabeth [B] 3

G 478 Nachts im Traum die Städt' und Leute (Die Welt unser Traum) – KlBd 9, 1928, S. 176; TN; BL; St.

G 479 Nachts kann ich oft nicht schlafen (Der Dichter) – Kr; TB; St.

G 480 Nachts, wenn das Meer mich wiegt (Bei Nacht) – AI; AG; BL; BZ.

Nachtstunde (Trübe ward mir plötzlich der Wein im Becher)

Nachtwanderung (Es nachtet schon, die Straße ruht)

Auf einer Nachtwanderung (Herwandernd aus den Bergen durch die Nacht)

G 481 Nachtwandler, tast ich mich durch Wald und Schlucht (Verlorenheit) – Schweizerland (Chur) 5, 1918/19, S. 137 u. d. T.: Der Dichter; Wa; TN; St.

O wilde Nächte! (Als ich das erste Weib genoß)

Nächtelang, die Stirn in heißer Hand s. Der Trinker 3

Narrenlied für die schöne Lulu (Auf marmorner Treppe)

Nebel s. Hochgebirgswinter 4

Im Nebel (Seltsam, im Nebel zu wandern!)

G 482 Neben dem Bach (Die ersten Blumen) – Simpl 17, 1912/13, S. 89; MdE; AG; BL.

Neid (Wenn ich doch Banjo spielen könnte)

Neige des Sommers (Herbst will es werden allerwärts)

G 483 Nein, Junge, suche du allein (Rat) – RL; ÜbLdM 53, 1911, Bd. 105, S. 691 u. d. T.: Der Meister.

G 484 Nein, Kind, du bist die erste nicht (Die erste nicht) – Dichterh 18, 1898, S. 15f.

Nelke (Rote Nelke blüht im Garten)

G 485 Neugierig fragt mich meine Kleine oft (Im Süden) – VKMtsh 22, 1907/08, I, S. 864.

Neujahrsblatt ins Album (Jedem Tag ein kleines Glück)

G 486 Nicht andres haben wir zu tun (Assistono diversi santi) – Schweiz 18, 1914, S. 18; MdE.

Nicht heut (Ich weiß, was du mir sagen)

G 487 Nichts als strömen, nichts als brennen (Wollust) – VKMtsh 47, 1932/33, I, S. 521; Simpl 38, 1933/34, S. 226; NG.

G 488 Nie begehr ich ein Gewehr zu tragen (Der Künstler an die Krieger) – SchwSp 8, 1914/15, S. 68; Bab 1915, S. 275; Der Weltkrieg 1914–1915. St. Gallen 1915: Schwald. Bd. 1, S. 129; Nach der Schlacht. Ein Kriegsbuch in Prosa u. Lyrik. Hagen i. W.: Rippel 1915, S. 55f.; ZG.

Für Ninon (Daß du bei mir magst weilen)

G 489 Noch einmal, ehe der Sommer verblüht (Spätsommer) – u. d. T.: Spätsommer 1932: NZZ Nr. 1668 v. 11. 9. 1932; Bodenseeb 20, 1933, S. III; – E 31 u. d. T.: Blumengießen; GG.

G 490 Noch einmal hat, auf den wir schon verzichtet (Ende August) – u. d. T.: Spätsommer 1929: NZZ Nr. 1736 v. 10. 9. 1929; BW 15, 1930, S. 10; – GdS1929; JZ.

G 491 Noch einmal im verfinsterten Gewühle (Augenblick vor dem Gewitter) – NZZ Nr. 1498 v. 20. 8. 1933 u. d. T.: Das Gewitter; GdS1933.
Noch immer krank (Fieber kann ich schlecht vertragen)

G 492 Noch ringt verzweifelt mit den kalten (Baum im Herbst) – WMtsh 52, 1907/08, Bd. 103, S. 112; Simpl 15, 1910/11, S. 506 u. d. T.: Spätherbst; Uwa.

G 493 Noch schenkt der späte Sommer Tag um Tag (Spätsommer) – NatZ Nr. 453 v. 29. 9. 1940, Sobeil. u. d. T.: Spätsommer 1940; GG; St.

G 494 Nochmals aus des Lebens Weiten (Späte Prüfung) – NRs 56/57, 1945/46, S. 191; SpG; vJ.
Nocturne (Chopins Nocturne Es-dur. Der Bogen)
Im Norden (Soll ich sagen, was ich träume?)
November (Alles will sich nun verhüllen und entfärben)
November 1914 (Wald läßt die Blätter sinken)
Novembertag (Jetzt steht der ganze Garten leer)

G 494a Junger Novize im Zen-Kloster (1. Meines Vaters Haus im Süden steht; 2. Ist auch alles Trug und Wahn) – Akzente (Mchn) 8, 1961, S. 185f.; E 208a; St.

G 495 Nun bin ich lang gewesen (Heimkehr) – JG.

G 496 Nun blüht die Welt nicht mehr für mich (Wende) – MdE.

G 497 Nun bückst du dich nieder (Mit einem Liederheft) – JG.

G 498 Nun der Tag mich müd gemacht (Beim Schlafengehen) – Simpl 16, 1911/12, S. 433 u. d. T.: Abend; MdE; St.

G 499 Nun hab ich getragen den roten Rock – P 789.2.
Nun ist der Tag zu Ende s. Krankheit 2

G 500 Nun ist die Jugend schon verschäumt (Wende) – JG.

G 501 Nun ist's ein Jahr – wie doch die Zeit vergeht (Gedenktag) – RecUn 25, 1909, S. 1118; Schweiz 15, 1911, S. 439 u. d. T.: Gedächtnis.

G 502 Nun kommt die Zeit der großen Anemonen (Toskanischer Frühling) – VKMtsh 16, 1901/02, II, S. 305.

G 503 Nun liegt dein Freund wach in der milden Nacht (Der Liebende) – Simpl 26, 1921/22, S. 454; TN; BZ; St.

G 504 Nun lockt mich keine Liebesnacht (Morgen) – Simpl 13, 1908/09, S. 153 u. d. T.: Erwachen; Uw.
Nun mache deine Augen klar s. Monatssprüche 4

G 505 Nun sind wir still (Böse Zeit) – Simpl 14, 1909/10, S. 550; Uw; WiLeb 6, 1912/13, Bd. XI, S. 340 u. d. T.: Wandern im Winter.

G 506 Nur mir dem Einsamen (Der Dichter) – Uwa; BZ; vJ; St.

G 507   Nur Sünde hab ich gekannt (Sterbender Soldat) – SchwSp 8, 1914/15, S. 142;
März 9, 1915, II, S. 67; **ZG**; Bodenseeb 3, 1916, S. 19.

O

G 508   O Abschiednehmen für ungewisse Zeit (Bei einem Abschied) – WiLeb 14, 1920/21,
S. 246; Simpl 26, 1921/22, S. 181 u. d. T.: Abschiednehmen; **TN**.

O du! (Ich singe von deinem seidenen Schuh)

G 509   O du, ich kann nicht sagen (Liebesbrief) – ÜbLdM 49, 1907, Bd. 98, S. 987;
RecUn 29, 1913, S. 20 u. d. T.: Liebeslied.

G 510   O dünne Sonnenluft im Februar! (Seetal im Februar) – **GdM**.

G 511   O dunkelglühende Sommernacht! (Sommernacht) – Simpl 14, 1909/10, S. 177;
Schwäb. Almanach 1911. Stgt: Kohlhammer 1911, S. 65; **Uw** [nur 1. Aufl.];
ÜbLdM 54, 1912, Bd. 108, S. 578; **MdE**; **AG**.

G 512   O Freund, daß du so früh gegangen bist (Nachruf. Dem Freunde H. C. Bodmer
gewidmet) – NZZ Nr. 1550 v. 30. 5. 1956; **L** 1610.

G 513   O fröhliche Jugend, wie wurdest du fremd! (Die Entgleisten) – **JG**.

G 514   O Heimatland, o sichere Friedensbucht (Jenseits der Sterne) – Knodt 1902, S. 132;
– u. d. T.: Heimat: Nord u. Süd (Bln) 33, 1909, Bd. 128, S. 140; Schweiz 15, 1911,
S. 393; – Brücken zum Ewigen. Die religiöse Dichtg. d. Gegenw. Hg. v. Wilhelm
Knevels. 3. Aufl. Braunschweig: Wollermann 1927, S. 99 o. T.

O Nacht, du silberbleiche s. G 477. Tdr.

G 515   O noch niemals schlief ich so gut (Aschermittwoch-Morgen) – Simpl 11, 1906/07,
S. 744.

G 516   O Regen, Regen im Herbst (Regen im Herbst) – FAZ Nr. 283 v. 5. 12. 1953, Beil.;
E 157; **GeJ**; **vsG**; **LG**; **St**.

G 517   O reine, wundervolle Schau (Spätblau) – **JG**; **BZ**; **St**.

G 518   O schau, sie schweben wieder (Weiße Wolken) – **JG**.

G 519   O so in später Nacht nach Hause gehen (O so in später Nacht) – **Kr**; **BZ**.

G 520   O wie der Sturm so dunkel braust! (Ähren im Sturm) – **JG**.

G 521   O wie die Tage verblühn (Jüngling) – Simpl 16, 1911/12, S. 24; **MdE**.

G 522   O wie schön das Licht (Wintertag) – **GdM**.

G 523   O wie sind heute die Berge schön (Schweizer Frühling) – VKMtsh 17, 1902/03,
II, S. 307; Schweiz 11, 1907, S. 256 u. d. T.: Frühling; PHelv 3, 1921, Nr. 4, S. 161
u. d. T.: April.

O wundervoller Meisterlaut (Stradivari) s. Der Geiger 1

G 524   Ob du tanzen gehst in Tand und Plunder (Die Flamme) – Simpl 15, 1910/11,
S. 759; SchwSp 5, 1911/12, S. 371; Rhlde 13, 1913, S. 71; **MdE**.

Ode an Hölderlin (Freund meiner Jugend, zu dir kehr ich voll Dankbarkeit)

Odysseus (Das fernste Schiff, das abendlich besonnt)

G 525   Oft bin ich, alter Vagabund, auch in Zürich gewesen (Dank) – NZZ Nr. 1715 v. 19. 10. 1920.

G 526   Oft ist das Leben lauter Licht (Oft ist das Leben) – NZZ Nr. 610 v. 9. 5. 1918; – u. d. T.: Die Leidenden: Simpl 26, 1921/22, S. 118; Bodenseeb 14, 1927, S. 20; – TN.

G 527   Oft war ich müd und glaubte alt zu sein (Neue Liebe) – ÜbLdM 49, 1907, Bd. 97, S. 487; Schweiz 16, 1912, S. 169; PHelv 3, 1921, Nr. 5, S. 209 u. d. T.: Brief im Mai.

G 528   Oft wenn ich zu Bette geh (Traum von dir) – Ernte 4, 1923, S. 131 u. d. T.: Der Liebende; Simpl 28, 1923/24, S. 586; TN; BZ; St.

G 529   Oft will das Leben nicht mehr weitergehn (Wunder der Liebe) – Simpl 27, 1922/23, S. 498; SoblBasNachr 25, 1931, S. 9; GG.

Ohne dich (Mein Kissen schaut mich an zur Nacht)

Ohne Schmuck und Perlenglanz s. Marienlieder 2

Oktober (Ihr Vögel im Gesträuch)

Oktober (In ihrem schönsten Kleide)

Oktober 1944 (Leidenschaftlich strömt der Regen)

Le ore passano e la morte è vicina (Die Stunden eilen. Wie ein Segelglanz)

Orgelspiel (Seufzend durchs Gewölbe zieht, und wieder dröhnend)

P

Padua (Fast eine deutsche Stadt, so eng gebaut)

G 530   Paläste stehn wie Perlen aufgereiht (Bummeltag) – VT.

Papierlaternen im nächtlichen Garten (Warm in dunkler Gartenkühle)

Paradies-Traum (Es duften blaue Blumen hier und dort)

Alter Park (Altes bröckelndes Gemäuer)

G 531   In einem alten Tessiner Park (1. Gartensaal; 2. Durchblick ins Seetal; 3. Roter Pavillon) – u. d. T.: Drei Bilder aus einem alten Tessiner Park: Maß u. Wert (Zch) 1, 1937/38, S. 541–543; E 26; – NRs 49, 1938, I, S. 432–434; Bodenseeb 26, 1939, S. 61; ZehnG; St. 1. NatZ Nr. 350 v. 31. 7. 1938, Sobeil. 2. NatZ Nr. 421 v. 11. 9. 1938, Sobeil. u. d. T.: Durchblick aus einem alten Tessiner Park. 3. NZZ Nr. 1419 v. 11. 8. 1938 u. d. T.: Pavillon in einem alten Tessiner Park; TB.

Der Patriot s. Kriegerisches Zeitalter 2

Roter Pavillon s. In einem alten Tessiner Park 3

Pavillon im Winter (Urenkelstiefkind eines hadrianischen Tempels)

Pelaiang (Die Nacht ist ganz von Blitzen hell)

Der ewige Pendelschlag (Drunten pfeift ein Zug durchs grüne Land)

Dem «petit cénacle» (Wir galten für dekadent und modern)

Pfeifen (Klavier und Geige, die ich wahrlich schätze)

Pfirsichblüte (Voll Blüten steht der Pfirsichbaum)

Phantasieren im Halbschlaf (Mond vom Fenster weckte mich)

Philosophie (Vom Unbewußten zum Bewußten)

Piazzetta (Wie wenn auf grünem Teppich leise rollt)

Pilger (Ferneher der Donner ruft)

Pilger (Und weiter gehn die Tage)

Der Pilger (Immer war ich auf der Fahrt)

G 532 Plötzlich ist verzuckt das Flackerlicht (Am Ende) – **Kr.**

Auf einem Polizeibüro (Abgelaufen ist mein Heimatschein)

Porträt (Hochmütig, schön und rätselhaft)

Postkarte (Heut geht ein kalter Wind)

Die erwartete Postkarte (Das Schreiben so im Liegen fällt mir schwer)

Postkarte an die Freundin (Heut geht ein kalter Wind)

G 533 Primeln quellen saftig im lichten Gekräut (Frühlingsmittag) – Simpl 20, 1915/16, S. 14; **ZG**; Bodenseeb 3, 1916, S. 11; Dichtergabe zu Gunsten notleidender Schweizerkinder. Basel: Helbing & Lichtenhahn 1918, S. 72f.

Der Prinz (Wir wollten zusammen bauen)

Prosa. Auf einen Dichter (Ihm macht das Verseschreiben kein Vergnügen)

Protest (Dem Menschen ist's gegeben)

Prüfung (Wenn die trüben Tage grauen)

Späte Prüfung (Nochmals aus des Lebens Weiten)

Purpurrose (Ich hatte dir ein Lied gespielt)

R

G 534 Rast haltend unter Edeltannen (Über Hirsau) – **JG; St.**

Keine Rast (Seele, banger Vogel du)

Rat (Es ist kein Tag so streng und heiß)

Rat (Nein, Junge, suche du allein)

Rat (So mußt du allen Dingen)

Rat (Solang du nach dem Glücke jagst)

G 535 Ravenna (1. Ich bin auch in Ravenna gewesen; 2. Die Frauen von Ravenna tragen; 3. Sieh hier das Schicksal! Erst jahrhundertlang) – **JG** [3. nur 1. Aufl.]. 1. **AG; BL; BZ;** L 765, S. 38 [Faksim.]; **TB; St.**

Reaktion auf einen Zeitungsangriff (Ein Hund hat mich ins Bein gebissen)

Rebhügel, See und Berge (Du, See, hast mich gebadet und gebräunt)

Regen (Lange hab ich nun dem Regenlied gelauscht)

Regen (Lauer Regen, Sommerregen)

Regen im Herbst (O Regen, Regen im Herbst)

Nächtlicher Regen (Bis in den Schlaf vernahm ich ihn)

G 536 Regen schleiert dünn, und träge Flocken (Morgenstunde im Dezember) – NZZ Nr. 2306 v. 17. 12. 1937; **ZehnG; St.**

Regennacht (Auf Dach und Simsen überall)

Regennacht (In mildem Takt ein leiser Tropfenfall)

Regentage (Der scheue Blick an allen Enden)

Regenzeit (Lange hab ich nun dem Regenlied gelauscht)

Ins Reich der Sehnsucht (Wie eine Welle, die vom Schaum gekränzt)

Reich des Todes (Die Lichter sind erloschen)

Rein wie der weiße Schnee im Feld s. Monatssprüche 1

G 537   Reiner atmet der Garten im Tau der Nacht (Der Dichter) – Wieland 4, 1918/19, H. 1, S. 18; Ernte 13, 1932, S. 48; **GG.**

Von der Reise (Drunten pfeift ein Zug durchs grüne Land)

Reisekunst (Wandern ohne Ziel ist Jugendlust)

Reiselied (Sonne leuchte mir ins Herz hinein)

Resignation (Wer viele Wege durch die Welt gereist)

Mon rêve familier (Ich träume wieder von der Unbekannten)

G 538   Rings stehen deine tapfern Heere (An den Kaiser. Prolog zur Kaiserfeier der deutschen Kolonie in Bern) – Süddt. Ztg. (Stgt) Nr. 35 v. 4. 2. 1915, Beil. Aus großer Zeit Nr. 30.

Risse (Ich hatte eine seltne Violine)

Der schwarze Ritter (Ich reite stumm aus dem Turnier)

Rokoko (Eine silberne Spieluhr spielte)

Die gelbe Rose (Weil ich die gelbe Rose bin)

Weiße Rose in der Dämmerung (Traurig lehnst du dein Gesicht)

Verwelkende Rosen (Möchten viele Seelen dies verstehen)

G 539   Rot blüht die Blume der Lust (Der Wüstling) – **Kr.**

G 540   Rotästige Föhren (Spaziergang) – Jugend (Mchn) Jg. 1910, S. 1096; Raschers Jahrbuch (Zch) 1, 1910, S. 277; **Uw.**

G 541   Rote Bänder – **RL**; ZtBild 10, 1912, S. 167.

G 542   Rote Nelke blüht im Garten (Nelke) – PHelv 3, 1921, Nr. 6, S. 257 u. d. T.: Juni; **GG.**

Roter Pavillon, im Park verborgen (Roter Pavillon) s. In einem alten Tessiner Park 3

Rückblick (Wer im Herbst eines mühsamen)

Rückgedenken (Am Hang die Heidekräuter blühn)

Rückkehr (Sind wir alle denn so krank)

Rücknahme (Ich sagte nicht: ich liebe dich)

S

G 543   Säle, bang zu durchwandern (Ein Traum) – NZZ Nr. 2780 v. 28. 9. 1958; StgtZtg Nr. 252 v. 31. 10. 1958; Akzente (Mchn) 6, 1959, S. 156; **vsG**; **LG**; **St.**

An eine chinesische Sängerin (Auf dem stillen Flusse sind wir am Abend gefahren)

Sage (Der König mit den Mannen saß beim Mahl)

In einer Sammlung ägyptischer Bildwerke (Aus den Edelsteinaugen)

In Sand geschrieben (Daß das Schöne und Berückende)

Jenseits des Sankt Gotthard (Hallo, nun brennt mir wieder)

Sarasate (Auf fernen Schwingen fliegt ein Ton)

G 544   Scharen schiffen über See (Kreuzfahrer) – Schweiz 10, 1906, S. 324.

Schau nur dem Schnitter zu s. Monatssprüche 8

Schaue trauernd, wie im Wald s. Monatssprüche 11

G 545   Schaukelt im wehenden Föhnwind der Feigenbaum (Föhnige Nacht) – NZZ Nr. 354 v. 27. 2. 1938; NRs 49, 1938, I, S. 366; E 139; **ZehnG**; Bodenseeb 27, 1940, S. 15; **BZ**; St.

Schauspiel (Langweilig Schauspiel, nimm ein End)

Holder Schein (Holder Schein, an deine Spiele)

Scheingewitter (Der Donner spielt und knurrt wie eine Katze)

Im Scherz (Meine Lieder stehen)

Schicksal (Wir sind in Zorn und Unverstand)

Schicksalstage (Wenn die trüben Tage grauen)

Schilt nicht! Ich kann nicht beten s. Marienlieder 1

Schizophren (Das Lied ist aus)

Beim Schlafengehen (Nun der Tag mich müd gemacht)

Schlaflosigkeit (An der letzten Grenze des Bewußtseins)

Schlaflosigkeit (Ich kann nicht schlafen. Das Sternenlicht)

Im Schlendern durch eine fremde Stadt (Hinter roten Fensterblumen taucht)

G 546   Schlimm ist's, schlaflos zu liegen, wenn man betrübt ist (Frohe Nacht) – **Kr.**

Schlittenfahrt s. Hochgebirgswinter 5

Im Schloß Bremgarten (Wer hat einst die alten Kastanien gepflanzt)

Unser Schloß (Längs dem Strom in blauen Hecken)

G 547   Schmerz ist ein Meister, der uns klein macht (Schmerz) – NZZ Nr. 2214 v. 6. 12. 1933; – u. d. T.: In Schmerzen: NRs 45, 1934, I, S. 629; Die Garbe (Basel) 18, 1934/35, S. 408; – E 168; **NG**; St.

Schmerzen (Im Kamin krümmt sich in Schmerzen das brennende Scheit)

Die Schmerzen (Arme Schwestern, liebe Schmerzen)

Die Schmerzen (Wie im Garten Mohn und Königskerzen)

In Schmerzen (Schmerz ist ein Meister, der uns klein macht)

Liebe Schmerzen (Arme Schwestern, liebe Schmerzen)

Der Schmetterling (Mir war ein Weh geschehen)

Der Schmetterling (Über den silbernen Hügeln)

Blauer Schmetterling (Flügelt ein kleiner blauer)

Schmetterlinge im Spätsommer (Die Zeit der vielen Falter ist gekommen)

Schnee (Wenn der Schnee auf Wald und Garten fällt)

Erster Schnee (Alt geworden bist du, grünes Jahr)

Schnee über meinem lieben Wald s. Teich 1

G 548   Schnell welkt das Vergängliche (Bei der Nachricht vom Tod eines Freundes) – **JZ** u. d. T.: Sylvester; Simpl 39, 1934/35, S. 161 u. d. T.: Nach dem Empfang einer Todesnachricht; **NG**; **BZ**; **vJ**; St.

G 549　Schön ist der Morgenglanz im fernen Schnee (Februar) – PHelv 3, 1921, Nr. 2, S. 51.

G 550　Schön wär's, noch einmal in die Welt zu reisen (Stiller Tag) – **VK.**

　　　　Die Schöne (So wie ein Kind, dem man ein Spielzeug schenkt)

G 550a　Schöne, korrekte Bilder malen (Louis Soutter) – NZZ Nr. 4255 v. 12. 11. 1961.

G 551　Schöne, Liebe, die du alle Klagen (Huldigung) – **JGa**; ÜbLdM 49, 1907, Bd. 97, S. 228 u. d. T.: Liebeslied.

G 552　Schöne Verse einer Dame zu Ehren (Der Dichter) – ÜbLdM 51, 1909, Bd. 101, S. 115; **Uw.**

　　　　Schönheit (Verschenke dich, so stolz du bist)

　　　　An die Schönheit (Gib uns deine milde Hand)

　　　　An die Schönheit (Über meinen Kinderzeiten)

　　　　Einer Schönheit (Verschenke dich, so stolz du bist)

　　　　Schon manche selige Nacht hat über mir geblaut (Grindelwald) s. Hochgebirgs-winter 3

G 553　Schon riecht es scharf nach angewelkten Blättern (Verfrühter Herbst) – **GdS1929**; **JZ**; SchwSp 26, 1932, S. 282 u. d. T.: September; **St.**

G 554　Schütte wieder ohne Wahl (Chopin) – **RL.**

G 555　Schuh um Schuh im Finstern setz ich (Nächtlicher Weg) – Ernte 3, 1922, S. 90 u. d. T.: Gang in der Nacht; **TN**; Almanach 1930 (Bln: S. Fischer), S. 71; **St.**

　　　　Schwarz und ernst sind deine leichten Wände s. Bläue über dir und Sonnenglut

　　　　Schwarzwald (Seltsam schöne Hügelfluchten)

　　　　Schweinerei (Wenn alles nicht so müßte sein)

G 556　Schwer wars, den schwarzen König zu beschenken – P 792.

G 557　Schwere, leere Stunden (Schwere Stunden) – Schweiz 20, 1916, S. 632.

　　　　An meine Schwester (Wie steh ich doch verwirret)

　　　　Seeabend (Aus dem Wasser blickt die Nacht)

G 558　Seele, banger Vogel du (Keine Rast) – Simpl 18, 1913/14, S. 868; **MdE**; **BZ**; **St.**

　　　　Seele, laß das Trauern s. Monatssprüche 3

　　　　Seetal im Februar (O dünne Sonnenluft im Februar!)

G 559　Sei du willkommen, frühe Nacht (Tod im Felde) – Schweiz 19, 1915, S. 651 u. d. T.: Sterben im Felde; RecUn 31, 1915, S. 1047 u. d. T.: Der sterbende Soldat; Der Weltkrieg 1914–1915. St. Gallen 1915: Schwald. Bd. 1, S. 135; **ZG**; **AG.**

G 560　Sei nicht traurig, bald ist es Nacht (Auf Wanderung) – ÜbLdM 49, 1907, Bd. 98, S. 1176 u. d. T.: Wanderschaft; Uwa; **AG**; **BL**; **BZ**; **St.**

　　　　Seifenblasen (Es destilliert aus Studien und Gedanken)

G 561　Sein Spielzeug, bunte Perlen, in der Hand (Der letzte Glasperlenspieler) – NatZ Nr. 577 v. 12. 12. 1937, Sobeil.; NRs 49, 1938, I, S. 105; E 91; **ZehnG**; **GJK** b.

G 562　Seit der Wald sich ganz gelichtet (Winter in Oberitalien) – Italien (Heidelberg) 1, 1927, H. 1, S. 45; – u. d. T.: Winter im Tessin: NZZ Nr. 2534 v. 22. 12. 1929; Schweizer Illustr. Ztg. 20, 1931, Nr. 5, S. 145; Prop 36, 1938/39, S. 175.

G 563　Seit tausend Jahren fließt er durch den Wald (Fluß im Urwald) – u. d. T.: Strom im indischen Urwald: Jugend (Mchn) Jg. 1912, S. 1400; Uwa; – AI; St.

G 564　Seit wir, wilde Knabenhorden (Frühling) – Simpl 14, 1909/10, S. 105.
Seither indessen hab in manchen Stunden s. Nach einem Begräbnis 3
Hast du nie an Selbstmord gedacht? (Ich dachte hundertmal daran)

G 565　Seltsam, im Nebel zu wandern! (Im Nebel) – P 493 o. T.; Schweiz 10, 1906, S. 8; JGa; BernWo 6, 1916, S. 589; AG; BL; BZ; L 765, S. 64 [Faksim.]; TB; St.

G 566　Seltsam schöne Hügelfluchten (Schwarzwald) – JG; St.
Sensenmann (Wenn ich nachts nicht schlafen kann)
September (Der Garten trauert)
September (Herbst will es werden allerwärts)
September (Ihr Vögel im Gesträuch)
September (Schon riecht es scharf nach angewelkten Blättern)
September (Verblühte Malven stehen)

G 567　Seufzend durchs Gewölbe zieht, und wieder dröhnend (Orgelspiel) – Corona 7, 1937, S. 605–611; E 149; O mein Heimatland (Bern) 27, 1939, S. 88–92; GG; Centaur (Amsterdam) Jg. 1947/48, S. 39–42.

G 568　Sich nicht dem breiten Strome anbequemen (Dem Grafen Wiser) – GG.

G 569　Sie hatten mich zu Abend eingeladen (Mißglückter Abend) – Kr.

G 570　Sie schweigt und denkt mit trauervollen (Meine Liebe) – JG.
Sieh, die Glockenmänner sind am Schlagen s. Venezianische Gondelgespräche 6
Sieh hier das Schicksal! Erst jahrhundertlang s. Ravenna 3

G 571　Sieh, ich verstehe ja dein Fluchen (Einem Unzufriedenen) – JG [nur 1. Aufl.].

G 572　Silberlied muß schweigen – P 889.

G 573　Silbern überflogen (Die frühe Stunde) – JG; St.

G 574　Sind wir alle denn so krank (Rückkehr) – NZZ Nr. 1085 v. 18. 8. 1918; WMtsh 63, 1918/19, Bd. 126, S. 84; Bodenseeb 14, 1927, S. 32; TN.

G 575　Sing mir dein liebes Wiegenlied (Chopin. Berceuse) – RL.

G 576　Singe du, Büblein am Zaune (Auszug der Handwerksburschen) – VKMtsh 20, 1905/06, II, S. 268.

G 577　Singe, mein Herz, heut ist deine Stunde! (Tag im Gebirg) – März 11, 1917, II, S. 566f.; PHelv 3, 1921, Nr. 1, S. 3 u. d. T.: Tag im Januar; TN; JL u. d. T.: Januartag im Gebirge; St.
Sinnlos scheint die Welt geworden (Der Krieger) s. Kriegerisches Zeitalter 3
Sinnspruch (Viele Wurzeln nähren diesen Baum)
Ski-Rast (Am hohen Hang zur Fahrt bereit)
Skizzenblatt (Kalt knistert Herbstwind im dürren Rohr)

G 578　So bin ich einst gefahren (Zu einem Bilde) – Daheim 47, 1910/11, H. 8, S. 18.

G 579　So blickt aus sagenhafter Frühe (Zu Jugendbildnissen) – Simpl 35, 1930/31, S. 622 u. d. T.: Beim Wiedersehen von Jugendbildnissen; VKMtsh 47, 1932/33, II, S. 297

u. d. T.: Zu einem wiedergefundenen Jugendbildnis; **GG**; **St.**

So gehn wir (Aus lang verschwundener Völker Liedern her)

G 580 So hat mein Weg durch Not und Reue (Glut der Schmerzen) – **VK.**

G 581 So ist das Altern: was einst Freude war (Altern) – NZZ Nr. 2135 v. 23. 11. 1946; **GGd.**

G 582 So kindlich und so streng, so stolz und scheu (Beim Wiederlesen eines meiner frühesten Bücher) – **GG.**

G 583 So mag ich gerne sehen (Gute Stunde) – ÜbLdM 52, 1910, Bd. 104, S. 1066; Arena. Oktav-Ausg. von ÜbLdM [Ausg. A] Jg. 1910/11, I, S. 339 + ebd. [Ausg. B] Jg. 1910/11, H. 3, S. 247; NTgbl Nr. 247 v. 21. 9. 1912.

G 584 So müssen Künstler von der Erde scheiden! (Giorgione) – **VeV**; Jugend (Mchn) Jg. 1911, S. 840; **GG.**

G 585 So mußt du allen Dingen (Spruch) – Simpl 14, 1909/10, S. 877; **Uw** (1. Aufl. u. d. T.: Rat); **AG**; **BL**; **St.**

G 586 So nahe lieget ihr beisammen (Dorfkirchhof) – WiLeb 7, 1913/14, Bd. XIV, S. 385; AlmVKMtsh 1914, S. 119 u. d. T.: Ländlicher Friedhof; **Uwa.**

G 587 So oft ich spät noch auf der Straße geh (Ich weiß, du gehst –) – **RL**; Jugend (Mchn) Jg. 1912, S. 476 u. d. T.: Du gehst.

So schön bist du! s. Maria 1

G 588 So viele Frauen, wenn sie lieben, geben (Die Geheimnisvolle) – KlBd 9, 1928, S. 417; Tgb 9, 1928, S. 2115; Simpl 35, 1930/31, S. 332; **NG.**

G 589 So viele Jahre lebt ich fern der Welt (Bei der Toilette) – **Kr.**

G 590 So weiß im reichen Maienblust (Kind im Frühling) – Jugend (Mchn) Jg. 1907, S. 598 u. d. T.: Kindlein unterm Blütenbaum; WMtsh 57, 1912/13, Bd. 114, S. 390; **Uwa**; **JL.**

G 591 So werd ich dich noch einmal wiederhören (Mit der Eintrittskarte zur Zauberflöte) – NatZ Nr. 577 v. 11. 12. 1938, Sobeil.; NRs 50, 1939, I, S. 67; **ZehnG**; Bodenseeb 27, 1940, S. 15; **St.**

G 592 So wie der Menschen Ungestüm und Schuld (Zu einem Blumenstrauß) – NZZ Nr. 2013 v. 4. 11. 1928; VKMtsh 44, 1929/30, I, S. 203; **GG.**

G 593 So wie ein Kind, dem man ein Spielzeug schenkt (Die Schöne) – LiSch 2, 1911/12, Nr. 49 u. d. T.: Das Spielzeug; **MdE.**

So wie heut hab ich sie nie geliebt (In den Bergen ist der Sturm erwacht)

So wie ich an meiner Stelle (Der Jüngling) s. Kriegerisches Zeitalter 4

So ziehen Sterne ihre Bahn (So ziehen Sterne –) s. Maria 2

Soirée (Man hatte mich eingeladen)

G 594 Solang du nach dem Glücke jagst (Glück) – ÜbLdM 50, 1908, Bd. 99, S. 260; **Uw** (1. Aufl. u. d. T.: Rat); WiLeb 7, 1913/14, Bd. XIII, S. 65; **AG**; **BL**; **vJ**; **St.**

Der sterbende Soldat (Sei du willkommen, frühe Nacht)

Sterbender Soldat (Nur Sünde hab ich gekannt)

Auf ein Soldatengrab (Deine hellen Augen sind zugetan)

G 595 Soll ich sagen, was ich träume? (Im Norden) – **JG; AG; It; St.**
Südlicher Sommer (Kastanienblüte, abendlicher Hain)

G 596 Sommer ward alt und müd (Sommer ward alt) – NZZ Nr. 1539 v. 27. 8. 1933;
GdS1933.
Wieder Sommer (Kastanienblüte, abendlicher Hain)
Sommerabend (Es singt ein Schnitter auf der Rast)
Sommerabend (Fingerlein schreibt ein Gedicht)
Sommerabend vor einem Tessiner Waldkeller (An den Platanenstämmen spielt
noch Licht)
Sommermittag auf einem alten Landsitz (Die Linden und Kastanien hundert-
jährig)
Sommermorgens so gegen die sieben verlaß ich das Haus, und ich trete s. Morgens
so gegen die sieben verlaß ich die Stube und trete
Sommernacht (Der Himmel gewittert)
Sommernacht (Die Bäume tropfen vom Gewitterguß)
Sommernacht (Hollunderblüte geistert in der Nacht)
Sommernacht (O dunkelglühende Sommernacht!)
Sommernacht (Tropfen sinken, die Luft ist bang)

G 597 Sommerruhe (1. Der Wind ruht in den Ästen; 2. Eine rote Sonne liegt) – **RL; JG**
(2. u. d. T.: Abend).
Sommers Ende (Drunten pfeift ein Zug durchs grüne Land)
Sommers Ende (Gleichtönig, leis und klagend rinnt)
Sommers Ende (Herbst will es werden allerwärts)
Sommers Ende (Wir wollen noch den Wiesenpfad)
Sommertag am Bodensee (Der See starrt wie Glas)
Sommerwanderung (Weites, goldenes Ährenmeer)
Sonderling (Ich bin zuweilen wie ein wilder Mann)

G 598 Sonne leuchte mir ins Herz hinein (Reiselied) – Simpl 16, 1911/12, S. 367;
MdE.
Sonntagabend (Verblutet ist der warme Tag)
Louis Soutter (Schöne, korrekte Bilder malen)

G 599 Spät auf staubiger Straße geh ich (Gang am Abend) – Schweiz 21, 1917, S. 364
u. d. T.: Unterwegs im Tessin; Der schwäb. Bund (Stgt) 1, 1919/20, I, S. 69f.;
Wa; TN.

G 600 Spät noch sitz ich bei meinem Dichtertand (Dichters Ende) – VKMtsh 40, 1925/26,
I, S. 574; **TN; BL.**
Spätblau (O reine, wundervolle Schau)
Spätherbst (Alles will sich nun verhüllen und entfärben)
Spätherbst (Noch ringt verzweifelt mit den kalten)
Spätherbst (Jetzt steht der ganze Garten leer)
Spätsommer (Noch einmal, ehe der Sommer verblüht)
Spätsommer (Noch schenkt der späte Sommer Tag um Tag)
Spätsommer 1929 (Noch einmal hat, auf den wir schon verzichtet)

Spätsommer 1932 (Noch einmal, ehe der Sommer verblüht)

Spätsommer 1940 (Noch schenkt der späte Sommer Tag um Tag)

G 601   Spätsommers. Meine Birke regt (Das Kreuzlein) – Daheim 45, 1908/09, H. 1, S. 18.

Spaziergang (Rotästige Föhren)

Bei Spezia (In großen Takten singt das Meer)

Sphinxe (Das ist die tiefste Lebenslist)

Spiegel (Ich blicke in den braunen See)

G 602   Spiegellichter flackern hin und wieder (Barcarole) – **VeV**; **JGa**.

Melancholische Spielerei (Gewissermaßen und beziehungsweise)

Spielmann (Frühlinge und Sommer steigen)

Spielzeug (So wie ein Kind, dem man ein Spielzeug schenkt)

Sprache (Die Sonne spricht zu uns mit Licht)

Sprache des Frühlings (Jedes Kind weiß, was der Frühling spricht)

Spruch (So mußt du allen Dingen)

Fremde Stadt (Wie das so seltsam traurig macht)

G 603   Stein-Öde, Trümmerfelder tot (Im Auto über den Julier) – NZZ Nr. 1832 v.
10. 9. 1949; E 86; **GGc**; L 765, S. 185 u. d. T.: Fahrt über den Julier [Faksim.];
St.

Steppenwolf (Ich Steppenwolf trabe und trabe)

Nachdem ich aus dem «Steppenwolf» vorgelesen hatte (Den ganzen Abend durfte
ich meine Gedichte vorlesen)

Sterbelied des Dichters (Bald geh ich heim)

Sterben (Jetzt muß ich, da ich krank und wehrlos bin)

Sterben im Felde (Sei du willkommen, frühe Nacht)

Der Sterbende (Willkommen Nacht! Willkommen Stern!)

Jenseits der Sterne (O Heimatland, o sichere Friedensbucht)

G 604   Sterne der Jugend, wohin (Älterwerden) – NZZ Nr. 1240 v. 6. 7. 1928; **TN**;
Bodenseeb 18, 1931, S. 75; E 2.

G 605   Stets ist der Hesse sehr verwundert (Neues goldenes Billard-A-B-C für Basel [Vers
H]) – L 712, S. 2; L 580, S. 30 [um 4 Verse erw.].

G 606   Stille Zeit kam träg geschlichen (Erwachen) – März 8, 1914, III, S. 29f.; **Uwa**.

Stimmen der Nacht (Wohin? Wohin?)

Stradivari s. Der Geiger 1

Strandstimmung (Eingewiegt vom tönenden Meere)

Spät auf der Straße (Laternen spiegeln durch die Nacht)

Der Straßenkehrer (Auf schlankem Rößlein reiten)

Streck dich hin am Gartenhag s. Monatssprüche 7

Strom im indischen Urwald (Seit tausend Jahren fließt er durch den Wald)

Stufen (Wie jede Blüte welkt und jede Jugend)

Die Stunde (Es war noch Zeit; ich konnte gehn)

Die frühe Stunde (Silbern überflogen)

Gute Stunde (Erdbeeren glühn im Garten)

Gute Stunde (So mag ich gerne sehen)
Dunkelste Stunden (Das sind die Stunden, die wir nicht begreifen)
Stunden im Garten (Morgens so gegen die sieben verlaß ich die Stube und trete)
Schwere Stunden (Schwere, leere Stunden)

G 607   Sturm und schräger Regenstrich (Auf einem nächtlichen Marsch) – Uwa; St.
Süden (Kühler Gassen enge Schattenkluft)
Im Süden (Neugierig fragt mich meine Kleine oft)

G 608   Süßer Narrheit voll gemacht – G 596, S. 132.
Unterwegs nach Sumatra (In allen Nächten steht die Heimat nah)
Sylvester (Schnell welkt das Vergängliche)
Symphonie (Aus dunkler Brandung gärend)

T

Aus zwei Tälern (Eine Glocke läutet)
Der böse Tag (Blätter gelb und rot sich drehen)
Dösiger Tag (Tief im Bett, in Wickel und Wärmkissen gepackt)
Tag im Gebirg (Singe, mein Herz, heut ist deine Stunde!)
Windiger Tag im Juni (Der See starrt wie Glas)
Stiller Tag (Schön wär's, noch einmal in die Welt zu reisen)
Tagebuchblatt (Am Abhang hinterm Hause hab ich heute)
Alter Tanz (In einem welken Garten singt)

G 609   Teich (1. Schnee über meinem lieben Wald; 2. Im Teich ein trüber) – RL. 2. JG
[nur 1. Aufl.].
Tempel (Wo der gestürzte Gott, von Schatten überschauert)
Unterwegs im Tessin (Spät auf staubiger Straße geh ich)
Armer Teufel am Morgen nach dem Maskenball (Ich hab kein Glück. Zuerst
war alles gut)

G 610   Tief im Bett, in Wickel und Wärmkissen gepackt (Dösiger Tag) – VK.

G 611   Tief mit blauer Nachtgewalt (Nachtgefühl) – SchwSp 8, 1914/15, S. 142; Schweiz
19, 1915, S. 523; Uwa; Bodenseeb 3, 1916, S. 15; Hg 23, S. 47; Von schwäb.
Scholle (Heilbronn) Jg. 1920, S. 28; AG; BL; BZ; vJ; St.

G 612   Tippelschicksel, ei schau (Tippelschicksel) – März 1, 1907, I, S. 119.
Zu einer Toccata von Bach (Urschweigen starrt... Es waltet Finsternis)
Der Tod als Angler (Es sitzt der Tod und angelt uns mit schnöder)
Auf den Tod eines Dichters (Frühe schon zum Klassiker berufen)
Auf den Tod eines kleinen Kindes (Jetzt bist du schon gegangen, Kind)
Tod im Felde (Sei du willkommen, frühe Nacht)
Der Tod des Lionardo da Vinci (Ein schlichtes Haus. Am Fenster zerrt der Föhn)
Alle Tode (Alle Tode bin ich schon gestorben)
Vom Tode (Jung sein und Gutes tun ist leicht)
Bei der Toilette (So viele Jahre lebt ich fern der Welt)

G 613   Tot in den Gräsern liegt Abel (Das Lied von Abels Tod) – NRs 41, 1930, I, S. 692f.; NG; vJ; St.

G 614   Der Toten (1. Die ganze Straße war in Ruh; 2. Jetzt kannst du's nimmer hören) – RL; JG.

Träumerei am Abend (Banges, müd gewordnes Herz)

Traum (Aus einem argen Traume aufgewacht)

Traum (Es ist immer derselbe Traum)

Ein Traum (In einem Kloster im Gebirg zu Gast)

Ein Traum (Säle, bang zu durchwandern)

Traum gibt, was Tag verschloß (Adagio) s. Feierliche Abendmusik 3

Ein Traum pocht an die Pforte mir (Tritt ein, mein Gast! Ich bin allein)

Schlechter Traum (Komm ich in mein Zimmer)

Der schlimme Traum (Aus einem argen Traume aufgewacht)

Traum vom Meere (Was ruft und rauscht und schreit so sehr)

Traum von der Mutter (Draußen auf den warmen Wiesen)

Traum von dir (Oft wenn ich zu Bette geh)

Widerlicher Traum (Komm ich in mein Zimmer)

Traumfigur (Es geht ein greiser Mann)

Traumlandschaft (Bist allein im Leeren)

G 615   Traurig lehnst du dein Gesicht (Weiße Rose in der Dämmerung) – SchwSp 9, 1915/16, S. 27; WMtsh 60, 1915/16, Bd. 119, S. 108; Schweiz 22, 1918, S. 527; MdEa; TN; St.

Die Traurigen (Am nächsten ist mein Herz bei denen)

Traurigkeit (Die mir noch gestern glühten)

G 616   Der Trinker (1. Ihr, die ihr geht an mir vorbei; 2. Wo ist mein Traum geblieben; 3. Nächtelang, die Stirn in heißer Hand) – JG.   3. AG.

Einsamer Trinker sitzt beim Wein und singt (Trunken sitz ich des Nachts im durchwehten Gehölz)

G 617   Tritt ein, mein Gast! Ich bin allein (Ein Traum pocht an die Pforte mir) – RL.

Tröster Wein (Trüb vor deinem leichten Schaum)

G 618   Tropfen sinken, die Luft ist bang (Sommernacht) – u. d. T.: Gewitterregen in der Sommernacht: NRs 21, 1910, S. 1446; Uw (2. Aufl. u. d. T.: Sommernacht); – Schweiz 19, 1915, S. 331 u. d. T.: Gewitter-Ausbruch; AG; BL; St.

Trost (Wieviel gelebte Jahre)

Heimlicher Trost (Durch des Lebens Wüste irr ich glühend)

Kein Trost (Zur Urwelt führt kein Weg zurück)

G 619   Trüb vor deinem leichten Schaum (Tröster Wein) – GG.

G 620   Trübe ward mir plötzlich der Wein im Becher (Erschütterung) – Simpl 22, 1917/18, S. 212 u. d. T.: Nachtstunde; WiLeb 15, 1921/22, S. 19; TN; St.

G 621   Trunken sitz ich des Nachts im durchwehten Gehölz (Klingsor zecht im herbstlichen Walde) – Simpl 24, 1919/20, S. 394 u. d. T.: Einsamer Trinker sitzt beim Wein und singt; P 783 o. T.; TN.

G 622 Trunken von früher Glut (Märzsonne) – NatZ Nr. 133 v. 21. 3. 1948, Sobeil.; **DrG; GGd**; St.

U

G 623 Über dem See und hinter den rosigen Bergen (Blick nach Italien) – Schweiz 24, 1920, S. 479; **GdM.**

G 624 Über den Himmel Wolken ziehn (Über die Felder) – **JG; AG; BL; BZ;** A 23 o. T.; St.

G 625 Über den silbernen Hügeln (Der Schmetterling) – Ex Libris (Zch) 6, 1951, H. 2, S. 3; Internat. Bodensee-Zs. (Amriswil) 6, 1956/57, S. 63.

G 626 Über die Straße wehen (Einem Dichter) – Schweiz 18, 1914, S. 319.

G 627 Über meinen Kinderzeiten (An die Schönheit) – **RL; JG.**

G 628 Über mir im Blauen reisen (Fiesole) – **JG.**

G 629 Über schiefen Kreuzen Efeuhang (Ländlicher Friedhof) – Wieland 4, 1918/19, H. 6, S. 12; PHelv 2, 1920, Nr. 6, S. 190; **Wa;** Von schwäb. Scholle (Heilbronn) Jg. 1922, S. 91; Ernte 9, 1928, S. 202; **GG;** St.

G 630 Um die stille Abendzeit (Abend) – Schweiz 10, 1906, S. 300; RecUn 26, 1910, S. 7 u. d. T.: Um die stille Abendzeit.

G 631 Unbegreiflich fremd und ferne (Beim Wiederlesen von «Heumond» und «Schön ist die Jugend») – NatZ Nr. 409 v. 3. 9. 1944, Sobeil.; NSRs NF 12, 1944/45, S. 551; **SpG.**

G 632 Und da ich über Wolken hoch am Berg (Unterwegs) – NRs 18, 1907, S. 1514; Uwa; **vJ;** St.
Und morgen (Die Nacht ist voll von reinen Sternen)
Und morgen bin ich tot (Das ist ein Denken wunderbar)
Und ringsum Schnee und Gletschereis (Aufstieg) s. Hochgebirgswinter 1

G 633 Und weiter gehn die Tage (Pilger) – Knodt 1902, S. 138; **JG;** A 23 o. T.

G 634 Uns ist kein Sein vergönnt. Wir sind nur Strom (Klage) – **GJK;** St.
Unserm Dasein Wert zu leihen (Der Patriot) s. Kriegerisches Zeitalter 2
Die Unsterblichen (Immer wieder aus der Erde Tälern)
Unterwegs s. Feierliche Abendmusik 2
Unterwegs (Aus dem Wasser blickt die Nacht)
Unterwegs (Und da ich über Wolken hoch am Berg)
Einem Unzufriedenen (Sieh, ich verstehe ja dein Fluchen)

G 635 Urenkelstiefkind eines hadrianischen Tempels (Pavillon im Winter) – NZZ Nr. 61 v. 11. 1. 1947 u. d. T.: Koketter Pavillon im Winter; **GGd.**

G 636 Urschweigen starrt... Es waltet Finsternis (Zu einer Toccata von Bach) – NatZ Nr. 238 v. 26. 5. 1935, Sobeil.; **GJK; BZ.**

V

Valse brillante (Ein Tanz von Chopin lärmt im Saal)
Venedig (Du lautlos dunkler Kanal)
Venedig (Ein Frühlingsabend. Meine Gondel sucht)
Venedig (In mildem Takt ein leiser Tropfenfall)
Venedig (Leise wie die Gondeln auf den klaren)
Venedig (Was such' ich hier, hab' ich mich oft gefragt)

G 637   Verblühte Malven stehen (Abschied) – AlmVKMtsh 1908, S. 152 u. d. T.: Elisabeth; Simpl 15, 1910/11, S. 408 u. d. T.: September; Uw.

G 638   Verblutet ist der warme Tag (Sonntagabend) – VT.
Vereinsamung (Dem Regen lausch ich gerne und dem Wind)
Vereinsamung (Die Welt fällt von dir ab)
Verführer (Gewartet habe ich vor vielen Türen)
Der Verführer (Ich bin keiner, keiner Liebe wert)
Vergänglichkeit (Vom Baum des Lebens fällt)

G 639   Vergebens hab ich allen Cognac ausgesoffen (Vergebens hab ich allen Cognac –) – **Kr.**
Vergiß es nicht (Es ist kein Tag so streng und heiß)

G 640   Verglimmende Fackelbrände (Angst) – **RL.**

G 641   Verhangener Tag, im Wald noch Schnee (Karfreitag) – VKMtsh 46, 1931/32, II, S. 127; Bodenseeb 21, 1934, S. 54; **NG; BZ; St.**

G 642   Verloren in der Welt, vom Kreuzheer abgesprengt (Die Morgenlandfahrt) – NZZ Nr. 659 v. 10. 4. 1932 + ebd. Nr. 905 v. 15. 5. 1932; NRs 43, 1932, I, S. 701 f.; Bodenseeb 20, 1933, S. 98; **NG; BL; vJ; St.**
Verlorenheit (Nachtwandler, tast ich mich durch Wald und Schlucht)

G 643   Verschenke dich, so stolz du bist (Schönheit) – Simpl 15, 1910/11, S. 704 u. d. T.: Einer Schönheit; **GG.**
Verschwender (Wenn einer einen Taler hat)
Verse in schlafloser Nacht (Mein Leben ist hingeronnen)

G 644   Verzaubert in der Jugend grünem Tale (Ins Gästebuch) – StgtZtg Nr. 161 v. 14. 7. 1956, Beil. BrzW.
Verzückung (Biegt sich in berauschter Nacht)

G 645   Viel bunte Falter dacht ich mir zu fangen (Der Enttäuschte) – SoblBasNachr 22, 1928, S. 244; **TN.**

G 646   Viel tausend glänzende Punkte (Mückenschwarm) – Simpl 13, 1908/09, S. 306; **Uw;** Schweiz 18, 1914, S. 319.
Viele Verse hab ich geschrieben s. Widmungsverse zu einem Gedichtbuch 2

G 647   Viele Wurzeln nähren diesen Baum (Sinnspruch) – Die Tat (Zch) Nr. 220 v. 18. 9. 1940, S. 5.
Villalilla (Auf weißen Säulen weiße Büsten)

Vögel im Gesträuch s. Ihr Vögel im Gesträuch

Armes Volk (Blätterfall und rauher Wind)

G 648 Voll Blüten steht der Pfirsichbaum (Voll Blüten) – Schweizerland (Chur) 6, 1920, S. 394; **TN**; **JZ**; **JL** u. d. T.: Pfirsichblüte.

G 649 Voll Sünden war mein Leben (Der Fieberkranke) – Schweizerland (Chur) 7, 1921, S. 181 u. d. T.: Der Kranke; **TN**.

Vollendung (Ich weiß: an irgend einem fernen Tag)

G 650 Vom Baum des Lebens fällt (Vergänglichkeit) – Der schwäb. Bund (Stgt) 1, 1919/20, I, S. 70; Schweiz 24, 1920, S. 443; **Wa**; P 783 o. T.; **AG**; **TN**; **BL**; **BZ**; **TB**; L 765, S. 98 [Faksim.]; **St.**

G 651 Vom großen Fenster scheint Dezemberlicht (Alter Maler in der Werkstatt. Hans M. Purrmann in Freundschaft gewidmet) – NZZ Nr. 3052 v. 13. 12. 1953; E 131; schri kunst schri. ein almanach alter u. neuer kunst. 3. Bd. 1955. Baden-Baden: Klein (1954), S. 16; StgtZtg Nr. 17 v. 22. 1. 1955; **GeJ**; L 1584; Slg 15, 1960, S. 161; Leben u. Meinungen des Malers Hans Purrmann. Wiesbaden: Limes-Verl. (1961), S. 263.

G 652 Vom Unbewußten zum Bewußten (Philosophie) – **HL.**

G 653 Von allen den Blumen (Einem Mädchen) – Basilisk 10, 1929, Nr. 2 u. d. T.: Einem schönen Mädchen; **NG.**

G 654 Von brennenden Wüsten her (Abend auf dem Roten Meer) – LiSch 3, 1912/13, Nr. 47; **AI.**

G 655 Von der Tafel rinnt der Wein (Nach dem Fest) – März 8, 1914, I, S. 63; **MdE**; **AG**; **BZ.**

G 656 Von der Wand schilfert Kalk herunter (Altwerden) – **Kr.**

G 657 Von Festen und roten Feuern (Frühlingsfahrt) – Schweiz 14, 1910, S. 185; **GG.**

G 659 Von keiner starken Welle je erreicht (Lagune) – **JG** [nur 1. Aufl.].

G 660 Von langer Reise zurückgekommen (Heimkehr) – u. d. T.: Nächtliche Heimkehr von einer Reise: NZZ Nr. 154 v. 30. 1. 1921; KlBd 8, 1927, S. 317; SoblBasNachr 22, 1928, S. 244; Tgb 10, 1929, S. 400; – **TN**; **St.**

G 661 Von meiner Fackel rauhem Licht geweckt (Welle) – **VT.**

G 662 Vor den blanken Fenstern glühen (Dorfabend) – NZZ Nr. 1141 v. 30. 6. 1935 + ebd. Nr. 1519 v. 6. 9. 1936; **GG.**

G 663 Vor mir her getrieben (Das treibende Blatt) – **JG.**

Vorfrühling (Der Föhn schreit jede Nacht)

G 664 Vor- oder halbgeboren sind wir nur (Zu einem Vor- oder Halbgeburtstag) – **GG.**

Vorwurf (Die Nacht fällt ein)

W

G 665 Wälder stehen, See und Land (Landschaft) – Simpl 15, 1910/11, S. 327; **Uw**; SchwSp 5, 1911/12, S. 371; Rhlde 13, 1913, S. 71.

G 666   Wär ich einsam und Asket geblieben (Kopfschütteln) – **Kr**.

G 667   Wald läßt die Blätter sinken (November 1914) – Simpl 19, 1914/15, S. 440 u. d. T.: Novembersturm; **ZG**.

Waldnacht (Der Wald –! Die Nacht –! Glühwürmer staunen)

G 668   Waldränder glühen golden (Herbsttag) – LiSch 2, 1911/12, Nr. 3; **MdE**.

Auf der Walze (Der Vater Boos, das ist ein Frommer)

Wanderer (Durch des Lebens Wüste irr ich glühend)

Wanderer im Schnee (Mitternacht schlägt eine Uhr im Tal)

Wanderer im Spätherbst (Durch kahlen Waldes Astgeflecht)

Der Wanderer an den Tod (Auch zu mir kommst du einmal)

Wandern (Wandern ohne Ziel ist Jugendlust)

Wandern im Winter (Nun sind wir still)

G 669   Wandern ohne Ziel ist Jugendlust (Reisekunst) – Daheim 47, 1910/11, H. 47, S. 24; Schwäb. Almanach 1913. Stgt: Kohlhammer 1913, S. 23 u. d. T.: Wandern; **MdE**.

Wanderschaft (Im Walde blüht der Seidelbast)

Auf Wanderung (Sei nicht traurig, bald ist es Nacht)

Wandlung (Alle meine Jugendzeit)

Wandlung (Da ich ein Jüngling war)

G 670   Warm in dunkler Gartenkühle (Lampions in der Sommernacht) – u. d. T.: Papierlaternen im nächtlichen Garten: VKMtsh 44, 1929/30, II, S. 491; **GdS1929**; Bodenseeb 23, 1936, S. 20; – **FG** u. d. T.: Lampions im nächtlichen Garten; **TB**; **St**.

G 671   Was blickst du träumend ins verwölkte Land? (Abendgespräch) – ÜbLdM 47, 1905, Bd. 93, S. 452; **JGa**; **MdE**; **AG**.

G 672   Was geht die Gärtnerei mich an? (Der Maler malt eine Gärtnerei) – Wieland 6, 1920, H. 2, S. 8; **GdM**.

G 673   Was gestern noch voll Reiz und Adel war (Beim Lesen in einem alten Philosophen) – NRs 48, 1937, I, S. 191; **GJKa**.

G 674   Was hast du denn mit dem gemeint (Kritiker und Dichter) – VKMtsh 32, 1917/18, III, S. 20; Simpl 38, 1933/34, S. 59.

G 675   Was heut modern und raffiniert (März im Schwarzwald) – L 696, S. 12.

G 676   Was hoffst du noch? Laß uns dem Traum entsagen (Was hoffst du noch?) – **JG** [nur 1. Aufl.].

G 677   Was ich bis heut an Versen schrieb (Entschluß) – ÜbLdM 50, 1908, Bd. 100, S. 1050 u. d. T.: Neue Fahrt; **GG**.

G 678   Was ich schuf in heißer Jahre Glut (Der Künstler) – Simpl 15, 1910/11, S. 881 + ebd. 16, 1911/12, S. 144; **MdE**; **AG**; **BL**.

Was ich träume, fragst du? Daß wir beide s. Venezianische Gondelgespräche 2

G 679   Was lachst du so? Mich schmerzt der gelle Ton (Was lachst du so?) – **JG** [nur 1. Aufl.].

G 680   Was Menschen wollen (Andacht) – **TN; vJ.**

G 681   Was mich je bewegte und erfreute (Einem Freunde mit dem Gedichtbuch) – NSRs NF 10, 1942/43, S. 510; **GGa; St.**

G 682   Was rechte Wanderbursche sind (Handwerksburschenlied) – Simpl 11, 1906/07, S. 302.

G 683   Was ruft und rauscht und schreit so sehr (Traum vom Meere) – Schweiz 14, 1910, S. 368.

G 684   Was so ein Dichter sinnt und treibt (Abendwolken) – VKMtsh 22, 1907/08, II, S. 212; **Uwa;** Ernte 13, 1932, S. 64; **vJ; St.**

G 685   Was such' ich hier, hab' ich mich oft gefragt (Venedig) – Daheim 45, 1908/09, H. 13, S. 16.

G 686   Was war mein Leben, wenn es heut soll enden (Was war mein Leben?) – VKMtsh 18, 1903/04, II, S. 230.
        Für Max Wassmer. Zum 60. Geburtstag (Wir haben kein übles Leben geführt)
        Weg in die Einsamkeit (Die Welt fällt von dir ab)
        Letzter Weg (Mitternacht schlägt eine Uhr im Tal)
        Weg nach innen (Wer den Weg nach innen fand)
        Nächtlicher Weg (Schuh um Schuh im Finstern setz ich)
        Weg zu dir (Der Tag tut frische Augen auf)
        Weg zur Geliebten (Der Tag tut frische Augen auf)
        Weg zur Mutter (Manchmal duftet aus dem öden Grau)
        Weh, daß ich schon erwacht s. Elisabeth [B] 3
        Weihnacht des Alten (Als ich ein Knabe war, in Weihnachtszeiten)
        Weihnachtsabend (Am dunklen Fenster stand ich lang)
        In Weihnachtszeiten (In Weihnachtszeiten reis' ich gern)

G 687   Weil ich dich liebe, bin ich des Nachts (Weil ich dich liebe) – **RL.**

G 688   Weil ich die gelbe Rose bin (Die gelbe Rose) – L 712, S. 2.

G 689   Weil ich früh gestorben bin – P 789.2.
        Beim Wein (Zuweilen freut es mich, still und allein)
        Weinerlich (Der Regen fällt)
        Tessiner Weinkeller im Wald (Der Wind weht über den Wald)

G 690   Weißt du die Nächte noch, da wir vom Lido her (Einem Kameraden) – **JG.**

G 691   Weit aus allen dunkeln Talen (Eine Geige in den Gärten) – **JG.**

G 692   Weit ist der Weg von mir zu dir (Alte Leute) – Daheim 48, 1911/12, H. 1, S. 11.

G 693   Weites, goldenes Ährenmeer (Sommerwanderung) – **Uw** (1. Aufl. u. d. T.: Ähren); RecUn 29, 1913, S. 1066 u. d. T.: Erntezeit.
        Welle (Von meiner Fackel rauhem Licht geweckt)
        Eine andre Welt (In meiner Brust erglüht)
        Herrliche Welt (Immer und immer fühl ich's, ob alt oder jung)
        O brennende Welt (Immer und immer fühl ich's, ob alt oder jung)

Die Welt unser Traum (Nachts im Traum die Städt' und Leute)
Wende (Nun blüht die Welt nicht mehr für mich)
Wende (Nun ist die Jugend schon verschäumt)

G 694 Wendet die Blicke, Fragende, wendet («Ich habe den Fuß zu setzen...») – **RL.**

G 695 Wenn alle Nachbarn schlafen gangen (Königskind) – **RL; JG.**

G 696 Wenn alles nicht so müßte sein (Schweinerei) – **Kr.**

G 697 Wenn auch der Abend kalt und traurig ist (Im vierten Kriegsjahr) – NZZ Nr. 617 v. 8. 4. 1917 u. d. T.: Wenn auch; März 11, 1917, III, S. 831 u. d. T.: Dunkler Abend auf der Wanderung; – u. d. T.: Wenn auch: SbKriegsgef 2, 1917, H. 34, S. 18; DIZ Nr. 65/66 v. 16. 12. 1917, Bl. 1; – **TN; BZ; St.**

G 698 Wenn der Schnee auf Wald und Garten fällt (Schnee) – Die Garbe (Basel) 1, 1917/18, S. 297; **GG.**

G 699 Wenn die trüben Tage grauen (Schicksalstage) – NZZ Nr. 88 v. 19. 1. 1919; Bodenseeb 14, 1927, S. 21 u. d. T.: Prüfung; **TN; BZ; St.**

Wenn doch mein Leben fürder geht (Wenn doch mein Leben) s. Maria 5

G 700 Wenn du die kleine Hand mir gibst (Bitte) – **JG; BZ.**

Wenn du einen Kater hast s. Monatssprüche 2

G 701 Wenn einer einen Taler hat (Verschwender) – Daheim 43, 1906/07, H. 40, S. 14; BernWo 3, 1913, S. 198.

G 702 Wenn ich abends meine Flöte blase (Der poetische Faun) – Jugend (Mchn) Jg. 1913, S. 212.

G 703 Wenn ich doch Banjo spielen könnte (Neid) – Ikarus (Bln) 2, 1926, Nr. 4, S. 14; **Kr.**

G 704 Wenn ich einmal vor deinem Antlitz stehe (Gebet) – **JG.**

G 705 Wenn ich Kinder spielen sehe (Absterben) – Daheim 49, 1912/13, H. 4, S. 14; **MdE.**

G 706 Wenn ich nachts nicht schlafen kann (Sensenmann) – **JG** [nur 1. Aufl.].

Wenn man alt wird (All der Tand, den Jugend schätzt)
Wenn man alt wird (Wie ist das doch so seltsam eigen)

G 707 Wenn mich dein Bild im Traum besucht – Ludwig Finckh: Fraue du, du Süsse. Dresden u. Lpz: Pierson 1900, S. 115 [ohne Verfasserangabe] + [neue Aufl. u. d. T.:] Fraue du. Tüb: A. Fischer 1921, S. 110; L 596, S. 85.

G 708 Wenn mich der fernen Kindertage (Zuweilen) – **JG.**

G 709 Wenn wir jetzt die Heimat wieder sehen (Meinem Bruder) – VKMtsh 26, 1911/12, I, S. 290; – u. d. T.: Gemeinsame Jugend: SchwSp 5, 1911/12, S. 371; Rhlde 13, 1913, S. 71; – **MdE; St.**

G 710 Wer an die Zukunft denkt (Erinnerung) – **SpG;** Bodenseeb 33, 1947, S. 17; **TB.**

G 711 Wer den Weg nach innen fand (Weg nach innen) – Schweiz 22, 1918, S. 351; Die Einkehr. Unterhaltungsbeil. der Münchner N. Nachr. 5, 1924, S. 264; Basilisk 8, 1927, Nr. 40; **TN; BL; vJ;** A 25; **St.**

Wer einmal dein ist (Der Weg ist schwer, der Weg ist weit)

G 712 Wer hat einst die alten Kastanien gepflanzt (Im Schloß Bremgarten) – NatZ
Nr. 433 v. 17. 9. 1944, Sobeil.; NSRs NF 12, 1944/45, S. 552; SpG; L 70, S. 5.

G 713 Wer im Herbst eines mühsamen (Rückblick) – NSRs NF 19, 1951/52, S. 78–81;
E 162; L 57, S. 7–11; GGd.

G 714 Wer meine Freunde sind? (Geständnis) – RL; JG [nur 1. Aufl.]; BZ.

G 715 Wer viele Wege durch die Welt gereist (Resignation) – Uw; Schweiz 16, 1912,
S. 315 u. d. T.: Entsagung.

G 716 Wer weit gereist, wird oftmals Dinge schauen – P 958.

G 717 Wetterbraune, dichtgedrängte Fassaden (Chioggia) – VT; JGa; AG; It; BL; St.

G 718 Wetterleuchten fiebert fern (Wetterleuchten) – JG; AG; St.

G 719 Widmungsverse zu einem Gedichtbuch (1. Ist's auch nicht mehr Überschwang;
2. Viele Verse hab ich geschrieben; 3. Blätter wehen vom Baume) – NG. 3. NatZ
Nr. 414 v. 9. 9. 1934, Sobeil. u. d. T.: Mit einem kleinen Gedichtbuch; VKMtsh
49, 1934/35, II, S. 176 u. d. T.: Zu einer Auswahl meiner Gedichte; FG u. d. T.:
Mit einem Heft Gedichte; St.

G 720 Wie das so seltsam traurig macht (Fremde Stadt) – Knodt 1902, S. 128 u. d. T.:
Wie das so seltsam traurig macht; JG; VKMtsh 18, 1903/04, II, S. 216.

G 721 Wie der Sterne große Schar (Bergnacht) – WMtsh 47, 1902/03, Bd. 94, S. 797;
Uwa; Brücken zum Ewigen. Die religiöse Dichtg. d. Gegenw. Hg. v. Wilhelm
Knevels. 3. Aufl. Braunschweig: Wollermann 1927, S. 98 o. T.; P 1513 [Faksim.].

G 722 Wie der stöhnende Wind durch die Nacht (Wie der stöhnende Wind –) – SimplKal
f. 1913, S. 61 u. d. T.: Schlaflose Nacht; MdE.

G 723 Wie du, Vorfahr und Bruder, geh auch ich (An den indischen Dichter Bhartrihari)
– Kr; P 146; St.

G 724 Wie ein Lied, zur Dämmerung gesungen (Die venezianische Gondel) – RecUn 28,
1912, S. 1076.
Wie eine weiße Wolke s. Elisabeth [A] 3

G 725 Wie eine Welle, die vom Schaum gekränzt (Wie eine Welle) – Knodt 1902, S. 126
u. d. T.: Ins Reich der Sehnsucht; JG.

G 726 Wie fremd und wunderlich das ist (Landstreicherherberge) – JG; AG; BL; BZ; St.

G 727 Wie haben sie dich, Baum, verschnitten (Gestutzte Eiche) – PHelv 2, 1920, Nr. 4,
S. 113 u. d. T.: Der Maler malt einen arg gestutzten Eichenbaum; Der schwäb.
Bund (Stgt) 2, 1920/21, I, S. 42; GdM; BL; BZ.

G 728 Wie hing voll reicher Blüte, Traum an Traum (Herbst) – ÜbLdM 47, 1905, Bd. 93,
S. 135.

G 729 Wie im Garten Mohn und Königskerzen (Die Schmerzen) – VK.

G 730 Wie ist das doch so seltsam eigen (Wenn man alt wird) – Dichterh 16, 1896, S. 679 f.

G 731 Wie ist euer Blick so hart (Harte Menschen) – Simpl 18, 1913/14, S. 661; MdE.

G 732 Wie jede Blüte welkt und jede Jugend (Stufen) – NRs 53, 1942, S. 289 f.; GG;
GJKb; E 178; BZ; vJ; TB; L 765, S. 171 [Faksim.]; E 21; St.
Wie kommt es? (Ich habe keinen Kranz ersiegt)

G 733 Wie kommt es, daß du mich verstehst (Einem Freunde) – WMtsh 55, 1910/11, Bd. 110, S. 900 u. d. T.: Dem Freunde; **GG**.

G 734 Wie mal ich dich? – An abendlicher Treppe (Gina) – VKMtsh 19, 1904/05, I, S. 82.

G 735 Wie nun am dürren Ginsterhang (Hundstage) – NZZ Nr. 1456 v. 13. 8. 1933; **GdS1933**; **St**.

G 736 Wie rinnt die schöne Zeit mir aus der Hand (Auf der Gräberinsel bei Venedig) – ÜbLdM 46, 1904, Bd. 92, S. 924; Der Monat. Oktav-Ausg. von ÜbLdM, Jg. 1903/04, III, S. 338.

Wie schnell das geht! (Eben war ich noch ein Kind)

G 737 Wie sind die Tage schwer! (Wie sind die Tage) – LiSch 3, 1912/13, Nr. 22 u. d. T.: Ohne Liebe; **MdE**.

G 738 Wie steh ich doch verwirret (An meine Schwester) – **TN**.

G 739 Wie über eines tiefen Brunnens Rand (Ohne Liebe) – **JG**.

G 740 Wie weht aus deinen süßen Reimen – P 1055.

G 741 Wie wenn auf grünem Teppich leise rollt (Piazzetta) – Monatsbll. f. dt. Lit. (Lpz) 5, 1901, S. 439f. u. d. T.: Abend an der Piazzetta in Venedig; **JG**; **It**.

G 742 Wie Wind ist mein Leben verweht (Der Kranke) – Schweizerland (Chur) 7, 1921, S. 180f.; Simpl 29, 1924/25, S. 476; **TN**; **BL**; **BZ**; **St**.

G 743 Wieder fällt ein Blatt von meinem Baum (Der Geliebten) – VKMtsh 38, 1923/24, II, S. 18; **TN**.

G 744 Wieder hat ein Sommer uns verlassen (Herbstgeruch) – Dt. Beitrr. 1, 1946/47, S. 503; SchwMtsh 27, 1947/48, S. 518; **GGd**; **St**.

G 745 Wieder klirrt ein Fest in Scherben (Heimweg vom Fest) – ZtBild 12, 1914, S. 294 u. d. T.: Nach einem Fest; **MdE**; BernWo 7, 1917, S. 97; **AG**.

G 746 Wieder lag ich schlaflos Stund um Stund (Bhagavad Gita) – Simpl 19, 1914/15, S. 548; **ZG**; **BZ**; **St**.

G 747 Wieder mit geraffter Schleppe (Globetrotter) – Simpl 19, 1914/15, S. 216; **Uwa**.

G 748 Wieder schreitet er den braunen Pfad (Frühling) – VKMtsh 23, 1908/09, III, S. 25; **Uw**; **AG**; **BZ**; **St**.

G 749 Wieder seh ich Schleier sinken (Neues Erleben) – StgtNTgbl Nr. 97 v. 24. 2. 1916; Wieland 1, 1915/16, H. 18, S. 2 u. d. T.: Das große Erlebnis; SbKriegsgef 1, 1916, H. 24, S. 5; März 11, 1917, I, S. 20 u. d. T.: Erlebnis; Hg 2.3, S. 14; Hg 23, S. 48; **TN**; **St**.

G 750 Wieder steig ich und wieder – P 772.

G 751 Wieder tragen die Soldaten (Frühsommer 1915) – Simpl 20, 1915/16, S. 142; Bodenseeb 3, 1916, S. 17.

G 752 Wieder will mein froher Mund begegnen (Liebe) – ZtBild 11, 1913, S. 339; Schweiz 17, 1913, S. 439; BernWo 3, 1913, S. 369; **MdE**.

Beim Wiederlesen eines meiner frühesten Bücher (So kindlich und so streng, so stolz und scheu)

Beim Wiederlesen von «Heumond» und «Schön ist die Jugend» (Unbegreiflich fremd und ferne)

Beim Wiederlesen des Maler Nolten (Bescheiden klopf ich wieder an dein Tor)

Wiedersehen (Hast du das ganz vergessen)

Das Wiedersehen (Da schon die Sonne sich verbarg)

Beim Wiedersehen von Jugendbildnissen (So blickt aus sagenhafter Frühe)

Die sanfte Wiese (Die sanfte Wiese flieht)

G 753   Wieviel gelebte Jahre (Trost) – Jugend (Mchn) Jg. 1910, S. 390; Uw; Schweiz 18, 1914, S. 251.

G 754   Will immer dichten und singen – L 765, S. 24 [Faksim.].

G 755   Willkommen Nacht! Willkommen Stern! (Krankheit) – Schweiz 25, 1921, S. 485; Simpl 26, 1921/22, S. 609 u. d. T.: Der Sterbende; TN; BZ; St.

G 756   Wind im Gesträuch und Vogelpfiff (Frühlingstag) – Simpl 17, 1912/13, S. 868; MdE; AG; BL; BZ; St.

Winter (Alt geworden bist du, grünes Jahr)

Winter 1914 (Leid und Finsternis, wohin ich seh)

Winter in Oberitalien (Seit der Wald sich ganz gelichtet)

Winter im Tessin (Seit der Wald sich ganz gelichtet)

Winternacht (Feuerzungen flackern im Kamin)

Wintertag (O wie schön das Licht)

Grauer Wintertag (Es ist ein grauer Wintertag)

G 757   Wipfel wehn in dunklem Feuer (Frühling in Locarno) – VKMtsh 31, 1916/17, II, S. 507; PHelv 1, 1919, Nr. 4, S. 80; TN; St.

G 758   Wir biegen flammend schlanke Wipfel im Wind (Die Zypressen von San Clemente) – JG; AG; BL; St.

G 759   Wir danken sehr für Ihr ergreifendes Gedicht (Brief von einer Redaktion) – VK.

G 760   Wir galten für dekadent und modern (Dem «petit cénacle») – JG [nur 1. Aufl.]; L 765, S. 32 [Faksim.].

G 761   Wir haben kein übles Leben geführt (Für Max Wassmer. Zum 60. Geburtstag) – KlBd 28, 1947, S. 160; E 199.

G 762   Wir Kinder im Juli geboren (Julikinder) – VKMtsh 19, 1904/05, II, S. 612; Uw; AG; JZ; BL; JL; BZ; TB.

G 763   Wir leben hin in Form und Schein (Wir leben hin) – VKMtsh 22, 1907/08, II, S. 650 u. d. T.: Menschen; Uwa.

Wir leiden wie du, lieber Bruder Christ s. Du bist gestorben, lieber Bruder Christ

G 764   Wir Menschen schlagen einer den andern tot (Nachtgedanken) – NZZ Nr. 2138 v. 4. 12. 1938; ZehnG; vJ.

G 765   Wir schliefen alle, leicht betrunken, in der Bar (Nach dem Abend im Hirschen) – NSRs 19, 1926, S. 1119 o. T.; Kr.

G 766   Wir sind in Zorn und Unverstand (Schicksal) – VKMtsh 22, 1907/08, I, S. 726; Uw; DIZ Nr. 108 v. 15. 2. 1919, S. 14; AG; BL; St.

G 767 Wir wollen noch den Wiesenpfad (Sommers Ende) – Jugend (Mchn) Jg. 1910, S. 913; Schweizerland (Chur) 1, 1914/15, S. 610; BernWo 6, 1916, S. 438.

G 768 Wir wollten zusammen bauen (Der Prinz) – **RL**.

G 769 Wo der gestürzte Gott, von Schatten überschauert (Tempel) – **JG**; **St**.
Wo ist mein Traum geblieben s. Der Trinker 2

G 770 Wo mag meine Heimat sein? (Liebeslied) – Simpl 26, 1921/22, S. 662; **GG**; **BZ**.

G 771 Wo war das doch? – Die Sonne war verloht (Erinnerung) – **JG** [nur 1. Aufl.].

G 772 Wohin? Wohin? (Nachtgang) – NRs 17, 1906, S. 374; **Uw**; Schweiz 18, 1914, S. 27 u. d. T.: Stimmen der Nacht.

G 773 Wohl lieb ich die finstre Nacht – NRs 17, 1906, S. 375; **Uw**; Schweiz 19, 1915, S. 331.
Die leise Wolke (Eine schmale, weiße)

G 774 Wolken, leise Schiffer, fahren (Wolken) – VKMtsh 19, 1904/05, I, S. 310; **Uw**a.
Weiße Wolken (O schau, sie schweben wieder)

G 775 Wolken wirr verzogen (Der Ausgestoßene) – **MdE**.

G 776 Wolkenflug und herber Wind (Ausklang) – **JG**; **St**.
Wollust (Nichts als strömen, nichts als brennen)
Der Wüstling (Rot blüht die Blume der Lust)
Wüstlings Ende (Alles läßt mich im Stich)
Wunder der Liebe (Oft will das Leben nicht mehr weitergehn)

G 777 Wunderlich rührend zu sehen (Besuch bei den hundert kranken deutschen Kriegsgefangenen in Davos) – Simpl 20, 1915/16, S. 562.

G 778 Wunderliches Wehgefühl (Heimweg vom Wirtshaus) – **JG**.

Z

Die Zauberflöte am Sonntagnachmittag (Heut hab ich einen Fehler gemacht)
Zechen im Waldkeller (Der Wind weht über den Wald)

G 779 Zehn Jahre schon, seit Klingsors Sommer glühte (Gedenken an den Sommer Klingsors) – KlBd 10, 1929, S. 377; Tgb 10, 1929, S. 1700; **GdS1929**; **St**.
Böse Zeit (Nun sind wir still)
Schlechte Zeit (Ich sang auf Bergen im Morgenwind)
In schwerer Zeit (Durch des Lebens Wüste irr ich glühend)

G 780 Kriegerisches Zeitalter (1. Der alte Mann; 2. Der Patriot; 3. Der Krieger; 4. Der Jüngling; 5. Die Kinder) – Maß und Wert (Zch) 3, 1939/40, S. 7–10; **GG**. 1. 2. 4. 5. NatZ Nr. 478 v. 15. 10. 1939, Sobeil.
Zeitbetrachtung (Zum Teufel geht die alte Welt)
Dem Ziel entgegen (Immer bin ich ohne Ziel gegangen)
Zigeuner (Ich habe wenig Lieder)

G 781   Zu meiner Geliebten fuhr ich in der Eisenbahn (Fieber) – **Kr.**

G 782   Zu schönem Spiel und liebem Tand (Der Dichter) – Schweizerland (Chur) 1,
         1914/15, S. 330 o. T.; Jugend (Mchn) Jg. 1915, S. 81; **ZG.**
         Zu spät (Altmodisch steht mit schmächtigen Pilastern)
         Zu spät (Da ich in Jugendnot und Scham)

G 783   Zum Teufel geht die alte Welt (Zeitbetrachtung) – Simpl 23, 1918/19, S. 574.

G 784   Zum Wein, zu Freunden bin ich dir entflohn (An die Melancholie) – Die Alpen
         (Bern) 7, 1912/13, S. 219; Simpl 18, 1913/14, S. 257; **MdE; St.**
         Zunachten (Laufeuchte Winde schweifen)

G 785   Zur Urwelt führt kein Weg zurück (Kein Trost) – **AI.**
         Zusammenhang (Aus lang verschwundener Völker Liedern her)
         Zuschauer (Ein altes Herzweh in vernarbter Brust)
         Zuweilen (Wenn mich der fernen Kindertage)

G 786   Zuweilen freut es mich, still und allein (Beim Wein) – **VT** u. d. T.: Bei Giaco-
         muzzi; **GG.**

G 787   Zwei Deutsche im Gespräch. Fremdländisch klang (Belauschtes Nachtgespräch)
         – WiLeb 5, 1911/12, Bd. X, S. 433–435; **GG.**

G 788   Zwei Knaben, müd vom Spiel und Lauf (Knaben) – Arena. Oktav-Ausg. von
         ÜbLdM [Ausg. A] Jg. 1909/10, I, S. 558 + ebd. [Ausg. B] Jg. 1909/10, H. 5,
         S. 494; Heute u. Morgen (Düsseldorf) Jg. 1952, S. 577.
         Zwischen grau behaarten Fichtenzweigen (Durchblick ins Seetal) s. In einem
         alten Tessiner Park 2

G 789   Zwischen Tür- und Schlüsselklirren (Gruß aus Altbasel) – L 765, S. 34 [Faksim.].
         Die Zypressen von San Clemente (Wir biegen flammend schlanke Wipfel im Wind)

LITERATUR ÜBER HERMANN HESSE

LITERARHISTORISCHE ZUORDNUNG

L 1   Klaiber, Theodor: HH. In: Th. K.: Die Schwaben in der Literatur der Gegenwart. Stgt: Strecker & Schröder 1905, S. 87–104.

L 2   Geißler, Max: HH. In: M. G.: Führer durch die dt. Literatur des 20. Jahrhunderts. Weimar: Duncker 1913, S. 208.

L 3   Klaiber, Th[eodor]: HH. In: Württemberg unter der Regierung König Wilhelms II. Hg. v. V. Bruns. Stgt: Dt. Verl.-Anst. 1916, S. 512–515.

L 4   Biese, Alfred: Dt. Literaturgeschichte. Bd. III. 13. Aufl. Mchn: Beck 1918, S. 629 bis 632.

L 5   Schneider, Manfred: HH. In: M. Sch.: Einführung in die neueste dt. Dichtung. Stgt: Meyer-Ilschen (1921), S. 119–124.

L 6   Leyen, Friedrich von der: Dt. Dichtung in neuer Zeit. Jena: Diederichs 1922, S. 298–300.

L 7   Riemann, Robert: Von Goethe zum Expressionismus. 3. Aufl. Lpz: Dieterich 1922, S. 381 f. (Mi)

L 8   Witkop, Philipp: Dt. Dichtung der Gegenwart. Lpz: Haessel 1924, S. 73–76.

L 9   Stammler, Wolfgang: Dt. Literatur vom Naturalismus bis zur Gegenwart. 2. Aufl. Breslau: Hirt 1927, S. 50, 117. (Jedermanns Bücherei.)

L 10   Nadler, Josef: Literaturgeschichte der dt. Stämme und Landschaften. Bd. IV. 1. u. 2. Aufl. Regensburg: Habbel 1928, S. 790 f.

L 11   Soergel, Albert: Dichtung und Dichter der Zeit. Bd. I. 20. Aufl. Lpz: Voigtländer 1928, S. 944–957. [Zuerst 1911.]

L 12   Klabund [d. i. Alfred Henschke]: Literaturgeschichte. Wien: Phaidon 1929, S. 371 f.

L 13   Walzel, Oskar: Dt. Dichtung von Gottsched bis zur Gegenwart. Bd. 2. Potsdam: Athenaion (1930), S. 344 f. (Handbuch der Literaturwiss.)

L 14   Wiegler, Paul: Geschichte der neuen dt. Literatur. Bln: Ullstein (1930), S. 814 bis 816.

L 15   Eloesser, Arthur: Die dt. Literatur von der Romantik bis zur Gegenwart. Bln: Cassirer 1931, S. 528 f.

L 16   Mahrholz, Werner: HH. In: W. M.: Dt. Literatur der Gegenwart. 56.–85. Tsd. Bln: Sieben Stäbe 1931, S. 265 f. [Zuerst 1930.]

L 17   Mumbauer, Johannes: Die dt. Dichtung der neuesten Zeit. Bd. 1. Freiburg i.Br.: Herder 1931, S. 573–587.

L 18   Brand, Guido K[arl]: Werden und Wandlung. Eine Geschichte der dt. Literatur von 1880 bis heute. Bln: Wolff 1933, S. 335–337.

L 19   Naumann, Hans: Die dt. Dichtung der Gegenwart (1885–1933). 6. Aufl. Stgt: Metzler 1933, S. 168, 219 f. (Epochen der dt. Lit. 6.) [Zuerst 1923.]

L 20   Duwe, Willi: Dt. Dichtung des 20. Jahrhunderts. Zch: Orell Füssli 1936, S. 275 bis 280.

L 21   Beer, Johannes: Dt. Dichtung seit hundert Jahren. Stgt: Franckh (1937), S. 20, 79, 197 f., 216.

L 22   Heinemann, Karl: Die dt. Dichtung. 8. Aufl. Lpz: Kröner 1930, S. 323–325. [Zuerst 1910.]

L 23 Edfelt, Johannes: HH. In: Europas Litteraturhistoria 1918–1939. Hg. v. Artur Lundkvist. Stockholm: Forum 1947, S. 576–583. (Mi)

L 24 Eggebrecht, Axel: Weltliteratur. Ein Überblick. Hamburg: Springer (1948), S. 282–284.

L 25 Bennet, E. K.: A history of the German Novelle. Cambridge: Univ. Press 1949, S. 240f. [Zuerst 1934.]

L 26 Petry, Karl: Handbuch zur dt. Literaturgeschichte. Bd. 2. Köln: Pick 1949, S. 897–899.

L 27 Alker, Ernst: Geschichte der dt. Literatur von Goethes Tod bis zur Gegenwart. Bd. 2. Stgt: Cotta (1950), S. 385–389, 480–483.

L 28 Annalen der dt. Literatur. Hg. v. Heinz Otto Burger. Stgt: Metzler 1952, S. 779–781, 808f., 821f.

L 29 Fechter, Paul: Geschichte der dt. Literatur. Gütersloh: Bertelsmann 1952, S. 526 bis 531.

L 30 Laaths, Erwin: Geschichte der Weltliteratur. Mchn: Droemer (1953), S. 754f.

L 31 Schumann, Otto u. Franz Krezdorn: Literaturführer. Dt. Dichtung. Wilhelmshaven: Hera (1953), S. 288–290.

L 32 Bettex, Albert: Spiegelungen der Schweiz in der dt. Literatur, 1870–1950. Zch: Niehans (1954), S. 62, 76, 124f., 134, 163, 168–171, 189.

L 33 Pfeiffer-Belli, Wolfgang: Geschichte der dt. Dichtung. Freiburg i. Br.: Herder (1954), S. 581f., 599f.

L 34 Grenzmann, Wilhelm: Dt. Dichtung der Gegenwart. 2. Aufl. Ffm: Menck (1955), S. 100–108. [Zuerst 1953.]

L 35 Lechner, Hermann: Literaturgeschichte des dt. Sprachraumes. 23.–25. Tsd. Innsbruck usw.: Tyrolia (1956), S. 361–364. [Zuerst 1934.]

L 36 Horst, K[arl] A[ugust]: Die dt. Literatur der Gegenwart. Mchn: Nymphenburger (1957), S. 36, 47–51, 65–67, 108f.

L 37 Martini, Fritz: Dt. Literaturgeschichte von den Anfängen bis zur Gegenwart. 8. Aufl. Stgt: Kröner (1957), S. 502–506. [Zuerst 1949.]

L 38 Necco, Giovanni: HH. In: G. N.: Storia della letteratura tedesca. Milano: Vallardi (1957), S. 675–682.

L 39 Bianquis, Geneviève: Histoire de la littérature allemande. 4e éd. Paris: Colin 1958, S. 189, 191f. [Zuerst 1937.]

L 40 Kahle, Wilhelm: Geschichte der dt. Dichtung. 3. Aufl. Münster: Regensberg (1958), S. 374f., 481. [Zuerst 1949.]

L 41 Bithell, Jethro: Modern German literature, 1880 – 1950. 3rd ed. London: Methuen (1959), S. 281–288. [Zuerst 1939.]

L 42 Grabert, W[illy] u. A[rno] Mulot: Geschichte der dt. Literatur. 5. Aufl. Mchn: Bayer. Schulbuch-Verl. 1959, S. 440–444. [Zuerst 1953.]

L 42a Histoire de la littérature allemande. Sous la direction de Fernand Mossé. [Paris]: Aubier (1959), S. 845–849.

L 42b Robertson, J[ohn] G.: A history of German literature. 3rd rev. and enlarged ed. Edinburgh, London: Blackwell 1959, S. 555–557.

L 42c   Schmidt, Adalbert: Literaturgeschichte. Wege u. Wandlungen moderner Dichtg. 2. erw. Aufl. Salzburg: Verl. «Das Bergland-Buch» 1959, S. 179–183. [Zuerst 1957.]

L 43   Vogelpohl, Wilhelm: Dt. Dichtung. Eine Darstellung ihrer Geschichte. [10. Aufl.] Stgt: Klett [1959], S. 159f. [Zuerst 1951.]

L 43a   Bottacchiari, Rodolfo: Storia della letteratura tedesca. 4. ed. Roma: Cremonese (1960), S. 349–352. [Zuerst 1941.]

L 43b   Bettex, Albert, in: Dt. Literaturgeschichte in Grundzügen. Die Epochen dt. Dichtg. Hg. v. Bruno Boesch. 2. Aufl. Bern: Francke (1961), S. 417f., 421f. [Zuerst 1946.]

L 43c   Soergel, Albert u. Curt Hohoff: Dichtung und Dichter der Zeit. Vom Naturalismus bis zur Gegenwart. Neubearbeitg. Bd. 1. Düsseldorf: Bagel (1961), S. 792 bis 804.

GESAMTDARSTELLUNGEN

L 44   Kuhn, Alfred: HH. Ein Essay. – Lpz: Verl. f. Literatur, Kunst u. Musik 1907. 54 S. (Beiträge zur Literaturgeschichte. 45.)

L 45   Ball, Hugo: HH. Sein Leben und sein Werk. 1.–4. Aufl. – Bln: S. Fischer (1927). 243 S. mit Abb. + Tdr. (Vom Wesen HH's.) in: Almanach S. Fischer Verl. 1928, S. 19–25 + dass. in: SchwSp 22, 1928, S. 173f. + Tdr. (Hermann Lauscher und Peter Camenzind) in: NZZ Nr. 625 v. 12. 4. 1936. [Rez. von E[duard] K[orrodi] in: NZZ Nr. 1119 v. 3. 7. 1927 + in: BT Nr. 308 v. 2. 7. 1927; von H. W. in: Schwäb. Merkur Nr. 328 v. 18. 7. 1927; von Hermann Kasack in: NRs 38, 1927, II, S. 335f.; von Adolf Saager in: Lesez 15, 1927/28, S. 41–46; von W[illi] G[erhard] Sulser in: KlBd 8, 1927, S. 211f.; von Friedrich M. Reifferscheidt in: Hochland (Mchn) 25, 1927/28, I, S. 218–221; von Adolf von Grolmann in: DSL 29, 1928, S. 41; von Paul Adams in: Die Bücherwelt (Bonn) 25, 1928, H. 1, S. 4–8 (DSL).]

a) Veränd. u. erw. Ausg. 5.–6. Aufl. Ebd. 1933. 265 S. [Rez. von Eduard Korrodi in: NZZ Nr. 576 v. 31. 3. 1933.]

b) Mit einem Anhang von Anni Carlsson. 7.–16. Tsd. [Bln u. Ffm]: Suhrkamp 1947. 306 S. [Rez. von Erich Kalisch in: Die Lit. der Gegenw. (Recklinghausen) Jg. 1948/49, H. 4, S. 40–42.]

c) Fortgeführt von Anni Carlsson und Otto Basler. – Zch: Fretz & Wasmuth (1947). 351 S. [Rez. von E[duard] K[orrodi] in: NZZ Nr. 2135 v. 31. 10. 1947; von C[arl] S[eelig] in: NatZ Nr. 529 vom 15. 11. 1947; von M. B. in: Bübl 11, 1947, Nr. 12, S. 6.]

d) [Neudr. der 1. Aufl.] 1.–3. Tsd. dieser Ausg. – Bln u. Ffm: Suhrkamp (1956). 214 S. (Bibliothek Suhrkamp. 34.) + 4.–7. Tsd. dieser Ausg. [1957].

L 46   Elster, Hanns Martin: HH's. Leben und Werk. In: HH.: Gertrud. Bln: Dt. Buch-Gemeinschaft [1927], S. 5–48.

L 47   Schmid, Hans Rudolf: HH. – Frauenfeld u. Lpz: Huber (1928). 218 S. (Die Schweiz im dt. Geistesleben. 56/57.) + Tdr. ebd. 1928. 113 S. Diss. Zürich. [Rez. von E[duard] K[orrodi] in: NZZ Nr. 1645 v. 12. 9. 1928; von HH. in: Neue Badische Landesztg. (Mannheim) v. 17. 11. 1928; von Erich Dürr in: Lit 31, 1928/29, S. 612.]

L 48   Biscardo, Roberto: Voci della poesia di HH. – Milano: Soc. Anonima Editrice Dante Alighieri 1933. 165 S.

L 48a Poulnot, Lucienne: HH. – Diplôme d'étude supérieure Paris 1945. VII, 103 Bl [Mschr.] (L 759a)

L 49 Engel, Otto: HH. Dichtung und Gedanke. – Stgt: Frommann 1947. 96 S. + 2. Aufl. 1948. + Tdr. u. d. T.: Die Frömmigkeit HH's. In: Die Pforte (Eßlingen) 8, 1957/58, S. 246–258. [Rez. von Paul Alfred Gottwald in: WuW 2, 1947, S. 361.]

L 50 Hafner, Gotthilf: HH. Werk und Leben. Umrisse eines Dichterbildes. – Reinbek b. Hamburg: Parus-Verl. (1947). 87 S. [Rez. von Georg Schwarz in: WuW 4, 1949, S. 37.] + 2. [wesentlich] erw. Aufl. (Nürnberg): Carl (1954). 176 S. [Rez. von Fritz Martini in: StgtNachr Nr. 233 v. 8. 10. 1955; von Inge Meidinger-Geise in: WuW 10, 1955, S. 372; von Hermann Waßner in: Mannheimer Morgen Nr. 230 v. 6. 10. 1955; von Maurice Boucher in: Erasmus 9, 1956, Sp. 84f.; von Alexander Baldus in: Begegnung (Köln) 12, 1957, S. 269 + in: Die Anregung (Köln) 9, 1957, Kultur-Beil. S. 269; von Maurice Colleville in: EG 12, 1957, S. 73.]

L 51 Matzig, Richard B[lasius]: HH. in Montagnola. Studien zu Werk und Innenwelt des Dichters. – Basel: Amerbach-Verl. (1947). 119 S. + Lizenzausg. [ohne d. Zusatz «in Montagnola».] – Stgt: Reclam (1949). 147 S. + Tdr. in: St. Galler Tagbl. Nr. 194 v. 26. 4. 1957 u. Nr. 196 v. 27. 4. 1957. + Dass. in: Monats-Chronik. Ill. Beil. zum Ostschweiz. Tgbl. (Rorschach) Jg. 1957, H. 8, S. 114–119. [Rez. von H. B. in: NatZ Nr. 529 v. 15. 11. 1947; von Fritz Strich in: SchwMtsh 27, 1947/48, S. 695f.; von Hans-Joachim Bock in: Dt. Lit.-Ztg. (Bln) 70, 1949, Sp. 160f.; von Gotthilf Hafner in: WuW 4, 1949, S. 477; von Robert Mühlher in: Freude an Büchern (Wien) 3, 1952, S. 16f.]

L 52 Richter, Georg: HH., der Dichter und Mensch. – Bln: Verl. Neues Leben [1947]. 48 S. (Kleine Jugendbücherei.) + Tdr. u. d. T.: Besuch bei HH. In: Verantwortung (Dresden) Nr. 18 v. 5. 7. 1952. (Pf) [Rez. in: Tägliche Rs. (Bln) Nr. 125 v. 1. 6. 1947. (Pf)]

L 53 Schmid, Max: HH. Weg und Wandlung. Mit einem bibliogr. Anhang von Armin Lemp. – Zch: Fretz & Wasmuth (1947). 288 S. + U. d. T.: Konfliktwandel in HH's. neueren Werken. – Zch 1947: Gebr. Fretz. 240 S. Diss. Zürich. [Ohne Bibliogr.] + A. A. Dawson: M. Sch.: HH., the growth of a poet. Transl. from the German. – M. A. Southern Methodist Univ. 1949. [Mschr.] (Jo1, Mi) [Rez. von Otto Basler in: Bübl 11, 1947, Nr. 12, S. 6f.; von André Tanner in: La Gazette littéraire (Lausanne) v. 29. 11. 1947, S. 1; von P[eter] Sulzer in: NSRs NF 15, 1947/48, S. 760–762; von Herbert Hupka in: WuW 3, 1948, S. 199; von M[arc] Reinert in: SRs 50, 1950/51, S. 709.]

L 54 Bode, Helmut: HH. Variationen über einen Lieblingsdichter. – Ffm, Schmitten i. Ts.: Barbier 1948. 169 S. [Rez. von Otto Basler in: NSRs NF 17, 1949/50, S. 326–328; von Gotthilf Hafner in: WuW 4, 1949, S. 477; in: GLL NS 4, 1950/51, S. 144f.]

L 55 Levander, Hans: HH. – Stockholm: Bonnier (1949). 63 S. (Studentföreningen verdandis småskrifter. 498.)

L 56 Mileck, Joseph: HH. A study. – Doct. diss. Harvard Univ. 1950. 490 Bl. [Mschr.]

L 57 Gnefkow, Edmund: HH. Biographie 1952. – Freiburg i. Br.: Kirchhoff (1952). 143 S. [Rez. von Paul Noack in: FAZ Nr. 20 v. 24. 1. 1953.]

L 57a Prevost, F.: HH.: l'homme et l'écrivain de «Peter Camenzind» (1904) et du «Glasperlenspiel» (1943). – Diplôme d'étude supérieure Paris 1952. IV, 76 Bl. [Mschr.] (L 759a)

L 57b Petit, Jean: H's. Entwicklung. Wandlungen eines Individualisten. – Diplôme d'étude supérieure Besançon 1953. 119 Bl. [Mschr.] (L 759a)

L 58 Baumer, Franz: HH. Der Dichter und sein Lebenswerk. – Murnau usw.: Lux [1956]. 32 S. (Lux-Lesebogen. 193.)

L 59 Nadler, Käte: HH. Naturliebe. Menschenliebe. Gottesliebe. – Lpz: Koehler & Amelang 1956. 143 S. + 3. Aufl. Ebd. 1957. + 4. Aufl. Ebd. 1958. [Rez. von Martin Pfeifer in: Sonntag (Bln) Nr. 37 v. 9. 9. 1956, S. 8.]

L 60 Brunner, John Wilson: HH., the man and his world as revealed in his works. – Doct. diss. Columbia Univ. 1957. 326 Bl. [Mschr.]

L 61 Baumer, Franz: HH. – Bln: Colloquium-Verl. (1959). 95 S. (Köpfe des XX. Jahrhunderts. 10.) [Rez. von Gotthilf Hafner in: WuW 14, 1959, S. 339f.; von Eberhard Gerland in: gespr [H. 3], April 1959, S. 5f. + Nachtrag von Gotthilf Hafner ebd. [H. 7], Juli 1960, S. 10f.]

GESAMMELTE AUFSÄTZE UND REDEN

L 62 HH. Zum 50. Geburtstag am 2. Juli. [Pressestimmen.] In: Lit 29, 1926/27, S. 707f.

L 63 HH. Zum 60. Geburtstag. [Pressestimmen.] In: Lit 39, 1936/37, S. 737.

L 64 HH.-Heft. – (Aussig: Büchereirat) 1937. 15 S. (Die neue Bücherei. Mitteilungsblätter der Aussiger Stadtbücherei 2, 1937, H. 7.)

L 65 Die Sendung HH's. Drei Beiträge zur Würdigung des Dichters. – ([New York] 1947.) 24 S.

L 66 Für HH. – (St. Gallen: Tschudy [1948].) 29 S.

L 67 Stimmen zum Briefbuch von HH. Privatdruck. – (Montagnola) 1951. 20 S.

L 68 Zum 75. Geburtstag von HH. 2. Juli 1952. – (Zch: Conzett & Huber) 1952. S. 129–192. (NSRs [NF 20], 1952/53, H. 3.) [Rez. von E[daurd] K[orrodi] in: NZZ Nr. 1611 v. 23. 7. 1952.]

L 69 Dank an HH. Reden und Aufsätze. – Ffm: Suhrkamp 1952. 122 S. [Rez. von Gotthilf Hafner in: WuW 8, 1953, S. 238.]

L 70 Zum 75. Geburtstag von HH. – ([Bern: Der Bund] 1952.) 31 S. – SA aus: Der Bund (Bern) Nr. 296 v. 27. 6. 1952, Beil. KlBd.

L 71 HH. – (Zch: Conzett & Huber) 1953. 62 S. (Du. Schweiz. Monatsschrift 13, 1953, H. 2.) [Rez. von wz. in: Der Freisinnige (Wetzikon) Nr. 48 v. 28. 2. 1953.]

L 72 HH. Vier Ansprachen anläßl. der Verleihung des Friedenspreises des dt. Buchhandels. – Ffm: Börsenverein des dt. Buchh. 1955. 37 S.

L 73 Friedenspreisverleihung in der Presse. In: Bbl (Ffm) 11, 1955, S. 808–810.

L 74 HH. Hilfsmaterial für den Literaturunterricht. Hg. vom Kollektiv für Literaturgeschichte im volkseig. Verl. Volk u. Wissen. – Bln: Volk u. Wissen 1956. 147 S. (Schriftsteller der Gegenw.)

L 75 Morgenblatt für Freunde der Literatur. Nr. 10. – (Ffm: Suhrkamp) 1957. 6 S.

L 76 HH. Zu seinem 80. Geburtstag am 2. Juli 1957. Zsgest. von Hans Klähn u. Waldemar Sowade.– Bln: Kulturbund zur demokrat. Erneuerung Deutschlands 1957. 99 S.

L 76a HH. Number. – Madison: Univ. of Wisconsin 1961. S. 147–225. (MDU 53, 1961, H. 4.)

ALLGEMEINE AUFSÄTZE

1902–1926

L 77   Knodt, Karl Ernst: HH. In: Monatsbll. f. dt. Lit. (Lpz) 6, 1902, H. 5, S. 225–228. (Met)

L 78   Como, Cesco: HH. Eine psychische Studie. In: Dt. Heimat (Bln) 6, 1903, S. 1669–1674. (DA, LitE, Met)

L 79   Klaiber, Theodor: HH. In: Monatsbll. f. dt. Lit. (Lpz) 8, 1903/04, H. 1, S. 11–15. (LitE, Met)

L 80   Klaiber, Th[eodor]: HH. Ein schwäb. Dichter. In: Neckar-Ztg. (Heilbronn) Nr. 109 v. 11. 5. 1904.

L 81   Holzamer, Wilhelm: HH. In: Vorwärts (Bln) 1905, Unterh.-Beil. Nr. 26. (LitE)

L 82   Guilland, Antoine: HH. In: La Semaine littéraire (Genève) 14, 1906, S. 337–339.

L 83   Holzamer, Wilhelm: HH. In: Vorwärts (Bln) Nr. 22 v. 1. 2. 1906, Beil. (Met)

L 84   Schmid, F[ranz] O[tto]: Beiträge zur neueren schweiz. Literaturgeschichte. I. HH. In: Berner Rs. 1, 1906/07, S. 66–80.

L 85   Böckel, Fritz: HH. In: Tägliche Rs. (Bln) 1907, Unterh.-Beil. Nr. 286. (DA, LitE, Met)

L 86   Caprin, G.: HH. In: Marzocco (Florenz) 13, 1908, Nr. 33. (LitE, Met)

L 87   Kaiser, Hans: HH. In: Berliner N. Nachr. 1908, Nr. 623. (LitE, Met)

L 88   Kaiser, Hans: HH. In: Hannov. Courier Nr. 27 798 v. 16. 12. 1908. (Met)

L 89   Schmidt-Gruber, R.: HH. In: Über den Wassern (Münster i. W.) 1, 1908, S. 299 bis 304. (DA, LitE, Met)

L 90   Térey, Edith von: HH. In Pester Lloyd 1908, Nr. 107. (LitE, Met)

L 91   Kaiser, Hans: HH. In: Zs. f. Wissensch., Lit. u. Kunst. Beil. zu Hamburger Nachr. Nr. 12 v. 21. 3. 1909. (LitE, Met)

L 92   Wantoch, H.: HH. In: Masken (Düsseldorf) 5, 1909/10, S. 305–310. (DA, LitE, Met)

L 93   G[eßler], A[lbert]: HH. In: NatZ Nr. 282 v. 1. 12. 1910.

L 94   Tibal, André: La pensée et la vie souable. In: Revue de Paris v. 15. 6. 1910. (LitE, Met)

L 95   Waldhausen, Agnes: HH. Referat. – Diskussion. In: Mitteilungen d. literaturhistor. Gesellsch. Bonn (Dortmund) 5, 1910, S. 3–32.

L 96   Bormann, Hans Heinrich: HH. In: Frankfurter Volksbl. 1913, Unterhaltungsbl. Nr. 32. (LitE, Met)

L 97   Rainalter, Erwin H.: HH. In: Die Gegenwart (Bln) 43, 1914, Bd. 86, S. 536–539.

L 98   Wieser, Sebastian: HH. In: Die Bücherwelt (Bonn) 12, 1914/15, S. 201–209.

L 99   Erler, J.: HH. In: Dt. Lehrerztg. (Bln) 29, 1916, Nr. 26, S. 337–339. (DA, Met)

L 100   Scherer, H.: HH. In: Die Volksbildung (Bln) 46, 1916, H. 15, S. 293f. (LitE, Met)

L 101   Tschorn, Richard: HH. In: Der Sonntag (Bln) v. 8. 10. 1916. + Tdr. in: LitE 19, 1916/17, Sp. 233.

L 102   Gäfgen, Hans: HH. In: Karlsruher Tgbl. 1918, Beil. Die Pyramide Nr. 36. (LitE) + Tdr. in: LitE 21, 1918/19, Sp. 166f.

L 103   Gäfgen, Hans: HH. In: Der Erker (Prag) 1, 1919, H. 8, S. 124f. (DA, LitE, Met)

L 104   Elster, Hanns Martin: HH's. Leben und Werk. In: HH.: Im Presselschen Garten-haus. Dresden: Lehmann 1920, S. 7–22. (Dt. Dichterhandschriften. 6.)

L 105   Helbling, Carl: Der Grundzug von HH. In: WiLeb 13, 1919/20, S. 800–803. + Tdr. in: LitE 22, 1919/20, Sp. 1517.

L 106   Herrigel, Hermann: HH. In: Neckar-Ztg. (Heilbronn) Nr. 24 v. 30. 1. 1920. (Met)

L 107   Schmid-Sulz, Paul: Gedanken über HH. In: Schwäb. Merkur (Stgt) Nr. 528 v. 19. 11. 1920.

L 108   Binz, Arthur Friedrich: HH. In: Saarbrücker Ztg. Nr. 148 v. 10. 6. 1921. (LitE, Met)

L 109   Goldschmidt, Kurt Walter: HH's. Wandlungen. In: Der Tag (Bln) Nr. 284 v. 10. 12. 1921. (LitE, Met)

L 110   Klein, Tim: HH., Wieland, Schiller. In: Münchner N. Nachr. Nr. 419 v. 4. 10. 1921. (Met)

L 111   Kunze, Wilhelm: Über HH. In: Der Bund (Nürnberg) 3, 1921, H. 8/9, S. 158–162. (LitE, Met)

L 112   Poeschel, Erwin: HH. In: PHelv 3, 1921, H. 3, S. 110–112.

L 113   Tschorn, Richard: HH. In: StgtNTgbl Nr. 113 v. 10. 3. 1921.

L 114   Ueberhorst, Wilhelm: HH's. jüngste Entwicklung. In: Der Kritiker 3, 1921, H. 1/2. (LitE, Met)

L 115   Fankhauser, Alfred: HH. In: A. F.: Von den Werten des Lebens. Bern: Mimosa (1922), S. 83–94.

L 116   Kappstein, Theodor: HH. Ein dt. Dichterporträt. In: La Revue rhénane (Mainz) 4, 1923/24, H. 2, S. 106–111. (DA, Met) + In: Königsberger Hartungsche Ztg. Nr. 304 v. 30. 12. 1923, Sobeil. u. Nr. 4 v. 6. 1. 1924, Sobeil. (Lit, Met) + Tdr. in: Lit 26, 1923/24, S. 288.

L 117   Kunze, Wilhelm: HH. In: DSL 24, 1923, S. 201–206.

L 118   Stolz, Heinz: HH. In: Lit 26, 1923/24, S. 324–327.

L 119   Strauß und Torney, Lulu von: HH. In: Die Tat (Jena) 14, 1922/23, S. 694–698. + Tdr. in: LitE 25, 1922/23, Sp. 532.

L 120   Zweig, Stefan: Der Weg HH's. In: Neue Freie Presse (Wien) Nr. 20 980 v. 6. 2. 1923. (Met, DA)

L 121   Binz, Arthur Friedrich: HH. In: A. F. B.: Die abendliche Allee. Aufs. über zeit-genöss. Erzähler. Würzburg: Wolfram-Verl. 1924, S. 51–59.

L 122   Delage, Joseph: HH. In: Vie des peuples (Paris) 12, 1924, S. 689f.

L 123   Stroh, Heinz: Die Stillen. HH. In: Berliner Börsen-Ztg. Nr. 427 v. 11. 9. 1924. (Lit, Met) + Tdr. in: Lit 27, 1924/25, S. 96.

L 124   Über HH. (Aus den Notizen eines Landstreichers.) In: Junge Menschen (Ham-burg) 5, 1924, S. 208f.

L 125   Elster, Hanns Martin: HH. Ein Bild des Dichters. In: Dt. Bote (Hamburg) 32, 1925, H. 11, S. 571–573. (DA, Lit, Met, DSL)

L 126   Grebert, Ludwig: HH. In: Didaskalia. Beil. z. Frankf. Nachr. 103, 1925, Nr. 14, S. 54f. (Met, DSL)

L 127   Kunze, Wilhelm: Zur gegenwärtigen dt. Lit. Studie über HH. In: Die Drei (Stgt) 4, 1924/25, S. 831–840.

L 128   Mallien, Fritz: HH. Eine Einführung in sein Werk. In: Lehrer-Ztg. f. Ost- u. Westpreußen (Königsbg.) 57, 1926, Nr. 36, S. 544–546. (Met, DSL)

1927

L 129   Aburi, Hans: HH. In: Dt. Allg. Ztg. (Bln) 1927, Nr. 301. (Lit)

L 130   Anderle, Hans: Der süddt. Mensch HH. Zum 50. Geb. In: Heimat. Vorarlberger Mtsh. (Bregenz) 8, 1927, S. 201–203. (DA, Met)

L 131   Aretz, Karl: HH. In: Neue Badische Landesztg. (Mannheim) 1927, Nr. 328. (Lit)

L 132   Elster, Hanns Martin: HH's. Leben und Werk. In: Köln. Ztg. 1927, Nr. 462, Unterh.-Bl. (Lit)

L 133   Fischer-Colbrie, Arthur: HH. In: Linzer Volksbl. 1927, Nr. 151. (Lit)

L 134   Fontana, Oskar Maurus: Bitte an HH. Zum 50. Geb. In: Tgb 8, 1927, S. 1072 bis 1074.

L 135   Frerking, Johann: HH. In: Hannov. Kurier 1927, Nr. 302/303. (Lit)

L 136   Graebsch, Irene: HH. In: Breslauer Ztg. 1927, Nr. 180. (Lit)

L 137   Hägni, Rudolf: HH. Zum 50. Geb. In: Züricher Post Nr. 152 v. 2. 7. 1927.

L 138   Korrodi, Eduard: Zu HH's. 50. Geb. In: RecUn 43, 1927, S. 1044f. (DA, Lit, Met)

L 139   Lang, Martin: HH. zu s. Fünfzigsten. In: StgtNTgbl Nr. 308 v. 6. 7. 1927. + Tdr. in: Lit 29, 1926/27, S. 707f.

L 140   Lap, Michael G.: HH. In: Innsbrucker Nachr. 1927, Nr. 149. (Lit)

L 140a   Las, Käte: HH. Zu s. 50. Geb. In: Ikarus (Bln) 3, 1927, Nr. 7, S. 19f.

L 141   Laserstein, Käte: HH. In: Das blaue Heft (Bln) 9, 1927, S. 399–401.

L 142   Loerke, Oskar: HH. In: Berliner Börsen-Courier 1927, Nr. 303. (Lit) + Tdr. in: Lit 29, 1926/27, S. 708.

L 143   Meyer-Benfey, Heinrich: HH. Zu s. 50. Geb. In: Der Harz (Magdeburg) Jg. 1927/28, S. 333. (DA) + In: Die Hilfe (Bln) 33, 1927, S. 333f.

L 144   Pfeifle, E.: HH. zu s. 50. Geb. In: Württ. Lehrerztg. (Stgt) 87, 1927, S. 295–297.

L 145   Raff, Friedrich: HH. In: Voss. Ztg. 1927, Unterh.-Bl. Nr. 151. (Lit)

L 146   Reuter, Gabriele: HH. Gesammelte Werke. In: NYT Book Rev. v. 25. 9. 1927, S. 10, 30. (Jo1, Mi)

L 147   Russo, Wilhelm: HH. Zum 50. Geb. d. Dichters. In: Der Schatzgräber (Bln) 6, 1927, H. 9, S. 1–3. (DA, Met)

L 148   Sander, Ernst: Zu HH's. 50. Geb. In: Der Bücherfreund (Lpz) 14, 1927, H. 6/7, S. 2–4.

L 149   Schmid, Hans Rudolf: Künstler u. Bürger. Zu HH's. 50. Geb. In: SoblBasNachr 21, 1927, S. 131f.

L 150   Schröder, Eduard: HH. In: Rhein-Mainische Volksztg. (Ffm) 1927, Nr. 150, 152. (Lit)

L 151   Schussen, Wilhelm: HH. In: BT Nr. 307 v. 1. 7. 1927.

L 152   Stroh, Heinz: HH. In: Berliner Börsen-Ztg. 1927, Kunst-Beil. Nr. 151. (Lit)

L 153 Süskind, W[ilhelm] E[manuel]: HH. In: Magdeburger Ztg. 1927, Nr. 329. (Lit)

L 154 Tetzner, Lisa: Erinnerung. HH. zum 50. Geb. In: Der Schacht (Bochum) 3, 1927, Nr. 34, S. 943f. (Met)

L 155 H. W.: HH. In: Schwäb. Merkur (Stgt) Nr. 290 v. 25. 6. 1927, Sobeil.

L 156 Walzel, Oskar: HH. In: Kölner Volksztg. 1927, Nr. 476. (Lit) + Tdr. in: Lit 29, 1926/27, S. 707.

L 157 Werner, Bruno E.: HH. Zu s. 50. Geb. In: Dt. Rs. 53, 1927, Bd. 212, S. 57–62.

L 158 Wiegler, Paul: Der andere HH. In: LitW 3, 1927, Nr. 27, S. 1f.

L 159 Witkop, Philipp: HH. In: DSL 28, 1927, S. 289–299. + In: Ph. W.: Volk und Erde. Alemann. Dichterbildnisse. Karlsruhe: C. F. Müller 1929, S. 163–177.

L 160 Wittko, Paul: HH. In: Augsburger Postztg. 1927, Nr. 149. (Lit)

L 161 Wrobel, Ignaz [d. i. Kurt Tucholsky]: Der dt. Mensch. In: Die Weltbühne (Bln) 23, 1927, II, S. 332–337. + In: K. T.: Gesammelte Werke. Hg. v. Mary Gerold-Tucholsky u. Fritz J. Raddatz. Bd. II. (Reinbek b. Hambg.): Rowohlt (1961), S. 863–869.

L 162 Zinniker, Otto: Der Dichter der Wanderungen u. Wandlungen. In: KlBd 8, 1927, S. 214.

1928–1936

L 163 Ackermann, Werner: Der HH'liche Mensch. Betrachtungen eines Ketzers. In: Das Stachelschwein 5, 1928, H. 1, S. 8–15.

L 164 Bétemps, René: HH. In: Revue d'Allemagne (Paris) 3, 1929, S. 517–534. (DB, Biblio)

L 165 Ring, Lothar: HH. In: Radio (Wien) 3, 1929, Nr. 30. (Lit)

L 166 Aretz, Karl: Ein Gruß an HH. In: Bodenseeb 17, 1930, S. 108f.

L 167 Günther, Gerhard: HH. In: Dt. Volkstum (Hambg.) [32 =] 12, 1930, S. 448–454.

L 168 Meyer, Theodor A.: HH. In: Württemberg. Mtsschr. (Stgt) 2, 1930, S. 88–95, 194–201.

L 169 Kretschmer, Max: HH. In: M. K.: Schicksale dt. Dichter. Bd. 2. Langensalza: Beltz [1933], S. 253–278.

L 170 G[asser], M[anuel]: HH. Zu s. 57. Geb. In: Ww Nr. 26 v. 29. 6. 1934.

L 171 Kunze, Wilhelm: HH. In: Hannov. Kurier Nr. 288/289 v. 24. 6. 1934.

L 172 Lang, Martin: HH. In: M. L.: Das Buch der dt. Dichtung von der Edda bis zur Gegenw. Stgt: Dt. Verl.-Anst. 1934, S. 287. + In: Des Deutschen Vaterland. Hg. v. Hermann Stegemann. Ebd. 1934, S. 733.

L 173 Ortloff, Alexander: HH. In: Würzburger General-Anz., Lit. Beil. Nr. 11 v. 30. 5. 1936.

L 174 Roch, Herbert: Studie über HH. In: Die Hilfe (Bln) 42, 1936, S. 403–406.

Gottfried Keller-Preis

L 175　K[orrodi], E[duard]: HH. Preisträger des G. K.-Preises. In: NZZ Nr. 619 v. 11. 4. 1936.

L 176　Müller, Kuno: HH., der Träger des G. K.-Preises 1936. In: Luzerner Tgbl. Nr. 104 v. 2. 5. 1936.

1937

L 177　Bach, Rudolf: Wandlung und Beharrung. Zum 60. Geb. HH's. In: NRs 48, 1937, II, S. 46–52.

L 178　Baldus, Alexander: HH. Zum 60. Geb. In: Das dt. Wort. NF von Die lit. Welt (Bln) 13, 1937, S. 232f. + In: Köln. Volksztg. Nr. 181 v. 4. 7. 1937.

L 179　Baumann, Max: Rastloser Sucher nach der Heimat. In: Hamburger Tgbl. Nr. 176 v. 2. 7. 1937. + Tdr. in: Lit 39, 1936/37, S. 737.

L 180　Braun, Hanns: HH. zum 60. Geb. In: Münchener Ztg. v. 2. 7. 1937.

L 181　-er: HH. Zu s. 60. Geb. In: Neue Leipziger Ztg. v. 2. 7. 1937.

L 182　Foglia, Manlio: Poeti nel Ticino: HH. In: Radioprogramma (Bellinzona) 5, 1937, Nr. 40, S. 4.

L 183　Franke, Hans: Wert und Problematik bei HH. In: NSZ Rheinfront (Saarbrücken) v. 1. 7. 1937.

L 184　Frerking, Johann: HH. Zum 60. Geb. In: Hannov. Tgbl. v. 2. 7. 1937.

L 185　Fuchs, Hella: HH. zu seinem 60. Geb. – Prag: Calve 1937. 14 S.

L 186　G[asser], M[anuel]: Der Dichter unter uns. Zu HH's. 60. Geb. In: Ww Nr. 190 v. 2. 7. 1937.

L 187　Gerlach, Richard: HH. In: Kasseler N. Nachr. 1937, Nr. 152. (Lit)

L 188　Glahn, Thomas: HH. Ein Leben für das dichtende Schaffen. In: Luzerner Tgbl. Nr. 153 v. 2. 7. 1937.

L 189　Goes, Albrecht: Gruß und Dank an HH. In: Frankf. Ztg. Nr. 328/329 v. 1. 7. 1937.

L 190　Greeven, Erich August: HH. Zu s. 60. Geb. In: Hamburger Fremdenbl. Nr. 180 v. 2. 7. 1937.

L 191　Heuß, Theodor: HH. Zum 60. Geb. In: Die Hilfe (Bln) 43, 1937, S. 276–278.

L 192　C. K.: HH. Zu s. 60. Geb. In: Rheinisch-Westfäl. Ztg. Nr. 327 v. 2. 7. 1937.

L 193　Kesser, Hermann: Um HH. zu feiern! In: NZZ Nr. 1192 v. 2. 7. 1937.

L 194　Keßler, Ernst: HH. 60jährig. In: Neue Bündner Ztg. (Chur) Nr. 152 v. 2. 7. 1937.

L 195　Laaths, Erwin: Dank an HH. In: Düsseldorfer Nachr. Nr. 325 v. 30. 6. 1937. + Tdr. in: Lit 39, 1936/37, S. 737.

L 196　Mann, Thomas: Dem sechzigjähr. HH. In: NZZ Nr. 1192 v. 2. 7. 1937. + Nachdr. [nebst Kommentar] in: DNL 38, 1937, S. 424–426.

L 197　Montelin, Gösta: HH. En återblick in för sextioårsdagen 2 juli. In: Svenska Dagbladet (Stockholm) Nr. 174 v. 1. 7. 1937.

L 198　Roecker, O.: Der Dichter HH. Dem sechzigjähr. zu s. Geb. In: Schwäb. Merkur (Stgt) v. 2. 7. 1937.

L 199   Sacher, Friedrich: HH. In: Wiener N. Nachr. 1937, Nr. 5044. (Lit)

L 200   Sarnetzki, [Detmar] H[einrich]: HH. In: Köln. Ztg. v. 11. 7. 1937.

L 201   Schröder, Rudolf Alexander: An HH. In: NRs 48, 1937, II, S. 41–45. + In:
         R. A. Schr.: Die Aufsätze und Reden. Bd. 2. Bln: S. Fischer (1939), S. 392–397.
         + In: R. A. Schr.: Die Aufsätze und Reden. Bd. 1. (Bln u. Ffm): Suhrkamp 1952,
         S. 1036–1042. (Gesammelte Werke. Bd. 2.)

L 202   Schaer, Alfred: HH. In: Am häuslichen Herd (Zch) 40, 1936/37, S. 439–442.

L 203   Schultz, Franz: HH. Zu s. 60. Geb. In: BT Nr. 308 v. 2. 7. 1937, 1. Beibl.

L 204   Seelig, Carl: HH. 60jährig. In: TagesAnz Nr. 152 v. 2. 7. 1937, Beil.

L 205   Suhrkamp, Peter: HH. – Bln: S. Fischer [1937]. Unpag. 8 S. [Prospekt; als Beil.
         zu: NRs 48, 1937, H. 7.] + In: Almanach. Das 51. Jahr. Bln: S. Fischer 1937,
         S. 18–24. + In: P. S.: Ausgew. Schriften zur Zeit- u. Geistesgesch. [Bd. 1.] Ffm
         1951: J. Weisbecker, S. 154–160.

L 206   A. W.: Ein Kämpfer für die Humanität. In: Gerechtigkeit (Wien) Nr. 200 v.
         2. 7. 1937.

L 207   Walter, Hans: HH. zum 60. Geb. In: Berner Tgbl. Nr. 152 v. 2. 7. 1937.

L 208   Wolf, Ch. A.: HH. Zu s. 60. Geb. In: Straßburger N. Nachr. Nr. 181 v. 2. 7. 1937

L 209   B. Z.: Über HH. In: St. Galler Tgbl., Unterh.-Beil. Nr. 29 v. 17. 7. 1937, S. 113.

L 210   Zenker, Theodor: Stunden des Herzens. HH. zum 60. Geb. In: Würzburger
         General-Anz. Nr. 149 v. 1. 7. 1937. + [Stark gekürzt] in: Thüringer Gauztg.
         (Weimar) v. 2. 7. 1937.

L 211   HH. In: L 64, S. 3–5.

L 212   HH. Zum 60. Geb. In: NZZ Nr. 1192 v. 2. 7. 1937.

L 213   Der Schwabe HH. Lebensweg eines dt. Dichters. In: Potsdamer Tagesztg. v.
         2. 7. 1937.

L 214   In seinen Werken spiegeln sich die Zeiten. Bekenntnis zu HH. In: Berliner Volks-
         Ztg. v. 2. 7. 1937.

1938–1945

L 215   Groth, Helge: HH. In: H. G.: Dichter des Humanismus im heutigen Deutsch-
         land. I. HH. Hans Carossa. Karl Benno von Mechow. – Bln: Pfau 1939, S. 91–133.

L 215a   Hein, Alfred: HH. zum 65. Geb. In: Leipziger N. Nachr. v. 2. 7. 1942.

L 216   Schlossmacher, Elisabeth: Gedanken um HH. In: Das Band. Zs. f. Kranke u.
         Gesunde (Bern) 7, 1942, Nr. 5, S. 142.

L 217   Walter, Hans: HH. Zum 65. Geb. In: Luzerner Tgbl. Nr. 148 v. 4. 7. 1942.

L 218   Weber, Marta: HH. In: M. W.: Im Vergangenen das Unvergängliche. Zch:
         A. Müller (1942), S. 191–198.

L 219   Grossrieder, Hans: Sur HH. In: Suisse contemporaine (Lausanne) 4, 1944, H. 2,
         S. 123–128.

1946

L 220   Steen, Albert: HH. In: Almanach der Unvergessenen. Hg. v. Josef K. Witsch u.
         Max Bense. Rudolstadt: Greifenverl. (1946), S. 67f. (Pf)

L 221   Walter, Helmut: HH. In: Die Wochenpost (Stgt) 1, 1946, Nr. 6, S. 6.

Goethe-Preis

L 222   Dach, Charlotte von: HH. und der G.-Preis. In: KlBd 27, 1946, S. 143f.

L 223   Kl.: HH. G.-Preisträger. In: NatZ Nr. 407 v. 5. 9. 1946.

L 224   Wunder, Günther: An HH. In: NatZ Nr. 407 v. 5. 9. 1946.

L 225   HH. (G.-Preis.) In: Heute (Mchn) Nr. 21 v. 1. 10. 1946, S. 4.

L 226   Unger, Wilhelm: HH. Zur Verleihung des G.-Preises u. des Nobelpreises f. Lit. an den großen dt.-schweiz. Dichter. In: The Gate (Bremen) 1, 1947, H. 1, S. 11–13.

L 227   Emrich, Willi: Träger des Goethepreises der Stadt Ffm im Spiegel d. Zeit von 1945–1952. Ffm 1952, S. 23–36.

Nobel-Preis

L 228   Duplain, Georges: HH., prix Nobel. In: La Gazette littéraire (Lausanne) v. 23. 11. 1946, S. 1.

L 229   Kl.: HH. erhält den Literatur-Nobelpreis. In: NatZ Nr. 529 v. 15. 11. 1946.

L 229a   Graf, Oskar Maria: Dem Nobelpreisträger HH. In: O. M. G.: An manchen Tagen. (Ffm): Nest (1961), S. 241–245.

L 230   Lachmann, Eduard: Das Bild eines Dichters. HH., Träger des Nobelpreises. In: Die Presse (Wien) Nr. 46 v. 7. 12. 1946, S. 10.

L 231   Leuteritz, Gustav: Der Zauberer von Montagnola. Weg und Wirken des Nobelpreisträgers HH. In: Tägliche Rs. (Bln) v. 26. 11. 1946. (Pf) + In: Bbl (Lpz) 113, 1946, S. 181.

L 232   Outis: Last des Ruhms. In: NZZ Nr. 2237 v. 5. 12. 1946.

L 233   Pick, Robert: Nobel Prize Winner H. In: SRevLit v. 7. 12. 1946, S. 38–40. (Jol, Mi)

L 234   Roch, Herbert: HH. Träger des Nobelpreises f. Lit. In: Der Horizont (Bln) 1, 1945/46, H. 27, S. 22f. + In: H. R.: Dt. Schriftsteller als Richter ihrer Zeit. Bln: Horizont-Verl. 1947, S. 117–123.

L 235   Uhlig, Helmut: HH. Aus Anlaß d. Überreichg. d. Nobelpreises f. Lit. 1946. In: Die Weltbühne (Bln) 1, 1946, S. 383f.

L 236   Werner, Alfred: Nobel Prize Winner. In: NYT Book Rev. v. 8. 12. 1946, S. 6, 56f. (Jol, Mi)

L 237   Der literar. Nobelpreis. In: Les Prix Nobel en 1946. Stockholm: Norstedt 1948, S. 48–52. + [Schwedisch] ebd. S. 44–47.

L 238   Literaturpreis für HH. In: NZZ Nr. 2068 v. 15. 11. 1946.

L 239   Haller, A. J.: HH. In: Umschau (Mainz) 2, 1947, S. 3.

L 240   Jacobson, Anna: HH. Gedanken anläßl. d. Auszeichng. durch den Nobelpreis. In: MDU 39, 1947, S. 1–8. + In: L 65, S. 16–21.

L 241   Lesser, J.: Nobel Prize Winner. In: Contemporary Rev. (London) 171, 1947, S. 31–34. (Mi)

L 242 Townsend, Stanley R.: The German humanist HH.: Nobel Prize Winner in 1946. In: MLF 32, 1947, S. 1–12. (Jo1, L 749)

L 243 Der Dichter HH. Nobelpreisträger. In: Büchergilde (Zch) Jg. 1947, S. 2.

L 244 HH. Nobelpreisträger 1946. In: NRs 58, 1947, S. 117.

L 245 Bock, Werner: HH. Premio Nobel de literatura de 1946. In: W. B.: Idea y Amor. De Goethe a H. Buenos Aires: Ed. Américalee 1952, S. 165–173.

Vgl. L 226

1947

L 246 Allason, Barbara: HH. In: Nuova Antologia vol. 439, 1947, S. 404–415. (L 749)

L 247 Anselm, F.: HH. In: Poet Lore (Philadelphia) 53, 1947, S. 353–360. (Jo1, Mi)

L 248 Baldus, Alexander: Ein Geburtstagsbrief. In: Die Rheinpfalz (Ludwigshafen) v. 2. 7. 1947.

L 249 Basler, Otto: HH. zum 70. Geb. In: Bübl 11, 1947, Nr. 6, S. 1.

L 250 Basler, Otto: HH's. menschliches u. dichterisches Bekenntnis. In: NatZ Nr. 291 v. 29. 6. 1947, Sobeil.

L 251 Brandweiler, Heinrich: Der Traumweg HH's. In: Tägliche Rs. (Bln) v. 2. 7. 1947. (Pf)

L 252 Buchwald, Reinhard: HH. In: Neue Ruhr-Ztg. v. 5. 7. 1947. (L 746)

L 253 Chastain, André: Bericht über HH. In: Neue Auslese 2, 1947, H. 3, S. 15–18. (Aus: Les Nouvelles littéraires. Paris.)

L 254 Cornelssen, Lucy: An HH. Zu s. 70. Geb. In: Der Morgen (Bln) v. 1. 7. 1947. (Pf)

L 255 Curtius, Ernst Robert: HH. In: Merkur (Stgt) 1, 1947/48, S. 170–185. + In: E. R. C.: Krit. Essays zur europ. Lit. Bern: Francke (1950), S. 202–223.

L 256 Erné, Nino: HH. In: Geistige Welt (Mchn) 1, 1946/47, H. 4, S. 37–45.

L 257 -ert: Drei große Romane. Bemerkungen an HH's. 70. Geb. In: Neue Zeit (Bln) Nr. 151 v. 2. 7. 1947. (Pf)

L 258 Fabian, Erich: HH. wurde 70 Jahre alt. In: Heute u. Morgen (Schwerin) Jg. 1947, S. 138.

L 259 Fontana, Oskar Maurus: HH. zum 70. Geb. In: Europäische Rs. (Wien) Jg. 1947, H. 13, S. 615f.

L 260 Fuchs, Karl: HH. In: Die Erlanger Universität 1, 1947, S. 173–175.

L 261 Fuß, Karl: Der Glasperlenspieler. Zu HH's. 70. Geb. In: Südkurier (Konstanz) Nr. 49 v. 27. 6. 1947.

L 262 Goes, Albrecht: An die Freunde von HH. In: Schwäb. Donauztg. (Ulm) v. 5. 7. 1947.

L 263 P. H.: HH. – ein Siebziger. In: NWZ Nr. 60 v. 4. 7. 1947.

L 264 Gide, André: Préface. In: HH.: Le voyage en orient. [Paris]: Calmann-Lévy (1948). + [Dt.] u. d. T.: Zum Werk HH's. Vorw. zu einer französ. Übersetzg. der «Morgenlandfahrt». In: Univ 2, 1947, Sonderh. Frankreich, S. 135–137. + In: NZZ Nr. 1289 v. 2. 7. 1947. + In: A. G.: Préfaces. Neuchâtel et Paris: Ides et Calendes (1948), S. 181–189. + In: L 66, S. 15–27. + In: A. G.: Herbstblätter. Stgt: Cotta (1950), S. 212–217. + In: L 68, S. 190f. + In: L 75, S. 2.

L 265   Hammer, Franz: HH. – Hüter der inneren Werte. In: Start (Bln) 2, 1947, Nr. 25, S. 4.

L 266   Haußmann, W[alter]: HH. Zum 70. Geb. d. Dichters. In: Studentische Blätter (Tübingen) Jg. 1947, Nr. 4, S. 1f.

L 267   Herzog, Franz Max: Gruß an HH. und Dank an Demian. In: SoblBasNachr 41, 1947, S. 104.

L 268   Joho, Wolfgang: HH. zum 70. Geb. In: Sonntag (Bln) 2, 1947, Nr. 26, S. 5. (Pf)

L 268a Kasack, Hermann: Zu HH's. 70. Geb. In: Rhein-Neckar-Ztg. (Heidelberg) v. 28. 6. 1947.

L 269   Kießig, Martin: Über HH. In: Leipziger Volksztg. Nr. 59 v. 12. 3. 1947. (Pf)

L 270   König, Otto: HH. In: Arbeiter-Ztg. (Wien) 1947, Nr. 151. (L 746)

L 271   Lestiboudois, Herbert: Geschenk und Gnade. In: Das junge Wort (Stgt) 2, 1947, H. 11, S. 6–9. + In: H. L.: Literar. Miniaturen. Hambg.: Mölich (1948), S. 99 bis 118.

L 272   Leuteritz, Gustav: Fern dem dt. Wirrsal. Zum 70. Geb. HH's. In: Berliner Ztg. Nr. 150 v. 2. 7. 1947. (Pf)

L 273   Libal, Erika: HH. – ein Weg nach innen. In: Sonnenblumen (Heidelberg) 1, 1947/48, H. 2, S. 6f.

L 274   Maass, Joachim: HH. – Antlitz, Ruhm und Wesen. In: NRs 58, 1947, S. 251–257.

L 275   Maier, Hans: HH. 70jährig. In: Ex Libris (Zch) 2, 1947, S. 99–101.

L 276   Mann, Thomas: HH. liberator of a stifling provincialism. In: HH.: Demian. (New York): Holt (1948), S. V–XIV. + In: SRevLit v. 3. 1. 1948, S. 5–7. (Jo1, Mi) + [Dt.] u. d. T.: HH. Einltg. zu einer amerik. Demian-Ausg. In: NRs 58, 1947, S. 245–250. + In: Die Stockholmer NRs. Auswahl. Bln u. Ffm: Suhrkamp (1949), S. 56–61. + [Veränd.] u. d. T.: Für HH. Zum 70. Geb. In: NZZ Nr. 1062 v. 2. 6. 1947. + In: NZ Nr. 52 v. 30. 6. 1947. + In: L 66, S. 3–14. + In: Centaur (Amsterdam) Jg. 1947/48, S. 33–36. + In: Th. M.: Altes und Neues. Ffm: S. Fischer 1953, S. 225–231. + In: Th. M.: Reden und Aufsätze. Bd. 2. Ebd. 1960, S. 515–520. (Gesammelte Werke. Bd. 10.) + Tdr. in: Der Tagesspiegel (Bln) Nr. 3066 v. 9. 10. 1955. + Dass. in: Die Lesestunde (Darmstadt) 31, 1955, Nr. 9, S. 8f. + Dass. in: Rhein-Neckar-Ztg. (Heidelberg) v. 2./3. 7. 1955. + Tdr. in: L 76, S. 22f.

L 277   Meuer, Adolph: Demiurg od. der Untergang. Der andere HH. In: Der Zwiebelfisch (Mchn) 25, 1946/48, H. 4, S. 3–7.

L 278   Mueller, Gustav E.: HH. In: BAbr 21, 1947, S. 146–151. + G. E. M.: HH. Reminiscence. Ebd. S. 287.

L 279   Remszhardt, Godo: Heimat und Welt. HH. zum 70. Geb. In: Frankf. Rs. Nr. 76 v. 3. 7. 1947.

L 280   Roman, Friedrich: HH. Zum 70. Geb. In: Die Wochenpost (Stgt) 2, 1947, Nr. 27, S. 4.

L 281   S[abais], H[einz]-W[infried]: HH. In: Das Greifenbüchlein. Ein Almanach (Rudolstadt) 2, 1947, S. 54–56.

L 282   Schibli, Emil: Bekenntnis zu HH. In: Büchergilde (Zch) Jg. 1947, S. 114–117.

L 283   Schmid, Max: HH. Zum 70. Geb. In: KlBd 28, 1947, S. 117–119.

L 284   S[chultze], F[riedrich]: HH. – Bekenner und Idylliker. In: Aufbau (Bln) 3, 1947, II, S. 59f.

L 285 Schussen, Wilhelm: HH. In: Schwäb. Ztg. (Leutkirch) v. 1. 7. 1947.

L 286 Shuster, George N[auman]: Die Seele eines Künstlers. In: L 65, S. 22–24. + Zuvor u. d. T.: A Commentary on the soul of an artist. In: NYHTrib Weekly Book Rev. v. 16. 3. 1947.

L 287 smr.: HH. Zum 70. Geb. d. Dichters. In: TagesAnz Nr. 152 v. 2. 7. 1947.

L 288 Stange, C. R.: Anstoß und Überlegung. In: SoblBasNachr 41, 1947, S. 101f.

L 289 Stein, Gottfried: HH. In: Begegnung (Köln) 2, 1947, S. 161–164.

L 290 Strich, Fritz: Dank an HH. In: F. St.: Der Dichter u. die Zeit. Bern: Francke (1947), S. 377–394.

L 291 Süskind, W[ilhelm] E[manuel]: Der Glasperlenspieler. Zu HH's. 70. Geb. – Kassel 1947. Unpag. 4 S. – SA aus: Hessische Nachr. Nr. 87.

L 292 Takahashi, Yoshitaka: Mann, H., Carossa. – Tôkyô: Naubokushoyen 1947. 200 S. (JoMann)

L 293 Thiess, Frank: HH. zum 70. Geb. In: Junior (Bremen) 1, 1947, H. 4, S. 18f.

L 294 Tr.: HH. 70 Jahre. Der Dichter über sich selbst. In: Neues Deutschland (Bln) Nr. 151 v. 2. 7. 1947. (Pf)

L 295 Uhlig, Helmut: Stunden mit einem Dichter. Zum 70. Geb. HH's. In: Tribüne (Bln) Nr. 151 v. 2. 7. 1947. (Pf)

L 296 Weber, Werner: HH. In: Echo. Zs. der Schweizer im Ausld. (Bern) 27, 1947, H. 6, S. 13.

L 297 W[icki], K.: HH. In: Vaterland (Luzern) Nr. 152 v. 2. 7. 1947.

L 298 Wiesner, F. M.: HH. In: Die Brücke. Zs. f. dt. Kriegsgefangene (Paris: YMCA) Jg. 1947, Nr. 10, S. 44f.

L 299 HH. zum 70. Geb. In: Sprachspiegel (Bern) 3, 1947, H. 7/8, S. 97–100.

1948–1951

L 300 Angelloz, J[oseph]-F[rançois]: HH. In: Mercure de France tome 304, 1948, S. 485–493.

L 301 Foran, Marion N.: HH. In: Queens Quart. (Kingston) 55, 1948, S. 180–189.

L 302 Friedenreich, Carl Albert: HH. In: Goetheana (Buenos Aires) 2, 1948, Nr. 5, S. 11.

L 303 Mueller, Gustav E.: HH. In: G. E. M.: Philosophy of Literature. New York: Philosophical Library 1948, S. 205–216. (Mi)

L 304 Schröder, Eduard: HH. In: Frankf. Hefte 3, 1948, S. 841–845.

L 305 Angelloz, J[oseph]-F[rançois]: L'Œuvre de HH. In: Critique (Paris) Jg. 1949, H. 36, S. 387–400.

L 306 Buchwald, Reinhard: HH. In: R. B.: Bekennende Dichtung. Zwei Dichterbildnisse. Ricarda Huch u. HH. Stgt: Hirzel 1949, S. 31–87. [Rez. von Ernst Feise in: MDU 42, 1950, S. 366f.]

L 307 Holmberg, Olle: HH. In: O. H.: Inte bara om Hamlet. Essäer. Stockholm: Bonnier 1949, S. 118–122. (Mi)

L 308 Schwarz, Georg: HH. (Gestalt eines Wanderers.) In: G. Sch.: Die ewige Spur. Mchn: Piper (1949), S. 140–142.

L 309   Wn.: HH. zum Geb. In: Main-Post (Würzburg) Nr. 78 v. 2. 7. 1949.

L 310   Fahrenholz, Friederike: HH. und seine unsichtbaren Gefährten. Zu s. 73. Geb. –
        ([Bern: Der Bund] 1950.) 9 S. – SA aus: Der Bund Nr. 300 v. 30. 6. 1950, Beil. KlBd.

L 311   Störi, Fritz: Der Dichter als Zeitgenosse. In: TagesAnz v. 24. 8. 1951.

Wilhelm Raabe-Preis

L 312   H. O.: H. und Raabe. In: Rhein. Merkur (Koblenz) Nr. 47 v. 18. 11. 1950.

L 313   Verleihung des W. R.-Preises an HH. In: Bbl (Lpz) 117, 1950, S. 552.

1952

L 314   Baeschlin, Theo: HH. Zu s. 75. Geb. In: Bübl 16, 1952, Nr. 6, S. 1.

L 315   Baeschlin, Theo: Zu HH's. 75. Geb. In: Der Schweiz. Buchhandlungsgehilfe
        (Bern) 33, 1952, S. 81–83.

L 316   Bläser, Heinz: HH. In: Das freie Wort (Düsseldorf) v. 28. 6. 1952.

L 317   Blöcker, Günter: Der Dichter in der Klause. Zu HH's. 75. Geb. In: Der Tages-
        spiegel (Bln) Nr. 2069 v. 2. 7. 1952, Beibl.

L 318   Bock, Werner: HH. El caminante. In: W. B.: Idea y Amor. De Goethe a H.
        Buenos Aires: Ed. Américalee 1952, S. 175–177.

L 319   Bode, Helmut: HH. Dank und Gruß zum 75. Geb. In: Bücherschiff (Ffm) 2,
        1952, Nr. 7, S. 1f.

L 320   Böttger, Fritz: Freund der Wahrheit – Kämpfer für den Frieden. Zum 75. Geb.
        v. HH. In: Deutschunterricht (Bln) 5, 1952, S. 350–353.

L 321   Brentano, Bernard von: Geburtstagsgruß an HH. In: FAZ Nr. 149 v. 2. 7. 1952.

L 322   Caspar, Günter: HH. Humanist u. Freund des Friedens. In: Neues Deutschland
        (Bln) Ausg. A. Nr. 153 v. 2. 7. 1952. (Pf)

L 323   Diettrich, Franz: Bekenntnis zu HH. In: Die Welt (Hambg.) Nr. 150 v. 2. 7. 1952.

L 324   Eggebrecht, Axel: Eine gütige u. verstehende Liebe. Zum 75. Geb. HH's. In:
        Der Demokrat (Schwerin) Nr. 151 v. 2. 7. 1952. (Pf)

L 325   Engel, Otto: Dienst am Geist. Zu HH's. 75. Geb. In: StgtZtg Nr. 148 v. 28. 6.
        1952, Beil. BrzW.

L 326   Faesi, Robert: Die Spannweite von H's. Dichtung. In: Der Freisinnige (Wetzikon)
        Nr. 148 v. 28. 6. 1952.

L 327   Faesi, Robert: HH. In: BasNachr Nr. 273 v. 1. 7. 1952, 1. Beil.

L 328   Fischer, Johannes M.: HH. 75 Jahre alt. In: Wirkendes Wort (Düsseldorf) 3,
        1952/53, S. 62f.

L 329   Fischer, Waldemar: HH. zum Dank und Gedächtnis. – Einblattdr. o. O. [1952].

L 330   Förster, Franz: HH. Zu s. 75. Geb. In: Thüringer N. Nachr. (Weimar) Nr. 151
        v. 2. 7. 1952. (Pf)

L 331   Frenzel, Christian Otto: HH. Dichter uns. Zeit. In: Die Volksbühne (Hambg.) 2,
        1951/52, S. 180–182.

L 332   Franulic, Lenka: HH. In: L. F.: Cien autores contemporáneos. 3. ed. Santiago
        de Chile: Empr. Ercilla 1952, S. 397–405. (Mi)

L 333   Fuß, Karl: HH. als Dichter uns. Zeit. In: Marbacher Ztg. v. 27. 6. 1952.

L 334   Goern, Hermann: H's. innere Wahrhaftigkeit. Zum 75. Geb. d. Dichters. In: Der Neue Weg (Halle) Nr. 149 v. 28. 6. 1952. (Pf)

L 335   Goes, Albrecht: Ein Gruß zu HH's. 75. Geb. In: NRs 63, 1952, S. 327–330. + In: A. G.: Ruf und Echo. Ffm: S. Fischer 1956, S. 75–80.

L 336   Graf, Oskar Maria: HH. – 75 Jahre. In: L 69, S. 7–9. + In: L 76, S. 20.

L 337   Günnel, Peter: HH. Zu s. 75. Geb. In: Der Bibliothekar (Bln) 6, 1952, S. 459–463.

L 338   K. H.: HH. zum 75. Geb. «Das Alte lieben und ins Neue hinübertragen». In: Thüringische Landesztg. (Weimar) Nr. 126 v. 28. 6. 1952. (Pf)

L 339   Hafner, Gotthilf: Der Traum vom reinen Menschen. Eine H.-Betrachtg. In: Bodensee-Hefte (Konstanz) 3, 1952, S. 217f.

L 340   Hartmann, Rolf: Der friedliebende HH. Wir grüßen den Dichter zu s. 75. Geb. In: Neue Zeit (Bln) Nr. 149 v. 29. 6. 1952. (Pf)

L 341   Hering, Gerhard F.: HH's. literar. Situation. In: NZ Nr. 153 v. 2. 7. 1952.

L 342   Hertel, Werner: HH. In: Verantwortung (Dresden) Nr. 17 v. 28. 6. 1952, S. 8. (Pf)

L 343   Heuschele, Otto: HH. Zum 75. Geb. des Dichters. In: Dt. Rs. 78, 1952, S. 720 bis 725. + In: Schwäb. Heimat (Stgt) 3, 1952, S. 185–188.

L 344   Ibel, Rudolf: Der Weise von Montagnola. In: Hamburger Freie Presse v. 29. 6. 1952.

L 345   Kantorowicz, Alfred: HH. Leben u. Werk. In: Neues Deutschland (Bln) Ausg. A. Nr. 110 v. 10. 5. 1952. (Pf)

L 346   K[rie]g, W[alter]: (HH.) In: Das Antiquariat (Wien) 8, 1952, S. 388.

L 347   Leuteritz, Gustav: Der dt. Humanist HH. In: Die Frau von heute (Bln) Nr. 27 v. 4. 7. 1952, S. 18. (Pf)

L 348   J. M.: Verantwortungsbewußte Innerlichkeit. Zum 75. Geb. von HH. In: Norddt. Ztg. (Schwerin) Nr. 113 v. 1. 7. 1952. (Pf)

L 349   Me.: «Brecht der Scheinkultur den Hals!» Zum 75. Geb. von HH. In: Leipziger Volksztg. Nr. 151 v. 2. 7. 1952. (Pf)

L 350   Melchinger, Siegfried: Der alte Mann von Montagnola. In: Frankf. Neue Presse, Beil. N. Pr. am Sonntag Nr. 26 v. 29. 6. 1952.

L 351   Mersmann, Heinrich: HH. In: WMtsh 93, 1952/53, H. 6, S. 71.

L 352   Missenharter, Hermann: Ein Europäer, gebürtig aus Calw. In: StgtNachr Nr. 149 v. 2. 7. 1952.

L 353   Oschilewski, Walther G.: Der Weg nach innen. Zu HH's. 75. Geb. In: Telegraf (Bln) Nr. 150 v. 2. 7. 1952.

L 354   P.: Dem Dichter HH. zum 75. Geb. In: Mitteldt. Tagesztg. «Freiheit» (Halle) Nr. 151 v. 2. 7. 1952. (Pf)

L 355   Penzoldt, Ernst: Die guten Werke. In: Süddt. Ztg. (Mchn) Nr. 149 v. 2. 7. 1952. + In: L 69, S. 66–69.

L 356   Penzoldt, Ernst: Zum 75. Geb. von HH. In: L 68, S. 146–148.

L 357   Pfeifer, Martin: Wir Freunde des Friedens stehen zu uns. Glauben. Zu HH's. 75. Geb. In: Der Morgen (Bln) Nr. 150 v. 1. 7. 1952. (Pf) + In: Liberal-Demokrat. Ztg. (Halle) Nr. 115 v. 2. 7. 1952. (Pf)

L 358   Pflüger, Erwin: HH. zum 75. Geb. In: Bosch-Zünder (Stgt) 32, 1952, S. 135.

L 359   Rasch, Wolfdietrich: HH. 75jährig. In: Die Literatur (Stgt) 1, 1952, Nr. 8, S. 2.

L 360   Raudszus, Bruno: Wanderer nach innen. In: Frankf. Rs. Nr. 149 v. 2. 7. 1952.

L 361   Regler, Ernst [d. i. Lothar Kusche]: Zwischen Denken und Fühlen. Zum 75. Geb.
        des dt. Dichters HH. In: BZ am Abend (Bln) Nr. 151 v. 2. 7. 1952. (Pf)

L 362   Ringger, Peter: HH. zum 75. Geb. In: Ex Libris (Zch) 7, 1952, H. 5, S. 4f.

L 363   Ruland, J.: HH. – Der Mensch. In: Der Jungbuchhandel (Köln) 6, 1952, S. 234
        bis 236.

L 363a Sarnetzki, Detmar Heinrich: HH. Zum 75. Geb. In: Kölnische Rs. Nr. 146 v.
        29. 6. 1952.

L 364   Schulte, Gerd: Gruß an einen Steppenwolf. In: Hannov. Allg. Ztg. v. 28. 6. 1952.

L 365   Seelig, Carl: Zum 75. Geb. v. HH. In: Büchergilde (Zch) Jg. 1952, S. 140f.

L 366   Siedler, Wolf Jobst: Ein stiller Jubilar. In: Der Monat (Bln) 4, 1951/52, H. 47,
        S. 541f.

L 367   B. Th.: Dem Dichter der menschl. Seele. Kleines Gedenkbl. f. HH. In: Sächs.
        Tgbl. (Dresden) Nr. 104 v. 1. 7. 1952. (Pf)

L 368   Tobek, Richard: HH. Zu s. 75. Geb. In: FAZ Nr. 149 v. 2. 7. 1952.

L 369   Uhlmann, A[lfred] M[ax]: «Wir Freunde des Friedens und der Wahrheit müssen
        zu uns. Glauben stehen!» Zum 75. Geb. d. humanist. Dichters u. treuen Friedens-
        freundes HH. In: Bbl (Lpz) 119, 1952, S. 459–461.

L 370   Unseld, Siegfried: «Schöpfer einer höheren, unvergängl. Welt.» Zu HH's. 75. Geb.
        In: Main-Post (Würzburg) Nr. 100 v. 28. 6. 1952.

L 371   W[e]b[er, Werner]: HH. Zum 75. Geb. In: NZZ Nr. 1419 v. 28. 6. 1952.

L 372   Windeck, Lovis: Flucht in die «Kastalische Provinz». Zum 75. Geb. v. HH. In:
        Westfäl. Rs. (Münster) v. 3. 7. 1952.

L 373   Zdt.: Dem Dichter des «Glasperlenspiels». Gedanken zum 75. Geb. v. HH. In:
        Sächs. N. Nachr. (Dresden) Nr. 71 v. 10. 7. 1952.

L 374   Zinniker, Otto: HH., der Musiker des Wortes. In: Der Bund (Bern) Nr. 296 v.
        27. 6. 1952, Beil. KlBd. + In: L 70, S. 21–31.

L 375   «Wir Freunde des Friedens und der Wahrheit.» Zum 75. Geb. des großen dt.
        Dichters HH. In: Sächs. Ztg. (Dresden) Nr. 151 v. 2. 7. 1952. (Pf)

L 376   HH. Zu s. 75. Geb. In: Der Leihbuchhändler (Wiesbaden) 6, 1952, S. 89.

L 377   HH. Zu s. 75. Geb. In: Schweiz. kaufmänn. Zentralbl. (Zch) 56, 1952, Nr. 27, S. 1.

L 378   Baltische Köpfe. HH. In: Baltische Rs. (Bovenden üb. Göttingen) 3, 1952, Nr. 7,
        S. 1.

1953–1956

L 379   Gross, Harvey: HH. In: Western Rev. 17, 1953, S. 132–140. (L 749)

L 379a Werner, Alfred: HH. In: South Atlantic Quart. 52, 1953, S. 384–390. (L 749)

L 380   Böckmann, Paul: HH. In: Dt. Lit. im XX. Jahrhundert. Hg. v. Hermann Fried-
        mann u. Otto Mann. Heidelberg: Rothe (1954), S. 288–304. + 3. erw. Aufl. Ebd.
        1959, S. 266–282.

L 381   Chalier, André: Hommage à l'écrivain HH. In: La Tribune de Genève v.
29./30. 5. 1954.

L 382   Geheeb, Charlotte: Neujahrsgruß nach Montagnola. Gedanken an HH. In: Bbl
(Lpz) 121, 1954, S. 24–26.

L 383   Klausing, Helmut: Ein dt. Standbild ehrenfester Humanität. Betrachtung üb.
HH. In: 1/6 der Erde (Stgt) 3, 1954, H. 2, S. 54–56. + U. d. T.: HH. und der
Weltfriede. In: Wege zueinander (Stgt) 6, 1957, Nr. 13, S. 9.

L 384   HH. 77 Jahre. In: Tägliche Rs. (Bln) Nr. 150 v. 2. 7. 1954. (Pf)

L 385   Heiney, Donald W.: HH. In: D. W. H.: Essentials of contemporary Literature.
Great Neck, N. Y.: Barron [1955], S. 189–193. (Mi)

L 386   Lehner, Hans Horst: Das Sendungsbewußtsein des Künstlers. HH. zum 2. Juli.
In: Mainleite (Schweinfurt) 6, 1955, S. 113–116. (DA)

L 387   Lesser, Jonas: HH's. Lebenswerk als Variationen auf ein Thema. In: Bücherschiff
(Ffm) 5, 1955, Nr. 10, S. 1–3.

L 388   Levander, Hans: HH. In: Studiekamraten (Stockholm) 37, 1955, S. 108–116. (Mi)

L 389   Blanchot, Maurice: HH. In: La Nouv. Nouv. Revue Française (Paris) 4, 1956,
H. 41, S. 872–883.

L 390   Dürr, Werner: Dem Weisen von Montagnola. In: Baden-Württbg. (Stgt) Jg. 1956,
H. 8, S. 49.

L 391   Wood, Ralph Charles: HH. In: American-German Rev. (Philadelphia) 23,
1956/57, S. 3–5, 38.

Pour le mérite

L 392   Fischer, W[aldemar]: HH., Ritter des Ordens Pour le mérite. – Einblattdr. o. O.
[1955].

L 393   Thomas, Ernst: HH. In: Ludwigsburger Kreisanz. Nr. 17 v. 22. 1. 1955.

Friedenspreis des deutschen Buchhandels

L 394   Blume, Bernhard: Erscheinung eines alten Mannes. In: StgtZtg Nr. 232 v. 8. 10.
1955, Beil. BrzW. + Tdr. in: L 73, S. 808f.

L 395   Buchwald, Reinhard: Der Friedenspreisträger HH. In: Mannheimer Morgen
Nr. 230 v. 6. 10. 1955. + In: Der Leihbuchhändler (Wiesbaden) 9, 1955, S. 53f.
+ In: Der neue Vertrieb (Flensburg) 7, 1955, S. 577. + In: Die Barke (Ffm)
Jg. 1955, H. 3, S. 1f. + In: Anz. des österr. Buch-, Kunst- u. Musikalienhandels
(Wien) 90, 1955, S. 85. (DA) + In: L 750, S. 5f.

L 396   Hennecke, Hans: HH. Zur Verleihung des Friedenspr. d. dt. Buchh. In: FAZ
Nr. 234 v. 8. 10. 1955, Beil. + Tdr. in: L 73, S. 810. + U. d. T.: Kein Fein-
schmecker der Einsamkeit. In: H. H.: Kritik. Gesamm. Essays zur modernen
Lit. Gütersloh: Bertelsmann 1958, S. 159–164.

L 397   E. K.: HH. In: Schwäb. Ztg. (Leutkirch) Nr. 234 v. 10. 10. 1955.

L 398   A. M.: Im Widerstand gegen zwei Weltkrankheiten. In: Das Parlament (Bonn) 5,
1955, Nr. 40, S. 10.

L 399   Martini, Fritz: HH. Träger des «Friedenspr. d. dt. Buchh. 1955». In: Der werbende Buch- u. Zeitschriftenhandel (Stgt) 63, 1955, S. 330. + In: Kölnische Rs. v. 9. 10. 1955.

L 400   Meuer, Adolph: Friedenspr. des Buchh. für HH. In: Der Bürger im Staat (Stgt) 5, 1955, S. 132. + In: Die Kultur (Mchn) 3, 1954/55, Nr. 53, S. 5. + Tdr. in: L 73, S. 810.

L 401   Meuer, Adolph: «Sinngehalt des menschl. Daseins». Zur Verleihg. d. Friedenspr. an HH. In: NWZ Nr. 233 v. 8. 10. 1955.

L 402   Meyer, Heinz: Durch Selbsterziehung zur Größe. In: Dt. Post (Ffm) 8, 1956, S. 87f.

L 403   Mühlberger, Josef: HH. und der Frieden in der Welt. In: Eßlinger Ztg. Nr. 233 v. 8. 10. 1955. + In: Hannov. Presse Nr. 234 v. 8. 10. 1955.

L 404   A. R.: HH. In: Allg. Wegweiser (Ffm) Jg. 1955, H. 10, S. 222.

L 405   Ramseger, Georg: «...den Menschen zu helfen». HH. erhielt den Friedenspr. In: Die Welt (Hambg.) Nr. 236 v. 10. 10. 1955.

L 406   Remszhardt, Godo: Zur Besinnung von Grund auf. In: Frankf. Rs. Nr. 234 v. 8. 10. 1955, Beil. + Tdr. in: L 73, S. 810.

L 406a Rühle, Günther: Leitbilder des Lebens u. des Friedens. HH. In: Frankf. Neue Presse Nr. 234 v. 8. 10. 1955, Beil. Nr. 41.

L 407   Schonauer, Franz: Der Dichter der Suchenden. In: Christ u. Welt (Stgt) Nr. 41 v. 13. 10. 1955. + Tdr. in: L 73, S. 809.

L 408   Unseld, Siegfried: HH. Träger des Friedenspr. d. dt. Buchh. In: Ludwigsburger Kreisztg. Nr. 233 v. 8. 10. 1955.

L 409   Unseld, Siegfried: Dichter und Mensch: HH. In: Main-Post (Würzburg) Nr. 232 v. 8. 10. 1955.

L 410   Waßner, Hermann: «Was bleibt, stiften die Dichter.» In: Mannheimer Morgen Nr. 233 v. 10. 10. 1955. + Tdr. in: L 73, S. 809.

1957

L 411   P. A.: Zum 80. Geb. von HH. In: Oltener Tgbl. v. 2. 7. 1957.

L 412   Adolph, Rudolf: Zwischen Calw u. Montagnola. Zum 80. Geb. HH's. In: Die Lesestunde (Darmstadt) 33, 1957, S. 183f.

L 413   Ahl, Herbert: Bekenntnis zu HH. In: Diplomat. Kurier (Köln) 6, 1957, S. 499 bis 502.

L 414   Allemann, Beda: An HH. zu s. 80. Geb. In: SchwMtsh 37, 1957/58, S. 304–306.

L 415   Amoretti, G. V.: Gli ottant'anni di HH. In: Gazzetta del Popolo (Torino) v. 12. 11. 1957.

L 416   Assmann, Christoph: HH. – Berufung und Verantwortung. In: Badische N. Nachr. (Karlsruhe) Nr. 82 v. 6. 4. 1957.

L 417   B[aer], L[udwig]: Wege nach innen – Ehrfurcht vor dem Geist. In: Nürnberger Nachr. v. 2. 7. 1957.

L 418   Baldus, Alexander: Der Glasperlenspieler. In: Norddt. Ztg. (Hannover) v. 29. 6. 1957. + In: Neue Presse (Coburg) Nr. 150 v. 2. 7. 1957.

L 419 Baldus, Alexander: Weltweite und Innerlichkeit. Zu HH's. 80. Geb. In: Begegnung (Köln) 12, 1957, S. 180. + In: Die Anregung (Köln) 9, 1957, Kultur-Beil. S. 180.

L 420 Ballin, Gunther: HH., el Octogenario. In: El Mundo (Buenos Aires) v. 2. 7. 1957.

L 421 Basler, Otto: HH. In: St. Galler Tgbl. Nr. 300 v. 29. 6. 1957.

L 422 Basler, Otto: HH. Dem Dichter zum 80. Geb. In: Die Tat (Zch) Nr. 175 v. 29. 6. 1957.

L 423 Basler, Otto: HH. Zum 80. Geb. d. Dichters. In: NatZ Nr. 294 v. 30. 6. 1957, Sobeil.

L 424 Bock, Werner: Zum 80. Geb. v. HH. In: Goetheana (Buenos Aires) 11, 1957, Nr. 7, S. 1.

L 425 Bousset, Hermann: Dank an HH. In: Die Agnes Karll-Schwester (Hannov.) 11, 1957, Nr. 7, S. 195f.

L 426 Burckhardt, Carl J[acob]: Zu HH's. 80. Geb. In: NRs 68, 1957, S. 177–180. + In: C. J. B.: Bildnisse. Ffm: S. Fischer 1958, S. 251–255.

L 427 D[eike], G[ünther]: (HH. zum 80. Geb.) In: Neue dt. Lit. (Bln) 5, 1957, H. 6, S. 3f.

L 428 Dietrich, R. A.: Der Eremit im Tessin. In: Hamburger Abendbl. Nr. 149 v. 1. 7. 1957.

L 429 Dippel, P. Gerhardt: Zwischen der Welt und der eigenen Seele. Der Weg des Dichters HH. In: Die Union (Dresden) v. 2. 7. 1957.

L 430 Dürr, Werner: Der poetische Weltbürger aus Schwaben. In: Baden-Württbg. (Stgt) Jg. 1957, H. 7, S. 2f.

L 431 Ege, Friedrich: HH. – piirteitä hänen elämäntyöstään. In: Kansan Uutiset (Helsinki) v. 7. 7. 1957.

L 432 Elsner, Wilhelm: HH. zum 80. Geb. In: Die Volksbühne (Hambg.) 8, 1957/58, H. 1, S. 2–5.

L 433 Faesi, Robert: Der Dichter-Zauberer von Montagnola. In: Der Mittag (Düsseldorf) v. 30. 6. 1957. + In: Rhein-Neckar-Ztg. (Heidelberg) v. 30. 6. 1957.

L 434 Fischer, F. D.: Ein großer Mensch wird achtzig. In: Badener Tgbl. (Baden/Schweiz) Nr. 149 v. 29. 6. 1957, Sobeil. + In: Aargauer Tgbl. (Aarau) Nr. 149 v. 29. 6. 1957.

L 435 Goes, Albrecht: Gruß aus dem Schwarzwald. In: Der Bund (Bern) Nr. 296 v. 28. 6. 1957.

L 436 Goes, Albrecht: HH. der Achtzigjährige. In: HH.: Gute Stunde. Nürnberg [1957], S. 20f.

L 437 E. H.: Im Dienste des Lebens. Zu HH's. 80. Geb. In: Berliner Ztg. Nr. 150 v. 2. 7. 1957.

L 438 Hafner, Gotthilf: Herkunft und Befreiung. Zu HH's. 80. Geb. In: WuW 12, 1957, S. 203–205.

L 439 Hagelstange, Rudolf: HH's. schmerzhaftes Leben. Zu s. 80. Geb. In: StgtZtg Nr. 147 v. 29. 6. 1957, Beil. BrzW. + U. d. T.: Gerichtstag halten über sich selbst. In: Münchner Merkur Nr. 156 v. 29. 6. 1957, Beil. + U. d. T.: Der Glasperlenspieler von Montagnola. In: Der Tagesspiegel (Bln) Nr. 3589 v. 30. 6. 1957.

L 440   Hartmann, Wolfgang: Zum 80. Geb. v. HH. In: Luzerner Tgbl. Nr. 149 v. 29. 6.
1957, Beil. + In: Genossenschaft (Basel) v. 29. 6. 1957. + In: Volksrecht (Zch)
v. 2. 7. 1957. [Nachdr. in mehreren anderen schweiz. Tagesztgn.]

L 441   Helwig, Werner: Zum 80. Geb. von HH. In: Christ u. Welt (Stgt) Nr. 26 v.
27. 6. 1957. + In: Rheinische Post (Düsseldorf) Nr. 148 v. 29. 6. 1957.

L 442   Heuschele, Otto: Dank und Gruß an HH. In: Ludwigsburger Kreisztg. Nr. 147
v. 29. 6. 1957.

L 443   Hill, Claude: HH. at eighty. In: BAbr 31, 1957, S. 248f.

L 444   Hofer, Hans: Dichter der Einsamkeit. Zu HH's. 80. Geb. In: Berner Tgbl. Nr. 177
v. 30. 6. 1957.

L 445   Hornung, Erik: Dichtung als Magie. Zu HH's. 80. Geb. In: Univ 12, 1957, S. 777f.
+ In: Reutlinger Nachr. Nr. 147 v. 29. 6. 1957.

L 446   Horst, Karl August: Kritische Archäologie. Ein Beitr. zum Gespräch über das
Schaffen HH's. In: NZZ Nr. 620 v. 6. 3. 1957.

L 447   Horst, Karl August: Der junge und der alte Zauberer. HH. zum 80. Geb. In:
Süddt. Ztg. (Mchn) Nr. 155 v. 29. 6. 1957, Beil.

L 448   Horst, Karl August: HH. In: Merkur (Stgt) 11, 1957, S. 605–617.

L 449   Huppert, Hugo: Ein Morgenlandfahrer, kein Kreuzritter. In: Die Weltbühne
(Bln) 12, 1957, S. 1107–1110.

L 450   H. J.: Ein Leben für den Frieden. In: Badener Tgbl. (Baden/Schweiz) Nr. 149
v. 29. 6. 1957, Sobeil.

L 451   E. F. K.: HH., der 80jährige. In: SoblBasNachr 51, 1957, Nr. 26.

L 452   W. K.: HH. In: Weser-Kurier (Bremen) Nr. 148 v. 29. 6. 1957.

L 453   Kalckhoff, Herbert: Voilà, un homme. HH. zum 80. Geb. In: Weltstimmen (Stgt)
26, 1957, S. 294–297.

L 454   Kauz, F.: HH. 80jährig. In: Volksstimme (St. Gallen) Nr. 149 v. 29. 6. 1957.

L 455   K[ehrli], J[akob] O[tto]: Zu Ehren von HH. und zum Lob eines Druckes. In:
Schweiz. Gutenbergmuseum (Bern) 43, 1957, S. 210–213.

L 456   Kerndl, Rainer: Geburtstag in Montagnola. In: Junge Welt (Bln) Nr. 152 v.
2. 7. 1957.

L 457   Kirchhoff, Gerhard: Der Mensch u. die Sprache sind eins. HH. zum 80. Geb. In:
Badische N. Nachr. (Karlsruhe) Nr. 149 v. 29. 6. 1957.

L 458   Kirsch, Edgar: «Ein Krieg kommt nicht aus dem blauen Himmel herab». Zu
HH's. 80. Geb. In: Sonntag (Bln) Nr. 26 v. 30. 6. 1957, S. 9.

L 459   Klöckner, Klaus: Vertrauen zu dir selbst ist der Beginn. In: Hess. Jugend (Wiesbaden) 9, 1957, H. 9, S. 24.

L 460   Korell, F.: HH. zum 80. Geb. In: Freie Presse (Buenos Aires) v. 2. 7. 1957.

L 461   Kraatz, Gerhard: Brief und Dank an HH. In: Die Agnes Karll-Schwester
(Hannov.) 11, 1957, H. 6, S. 166–168.

L 462   Krämer, Philipp: Zu HH. In: Dt. Pfarrerbl. (Essen) 57, 1957, S. 363.

L 463   Kraus, Fritz: Der große Magier dt. Dichtung. In: Südkurier (Konstanz) Nr. 147
v. 29. 6. 1957.

L 464   Kraus, Wolfgang: Der Glasperlenspieler von Montagnola. Zum 80. Geb. In:
TagesAnz Nr. 150 v. 29. 6. 1957. + In: Luzerner N. Nachr. Nr. 149 v. 29. 6. 1957.

+ In: Kasseler Post v. 29. 6. 1957, Beil. + In: Schwäb. Landesztg. (Augsbg.) v. 30. 6. 1957. + In: Badisches Tgbl. (Baden-Baden) Nr. 149 v. 2. 7. 1957. [Nachdr. in mehreren anderen Tagesztgn.]

L 465   Kreiner, Artur: HH. zum 80. Geb. In: Nürnberger Ztg. Nr. 150 v. 2. 7. 1957.

L 466   Kunz, Ludwig: HH., de meester van het Glasperlenspiel, tachtig jaar. In: Algemeen Handelsblad (Amsterdam) v. 6. 7. 1957.

L 467   Lange, Herbert: Meister der Morgenlandfahrer. In: Oberösterr. Nachr. (Linz) v. 2. 7. 1957, Lit.-Beil.

L 468   Leonhardt, Rudolf Walter: Der Literat HH. wird Schulklassiker. In: Die Zeit (Hambg.) Nr. 33 v. 15. 8. 1957, S. 6. + In: R. W. L.: Leben ohne Literatur? (Starnberg): Keller (1961), S. 109–112.

L 469   Liebscher, Dietrich: «Des Lebens Ruf wird niemals enden». HH., dem großen Zauberer des Worts, zum 80. Geb. In: National-Ztg. (Bln) Nr. 151 v. 2. 7. 1957.

L 470   Linhardt, Stephan: Um poeta a si próprio. HH. In: Jornal do Comércio (Lisboa) v. 28. 7. 1957. + In: Diaro do Norte (Porto) v. 24. 7. 1957.

L 471   R. M.: HH. zum 80. Geb. In: Neue Bündner Ztg. (Chur) v. 29. 6. 1957.

L 472   Mächler, Robert: HH., ein denkender Dichter. Zu s. 80. Geb. In: Badener Tgbl. (Baden/Schweiz) Nr. 149 v. 29. 6. 1957, Sobeil.

L 473   Mann, Erika: «Ist das schon Herbst?» In: NZZ Nr. 1906 v. 30. 6. 1957. + Berichtigung ebd. Nr. 1923 v. 1. 7. 1957.

L 474   Mann, Erika: Huldigung. In: StgtZtg Nr. 147 v. 29. 6. 1957, Beil. BrzW.

L 475   Martini, Fritz: HH. zum 80. Geb. In: DtZtgWi Nr. 52 v. 29. 6. 1957.

L 476   Menzel, Richard: HH. zum 80. Geb. In: Scripta manent (Basel) 2, 1957, H. 3, S. 12–14.

L 477   Mileck, Joseph: HH. and his art. In: Revue des langues vivantes (Bruxelles) 23, 1957, S. 414–432. (DA, L 758)

L 478   Missenharter, Hermann: Erkämpfte Weisheit. In: StgtNachr Nr. 147 v. 29. 6. 1957.

L 479   Morriën, Adriaan: Schrijver HH. vandaag tachtig jaar. In: Het Parool (Amsterdam) v. 2. 7. 1957.

L 480   Mühlberger, Josef: HH. zum 80. Geb. In: NWZ Nr. 147 v. 29. 6. 1957. + In: Eßlinger Ztg. Nr. 147 v. 29. 6. 1957.

L 481   Müller, Hans-Joachim: Am Rande der großen Dichtungen. In: Dt. Lehrerztg. (Bln) 4, 1957, Nr. 26, S. 3.

L 482   Nadler, Käte: Die geheime Einheit alles Lebens. In: Neue Zeit (Bln) Nr. 150 v. 2. 7. 1957.

L 483   Opitz, Kurt: Leben, Not u. Spiel: HH's. literar. Werk. In: Berliner Lehrerztg. 11, 1957, S. 273–275.

L 484   Pallmann, Gerhard: HH., der Dichter der Stille. Zu s. 80. Geb. In: Hersfelder Ztg. (Bad Hersfeld) v. 29. 6. 1957. + Tdr. in: Allg. Ztg. (Windhoek) v. 5. 7. 1957.

L 485   Peyer, Hans: Magister Ludi. In: Der Bund (Bern) Nr. 296 v. 28. 6. 1957.

L 486   Pfeifer, Martin: Verantwortung u. Redlichkeit. Zum 80. Geb. v. HH. In: Volksstimme (Schneeberg) Nr. 150 v. 2. 7. 1957.

L 487   Pfeifer, Martin: Der Dichter und sein Werk. In: Freie Presse (Zwickau) Nr. 154 v. 6. 7. 1957.

L 488   Pfeifer, Martin: «O zitternd gespannter Bogen». Zu HH's. 80. Geb. In: Greifen-Almanach auf d. Jahr 1958. Rudolstadt: Greifenverl. (1957), S. 53–60.

L 489   Pfeiffer-Belli, Erich: HH., dem Dichter u. polit. Streiter zum 80. Geb. In: Die Welt (Hambg.) v. 2. 7. 1957.

L 490   Pocar, Ervino: HH. In: Letterature moderne (Bologna) 7, 1957, S. 422–435.

L 491   Pondszus, Friedrich: Der Glasperlenspieler. HH. zum 2. 7. 1957. In: Gegw 12, 1957, S. 401f.

L 492   Remszhardt, Godo: Glückwunsch nach Montagnola. In: Frankf. Rs. Nr. 147 v. 29. 6. 1957.

L 493   Roeder, Karl: HH., dem 80jährigen. In: Kulturwarte (Hof) 3, 1957/58, S. 75f.

L 494   Romdahl, Margareta: Glaspärlemästaren i Montagnola. In: Svenska Dagbladet (Stockholm) v. 13. 5. 1957.

L 495   Ruland, [J.]: Betrachtungen zu HH's. 80. Geb. In: Der Jungbuchhandel (Köln) 11, 1957, S. 219–221.

L 496   V. S.: Überwindung des zufälligen Schicksals. In: Thüring. Landesztg. Nr. 148 v. 29. 6. 1957.

L 497   Sarnetzki, Detmar Heinrich: Der letzte Ritter der Romantik. In: Kölnische Rs. v. 30. 6. 1957. + In: Dt. Saar (Saarbrücken) v. 9. 7. 1957.

L 498   Schmid, Max: Dank an HH. In: Zürichsee-Ztg. (Stäfa) Nr. 150 v. 29. 6. 1957, Beil.

L 499   Schmitz, Victor A.: Von der Jugend geliebt. HH. zu s. 80. Geb. In: Jugend u. Werk (Ludwigshafen) 8, 1957, H. 3, S. 31–37.

L 500   Schneider, Rolf: HH. zum 80. Geb. In: Aufbau (Bln) 13, 1957, II, S. 7–13.

L 501   Schouten, J. H.: HH. 80 jaar. In: Nieuwe Rotterdamse Courant Nr. 26 v. 29. 6. 1957.

L 502   Schulte, Gerd: Es wird Abend in Montagnola. In: Hannov. Allg. Ztg. v. 29. 6. 1957.

L 503   Schweitzer, Richard: Sich tapfer dieser Welt stellen. Gedanken zum Ehrentage HH's. In: Der Mittag (Düsseldorf) v. 30. 6. 1957.

L 504   Schwerte, Hans: HH. 80 Jahre. In: Bll. f. den Deutschlehrer (Ffm) 1, 1956/57, S. 103–106.

L 505   Seelig, Carl: Dank an HH. Zu s. 80. Geb. In: Schweizer Familien-Wochenbl. (Zch) Nr. 26 v. 29. 6. 1957, S. 13.

L 506   Semmig, Jeanne Berta: HH. zum 80. Geb. In: Die Vorschau (Radebeul) Jg. 1957, Juli, S. 1–3.

L 507   Senft, Fritz: Dank an HH. Zum 2. Juli. In: Schaffhauser Nachr. v. 29. 6. 1957.

L 508   Silens, Peter: Sich u. sein Schicksal vollenden. HH. zum 80. Geb. In: Telegraf (Bln) v. 30. 6. 1957.

L 509   St[einer], G[ustav]: HH. zum 80. Geb. – [Basel: Helbing & Lichtenhahn 1957.] – SA aus: Basler Jahrbuch 1958.

L 510   Su.: Gruß an den Weisen von Montagnola. In: Aargauer Tgbl. (Aarau) Nr. 149 v. 29. 6. 1957.

L 511 Svobodá, Zd.: K Hessovu výročí. In: Časopis pro moderní filologii (Praha) 39, 1957, S. 61 f. (DB)

L 512 Uhde-Bernays, Hermann: «Kleine Welt?» Zum 80. Geb. HH's. In: Dt. Rs. 83, 1957, S. 707–722.

L 513 Unger, Wilhelm: Das hohe Lied der Freundschaft. Zu HH's. 80. Geb. In: Kölner Stadt-Anz. Nr. 148 v. 29. 6. 1957, Beil.

L 514 Weiss, Gertrud: Auf dem Wege d. Klassik u. Romantik. Zum 80. Geb. von HH. In: Dt. Woche (Mchn) 7, 1957, Nr. 27, S. 15.

L 515 Winkler, Rudolf: Bewahrer menschlicher Kulturleistungen. In: Leipziger Volksztg. v. 30. 6. 1957.

L 516 Zum 80. Geb. d. Dichters HH. In: Basler Arbeiterztg. v. 29. 6. 1957.

L 517 Der Magier von Montagnola. In: Die Kultur (Mchn) 5, 1956/57, Nr. 88, S. 4.

1958–1961

L 518 Field, G[eorge] W[allis]: HH., a neglected Nobel Prize Novelist. In: Queens Quart. 65, 1958, S. 514–520.

L 519 Großrieder, Hans: HH. In: SRs 57, 1957/58, S. 501–506.

L 520 Kobel, Erwin: HH. In: Sonntagspost. Beil. z. Landboten u. Tagbl. d. Stadt Winterthur Nr. 3 v. 18. 1. 1958 u. Nr. 4 v. 25. 1. 1958.

L 521 Wentzlaff-Eggebert, F[riedrich] W[ilhelm]: Weg nach innen. Zu HH's. 82. ⟨sic!⟩ Geb. In: Annali. Sez. Germanica. Istituto Univ. Orientale (Napoli) 1, 1958, S. 1–12. (L 758)

L 522 David, Claude: HH. ou la liberté et la règle. In: Preuves (Paris) Jg. 1959, Nr. 96, S. 68–74.

L 522a Mazzucchetti, Lavinia: HH. In: L. M.: Novecento in Germania. Milano: Mondadori (1959), S. 166–173.

L 523 Fischer, Edith: Was verdanke ich «meinem Dichter»? In: Die Agnes Karll-Schwester (Hannov.) 14, 1960, S. 195–198.

L 524 Meuer, Adolph: Glückwunsch nach Montagnola. Zum 83. Geb. HH's. In: gespr [H. 7], Juli 1960, S. 9 f.

L 524a Becher S. J., Hubert: HH. In: Stimmen d. Zeit (Freiburg i. Br.) 167. Bd. 1960/61, S. 321–338.

Graf, Oskar Maria: Dem Nobelpreisträger HH. 1961 s. L 229a

L 524b Olpp, Paul: Zum 84. Geb. HH. u. sein Lebenswerk. In: Calwer Tgbl. Nr. 148 v. 1. 7. 1961. (L 1510a) + [Gekürzt] in: Schwarzwälder Bote v. 1./2. 7. 1961. (L 1510a)

ANSPRACHEN

L 525 Basler, Otto: HH. 60 Jahre. Gesprochen auf der Feier am 2. 7. 1937 im Studio Zch. – (Menziken 1937: Baumann.) 8 S.

L 526 Engel, Otto: HH. [Sept. 1945.] In: Aussaat (Lorch/Württbg.) 1, 1946/47, H. 2, S. 8–10 u. H. 3, S. 8–10. + Privatdruck zum 70. Geb. d. Dichters. – (Zch: Fretz & Wasmuth 1947.) 31 S. + In: L 49, S. 7–24.

L 527　Kolb, Walter: Ansprache und Rede zur Erinnerung an die Feierstunde zu Goethes Geb. im Jahre 1946, in welcher der Goethepreis d. Stadt Ffm dem Dichter HH. verliehen wurde. – (Ffm: Cobet 1946.) 16 S. + In: L 227, S. 24–31.

L 528　Frerking, Johann: Dank an HH. [1. 12. 1946.] In: J. F.: Dank und Gedenken. H. – Hauptmann – Werfel. Drei Reden. Hannov.: Beeck (1947), S. 3–33.

L 529　Goes, Albrecht: Rede auf HH. – Bln: Suhrkamp 1946. 39 S. [Rez. von Ursula Seyffarth in: WuW 2, 1947, S. 327f.] + In: NSRs NF 14, 1946/47, S. 387–407. + [Gekürzt] in: L 71, S. 13–16, 52–58.

L 530　Heilbut, Ivan: HH's. Sendung in uns. Zeit. [New York. 9. 5. 1947.] In: L 65, S. 3–15.

L 531　Kasack, Hermann: HH. [Bln. Anläßl. d. 70. Geb.] In: H. K.: Mosaiksteine. Ffm: Suhrkamp 1956, S. 102–118.

L 532　Suhrkamp, Peter: HH. Zum 70. Geb. [Rundfunkanspr. 2. 7. 1947.] In: P. S.: Ausgew. Schriften zur Zeit- u. Geistesgesch. [Bd. 1.] Ffm 1951: Weisbecker, S. 161–171. + In: Bbl (Ffm) 13, 1957, S. 837–839. + In: P. S.: Der Leser. Bln u. Ffm: Suhrkamp (1960), S. 133–141. (Bibliothek Suhrkamp. 55.)

L 533　Böckmann, Paul: Die Welt des Geistes in HH's. Dichten. In: Slg 3, 1948, S. 215 bis 233.

L 534　Huber, Hans: HH. – Heidelberg: Pfeffer 1948. 72 S.

L 535　Hecker, Joachim F. von: HH. Zwei Vorträge. – Murnau: Die Wage (1949). 63 S. [Rez. von Erich Lichtenstein in: NZ Nr. 150 v. 28. 6. 1952; in: Bücherschiff (Ffm) 2, 1952, Nr. 7, S. 2.]

L 536　Haußmann, Walter: Die Ansprache. [Calw. Anläßl. d. 75. Geb.] In: L 69, S. 37–50.

L 537　Heuss, Theodor: Dank an HH. [Festakt in Stgt. Anläßl. d. 75. Geb.] In: Staatsanz. f. Baden-Württbg. Nr. 17 v. 12. 7. 1952, S. 3. + In: L 69, S. 28–36. + In: Th. H.: Würdigungen. Tüb: Wunderlich (1955), S. 77–84. + In: Th. H.: Vor der Bücherwand. Tüb: Wunderlich (1961), S. 272–278.

L 538　Hoffmann, Wilhelm: Begrüßungsansprache. [Festakt in Stgt.] In: L 69, S. 12–15.

L 539　Schmid, Karl: Rede zur Feier von HH's. 75. Geb. Gehalten am 29. Juni im Zürcher Schauspielhaus. In: L 68, S. 131–139. + In: L 69, S. 51–64.

L 540　Schröder, Rudolf Alexander: HH. zum 75. Geb. [Festakt in Stgt.] In: Neue lit. Welt (Darmstadt) 3, 1952, Nr. 13, S. 1f. + In: L 69, S. 15–28. + In: R. A. Sch.: Die Aufsätze und Reden. Bd. 1. (Bln u. Ffm): Suhrkamp 1952, S. 1042–1052. (Gesammelte Werke. Bd. 2.)

L 541　Benz, Richard: Festansprache [bei der Verleihg. d. Friedenspr.] In: Bbl (Ffm) 11, 1955, S. 699–701. + In: L 72, S. 13–24. + In: Friedenspreis des dt. Buchhandels. Reden u. Würdigungen 1951–1960. Ffm: Börsenverein d. Dt. Buchh. (1961), S. 95 bis 103.

L 542　Georgi, Arthur: HH. und der Sinn des Friedenspreises. In: Bbl (Ffm) 11, 1955, S. 697f. + In: L 72, S. 5–12.

L 543　Jockusch, Robert: Anspr. anläßl. des Empfangs zu Ehren des Preisträgers. In: L 72, S. 33–37.

L 544　Buber, Martin: HH's. Dienst am Geist. Anspr. bei der H.-Feier in Stgt am 30. Juni 1957. In: Neue dt. Hefte (Gütersloh) 4, 1957/58, S. 387–393.

L 545 Field, G[eorge] Wallis: HH's. Mahnung an die Menschheit. – Ein kanad. Professor besucht HH. – Köln: Westdt. HH.-Archiv (1957). 17 S. (5. Archiv-Sonderdruck.)

L 546 Goes, Albrecht: HH., der achtzigjährige. Rede zum 2. 7. 1957. In: A. G.: Wagnis der Versöhnung. Drei Reden. H., Buber, Bach. Lpz: Koehler & Amelang 1959, S. 5–36.

Hausmann, Manfred: HH. in seinen Briefen s. L 831

Besprechung von Ehrungen und Feiern

L 547 Ehrungen für HH. In: NZZ Nr. 1295 v. 3. 7. 1947.

75. Geburtstag in Stuttgart

L 548 -n-: HH. In: StgtNachr Nr. 134 v. 14. 6. 1952. + Dazu: Betreff Ehrung HH's. Ebd. Nr. 140 v. 21. 6. 1952.

L 549 E[berle], J[osef]: Dichterehrung. In: StgtZtg Nr. 152 v. 3. 7. 1952.

L 550 -ker: Huldigung für HH. In: StgtZtg Nr. 152 v. 3. 7. 1952.

L 551 Ho.: Dank an HH. Bundespräsident Heuss bei der Stuttg. Feier. In: StgtNachr Nr. 150 v. 3. 7. 1952.

L 552 Heuss ehrt H. Feierstunde in d. Stuttg. Oper. In: FAZ Nr. 150 v. 3. 7. 1952.

75. Geburtstag in Zürich

L 553 Zürich ehrt HH. In: StgtZtg Nr. 150 v. 1. 7. 1952.

L 554 M. M.: HH.-Feier. In: NZZ v. 5. 7. 1952.

Ansprache von Karl Fuß in Stuttgart

L 555 K.: Eine Plauderei über HH. In: StgtZtg Nr. 13 v. 16. 1. 1954.

Friedenspreis des dt. Buchhandels

L 556 B[iedrzynski], R[ichard]: Huldigung für HH. Die Feier in der Frankf. Paulskirche. In: StgtZtg Nr. 233 v. 10. 10. 1955.

L 557 a. g.: In der Paulskirche gesprochen. In: Gegw 10, 1955, S. 700.

L 558 Schwerbrock, Wolfgang: Der Festakt in der Paulskirche. In: FAZ Nr. 235 v. 10. 10. 1955.

L 559 Friedenspr. d. dt. Buchh. [Bericht.] In: Bbl (Ffm) 11, 1955, S. 697.

L 560 Friedenspr. für HH. [Bericht.] In: Mitteilungen d. Stadtverwaltg. Ffm Nr. 42 v. 15. 10. 1955, S. 235.

Ansprache von Walter Haußmann in St. Gallen

L 561 -zi: HH.-Feier in der Museumsgesellsch. In: St. Galler Tgbl. Nr. 243 v. 25. 5. 1957.

L 562 J.: «Ernste Spiele». Ein Vortrag über HH. In: Ostschweiz (St. Gallen) v. 27. 5. 1957, Abendausg.

80. Geburtstag in Stuttgart

L 563   Ho.: Die Bürger von Calw. In: StgtNachr Nr. 147 v. 29. 6. 1957.

L 564   sm.: Kastalische Stunde. Martin Buber bei der Stuttg. Feier. In: StgtZtg Nr. 148 v. 1. 7. 1957.

L 565   M[ühlberger], J[osef]: Überall, wo man dem Geist dient, wirst du geliebt. HH.-Feier in der Stuttg. Liederhalle. In: Eßlinger Ztg. Nr. 148 v. 1. 7. 1957.

L 566   Wi.: HH's. geistiger Weg. In: StgtNachr Nr. 148 v. 1. 7. 1957.

L 567   K. W.: «Wiedergutmachung» an HH. In: Der Bund (Bern) Nr. 303 v. 3. 7. 1957. + In: TagesAnz Nr. 154 v. 4. 7. 1957.

L 568   HH's. Dienst am Geist. Die Stuttg. Feier zum 80. Geb. d. Dichters. In: Staatsanz. f. Baden-Württbg. Nr. 54 v. 20. 7. 1957, S. 2f.

80. Geburtstag in Zürich

L 569   mls: HH.–Feier im Zürcher Schriftstellerverein. In: TagesAnz Nr. 120 v. 23. 5. 1957.

L 570   Hes.: Dank an HH. [Vortrag v. Max Schmid.] In: NZZ Nr. 1592 v. 31. 5. 1957.

L 571   S[eelig], C[arl]: Dank an HH. [Vortr. v. Max Schmid.] In: TagesAnz Nr. 128 v. 3. 6. 1957.

L 572   H. A. J.: Feier zum 80. Geb. v. HH. In: NZZ Nr. 1923 v. 1. 7. 1957.

80. Geburtstag in Olten

L 573   m.: H.-Feier in Olten. [Vortr. v. Otto Basler.] In: Zofinger Tgbl. v. 1. 7. 1957.

L 574   P. A.: Die Oltner Bücherfreunde feiern HH's. 80. Geb. In: Oltner Tgbl. v. 3. 7. 1957.

80. Geburtstag in Berlin

L 575   Me: Von Dienst und Entsagung. Die Akademie [Bln-Ost] ehrt HH. In: Neue Zeit (Bln) v. 3. 7. 1957.

L 576   Wilk, Werner: Deutung und Interpr. [Vortr. v. Albrecht Goes: L 546.] In: Der Tagesspiegel (Bln) Nr. 3592 v. 4. 7. 1957.

Ansprache von Manfred Hausmann in Köln (L 831)

L 577   mo: Des Dichters Menschentum. In: Kölnische Rs. v. 16. 11. 1957.

L 578   Unger, Wilhelm: Zuspruch des Dichters. Manfr. Hausmann feiert HH. In: Kölner Stadt-Anz. Nr. 267 v. 16. 11. 1957.

BEGEGNUNGEN UND ERINNERUNGEN

L 579 Besuch bei HH. – (Köln-Klettenberg: Westdt. HH.-Archiv 1949.) 12 Bl. (4.Archiv-Sonderdruck.) – Aufl.: 600.

L 580 Baeschlin, Theo: Begegnung mit HH. In: L 71, S. 30, 35.

L 581 [Ball-] Hennings, Emmy: Begegnung mit HH. In: Vaterland (Luzern) Nr. 109 v. 8. 5. 1936. + In: NatZ Nr. 296 v. 2. 7. 1946. + In: SRs 52, 1952/53, S. 226–228.

L 582 Bergholter, Jürgen: Die Postkarte. Ein Dank an HH. In: NatZ Nr. 580 v. 14. 12. 1949.

L 583 Birrer, Emil: (Begegng. mit HH.) In: L 71, S. 2.

L 584 Bock, Werner: Platica con HH. En su 80° Aniversario. In: La Nacion (Buenos Aires) v. 30. 6. 1957.

Böhmer, Gunter: Malausflug mit HH. 1936 s. L 1578

L 585 Brand, Olga: Besuch bei HH. In: Der Schweizer Schüler (Solothurn) 13, 1936, Nr. 46, S. 920f.

L 586 Brand, Olga: Kleine Erinnerung vor einem Bild. In: Der Bund (Bern) Nr. 547 v. 22. 11. 1945.

L 587 Brun, Fritz: Eine Umbrienreise mit HH. u. Othmar Schoeck. In: Der Bund (Bern) Nr. 298 v. 30. 6. 1957, Beil. + Tdr. in: L 765, S. 63.

L 588 Chibli, E.: Visite à la demeure tessinoise de HH. In: Journal du Jura (Bienne) Nr. 288 v. 9. 12. 1946.

L 589 Carossa, Hans: Besuch bei HH. In: Das literar. Deutschld. (Heidelberg) 2, 1951, Nr. 5, S. 3. + In: H. C.: Ungleiche Welten. (Wiesbaden): Insel 1951, S. 160–169.

L 590 Deike, Günther: Begegng. mit HH. In: Abendpost (Bln) v. 2. 7. 1947. (Pf)

L 591 Eisenmann, Will: Als Gast in Montagnola. In: Luzerner N. Nachr. Nr. 152 v. 3. 7. 1957.

L 592 Englert [II], Josef: Der Dichter als Helfer. Begegnung mit HH. In: Main-Post (Würzburg) Nr. 147 v. 21. 9. 1950.

L 593 Field, G[eorge] Wallis: Ein kanad. Professor besucht HH. In: L 545, S. 11–16.

L 594 Finckh, Ludwig: Der Rosendoktor. Stgt: Dt. Verl.-Anst. 1906, S. 67–70, 115f. + [Neue Aufl.] Ulm: Heß (1950), S. 69–76.

L 595 Finckh, Ludwig: Ahnenbüchlein. 17.-20. Tsd. Görlitz: Starke [1921], S. 6f.

L 596 Finckh, Ludwig: Verzauberung. – Ulm: Heß (1950). 136 S. [Rez. v. Gotthilf Hafner in: WuW 6, 1951, S. 199.]

L 597 Finckh, Ludwig: Begegnungen mit HH. In: Internat. Bodensee-Zs. (Amriswil) 6, 1956/57, S. 58–62.

L 597a Finckh, Ludwig: Himmel u. Erde. Acht Jahrzehnte meines Lebens... Stgt: Silberburg-Verl. 1961, S. 7–98, 222–225.

L 598 Glaeser, Ernst: Erinnerung an «Demian». In: NZZ Nr. 1192 v. 2. 7. 1937.

L 599 J. H.: In HH's. Jugendtal. Zum 75. Geb. In: Der Freisinnige (Wetzikon) Nr. 148 v. 28. 6. 1952.

L 600 Haga, Mayumi: [Begegnung mit HH. Japan.] In: The Fujingaho (Tôkyô) Febr. 1956, S. 214–217.

L 601 Hartmann, Otto: Zum HH.-Abend. In: Der Hohenstaufen. Göppinger Tgbl. Nr. 272 v. 19. 11. 1932.

L 602   Hedinger-Henrici, P[aul]: Begegng. mit HH. In: Bodenseeb 16, 1929, S. 96–98.
        + In: Am häuslichen Herd (Zch) 44, 1940/41, S. 322–325.

L 603   Hedinger-Henrici, Paul: Freundesdank. In: KlBd 28, 1947, S. 119f.

L 604   Hedinger [-Henrici], Paul: Begegnungen mit HH. In: Der Bund (Bern) Nr. 296
        v. 28. 6. 1957.

L 605   Heinrich, Otto Franz: Stilles Haus in Montagnola. Verschwiegener Besuch bei
        HH. In: Westfalenpost (Soest) Nr. 240 v. 12. 10. 1955.

L 606   Herrmann-Neiße, Max: Besuch bei HH. [Gedicht.] In: L 579.

L 607   Hoffmann, Wilhelm: Besuch bei HH. In: StgtZtg Nr. 291 v. 13. 12. 1952.

L 608   Holm, Korfiz: (Anekdote üb. Ludwig Thoma u. HH. in Tüb.) In: K. H.: Farbi-
        ger Abglanz. Mchn: Nymphenburger 1947, S. 163f. + In: L 1643, S. 5f.

L 609   Hubacher, Hermann: Ein Traum. Notiz aus meinem Tagebuch. In: NZZ Nr. 1906
        v. 30. 6. 1957.

L 610   Humm, R[udolf] J[akob]: Auf Besuch bei HH. In: Annabelle (Zch) 6, 1943, Nr.
        70, S. 37–39, 110.

L 611   Humm, R[udolf] J[akob]: Bruder Klaus u. HH. In: Ww Nr. 680 v. 22. 11. 1946,
        S. 5.

L 612   Humm, R[udolf] J[akob]: Erste Begegnung mit HH. In: L 68, S. 169–172.

L 613   Kägi, Hans: (Begegng. mit HH.) In: L 71, S. 36.

L 614   Kellermann, Bernhard: Begegng. mit HH. In: Sonntag (Bln) Nr. 27 v. 6. 7. 1952,
        S. 6. (Pf)

L 615   Kloter, Karl: Weg zum Dichter. In: L 579.

L 616   Köge, Hans Heinz: Begegnung mit HH. in Montagnola. In: StgtNachr Nr. 282
        v. 5. 12. 1952. + In: Nürnberger Nachr. Nr. 49 v. 28. 2. 1953. + In: Freude an
        Büchern (Wien) 4, 1953, S. 175f.

L 617   Korradi, Otto: Mein Mentor HH. – (Köln-Lövenich: Westdt. HH.-Archiv 1948.)
        16 S. (2. Archiv-Sonderdruck.) – Aufl.: 300.

L 618   Korrodi, Eduard: (Begegnung mit HH.) In: L 71, S. 35f. + In: 175 Jahre NZZ.
        1780–1955. Jubiläumsausg. Bl. 15.

L 619   Lestiboudois, Herbert: Wanderung mit HH. In: Heute u. Morgen (Düsseldorf)
        Jg. 1952, S. 589–591.

L 620   Littmann, Wolf D.: Spätsommerliche Begegng. mit dem Dichter HH. in Mon-
        tagnola. In: Nürnberger Nachr. Nr. 211 v. 8. 9. 1956.

L 621   Loerke, Oskar: Tagebücher 1903–1939. Hg. v. Hermann Kasack. Heidelbg. u.
        Darmstadt: Schneider 1955, S. 33, 115, 138, 140, 155, 159, 162, 261, 336, 350.
        (Veröff. der dt. Akademie f. Sprache u. Dichtg. 5.)

L 622   Malthaner, Johannes: A visit with HH. In: BAbr 25, 1951, S. 236f.

L 623   Matzig, Richard B[lasius]: Begegng. mit HH. In: Schweiz. Bücher-Ztg. (Zch) 59,
        1947, Nr. 6, S. 1f.

L 624   Mauerhofer, Hugo: Aufruhr und Ausgleich. In: Der Bund (Bern) Nr. 296 v.
        28. 6. 1957, Beil. KlBd.

L 625   Mileck, Joseph: A visit with HH. and a journey from Montagnola to Calw. In:
        MLF 41, 1956, S. 3–8. (DB, L 754)

L 626 Mörike, Otto: Der junge H. Persönl. Erinnergn. an Schul- u. Jugendzeit. In: SoblBasNachr 46, 1952, Nr. 25. + In: Spandauer Volksbl. (Bln) v. 1. 7. 1952.

L 627 Mörike, Otto: Rektor Bauer u. HH. in Göppingen. In: Schwäb. Heimat (Stgt) 8, 1957, S. 106–108.

L 628 Naschold, Georg: Eine Floßfahrt mit HH. Erinnergn. eines alten Calwers an e. Flußpartie im Herbst 1889. In: Calwer Tgbl. v. 17. 8. 1955.

L 629 Pfeifer, Martin: Besuch bei HH. In: Sonntag (Bln) Nr. 48 v. 25. 11. 1956, S. 9.

L 630 Pfeifer, Martin: Spaziergang mit HH. In: Junge Welt (Bln) Nr. 247 v. 19. 10.1956.

L 631 Porkka, Paula: Montagnola Erakko. In: Uuden Suomen kuvalehti (Helsinki) Jg. 1957, Nr. 4, S. 11–13.

L 632 Reinke-Ortmann, Signe: Besuch in Montagnola. In: Der Standpunkt (Stgt) 2, 1947, H. 3/4, S. 39f. + In: Telegraf (Bln) Nr. 151 v. 2. 7. 1947.

L 633 Rogge, Alma: Mein Besuch in Montagnola. In: Weser-Kurier (Bremen) Nr. 148 v. 29. 6. 1957. + In: Kasseler Post v. 29. 6. 1957, Beil.

L 634 Rolland, Romain: Besuch bei HH. In: Geistiges Frankreich (Wien) 6, 1952, Nr. 28. (DA)

L 635 H. S.: Besuch in Montagnola. In: Badener Tgbl. (Baden/Schweiz) Nr. 149 v. 29. 6. 1957, Sobeil.

L 636 Scheurmann, Erich: Begegng. mit HH. In: Dt. Presse-Korrespondenz (Hannov.-Kirchrode) Jg. 1951, H. 24, S. 11f. + In: NatZ Nr. 294 v. 29. 6. 1952, Sobeil.

L 637 Schmid, Hans Rudolf: Zehn Jahre darauf. In: NZZ Nr. 1192 v. 2. 7. 1937.

L 638 Schussen, Wilhelm: Bei Finckh u. H. In: SchwSp 29, 1935, S. 43f.

L 639 Schussen, Wilhelm: Stimme aus der alten Welt. In: NatZ Nr. 291 v. 29. 6. 1947, Sobeil.

L 640 Schussen, Wilhelm: Bei HH. In: StgtZtg Nr. 52 v. 2. 7. 1947.

L 641 Schussen, Wilhelm: HH. u. die Schmetterlinge. In: L 579. + In: W. Sch.: Anekdote meines Lebens. Ravensburg: Veitsburg (1953), S. 68–70.

L 642 Schussen, Wilhelm: Briefwechsel mit HH. In: StgtNachr Nr. 149 v. 2. 7. 1952.

L 643 Schweter, W[alter]: Eine Wanderung mit HH. In: Unser Vaterland (Kallmünz) 9, 1932, S. 24–30. (DA)

L 644 Thorbecke, Christoph: Besuch bei HH. In: Der junge Buchhandel (Ffm) 10, 1957, Nr. 1, S. 1.

L 645 Unseld, Siegfried: Wenn einer alt geworden ist und das Seine getan hat. Begegnung mit HH. In: Die Welt (Hambg.) Nr. 235 v. 8. 10. 1955.

L 645a Unseld, Siegfried: Begegnungen mit HH. Zu s. 80. Geb. In: WMtsh 98, 1957, H. 7, S. 7–13.

L 646 Vetter, Lilli u. Ewald: Unterwegs zu HH. In: Dt. Frauen-Ztg. (Lpz) 43, 1929/30, H. 44, S. 3f.

L 647 g. w.: In Montagnola – auf einer Bank. Zum 75. Geb. In: Christ u. Welt (Stgt) Nr. 27 v. 3. 7. 1952.

L 648 Waidelich, Walter: Reise im Tessin u. Besuch bei HH. In: Schwäb. Merkur (Stgt) Nr. 184 v. 9. 8. 1931, Sobeil.

L 649 Waldstetter, Ruth: Gedanken an HH. In: NatZ Nr. 301 v. 4. 7. 1937, Sobeil.

L 650 wra.: Erinnerungen an HH. In: Oltner Tgbl. Nr. 151 v. 3. 7. 1937.

L 651   Zinniker, Otto: Besuch in Montagnola. In: NatZ Nr. 131 v. 20. 3. 1949, Sobeil.

L 652   Auf Besuch bei HH. In: L 64, S. 14f.

L 653   Besuch bei HH. Zum 80. Geb. In: Main-Post (Würzburg) Nr. 147 v. 29. 6. 1957, S. 13.

EINZELDARSTELLUNGEN

Abendland

L 653a Levebvre, J.: La mission de l'occident dans l'œuvre de HH. – Diplôme d'étude supérieure Paris 1948. V, 109 Bl. [Mschr.] (L 759a)

Robert Aghion

L 654   M[aurer], K[arl] H[einrich] in: Bodenseeb 1, 1914, S. 166f.

Amerika

Jonas, Klaus W.: HH. in Amerika. Bibliographie. 1952 s. L 743

L 655   Townsend, Stanley R.: Die moderne dt. Lit. in Amerika. In: Slg 9, 1954, bes. S. 241.

Field, G[eorge] Wallis: HH. as a critic of English and American literature. 1961 s. L 1510b

Deutsche Textausgaben

L 656   Naumann, Walter: Zwei Erz. Der Novalis. Der Zwerg. In: MDU 40, 1948, S. 303.

L 657   Graham, Paul G.: HH. Zwei Erz. Der Novalis. Der Zwerg. In: GQ 22, 1949, S. 180f.

L 658   Riegel, Sieghard M.: Drei Erz. v. HH., ed. by Waldo C. Peebles. In: MDU 42, 1950, S. 424.

L 659   Bihl, J. K. L.: HH.: Drei Erz. Ed. by Waldo C. Peebles. In: GQ 24, 1951, S. 285–287.

L 660   W[orkman], J. D.: Kinderseele u. Ladidel. By HH. Ed. by W. M. Dutton. In: MDU 45, 1953, S. 53f.

L 661   Hill, Claude: HH., Kinderseele u. Ladidel. In: GQ 26, 1953, S. 294.

Stefan Andres

Adenauer, Charlotte: St. A. «Ritter der Gerechtigkeit» – HH. «Demian». Ein Vergleich. 1951 s. L 967

Angst

L 662   Berger, Johann: Die Angst im Werk HH's. – Diss. Innsbruck 1938. 105 Bl. [Mschr.] – [Rez. v. Eberhard Gerland in: gespr [H. 8], Nov. 1960, S. 8f.]

L 663   Berger, Hans [d. i. Johann]: Die Angst im Werk HH's. In: Germanist. Abhandlungen. Hg. v. Karl Kurt Klein u. Eugen Turnher. Innsbruck: Sprachwiss. Inst. d. Univ. 1959, S. 271–283. (Innsbrucker Beitrr. zur Kulturwiss. 6.)

Antwort auf Briefe aus Deutschland

L 664   Drews, Richard: HH. bricht das Schweigen. In: Die Weltbühne (Bln) 5, 1950, S. 1449–1451.

L 665   Thimm, Gerhard: HH's. schlechter Trost. Antw. an einen Dichter. In: NZ Nr. 259 v. 1. 11. 1950.

L 666   F[ladung], J[ohann]: Ein Freund des Friedens u. der Wahrheit. In: Heute u. Morgen (Düsseldorf) Jg. 1951, S. 2.

Elf Aquarelle aus dem Tessin

L 667   R[eit]z, W[alter]: HH. Elf Aquarelle a. d. Tessin. In: Schweiz 24, 1920, S. 711.

L 668   Scheffler, Karl: HH. Elf Aquarelle a. d. Tessin. In: Kunst u. Künstler 19, 1921, S. 336.

Archive

Mileck, Joseph: H.-collections in Europe. 1955 s. L 1065

Pfeifer, Martin: HH.-Bibliographien u. HH.-Sammlgn. 1960 s. L 1068

L 669   Zur Verleihg. d. Friedenspreises an HH. Der Weg nach innen. Das Werk u. der Mensch – gespiegelt i. d. Sammlg. einer Frankfurterin. In: Frankf. Neue Presse Nr. 234 v. 8. 10. 1955.

L 670   Mansoat, Werner: Fäden zwischen den Geistern. Besuch im Westdt. HH.-Archiv [in Köln]. In: Rheinische Ztg. v. 23. 7. 1949.

L 671   Ein großer Plan verwirklicht. Drei Jahre Westdt. HH.-Archiv. In: Die Welt (Hambg.) Nr. 302 v. 28. 12. 1950.

L 672   [Weiss, Erich]: Fünf Jahre Westdt. HH.-Archiv. In: Heute u. Morgen (Düsseldorf) Jg. 1952, S. 621–623.

L 673   Wird das Westdt. HH.-Archiv verkauft? In: Westfäl. Volksbl. (Paderborn) v. 17. 11. 1954. (L 1068)

L 674   Z[eller], B[ernhard]: Neue H.-Schätze für Marbach. [Westdt. HH.-Archiv.] In: StgtZtg Nr. 219 v. 21. 9. 1957.

L 675   Übergang des HH.-Archivs in das Schiller-Nationalmuseum. In: NZZ Nr. 2777 v. 1. 10. 1957.

L 676   Güntter, Otto: (Verzeichnis von Handschriften HH's. im Schiller-Nationalmus. in Marbach.) In: O. G.: Mein Lebenswerk. (Stgt: Klett) 1948, S. 212. (Veröff. d. Dt. Schillerges. [17].)

L 677   Zeller, Bernhard: Das Schiller-Nationalmuseum. Verzeichnis d. Neuerwerbungen an Hss. u. Bildnissen in den Jahren 1945–1955. In: Jahrb. d. Dt. Schillerges. 1, 1957, bes. S. 336f.

L 678   Kliemann, Horst: Gliederung des H.-Archivs. In: Das Antiquariat (Wien) 7, 1951, S. 43f. + SA: o. O. u. J. 4 S.

L 679   Adolph, Rudolf: (Üb. die H.-Slg. v. Horst Kliemann in Mchn.) In: R. A.: Bücher, Bilder, Menschen, Begegnungen. (Mchn: Akad. f. das graph. Gewerbe 1959), S. 15–17.

L 680   Adolph, Rudolf: Vor Vernichtung gerettet. Privatarchiv im Dienst d. Forschung. In: Saarbrücker Landesztg. v. 17. 12. 1959. (L 1068)

L 681   Pröhl, Grete: Stille Liebe zu HH. Eine Stuttgarter Privatslg. In: StgtZtg Nr. 232 v. 8. 10. 1955, Beil. BrzW.

L 682 S[eelig], C[arl]: Die HH.-Slg. der ETH [in Zürich]. In: TagesAnz Nr. 55 v. 6.3. 1959. + In: NatZ Nr. 125 v. 17. 3. 1959.

L 682a Mileck, Joseph: The Horst Kliemann HH.-Archiv at the Univ. of California in Berkeley. In: GQ 34, 1961, S. 248–256. (L 1510a, Germanistik)

Ausstellungen

L 683 Pachnicke, Gerhard: HH.-Ausstellg. in Gotha. In: Zentralbl. f. Bibliothekswesen (Lpz) 71, 1957, S. 372f.

L 684 -ey-: HH's. Weg im Dokument. Eine Ausstellg. im Marbacher Schiller-National-museum. In: StgtNachr Nr. 111 v. 14. 5. 1957.

L 685 Heuschele, Otto: HH.-Ausstellg. in Marbach. In: Baden-Württbg. (Stgt) Jg. 1957, H. 9, S. 33.

L 686 Kämpfer, M.: HH. – Leben u. Werk. Eine Ausstellg. In: DtZtgWi Nr. 40 v. 18. 5. 1957.

L 687 Kroemer, Walter: Die Dt. Schillerges. ehrt HH. In: Der Neue Weg (Halle/S.) Nr. 159 v. 12. 7. 1957.

L 688 Kunter, Erich: Weg zu HH. In: Berliner Stimme Nr. 26 v. 29. 6. 1957, S. 8.

L 689 Leonhardt, Günther: Der Glasperlenspieler von Montagnola. HH.-Ausstellg. in Marbach. In: Mannheimer Morgen v. 23. 5. 1957. + In: Telegraf (Bln) Nr. 120 v. 24. 5. 1957. + In: Eßlinger Ztg. Nr. 132 v. 8. 6. 1957. + In: Kasseler Post v. 5. 7. 1957. [Nachdr. in mehreren anderen Tagesztgn.]

L 690 lsw.: HH. Eine Ausstellg. in Marbach. In: Mannheimer Morgen v. 16. 5. 1957.

L 691 pf.: Eröffnung der HH.-Ausstellg. im Schiller-Nationalmuseum. In: Marbacher Ztg. Nr. 110 v. 13. 5. 1957.

L 692 Pröhl, Grete: Der Zauberer von Montagnola. Zur HH.-Ausstellg. in Marbach. In: StgtZtg. Nr. 110 v. 13. 5. 1957.

L 693 H.-Ausstellg. in Marbach. In: FAZ Nr. 111 v. 14. 5. 1957.

L 694 Die Jubiläumsausstellg. für HH. In: Staatsanz. f. Baden-Württbg. (Stgt) Nr. 40 v. 29. 5. 1957, S. 3.

L 695 Hoffmann, Wilhelm: Die Dt. Schillerges. Jahresbericht. In: Jahrb. d. Dt. Schiller-ges. 2, 1958, bes. S. 411f.

Ausstellungskatalog

L 696 HH. Werk und Persönlichkeit. Sonderausstellg. zum 80. Geb. d. Dichters. Nachw. v. Bernhard Zeller. – Marbach a. N.: Schiller-Nationalmus. 1957. 51 S. mit Abb. [Bespr. u. d. T.: H's. Leben im Ausstellungs-Katalog. In: TagesAnz Nr. 167 v. 19. 7. 1957.]

Autobiographie

L 697 Hartmann, Ursula: Übersteigerte Selbstanalyse. In: U. H.: Typen dichterischer Selbstbiographien in d. letzten Jahrzehnten. Bonn 1940: Brand, S. 30–41. Diss. Breslau.

L 698 Fiechtner, H.: HH. in s. Selbstzeugnissen. In: Die lit. Welt (Wien) Jg. 1946, Nr. 2. (L 746)

L 699 Müller-Seidel, Walter: Autobiogr. als Dichtg. in d. neueren Prosa. In: DtUnterr 3, 1951, H. 3, bes. S. 32–40.

Johnson, Sidney M.: The autobiographies in HH's. Glasperlenspiel. 1956 s. L 1295

Der Autor an einen Korrektor

L 700 Grünes, W.: Antwort an HH. In: Graphische Revue Österreichs (Wien) 60, 1958, Nr. 3–4, Beil. (DA)

Baden bei Zürich

L 701 Mächler, Robert: Ein versäumtes Dichter- u. Kurgastjubiläum. In: Badener Tgbl. Nr. 144 v. 23. 6. 1951.

L 702 HH. als Badener Kurgast. Mit Zeichngn. v. Gunter Böhmer. – (St. Gallen 1952: Tschudy.) 26 S. (Neujahrsbl. d. Apotheke Münzel. 25.) [Rez. von nr. u. d. T.: Baden u. HH. In: NZZ Nr. 107 v. 16. 1. 1953.]

L 703 Mächler, Robert: HH's. Badener Psychologie. In: L 702, S. 11–15.

L 704 Münzel, Uli: HH. als Badener Kurgast. In: L 702, S. 17–21.

Vgl. Kurgast.

Hugo Ball

L 705 Ball, Hugo: Die Flucht aus der Zeit. Mchn u. Lpz: Duncker & Humblot 1927, S. 292, 293, 305, 306f., 312. + [Neue Aufl.] Luzern: Stocker 1946, S. 275f., 279, 280, 288–290, 295f.

L 706 Hennings-Ball [d. i. Ball-Hennings], Emmy: Hugo Balls Weg zu Gott. Mchn: Kösel & Pustet (1931), S. 93–99, 151f., 154, 160–165.

L 707 Egger, Eugen: Die HH.-Biographie. In: E. E.: Hugo Ball. Ein Weg aus dem Chaos. Olten: Walter 1951, S. 160–175.

Vgl. Briefe an HH.

Emmy Ball-Hennings

L 708 Ahl, Herbert: Literar. Marginalien. In: Diplomat. Kurier (Köln) 5, 1956, S. 565 bis 567.

L 709 Knab-Grzimek, Fränze: Eine Nachfahrin der Bettina. In: WuW 11, 1956, S. 312f.

Vgl. Briefe an HH.

Basel

L 710 Pistor, M.: Besuch bei einem Dichter. In: Die Garbe (Basel) 25, 1941/42, S. 603 bis 605.

L 711 HH. und Basel. In: Arbeiter-Ztg. (Basel) Nr. 273 v. 21. 11. 1946.

L 712 Baeschlin, Theo: HH. in Basel. In: Bübl 11, 1947, Nr. 6, S. 1f.

L 713 Baseler, Hans Heini: Abschied von einem alten Haus. In: NatZ Nr. 453 v. 2. 10. 1957.

Vom Baum des Lebens

L 714 K[orrodi], E[duard]: «Vom Baum d. Lebens». In: NZZ Nr. 1354 v. 27. 7. 1934.

Johannes R. Becher

L 715 Mayer, Hans: J. R. Bechers «Tagebuch 1950». In: Aufbau (Bln) 7, 1951, bes. S. 822f.

L 716 H. und Becher. In: Heute u. Morgen (Düsseldorf) 6, 1951, S. 249.

L 717 Wies gemacht wird. In: NZ Nr. 120 v. 25. 5. 1951.

Bericht an die Freunde. Letzte Gedichte

L 718   haj.: «Bericht a. d. Freunde – Letzte Ged.» Zu e. Buch. In: NZZ Nr. 3942 v. 15. 12. 1959.

Berthold

L 719   K[orrodi], E[duard]: Berthold. Ein Romanfragment. In: NZZ Nr. 533 v. 27. 3. 1945.

L 720   Matzig, Richard B[lasius]: Berthold und Knulp. Betrachtg. über zwei neue Bücher von HH. In: NSRs NF 13, 1945/46, S. 191–193.

Beschwörungen

L 721   G[oldschmit], R[udolf]: HH.: Beschwörungen. In: BüKomm 4, 1955, Nr. 4, S. 3.

L 722   haj.: «Beschwörgn.» Späte Prosa v. HH. In: NZZ Nr. 3075 v. 14. 11. 1955.

L 723   Mühlberger, Josef: HH. Beschwörgn. In: NWZ Nr. 245 v. 22. 10. 1955. + In: WuW 10, 1955, S. 400f.

L 724   s.: Briefe, Bilder, Beschwörgn. Zu HH's. neuer Folge s. «Späten Prosa». In: StgtZtg Nr. 238 v. 15. 10. 1955.

L 725   Debruge, Suzanne: HH's. Lebensabend. In: Revue des langues vivantes (Bruxelles) 22, 1956, S. 373f.

L 726   Hahne, Heinrich: H's. späte Prosa. In: FAZ Nr. 59 v. 9. 3. 1956.

L 727   Herzog, Bert: HH's. «Beschwörgn.» In: SRs 56, 1956/57, S. 112f.

     Melchinger, Siegfried: HH. und die Altersweisheit. 1956 s. L 1934

L 728   Groepler, Werner: In Gedanken u. Träumen. In: Dt. Rs. 83, 1957, S. 853f.

Betrachtungen

L 729   Doderer, Otto: Zu HH's. «Betrachtgn.» u. Jakob Wassermanns «Lebensdienst». In: Lit 31, 1928/29, 274f.

L 730   K[orrodi], E[duard]: HH's. «Betrachtgn.» In: NZZ Nr. 2287 v. 10. 12. 1928.

L 731   Kuhn, Friedrich: Die dt. Seele. H's. Betrachtgn. In: Die Sonntags-Ztg. (Stgt) Nr. 28 v. 14. 7. 1929, S. 2.

Kleine Betrachtungen

L 732   Humm, R[udolf] J[akob]: HH. Kleine Betrachtgn. In: Büchergilde (Zch) Jg. 1942, S. 109f.

Bhagavad-Gita

L 733   Beermann, Hans: HH. and the Bhagavad-Gita. In: Midwest Quart. (Pittsburg, Kans.) 1, 1959, S. 27–40. (PMLA, L 759 b)

Bibliographie

L 734   Metelmann, Ernst: HH. Bibliogr. In: DSL 28, 1927, S. 299–312.

L 735   Schmid, Hans Rudolf: (Bibliogr. Anhang.) In: L 47, S. 205–214.

L 736   Kliemann, Horst: (HH. und das Buch. Bibliogr. Übersicht.) In: L 879, S. 6–9. + In: L 880, S. 357–360.

L 737   Kliemann, Horst: Das Werk HH's. Eine bibliogr. Übersicht. In: Europa-Archiv 1, 1946/47, S. 604–609. + SA: Oberursel/Ts.: Cornides 1947. 8 S.

L 738   Kliemann, Horst u. Karl H[ildebrand] Silomon: HH. Eine bibliogr. Studie. Zum
        2. Juli 1947. – (Ffm 1947: Bauersche Gießerei.) 95 S. mit Abb. + Horst Kliemann:
        Bemerkgn. zu einer H.-Bibliogr. In: Dt. Beitrr. 1, 1946/47, S. 381–383. + Dass.
        in: L 879, S. 10–12.

L 739   Lemp, Armin: Bibliogr. In: L 53, S. 243–288. + SA: Ohne Verfasserangabe;
        o. O. u. J. 48 S.

L 740   Kliemann, Horst u. Karl H[ildebrand] Silomon: Verbesserungen u. Ergänzungen
        zu: HH. Eine bibliogr. Studie. – (Mchn: H. Kliemann 1948.) 12 S.

L 741   [Kliemann, Horst]: Auflagehöhen der Werke HH's. In: Prisma (Mchn) 2, 1948,
        H. 17, S. 41.

L 742   Werke von HH. [Prospekt.] – Zch: Fretz & Wasmuth [1949]. Unpag. 10 S.

L 743   Jonas, Klaus W.: HH. in Amerika. Bibliogr. In: MDU 44, 1952, S. 95–99.

E 744   Pfeifer, Martin: Bibliogr. der im Gebiet der DDR seit 1945 erschienenen Schriften
        von u. über HH. Als Ms. gedr. – (Zwickau-Planitz: M. Pfeifer 1952.) 15 S.

L 745   Unseld, Siegfried: Das Werk von HH. Ein Brevier. – Ffm: Suhrkamp 1952. 70 S.
        + 2. erw. Aufl. 1955. 78 S. + Tdr. in: HH.: Der Zwerg. Bamberg, Wiesbaden:
        Bayer. Verl.-Anst. [1956], S. 35–42. (Am Born der Weltliteratur. Reihe A. 25.)

L 746   Kosch, Wilhelm: HH. In: W. K.: Dt. Lit.-Lexikon. Bd. 2. 2. Aufl. Bern: Francke
        1953, S. 960–962. [Zuerst 1927.]

L 747   Jonas, Klaus W.: Additions to the Bibliogr. of HH. In: Papers of the Bibliogr.
        Soc. of America (New York) 49, 1955, S. 358–360.

L 748   Pfeifer, Martin: HH. Bibliogr. der im Gebiet der DDR seit 1945 erschienenen
        Schriften von u. über HH. – Lpz: Verl. f. Buch- u. Bibliothekswesen (1955). 63 S.
        [Rez. von Maurice Colleville in: EG 12, 1957, S. 185; von Hans Fromm in: Dt.
        Vierteljahrsschr. f. Literaturwiss. u. Geistesgesch. 33, 1959, S. 489 + in: H. F.:
        Germanist. Bibliogr. seit 1945. Stgt: Metzler 1960, S. 68.]

L 749   Eppelsheimer, Hanns W[ilhelm]: Bibliogr. d. dt. Literaturwiss. 1945–1953. Ffm:
        Klostermann (1957), S. 347–352.

L 750   Schütze, Sylvia: HH. Ein Auswahlverzeichnis. – Dortmund: Städt. Volksbüche-
        reien 1957. 32 S. (Dichter u. Denker uns. Zeit. 16.)

L 751   Wulff, Günther: HH. Eine Auswahlliste d. Abteilg. Literatur zu s. 80. Geb. –
        [Bln]: Amerika-Gedenkbibliothek/Berliner Zentralbibliothek 1957. 24 S.

L 752   Das Werk von HH. im Suhrkamp-Verl. [Mit Vorw.] Das Werk von HH. in uns.
        Zeit. Von Anni Carlsson. [Prospekt.] – (Bln. u. Ffm): Suhrkamp (1957). Unpag.
        24 S. [Zuerst 1955.]

E 753   Hafner, Gotthilf u. Herbert Müller: HH. Leben u. Werk. Wesen u. Deutung.
        Stimme uns. Zeit. Ein Bücherverzeichnis. – Stgt: Kulturamt. Stadtbücherei 1958.
        36 S. mit Abb.

L 754   Köttelwesch, Clemens: Bibliogr. d. dt. Literaturwiss. 1954–1956. Ffm: Kloster-
        mann (1958), S. 256–258. (Bibliogr. d. dt. Literaturwiss. II.)

L 755   Mileck, Josef: Bibliogr. In: L 1067, S. 215–297.

L 756   [Gerland, Eberhard] in: gespr [H. 3], April 1959, S. 6f.

L 757   Eppelsheimer, Hanns W[ilhelm]: HH. In: H. W. E.: Handbuch d. Weltlit. 3. erg.
        Aufl. Ffm: Klostermann (1960), S. 626f. [Zuerst 1937.]

L 758   Köttelwesch, Clemens: Bibliogr. d. dt. Literaturwiss. 1957–1958. Ffm: Klostermann (1960), S. 168–170. (Bibliogr. d. dt. Literaturwiss. III.)

L 759   HH. Ein Gesamtverzeichnis seines Werkes. [Mit Vorw.] Das Werk von HH. in uns. Zeit. Von Anni Carlsson. [Prospekt.] – Ffm: Suhrkamp (1960). Unpag. 33 S.

L 759a Bareiss, Otto: Die Hochschulschriften des In- u. Auslandes über HH. In: Bbl (Ffm) 17, 1961, S. 1456–1466. [Rez. von Adolph Meuer in: gespr H. 10, Nov. 1961, S. 9.] + Berichtigung von Helmut Waibler in: Bbl (Ffm) 17, 1961, S. 2057f. + in: gespr H. 10, Nov. 1961, S. 10f.

L 759b Köttelwesch, Clemens: Bibliogr. d. dt. Literaturwiss. 1959–1960. Ffm: Klostermann (1961), S. 211–213. (Bibliogr. d. dt. Literaturwiss. IV.)

L 759c Pfeifer, Martin: HH. Interpretationen f. d. Unterricht. Eine Bibliogr. In: Blätter f. d. Deutschlehrer (Ffm) 5, 1961, S. 110–120.

Bibliothek

L 760   Ackerknecht, Erwin: HH. In: BuB 1, 1921, S. 155f.

L 761   Der Weg zu HH. In: L 64, S. 13f.

L 762   Zenker, Hartmut: Gedanken zum Werk HH's. in uns. Bibliotheken. In: Der Bibliothekar (Bln) 11, 1957, S. 589–598.

L 763   Gerland, Eberhard: Die Aktualität der Erziehg. In: gespr [H. 7], Juli 1960, S. 5.

Bildbiographie

HH. 1953 s. L 71

L 764   Hesse, Martin: Besuch bei HH. Bilder aus Montagnola. – Konstanz: Rosgarten-Verl. (1957). 29 S. [Rez. von Gotthilf Hafner in: WuW 12, 1957, S. 345; in: Bücherschiff (Limbg./Lahn) 7, 1957, Nr. 7, S. 1.]

L 765   Zeller, Bernhard: HH. Eine Chronik in Bildern. Bearb. u. mit einer Einführg. vers. – (Ffm): Suhrkamp (1960). XXIV, 215 S. [Rez. von Herbert Ahl in: Diplomat. Kurier (Köln) 9, 1960, S. 638–642; von -b- in: St. Galler Tgbl. Nr. 378 v. 14. 8. 1960; von H. Walter Bähr in: Germanistik (Tüb) 2, 1961, S. 459f.; von Rudolf Goldschmit in: BüKomm 9, 1960, Nr. 3, S. 31; von Gotthilf Hafner in: WuW 15, 1960, S. 275f.; von [Hellmuth] Kar[asek] in: StgtZtg Nr. 161 v. 16. 7. 1960; von Fritz Kraus in: FAZ Nr. 222 v. 22. 9. 1960; von Martin Pfeifer in: gespr [H. 7], Juli 1960, S. 7–9; von W. R. in: NZZ Nr. 2384 v. 12. 7. 1960; von Friedrich Rasche in: Nordwestdt. Rs. (Wilhelmshaven) v. 30. 7. 1960; von Gerd Schulte in: Hannov. Allg. Ztg. v. 20. 10. 1960; von Hans Schwab-Fehlisch in: Das kleine Buch der 100 Bücher (Mchn) 8, 1960, S. 26f.; von Roland Ziersch in: Süddt. Ztg. (Mchn) v. 8. 10. 1960.]

Bilderbuch

L 766   Frank, Rudolf: Bilderbuch. Von HH. In: Lit 28, 1925/26, S. 554f.

L 767   Krauß, R[udolf] in: SchwSp 20, 1926, S. 346.

L 768   P. K.: Noch nicht der H., den sie lieben. In: Die Zeit (Hambg.) Nr. 50 v. 12. 12. 1958, S. 10.

L 769   Rhode, Werner: Das Buch der Erinnerungen. Zur Neuausgabe. In: gespr [H. 3], April 1959, S. 4f.

L 770   W[ie]n, [Werner]: H's. frühes Bilderbuch. In: Christ u. Welt (Stgt) Nr. 26 v. 25. 6. 1959, S. 16.

L 771 Hafner, Gotthilf: Das «Bilderbuch» von HH. In: WuW 15, 1960, S. 81.

Bildung und Erziehung

L 772 Geffert, Heinrich: Das Bildungsideal im Werk HH's. Eine erziehungwiss. Studie. – Langensalza: Beyer 1927. 6, 107 S. (Erziehungswiss. Arbeiten. 6. = Friedr. Manns Pädagog. Magazin. 1127.) Zugleich Diss. Hamburg.

L 773 Hermann, H.: H. als überstaatl. Erzieher. In: Basilisk 8, 1927, Nr. 27.

Keller, Hans: Jugend u. Erziehung in d. modernen dt. Dichtg. 1938 s. L 1369a

L 774 David, Sante: HH., educatore del popolo. In: Guerra e Pace (Roma) 2, 1947, Nr. 25, S. 3.

Bonitz, Amalie: Der Erziehungsgedanke in HH's. Glasperlenspiel. 1948 s. L 1229

L 775 Hedinger-Henrici, Paul: HH. als Erzieher. In: Schweiz. evangel. Schulblatt (Zch) 83, 1948, S. 329–334.

L 776 Boersma, Clarence: The educational ideal of the major works of HH. – Doct. diss. Univ. of Michigan 1949. 308 Bl. [Mschr.]

L 777 Cast, G. C.: HH. als Erzieher. In: MDU 43, 1951, S. 207–220.

Ahrens, Franz: Der Gedanke der Bildg. u. Erziehg. in HH's. Roman Das Glasperlenspiel. 1952 s. L 1275

L 778 Martini, Fritz: Der Dichter u. Erzieher HH. In: StgtNachr Nr. 146 v. 28. 6. 1952, Beil. + In: L 69, S. 76–81.

Boudier, M.: L'enfance et le problème pédagogique dans l'œuvre de HH. 1953 s. L 1381a

L 779 Lieser, Friedrich: Die Frage der Menschenbildg. bei HH. In: Bildg. u. Erziehg. (Ffm) 8, 1955, S. 625–641.

L 780 Lorenzen, Hermann: Pädagogische Ideen bei HH. – Mülheim/Ruhr: Setzkorn-Schleifhacken (1955). 72 S. + Lizenzausg. Essen: Neue dt. Schule-Verl. [um 1956]. 72 S. [Rez. von Gotthilf Hafner in: WuW 10, 1955, S. 343f.]

L 781 Peppard, Murray B.: HH's. ladder of learning. In: Kentucky Foreign Language Quart. (Lexington) 3, 1956, S. 13–20.

L 782 Schneider, Marcel: L'Utopie pédagogique de HH. In: Revue de Paris 63, 1956, H. 3, S. 139–144. + In: Paru. Revue de l'actualité littéraire (Monte Carlo) 11, 1956, H. 97, S. 111–116. (DB)

L 783 Unseld, Siegfried: HH. als Erzieher. In: Offene Welt (Ffm) Jg. 1956, S. 477–482.

L 784 Hafner, Gotthilf: Erziehg. u. Selbsterziehg. im Werk von HH. In: Süddt. Schulztg. (Ludwigsburg) 11, 1957, S. 200f.

L 785 Kamps, Hermann: HH. und die Schule. In: Pädagog. Blätter (Bln) 8, 1957, S. 193–201.

L 786 Hilbk, Hans: Das Problem der Erziehg. im Spätwerk HH's. Versuch einer systemat. Darlegg. seiner Grundgedanken unter anthropolog.-erziehungswiss. Gesichtspunkten. – Münster/Westf.: Kramer 1959. 157 S. Diss. Münster. [Rez. v. Knut Thomsen in: gespr [H. 8], Nov. 1960, S. 9–11.]

L 787 Pfeifer, Martin: Bildungskräfte im Leben HH's. In: Wiss. Zs. der Fr. Schiller-Univ. Jena. Ges.- u. sprachwiss. Reihe 8, 1958/59, S. 483–490.

L 787a Pelz, Franz: Bildungsmächte u. Bildungsprinzipien im Werke HH's. – Diss. Freiburg i. Br. 1960. 325 Bl. [Mschr.]

Pixberg, Hermann: Der pädagog. Gehalt in HH's. Glasperlenspiel. 1960 s. L1314a

Strang, Magda: Das Bild d. Erziehers in d. dt. Dichtg. d. jüngsten Zeit. 1961 s. L 1314f

Vgl. L 1379

Biographisches

L 788   Hunnius, Aegidius: (Brief über HH's. Lebenslauf). In: L 985, S. 239f.

L 789   Wiegler, Paul: HH's. Lebensweg. In: Sonntag (Bln) Nr. 22 v. 1. 12. 1946, S. 9. (Pf) + In: HH.: Peter Camenzind. Unterm Rad. Bln: Aufbau-Verl. 1952, S. 317 bis 320. (Bibliothek fortschrittl. dt. Schriftsteller.)

L 790   HH. Daten. In: Almanach der Unvergessenen. Hg. v. Josef K. Witsch u. Max Bense. Rudolstadt: Greifenverl. (1946), S. 212. (Pf)

L 791   Hill, Claude: HH. In: C. H.: Drei Nobelpreisträger. Hauptmann – Mann – H. New York: Harper (1948), S. 115–121.

L 792   HH. Der Dichter, Maler, Philosoph. In: Der Aufstieg (Wiesbaden) 3, 1951, S. 757f.

L 793   B[aumgart, Wolfgang]: HH. In: Biograph. Wörterbuch zur dt. Geschichte. Hg. v. Hellmuth Rössler u. Günther Franz. Mchn: Oldenbourg 1952, S. 349.

L 794   Schmitt, Fritz: Dt. Literaturgeschichte in Tabellen. Tl. 3. Bonn: Athenäum 1952, S. 291–294.

L 795   Lennartz, Franz: HH. In: F. L.: Dichter u. Schriftsteller uns. Zeit. 6. Aufl. Stgt: Kröner (1954), S. 241–246. (Kröners Taschenausg. 151.) + 8. erw. Aufl. Ebd. 1959, S. 297–302. [Zuerst 1938.]

L 796   Pfeifer, Martin: HH. Kurzer Lebensabriß. In: L 748, S. 8–12.

E 797   The weekly biography: HH. In: The Bulletin (Bonn) 3, 1955, Nr. 40, S. 3.

L 798   Leben u. Werk HH's. In: L 76, S. 5–19.

L 799   Müller-Seidel, W[alter]: HH. In: Die Religion in Geschichte u. Gegenw. Hg. v. Kurt Galling. Bd. III. 3. Aufl. Tüb: Mohr 1959, Sp. 289f.

L 800   Jancke, Oskar: HH. In: Lexikon d. Weltlit. im 20. Jahrhundert. Bd. 1. Freiburg i. B.: Herder (1960), Sp. 903–910.

Blick ins Chaos

L 801   Ernst, Fritz: HH's. Blick ins Chaos. In: Schweizerland (Chur) 6, 1920, S. 534–536.

L 802   Missenharter, Hermann in: Der schwäb. Bund (Stgt) 1, 1919/20, II, S. 527.

L 803   Volkart, O.: Blick ins Chaos. In: WiLeb 13, 1919/20, S. 854.

L 804   Bäumer, Gertrud: Medusa. In: Die Frau (Bln) 28, 1921, H. 7, S. 193–199. + G. B.: Perseus. Ebd. H. 8, S. 225–235. (Met)

L 805   Selbstbesinnungsschriften von Künstlern. In: BasNachr Nr. 308 v. 22. 7. 1922, Beil.

L 806   Paulsen, Wolfgang: Expressionismus u. Aktivismus. Bern: Gotthelf-Verl. 1935, S. 100–102.

Blick nach dem fernen Osten

L 807   Bähr, H. W[alter]: Zu den Gedichten. In: Univ 15, 1960, S. 381f.

Boccaccio

L 808   Boccaccio von HH. In: BW Jg. 1911/12, S. 299f.

Bodensee s. Gaienhofen

Ein Brief nach Deutschland (1946)

L 809   Gnamm, Dr.: Offener Brief an HH. In: Univ 1, 1946, S. 1048–1050.

L 810   Lestiboudois, Herbert: Ein Ruf von HH. In: Aufbau (Bln) 2, 1946, S. 958f.

L 811   Antwort aus Deutschland. (Antwort eines süddt. Künstlers auf den «Brief nach Deutschland.») In: NatZ Nr. 310 v. 10. 7. 1946.

Brief an einen jungen Deutschen

L 812   Meyer, Arnold: Brief an HH. Von einem dt. Theologen. In: NZZ Nr. 1521 v. 5. 10. 1919.

Briefe

L 813   Basler, Otto: Herbsternte HH's. In: Bübl 15, 1951, Nr. 9, S. 1.
         Basler, Otto: HH's. Briefe und Späte Prosa. 1951 s. L 1764

L 814   Bode, Helmut: HH.: Briefe. In: Bücherschiff (Ffm) 1, 1951, Nr. 3, S. 8.

L 815   Boucher, Maurice: Lettres allemandes [HH., Werfel, Jünger, Kasack, Carossa]. In: Hommes et mondes (Paris) 15, 1951, H. 60, S. 219–221, 301–303.

L 815a Cube, Hellmuth von: HH's. Briefe. In: Süddt. Ztg. (Mchn) Nr. 163 v. 18. 7. 1951.

L 816   Gasser, Manuel: Adressat unbekannt. Briefe von HH. In: Ww v. 6. 7. 1951.

L 817   H[eiseler], B[ernt] v. in: Zeitwende (Mchn) 23, 1951/52, S. 371.

L 818   Mühlberger, Josef: HH's. Briefe. In: NWZ Nr. 164 v. 18. 7. 1951. + In: WuW 6, 1951, S. 327.

L 819   Oschilewski, Walther G.: Zwischen Glauben u. Skepsis. Über HH's. Briefe. In: Telegraf (Bln) Nr. 228 v. 30. 9. 1951.

L 820   R[ychner], M[ax]: HH.: Briefe. In: Die Tat (Zch) Nr. 181 v. 7. 7. 1951. + In: L 67, S. 8–15. + In: M. R.: Sphären der Bücherwelt. Zch: Manesse (1952), S. 117–123. + Tdr. in: L 75, S. 6.

L 820a Stemmer, Konrad: Verantwortung und Weisheit in Briefen. In: NZ Nr. 271 v. 17. 11. 1951.

L 821   Tanner, André: Le sage de Montagnola. A propos de la correspondance de HH. In: La Gazette littéraire (Lausanne) Nr. 219 v. 15./16. 9. 1951, S. 1.

L 822   W[e]b[er, Werner]: Briefe von HH. In: NZZ Nr. 1315 v. 16. 6. 1951.

L 823   The German mind. In: The Times Lit. Supplement 50, 1951, Nr. 2604, S. 838.
         Heuschele, Otto: HH. – Zu zwei neuen Büchern d. Dichters. 1952 s. L 1767

L 824   Horst, Karl August: Brief u. Bekenntnis. In: Merkur (Stgt) 6, 1952, S. 287f.

L 825   Schwarz, Georg: HH.: Briefe. In: Neue lit. Welt (Darmstadt) 3, 1952, Nr. 13, S. 11.

L 826   Stadelmayer, Peter: Der Briefschreiber von Montagnola. In: Frankf. Hefte 7, 1952, S. 299f.

L 827   Goern, Hermann: Schlichtes Christentum u. tägl. Bewährung. HH. in s. Briefen. In: Der Neue Weg (Halle) Nr. 151 v. 4. 7. 1953. (Pf)

L 828   Basler, Otto: HH. in s. Briefen. In: Sie und Er (Zofingen) v. 27. 6. 1957.

L 829   Nadler, Käte: Vom Sinn des Briefeschreibens. Bemerkungen zu den 1951 veröff. Briefen HH's. In: Glaube u. Gewissen (Halle/S.) 3, 1957, S. 128f., 156–158.

L 830   Reuter, Hans-Heinrich: Dokument der Humanität. Das Briefwerk HH's. In: Aufbau (Bln) 13, 1957, II, S. 30–51.

L 831   Hausmann, Manfred: HH. in seinen Briefen. Ein neues Verhältnis zwischen Dichter u. Leser. [Vortrag.] In: Jahrbuch 1957. Akademie d. Wissenschaften u. d. Lit. Wiesbaden: Steiner [1958], S. 266–278. + Tdr. u. d. T.: Die Verstörten vertrauen dem Dichter. In: Weser-Kurier (Bremen) Nr. 238 v. 12. 10. 1957. + In: M. H.: Tröstliche Zeichen. (Ffm: S. Fischer 1959), S. 136–156.

L 832   Hafner, Gotthilf: HH. als Briefschreiber und als Existentialist. In: WuW 14, 1959, S. 338–340.

L 833   R[eindl], L[udwig] E[manuel]: Die Briefe d. Dichters HH. aus zwei Jahrzehnten. In: Südkurier (Konstanz) Nr. 204 v. 5. 9. 1959.

L 834   H[elwig], W[erner]: HH. Briefe. In: Christ u. Welt (Stgt) Nr. 16 v. 14. 4. 1960, S. 20.

L 834a Bähr, H. Walter in: Germanistik (Tüb) 2, 1961, S. 129f.

Vgl. Gesammelte Schriften Bd. 7.

Briefe an HH.

L 835   Ein paar Leserbriefe an HH. Privatdr. – (Ffm) 1955: (J. Weisbecker). 40 S.

L 836   Amiet, Cuno. Dat. Oschwand 21. 7. 1930. In: L 71, S. 49f.

L 836a Bach, Rudolf: Brief an HH. In: Dt. Beitrr. 1, 1946/47, S. 297–307.

L 837   Ball, Hugo: Briefe eines Frühvollendeten. In: NRs 39, 1928, II, bes. S. 694–697.

L 838   Ball, Hugo: (19 Briefe a. d. Jahren 1922–1927). In: Emmy Ball-Hennings: Hugo Ball. Sein Leben in Briefen u. Gedichten. Bln: S. Fischer (1930).

L 839   Ball, Hugo: (40 Briefe a. d. Jahren 1921–1927). In: H. B.: Briefe. 1911–1927. Einsiedeln usw.: Benziger (1957). + Tdr. in: Buch in d. Zeit (Heidelberg) 1, 1956, Nr. 3, S. 2.

L 840   Ball-Hennings, Emmy. Dat. 1926. In: E. B.-H.: Hugo Ball. Sein Leben in Briefen u. Gedichten. Bln: S. Fischer (1930), S. 256–258.

L 841   Ball-Hennings, Emmy: Zwei Briefe an HH. In: SRs 53, 1953/54, S. 445–451.

L 842   Ball-Hennings, Emmy: Briefe an HH. Hg. u. eingel. von Annemarie Schütt-Hennings. – Ffm: Suhrkamp 1956. 442 S. [Rez. von O[tto] B[asler] in: Die Tat (Zch) Nr. 177 v. 30. 6. 1956; von W. R. in: NZZ Nr. 1577 v. 1. 6. 1956; von Grete Schüddekopf in: FAZ Nr. 246 v. 20. 10. 1956, Beil.; von Otto Heuschele in: Dt. Rs. 83, 1957, S. 984.]

L 843   Basler, Otto: Zu HH's. 75. Geb. In: L 68, S. 162–164.

Berna, Jacques: Wache Nacht. Ein Briefwechsel mit HH. 1946 s. L 1542

L 844   Briod, Blaise. Dat. Chambines par Pacy-sur-Eure 7. 4. 1955. In: L 835, S. 33–40. + In: Dichten u. Trachten (Ffm) H. 5, 1955, S. 5–8.

L 844a Brod, Max. Dat. Genua 22. 5. 1948. In: E 224. + In: B 89. + Tdr. in: L 1363.

L 845   D[ach], C[harlotte] v.: An HH. zum 2. Juli. In: Der Bund (Bern) Nr. 301 v. 2. 7. 1946.

L 846   Engel, Otto: Vom inneren Emigrantentum. Bekenntnis eines Deutschen. (Aus einem Brief an HH., August 1945.) In: Standpunkt (Stgt) 1, 1946, H. 1, S. 11f.

L 847 Eulenberg, Hedda: Dank an HH. In: Der Mittag (Düsseldorf) v. 8. 7. 1951. + In: L 67, S. 3–7.

L 848 Finckh, Ludwig. Dat. Freiburg 1. 12. 1899. In: L 596, S. 127–129.

L 849 Finckh, Ludwig: Ein Brief. In: SchwSp 21, 1927, S. 204.

L 850 Finckh, Ludwig. Dat. 1927. In: L 1061, S. 33–35.

L 851 Finckh, Ludwig. Dat. Gaienhofen, zum 2. 7. 1955. In: Kölnische Rs. v. 3. 7. 1955.

L 852 Frerking, Johann: Genie des Liebens. Geburtstagsbrief an HH. In: Hannov. Presse Nr. 148 v. 29. 6. 1957.

L 852a Gehring, Christian. Dat. 31. 1. 1948. [Betr. B 180.] In: Westdt. Rs. (Wuppertal) Nr. 21 v. 19. 2. 1948.

L 852b Gide, André. Dat. 1933. In: P 384.

L 853 Glauser, Friedrich. Dat. La Bernerie 1. 7. 1937. In: L 71, S. 50.

L 854 Gulbransson, Olaf: Telegramm an HH. Um 1910. In: L 71, S. 49. + In: L 75, S. 2.

L 855 Gundert, Friedrich: (5 Briefe a. d. Jahr 1945.) In: Friedrich Gundert. [Gedenk-schrift.] – (Stgt 1946: Scheufele), S. 50–55, 69–71, 75–77.

L 855a Hofmannsthal, Hugo von. Dat. Bad Aussee 15. 9. 1924. In: P 38.

L 856 Humm, R[udolf] J[akob]: Brief an HH. Zu s. 64. Geb. am 2. 7. 1941. In: Ww Nr. 399 v. 4. 7. 1941.

L 857 E. F. K.: Wunsch u. Sinnbild. Ein Brief an den Dichter. In: SoblBasNachr 31, 1937, S. 105.

L 858 Krüger, Horst: Würzburger Student schreibt an HH. In: Göttinger Universitäts-ztg. 4, 1949, Nr. 11, S. 14.

L 859 Lange, Horst. Antwort an HH. 1937. In: Der Ruf (Mchn) 1, 1946/47, Nr. 17, S. 13f. [Zu B146.]

L 860 Largiadèr, Maria: Brief an HH. In: WiLeb 15, 1921/22, S. 346f.

L 860a Lützkendorf, Felix. Dat. Febr. 1952. In: P 609.

L 860b Mann, Thomas. Dat. 25. 11. 1945. In: E 239.

L 861 Mann, Thomas. Dat. 14. 6. 1952. In: L 68, S. 143. + In: L 69, S. 119f. + In: Th. M.: Reden u. Aufsätze. Bd. 2. [Ffm]: S. Fischer (1960), S. 529f. (Gesammelte Werke. Bd. 10.)

L 861a Mann, Thomas. 1. Dat. Küsnacht-Zch. 3. 1. 34. 2. Dat. Küsnacht-Zch. 9. 11. 36. In: Th. M.: Briefe 1889–1936. Hg. v. Erika Mann. (Ffm): S. Fischer 1961, S. 344f., 414.

L 862 Mauerhofer, Hugo: Brief an HH. In: Der Bund (Bern) Nr. 302 v. 2. 7. 1937.

L 863 Maußner, Karl: Brief an HH. In: Aachener Volksztg. v. 2. 7. 1957. + In: Neue Tagespost (Osnabrück) v. 2. 7. 1957.

L 864 Morgenthaler, Ernst. Dat. Zürich 12. 4. 1944. In: L 71, S. 50.

L 865 Morgenthaler, Ernst. Dat. Venedig 20. 6. 1952. In: L 68, S. 161.

L 866 Morgenthaler, Ernst: Briefe an HH. In: E. M.: Ein Maler erzählt. Zch: Diogenes-Verl. (1957), S. 147–187.

L 867 Rathenau, Walther. Dat. Berlin 21. 1. 1918; Berlin 29. 1. 1918. In: W. R.: Briefe. Bd. 1. Dresden: Reissner 1926, S. 353–355, 357–360.

Rolland, Romain: Briefwechsel mit HH. s. E 243

L 868   Schoeck, Othmar: Zu HH's. 75. Geb. In: L 68, S. 145.

L 869   Schott, Rolf: Geburtstagsbrief an HH., den großen Europäer. In: Das Silberboot
         (Salzburg) 3, 1947, S. 225–228.

L 870   Schröder, Rudolf Alexander: Briefgruß an HH. In: L 68, S. 140–142. + Tdr.
         [Brief an Peter Suhrkamp] in: L 75, S. 6.

L 870a   Serrano, Miguel. Dat. New Delhi 8. 6. 1961. In: NZZ Nr. 2829 v. 30. 7. 1961.

L 870b   Tucholsky, Kurt. Dat. 24. 10. 1932. In: Kurt Tucholsky haßt – liebt. Hg. v. Mary
         Gerold-Tucholsky. Hambg.: Rowohlt (1957), S. 249f.

L 871   Waßmer, Max. Dat. 17. 6. 1957. In: Der Bund (Bern) Nr. 296 v. 28. 6. 1957.

L 872   W[e]b[er, Werner]: Antwort an HH. [Zu B 207.] In: NZZ Nr. 1374 v. 23. 6. 1951.

L 873   Welti, Albert. Dat. Bern April 1912. In: L 71, S. 49.

L 874   Woltereck, Richard: Die edlen Vögel von Hawai-nei. Ein Gruß an HH. In:
         NZZ Nr. 1134 v. 17. 6. 1932.

L 874a   Wüstenberg, H[ans] L[ouis]: Brief an HH. In: L 1755, 1947, S. 5–7.

L 875   An HH. Offener Brief eines Unbekannten. In: Münchner N. Nachr., Beil. Die
         Einkehr 8, 1927, Nr. 39, S. 154. (Lit, Met) + Tdr. in: Lit 29, 1926/27, S. 585f.

L 876   Ein Emigrant in Indien. Dat. Deoli/Rajputana 31. 3. 1946. In: L 71, S. 50.

L 877   Ein dt. Lehrer. Dat. Oetinghausen 24. 4. 1949. In: L 71, S. 50.

L 878   Aus dem Brief eines alten Schulmannes, nach der Lektüre der Briefe. In: L 67,
         S. 16.

         Vgl. Briefwerk.

Buch

L 879   Kliemann, Horst: HH. und das Buch. – Bemerkungen zu einer H.-Bibliogr. –
         Mchn: [Oldenbourg] 1947. 12 S. – SA aus: Dt. Beitrr. 1, 1947, H. 4.

L 880   Kliemann, Horst: HH. und das Buch. In: Dt. Beitrr. 1, 1946/47, S. 353–360. + In:
         L 879, S. 3–9.

L 881   Adolph, Rudolf: HH. Schutzpatron der Bücherfreunde. – Olten: (VOB) 1952.
         23 S. – Aufl.: 250.

L 882   Adolph, Rudolf: Liebhabereien mit Büchern. Nürnberg: Glock u. Lutz (1956),
         S. 24, 34f., 64, 73f. (Musische Bibliothek.)

L 883   Johann, Ernst: HH. und die Welt der Bücher. In: FAZ Nr. 149 v. 2. 7. 1957.

L 884   Adolph, Rudolf: HH. Freund der Bücher. Erinnerung und Dank. – (Mchn: Her-
         bert Post Presse [1959].) 17 S.

Buchhandel

L 885   [Kliemann, Horst]: HH. 70 Jahre. In: Bbl (Ffm) 3, 1947, S. 224.

L 886   Pfeifer, Martin: HH. und der Buchhandel. In: Bbl (Lpz) 122, 1955, S. 750f.

Buddhismus s. Osten

Alle Bücher dieser Welt

L 887   Hafner, Gotthilf: HH. Alle Bücher dieser Welt. Hg. v. Karl H[ildebrand] Silo-
         mon. In: WuW 7, 1952, S. 327.

Bürgertum s. Gesellschaft

Jakob Burckhardt

Hering, Gerhard F.: Burckhardts Worte im Glasperlenspiel. 1947 s. L 1217

Peter Camenzind

L 888 Auernheimer, Raoul: Der Roman eines Dichters. In: Die Wage (Wien) 7, 1904, Nr. 35, S. 779–782. (LitE, Met)

L 889 Bethge, Hans in: Münchner Ztg. Nr. 53 v. 4. 3. 1904. (LitE, Met)

L 890 Böckel, Fritz: HH., ein Dichter der Sehnsucht. In: Tägliche Rs. (Lpz) Nr. 462 v. 1. 10. 1904. (DA, Met)

L 891 Busse, Carl in: VKMtsh 19, 1904/05, I, S. 119.

L 892 Diederich, Franz: HH.: Peter Camenzind. In: Die neue Zeit (Stgt) 23, 1904/05, I, S. 222–224.

L 893 D[üsel], F[riedrich] in: WMtsh 49, 1904/05, Bd. 97, S. 160f.

L 894 Eloesser, Arthur in: NRs 15, 1904, S. 692–694.

L 895 Federn, Karl: Peter Camenzind. Roman von HH. In: LitE 7, 1904/05, Sp. 78f.

L 896 Gerhard, D.: Peter Camenzind. In: Der alte Glaube (Lpz) 6, 1904, Nr. 3, Sp. 61–65. (LitE, Met)

L 897 Ginzkey, Franz Karl: Peter Camenzind. In: Tagespost (Graz) Nr. 107 v. 17. 4. 1904, 5. Bogen.

L 898 Hoffmann, Camill: Der Roman eines jungen Dichters. In: Die Zeit (Wien) Bd. 39, 1904, Nr. 503, S. 92f.

L 899 Marti, Fritz: Peter Camenzind von HH. In: NZZ Nr. 80 v. 20. 3. 1904.

L 900 Pötzl, Eduard: Peter Camenzind. In: Neues Wiener Tgbl. 1904, Nr. 350. (LitE)

L 901 Puttkamer, Alberta von: HH. Peter Camenzind. In: Der Tag (Bln) Nr. 305 v. 2. 7. 1904. (LitE, Met)

L 902 Reichel, Eugen in: Die Gegenwart (Lpz) 33, 1904, Bd. 66, S. 151f.

L 903 Reinhart, Ernst: Ein gutes Buch. In: Die Zukunft (Bln) 12, 1904, Nr. 39, S. 490 bis 492. (Met)

L 904 Schaukal, Richard: Ein neues Buch von HH. In: Wiener Abendpost Nr. 66 v. 19. 3. 1904. (LitE, Met)

L 905 Servaes, Franz: Ein neuer Poet: HH. In: Neue Freie Presse (Wien) Nr. 14 358 v. 14. 8. 1904, S. 30–32. (LitE, Met)

L 906 Spiero, Heinrich in: Die Grenzboten (Bln) 63, 1904, II, S. 574f.

L 907 Zweig, Stefan: Ein Roman von HH. In: Die Freistadt (Mchn) 6, 1904, H. 14, S. 270. (Met)

L 908 Enderes, R. v.: Peter Camenzind. In: Wiener dt. Tgbl. Nr. 26 v. 26. 1. 1905. (LitE, Met)

L 909 Schönbach, Anton E. in: Die Kultur (Wien) 6, 1905, H. 1, S. 30f. (LitE, Met)

L 910 Schott, Sigmund: Peter Camenzind und anderes. In: Beil. zur Allg. Ztg. (Mchn) Nr. 85 v. 11. 4. 1905, S. 67f. (Met)

L 911 Schwab, J. in: Borromäus-Blätter (Bonn) 2, 1905, Nr. 12, S. 237. (Met)

L 912 Storck, K.: Sonderbündler. In: Der Türmer (Stgt) 7, 1905, H. 11, S. 681f. (Met)

L 913   Enders, Carl: HH. In: Zeitfragen. Beil. zur Dt. Tagesztg. (Bln) Nr. 34 v. 20. 8. 1905. (DA, LitE, Met)

L 914   Kraeger, Heinrich: HH. Peter Camenzind. In: H. K.: Vorträge u. Kritiken. Oldenburg: Schulze [1911], S. 210–212.

L 915   Hartwich, Otto: Die große Sehnsucht. HH.: Peter Camenzind. In: O. H.: Kulturwerte aus der modernen Lit. Bd. 3. Bremen: Leuwer 1912, S. 50–79.

L 916   Wirz-Wyß, Otto: Der Peter Camenzind. In: Die Alpen (Bern) 7, 1912/13, H. 4. (LitE, Met)

L 917   Fischmann, Hedwig: Das Bild der Alpen in der dt. Dichtg. In: LitE 20, 1917/18, bes. Sp. 272.

Bick, Ignatz: HH.: «Unterm Rad», «Peter Camenzind» u. «Demian». Erkennen u. Erforschen der Kindheit. 1931 s. L 1379

L 918   Kehr, Charlotte: Der Versuch zu positiver Lebensgestaltung und sein Ausweg in Resignation [Ricarda Huch: Michael Unger; HH.: Peter Camenzind]. In: Ch. K.: Der dt. Entwicklungsroman seit d. Jahrhundertwende. Dresden 1939: Dittert, S. 39–50. Diss. Lpz.

Schöfer, Wolfgang: HH., Peter Camenzind u. das Glasperlenspiel. 1948 s. L 1244

L 919   Brion, Marcel: Peter Camenzind. In: Le Monde (Paris) v. 11. 1. 1951, S. 7.

L 919a   Kraul, Fritz: Die Problematik d. literar. Wertung im Deutschunterr. d. Oberstufe. In: DtUnterr 3, 1951, H. 6, bes. S. 69–73. (L 759c)

L 920   Bonwit, Marianne: Der leidende Dritte. In: Univ. of California Publications in modern Philology (Berkeley) 36, 1952, bes. S. 110.

L 921   Pfeifer, Martin: 50 Jahre «Peter Camenzind». In: Arnstädter Kulturbote, April 1954, S. 17–19.

L 922   Türke, Kurt: Das Überflüssige u. seine Folgen. In: Neue dt. Lit. (Bln) 2, 1954, H. 4, S. 166f.

L 923   (Günnel, Peter): «Peter Camenzind». In: L 74, S. 32–38.

Chiliasmus

L 923a   Ziolkowski, Theodore: HH's. chiliastic vision. In: L 76a, S. 199–210.

Christentum

L 924   Hirsch, Willi: HH. und das Christentum. – Akzeßarbeit. Theolog. Fakultät der Univ. Bern 1943. [Mschr.] (Mi)

L 925   Schwinn, Wilhelm: HH's. Altersweisheit und das Christentum. – Mchn: Claudius-Verl. 1949. 39 S. (Bücherei d. Evang. Akademie d. Evang.-Luth. Kirche in Bayern. 1.)

L 926   Mayer, Gerhart: Die Begegnung des Christentums mit den asiatischen Religionen im Werk HH's. – Bonn: Röhrscheid 1956. 181 S. (Untersuchungen zur allg. Religionsgeschichte. NF 1.) Diss. Marburg 1954. [Rez. von H. Roeder in: Die Zeit (Hambg.) Nr. 33 v. 15. 8. 1957, S. 6; von Harald Rieger in: gespr [H. 7], Juli 1960, S. 5–7.]

Dank an Goethe

L 927   K[orrodi], E[duard]: HH's. «Dank an Goethe». In: NZZ Nr. 1541 v. 31. 8. 1946.

L 928   Maurer, K. W.: Dank an Goethe von HH. In: The Gate (Bremen) 2, 1948, H. 2, S. 50f.

Dekadenz

L 929   Eickhorst, William: Dekadenz in der neueren dt. Prosadichtg. (Mississippi): Selbstverl.; (Delmenhorst: Rieck 1953), bes. S. 190–196.

Demian

L 930   Johst, Hanns in: NRs 30, 1919, S. 1385f.

L 931   Betz, Harry L.: Emil Sinclair: Demian. In: Lesez 7, 1919/20, S. 123.

L 932   Beyel, Christian: Ein Jugend-Roman. In: Literar. Anz. (Graz) Jg. 1920, Nr. 2, S. 18–20. (Met)

L 933   Gutkind, Curt Sigmar: Freund und Führer. In: Frankf. Ztg. Nr. 609 v. 19. 8. 1920. + Tdr. in: LitE 23, 1920/21, Sp. 36.

L 934   Helbling, Carl: Romane vom Jüngling: Emil Sinclair: Demian. In: NZZ Nr. 199 u. 202 v. 5. 2. 1920.

L 935   Job, Jakob: Emil Sinclair: Demian. In: Schweiz 24, 1920, S. 523–525.

L 936   Klabund [d. i. Alfred Henschke]: Allerlei. In: NRs 31, 1920, S. 1109–1111.

L 937   K[orrodi], E[duard]: Wer ist der Dichter des Demian? In: NZZ Nr. 1050 v. 24. 6. 1920.

L 938   Korrodi, Ed[uard]: An HH., den Dichter des Demian. In: NZZ Nr. 1112 v. 4. 7. 1920.

L 939   Missenharter, Hermann in: Der schwäb. Bund (Stgt) 2, 1920/21, I, S. 397f.

L 940   Mumbauer, Johannes: Emil Sinclair: Demian. In: Literar. Handweiser (Freiburg i. Br.) 56, 1920, Sp. 191.

L 941   Schaeder, Hans Heinrich: Emil Sinclair. Demian. In: Die Grenzboten (Bln) 79, 1920, I, S. 373f.

L 942   Werckshagen, Carl in: Junge Menschen (Hambg.) 1, 1920, S. 223.

L 943   Cardauns, Hermann in: Die Bücherwelt (Bonn) 18, 1921, H. 4/5, S. 105f. (Met)

L 944   Endell, Frida: HH.: Demian. In: BuB 1, 1921, S. 289f.

L 945   Guilland, Antoine: «Demian» et le retour à la sagesse asiatique. In: Bibliothèque universelle et Revue Suisse (Lausanne) tome 102, 1921, S. 366–368.

L 946   Kunze, Wilhelm in: Der Bund (Nürnberg) 3, 1921, H. 1/2, S. 35f. (Met)

P 947   P[echel], R[udolf] in: Dt. Rs. 47, 1921, Bd. 186, S. 240f.

L 948   Sieveking, Gerhart: HH. und wir Jüngsten. In: NZZ Nr. 276 v. 22. 2. 1921.

L 948a Strohmayer, Wilhelm: Über Pubertätskrisen u. die Bedeutg. d. Kindheitserlebnisses. Zwei Dichterbeitrr. zur Kinderforschg. Langensalza: Beyer 1922, S. 5–13. (Beitrr. z. Kinderforschg. u. Heilerziehg. Beihefte zur «Zs. f. Kinderforschg.» 187.) (L 759c)

L 949   HH.: Demian. In: BasNachr 1922, Nr. 22. (LitE) + Tdr. in: LitE 24, 1921/22, Sp. 803.

L 950   «Demian». In: NYT Book Rev. v. 8. 4. 1923, S. 14. (Mi)

L 951   Craven, H. Thomas: German Symbolism. «Demian». In: Dial (Chicago) 74, 1923, S. 619f. (Jo1, Mi)

L 952   W. A. N.: «Demian». In: Boston Transcript v. 14. 4. 1923, S. 5. (Mi)

L 953   Bernoulli, Carl Albrecht: Frau Eva in HH's. Demian. In: C. A. B.: Johann Jakob
         Bachofen u. das Natursymbol. Basel: Schwabe 1924, S. 493f.

L 954   Br[aun], H[arald]: Der Gott in den Dingen. Zu Romanen von HH., Frank Thiess
         u. Alfred Fankhauser. In: EckBll 2, 1925/26, S. 20–22.

L 955   Treuhan, M.: Von zwei Büchern HH's. In: Buch und Volk (Reichenberg i. B.) 3,
         1925, S. 142f.

L 956   Zeidler, Kurt: Die Wiederentdeckung der Grenze. Jena: Diederichs 1926, S. 31.

L 957   Gowan, Birdeena L.: «Demian» by HH. In: MDU 20, 1928, S. 225–228.

L 958   Riboni, Denise: HH. et l'idée de l'unité. In: Bibliothèque universelle et Revue
         de Genève Jg. 1928, S. 166–172.

L 959   Süskind, W[ilhelm] E[manuel]: Jugend als Lebensform. In: NRs 40, 1929, I, bes.
         S. 822f.

         Kunze, Wilhelm: Vom Demian zu Goldmund. 1930 s. L 1687

         Wiegler, Paul: Vom Demian zu Narziß u. Goldmund. 1930 s. L 1694

         Bick, Ignatz: HH.: «Unterm Rad», «Peter Camenzind» und «Demian». Erken-
         nen u. Erforschen der Kindheit. 1931 s. L 1379

L 960   Samuel, Richard u. R. Hinton Thomas: Expressionism in German Life, Lit., and
         the Theatre. Cambridge: Heffer 1939, S. 121f.

L 960a   Rich, Doris E.: HH.: Demian. In: D. E. R.: Der dt. Entwicklungsroman am
         Ende der bürgerl. Kultur. (1892–1924.) Diss. Cambridge/Mass., Radcliffe College
         1940, Bl. 32–52. [Mschr.] (Mi, L 759a)

L 961   Hirsch, Felix E.: Demian. In: Library Journal (New York) 72, 1947, S. 1685.
         (Jo1, Mi)

         Mann, Thomas: Einltg. zu einer amerik. Demian-Ausg. 1947 s. L 276

L 962   Farrelly, John: Demian. In: The New Republic 118, 1948, Nr. vom 23. 2., S. 24.
         (Jo1, Mi)

L 963   Freemantle, Anne: Good and evil. Demian. In: NYHTrib Weekly Book Rev.
         v. 29. 2. 1948, S. 27. (Jo1, Mi)

L 964   Morris, A. S.: The will to perish. Demian. In: NYT Book Rev. v. 1. 2. 1948,
         S. 6. (Jo1, Mi)

L 965   Pick, Robert: Demian. In: SRevLit 31, 1948, Nr. vom 24. 1., S. 18. (Jo1, Mi)

L 966   Overberg, Marianne: Die Bedeutung der Zeit in HH's. «Demian». Diss. Bonn
         1948. 109 Bl. [Mschr. vervielf.]

         Larson, R. C.: The Dream as literary device in five novels by HH. 1949 s. L 1998

         Böhme, Siegfried: Die Bedeutung von «Roßhalde» u. «Demian» für das Gesamt-
         werk HH's. 1950 s. L 1865a

L 967   Adenauer, Charlotte: Stefan Andres «Ritter der Gerechtigkeit» – HH. «Demian».
         Ein Vergleich. In: Ch. A.: Eine zeitmorpholog. Untersuchg. des Romans «Ritter
         d. Gerechtigkeit» von Stefan Andres. Diss. Bonn 1951, Bl. 108–113. [Mschr.]

L 968   Bock, Emil: Edward Lytton Bulwer: Zanoni – HH.: Demian. In: Die Christen-
         gemeinschaft 24, 1952, S. 250–252.

L 969   Dahrendorf, Malte: HH's. Demian. Sein Problemgehalt, seine Grundlagen u.
         seine Stellung im Gesamtwerk d. Dichters. – Staatsexamensarbeit Hamburg 1953.
         111 Bl. [Mschr.]

Wagner, Marianne: Zeitmorpholog. Vergleich von HH's. «Demian», «Siddhartha», «Der Steppenwolf» u. «Narziß u. Goldmund» zur Aufweisung typischer Gestaltzüge. 1953 s. L 2059

L 970   (Günnel, Peter): «Demian». In: L 74, S. 49–57.

L 971   Weber, Werner: Figuren und Fahrten. Aufsätze zur gegenw. Lit. Zch: Manesse (1956), S. 113–115.

L 972   Dahrendorf, Malte: HH's. ‚Demian' und C. G. Jung. In: German.-Romanische Monatsschr. (Heidelberg) 39=NF 8, 1958, S. 81–97.

L 973   Wilson, Colin in: The Observer v. 15. 6. 1958.

Mileck, Joseph: Names and the creative process. A study of the names in HH's. «Lauscher», «Demian», «Steppenwolf», and «Glasperlenspiel». 1961 s. L 1677a

Deutschland

L 974   Ein «deutscher» Dichter. In: Kölner Tgbl. v. 24. 10. 1915. (LitE, Met) + In: Süddt. Ztg. (Stgt) v. 27. 10. 1915. + Tdr. in: LitE 18, 1915/16, Sp. 296.

L 975   Heuss, Theodor: HH., der «vaterlandslose Geselle». In: Neckar-Ztg. (Heilbronn) Nr. 255 v. 1. 11. 1915. (LitE, Met)

L 976   Missenharter, Hermann: (Über Th. Heuss' Verteidigung H's.) In: Begegnungen mit Theodor Heuss. Hg. v. Hans Bott u. Hermann Leins. Tüb: Wunderlich 1954, S. 310f.

L 977   Nochmals HH. In: Württ. Ztg. (Stgt) Nr. 258 v. 4. 11. 1915.

L 978   Gg.: HH. und der Patriotismus. In: NZZ Nr. 1491 v. 6. 11. 1915.

L 979   Haussmann, Conrad in: Der Beobachter v. 15. 11. 1915. (L 696)

L 980   Epping, Friedrich: HH. und der Krieg. In: Ztg. f. Lit., Kunst u. Wissenschaft, Beil. z. Hamburg. Correspondent 38, 1915, Nr. 24. (LitE, Met)

L 981   Missenharter, Hermann in: Der schwäb. Bund (Stgt) 1, 1919/20, II, S. 447f.

L 982   Hecht, Gustav: Offener Brief an HH. In: Dt. Volkstum (Hambg.) [31=] 11, 1929, S. 603–611. + Franz Schall: Um HH. Ebd. [32=] 12, 1930, S. 232–235.

L 983   Bi[ermer, Lily]: Unsere Meinung. [Betr. P 1063.] In: DNL 36, 1935, S. 685–687.

L 984   Unsere Meinung. [Betr. B 152.] In: DNL 37, 1936, S. 58.

L 985   V[esper], W[ill]: Unsere Meinung. In: DNL 37, 1936, bes. S. 239–242.

L 986   M[etelmann], E[rnst]: Unsere Meinung. In: DNL 38, 1937, bes. S. 371f.

L 987   Grothe, Heinz: Der Dichter HH. und wir. In: National-Ztg. (Essen) v. 3. 7. 1937.

L 988   Rang, Bernhard: HH. u. das gegenwärt. Deutschland. In: Die Bücherei (Lpz) 9, 1942, S. 223–226.

L 989   Huch, Ricarda: Loslösung vom Nationalgefühl. Eine Erwiderung an HH. In: Tägliche Rs. (Bln) Nr. 86 v. 12. 4. 1946. (Pf) + Heinrich Dietze: «Deutschbewußt, klar und gütig...». Ebd. Nr. 98 v. 27. 4. 1946. (Pf) + Paul Wilhelm: Lanze für HH. Ebd. Nr. 98 v. 27. 4. 1946. (Pf) + Martin Hees: «Es ist lehrreich, zu beobachten...». Ebd. Nr. 128 v. 5. 6. 1946. (Pf) + Otto Stamm: Selbstüberprüfung tut not! Ebd. Nr. 128 v. 5. 6. 1946. (Pf)

L 990   B[asler], O[tto]: HH. Der Dichter in uns. Zeit. In: NatZ Nr. 294 v. 29. 6. 1952, Sobeil.

L 991   Hein,Willy: Licht in der Nacht. HH. In: Die Zukunft (Reutlingen) 2,1947, Nr. 1. S.5.

L 992   ek.: HH. auf der schwarzen Liste. In: Der Bund (Bern) Nr. 533 v. 14. 11. 1945.

L 993   Eine amerikanische Diskreditierung HH's. In: NatZ Nr. 534 v. 17. 11. 1945.

L 994   Martin, Bernhard: Offener Brief an HH. In: Die neue Schau (Kassel) Jg. 1946, S. 24f.

L 995   Bauer, Arnold: Die andere Möglichkeit. In: Sie (Bln) 2, 1947, Nr. 26, S. 7.

L 996   Hill, Claude: HH. u. Deutschland. In: New Yorker Staatsztg. u. Herold v. 29. 6. 1947.

L 997   Hill, Claude: HH. and Germany. In: GQ 21, 1948, S. 9–15.

L 998   Otto, Heinrich: HH. als Künstler und Mahner. In: Das andere Deutschland (Hannover) 14, 1952, Nr. 6, S. 8 u. Nr. 7, S. 8.

L 999   HH. Im Gemüsegarten. In: Der Spiegel (Hambg.) 12, 1958, Nr. 28, S. 42–48. + Bernhard Martin: HH. im Zerr-Spiegel. In: Die neue Schau (Kassel) 19, 1958, S. 307f. + Werner Rhode: H. und die «Spiegel»-Fechterei. In: gespr [H. 2], Dez. 1958, S. 7f. + [J.] Ruland: Spiegel oder Zerrspiegel? In: Der Jungbuchhandel (Köln) 12, 1958, S. 255f.

Dichtertum s. Künstlertum

Gesammelte Dichtungen s. Gesammelte Schriften

Diesseits

L 1000   Busse, Carl in: VKMtsh 21, 1906/07, II, S. 610.

L 1001   Finckh, Ludwig: Diesseits. In: Prop 4, 1906/07, S. 502f.

L 1002   Guilland, Antoine in: La Semaine littéraire (Genève) 15, 1907, S. 279.

L 1003   Heuss, Theodor: Diesseits. Erzähln. von HH. In: LitE 9, 1906/07, Sp. 1846–1848. + In: Die Hilfe (Bln) 13, 1907, S. 285. + In: L 68, S. 188–190. + In: L 75, S. 1.

L 1004   Himmelbauer, Franz: HH. In: Wiener Abendpost Nr. 159 v. 13. 7. 1907.

L 1005   M[arti], F[ritz]: Diesseits. In: NZZ Nr. 111 v. 22. 4. 1907, 3. Mbl.

L 1006   Schäfer, Wilhelm: Diesseits. In: Rhlde 7, 1907, Bd. 13, S. 199.

L 1007   Sch[mid], F[ranz] O[tto]: Diesseits. In: Berner Rs. 1, 1906/07, S. 591f.

L 1008   Schoepp, H.: Ein Novellenkranz. In: BasNachr Nr. 170 v. 25. 6. 1907. (LitE, Met)

L 1009   Schultze, Karl: HH., Diesseits. In: Der Kunstwart (Mchn) 21, 1907/08, I, S. 258f.

L 1010   Sommer, Rudolf: Diesseits. Erzähln. v. HH. In: Wiener dt. Tgbl. Nr. 175 v. 28. 6. 1907.

L 1011   Schaffner, [Jakob]: Diesseits. In: NRs 19, 1908, S. 156f.

L 1012   Kraeger, Heinrich: HH. Diesseits. In: H. K.: Vorträge u. Kritiken. Oldenburg: Schulze [1911], S. 214f.

L 1013   Ackerknecht, Erwin: Diesseits. In: BuB 10, 1930, S. 302.

L 1014   Scheffler, Herbert: Diesseits. Acht Erzähln. v. HH. In: Lit 32, 1929/30, S. 599.

Dinge

L 1015   Kilchenmann, Ruth J.: HH. und die Dinge. (Unter Bezugnahme auf Rainer Maria Rilke.) In: GQ 30, 1957, S. 238–246.

Gontrum, Peter Baer: Natur- und Dingsymbolik als Ausdruck der inneren Welt HH's. 1958 s. L 1715

Fedor M. Dostojewski

L 1016 K[orrodi, Eduard]: Dostojewski-Kritik. In: NZZ Nr. 985 v. 13. 6. 1920.

L 1017 Bahr, Hermann: Kritik der Gegenwart. Augsburg: Haas & Grabherr 1922, S. 92–96.

L 1018 Natorp, Paul: Fjedor Dostojewskis Bedeutg. für die gegenwärt. Kulturkrisis. Jena: Diederichs 1923, S. 36, 37.

L 1019 Erné, Nino: Ein Beitrag zum Thema: HH. und Dostojewski. In: Dt. Beitrr. 1, 1946/47, S. 345–353.

Einsamkeit

L 1020 Seidl, Florian: HH. Eine Auseinandersetzung. In: Die Scholle (Ansbach) 4, 1927/28, S. 330–333.

L 1021 Bruckner, [?]: Einsamkeit und Zusammenleben bei HH. – Diplôme d'étude supérieure Bordeaux 1947. 150 Bl. [Mschr.] (Mi)

L 1022 Rieger, Harald: Einsamkeit und der Weg zum Selbst. In: gespr [H. 2], Dez. 1958, S. 8f.

Empfindsamkeit

L 1023 Poestges, Friedhelm: HH. und die Empfindsamkeit. – Diss. Köln 1955. 208 Bl. [Mschr.]

England

L 1024 Natan, Alex: Leser läßt sich nicht verlocken. Der Dichter HH. ist in England kaum bekannt. In: gespr [H. 3], April 1959, S. 7f. + Zuvor in: Hanauer Anz. v. 3. 3. 1959.

Field, G[eorge] Wallis: HH. as a critic of English and American literature. 1961 s. L 1510b

Epik

L 1025 Spenlé, Jean-Eduard: Les derniers romans de HH. In: Mercure de France (Paris) tome 185, 1926, S. 74–87.

Audlauer, A.: Le motif de la mère dans les romans de HH. 1942 s. L 1668a

L 1026 Knell, Elisabeth: Die Kunstform der Erzählungen und Novellen HH's. – Diss. Wien 1938. 141 Bl. [Mschr.]

Fuchs, Karl: HH's. Bild des Menschen. (Nach dem epischen Werk des Dichters.) 1949 s. L 1600

Pfeifer, Martin: Verseinlagen in modernen Prosadichtungen, hauptsächl. dargelegt an Werken HH's. 1950 s. L 1526

L 1027 Spiero, Heinrich: Geschichte des dt. Romans. Bln: de Gruyter 1950, S. 555f.

L 1028 Baumer, Franz: Das magische Denken in der Dichtung HH's. Versuch einer Wesensschau seiner Epik. – Diss. München 1951. 175, 17 Bl. [Mschr.]

L 1029 Martini, Fritz: Wandlungen u. Formen des gegenwärt. Romans. In: DtUnterr 3, 1951, H. 3, bes. S. 13, 23.

L 1030 Majut, Rudolf: Geschichte des dt. Romans vom Biedermeier bis z. Gegenw. In: Dt. Philol. im Aufriß. Hg. v. Wolfgang Stammler. Bd. 2. Bln u. Bielefeld: Schmidt (1954), bes. Sp. 2392–2394, 2468f.

L 1031 Rang, Bernhard: Die Wandlungen des Epischen. In: Dt. Lit. im XX. Jahrhundert. Hg. v. Hermann Friedmann u. Otto Mann. Heidelberg: Rothe (1954), bes. S. 193f. + 3. erw. Aufl. Ebd. 1959, bes. S. 65f.

L 1032 Dahrendorf, Malte: Der «Entwicklungsroman» bei HH. – Diss. Hamburg 1955. 308 Bl. [Mschr. vervielf.]

L 1033 Heuschele, Otto: HH's. Erzählungen. In: Weltstimmen (Stgt) 24, 1955, S. 35.

L 1033a Quatresous, M.: La technique du roman chez HH. – Diplôme d'étude supérieure Paris 1956. 111 Bl. [Mschr.] (L 759a)

Essner-Schaknys, Günther: Die epische Wirklichkeit und die Raumstruktur des modernen Romans. 1957 s. L 1299

L 1034 Freedman, Ralph: Romantic imagination: HH. as a modern novelist. In: PMLA 73, 1958, S. 275–284.

L 1035 Peppard, Murray B.: Notes on H's. narrative technique. In: Kentucky Foreign Language Quart. (Lexington) 6, 1959, S. 169–178. (PMLA)

L 1036 Puppe, Heinz Werner: Die soziolog. u. psycholog. Symbolik im Prosawerk HH's. – Diss. Innsbruck 1959. V, 224 Bl. [Mschr.]

L 1037 Schiefer, Peter: Grundstrukturen des Erzählens bei HH. – Diss. Münster/Westf. 1959. VI, 191 Bl. [Mschr. vervielf.]

Zwei jugendliche Erzählungen

L 1038 Schwarz, Georg: HH's. früheste Prosa. In: WuW 14, 1959, S. 72.

Herbert Eulenberg

L 1039 Eulenberg, Hedda: Im Doppelglück von Kunst u. Leben. Düsseldorf: Die Fähre [1952], S. 391f.

Der Europäer

L 1040 Schacht, Roland: Rückblicke, Einblicke, Ausblicke. In: Aufbau (Bln) 2, 1946, bes. S. 1180.

L 1041 Hartung, Ludwig: HH.: Der Europäer. In: WuW 3, 1948, S. 129.

Fabulierbuch

L 1042 Barth, Emil: Fabulierbuch. Erzählungen von HH. In: Lit 37, 1934/35, S. 411.

L 1043 N. H.: HH's. Fabulierbuch. In: NRs 46, 1935, II, S. 110f.

L 1044 K[orrodi], E[duard]: HH's. Fabulierbuch. In: NZZ Nr. 392 v. 7. 3. 1935.

L 1045 Niebelschütz, Wolf von: Fabulieren, erzählen u. Erzählgn. schreiben. (Neues von HH. u. Lernet-Holenia.) In: Magdeburgische Ztg. 1935, Lit. Beil. Nr. 18. (Lit)

L 1046 Schulz, Kurd: Fabulierbuch. In: Die Bücherei (Lpz) 2, 1935, S. 428.

Familie

L 1047 Hunnius, Monika: Mein Onkel Hermann. Erinnerungen an Alt-Estland. Mit einem Geleitw. v. HH. 86.–90. Tsd. – Heilbronn: Salzer 1955. 125 S. [Über H's. Großvater väterlicherseits; zuerst 1921.] + Dazu: Monika Hunnius: Mein Weg zur Kunst. 85.–86. Tsd. Heilbronn: Salzer 1951, S. 314–316. [Zuerst 1924.]

L 1048 Hunnius, Monika: Johannes. In: M. H.: Aus Heimat u. Fremde. Heilbronn: Salzer 1928, S. 105–118. + Separat: (Heilbronn: Salzer 1948.) 15 S. [H's. Vater.]

L 1049 Baaten, Heta: Die pietistische Tradition der Familien Gundert und Hesse. (Teildruck aus der Diss.: Der Romantiker HH. Eine geistesgeschichtl. Untersuchg. seines Werkes auf dem Hintergrund der pietist. Tradition seiner Familie.) – Bochum-Langendreer 1934: Pöppinghaus. XI, 42 S. – Tdr. aus L 1839

L 1050 Marie Hesse. Ein Lebensbild in Briefen und Tagebüchern. Ausgew. von Adele Gundert. – Stgt: Gundert (1934). 253 S. – 5.–7. Tsd. 1934; 8.–10. Tsd. 1934; 11. bis 13. Tsd. 1940; 14.–16. Tsd. 1953. 284 S. [Rez. von Hans Härlin in: Weltstimmen (Stgt) 8, 1934, S. 479f.; von Rr. in: Schwäb. Merkur Nr. 225 v. 27. 9. 1934, Beil.; von Lily Biermer in: DNL 36, 1935, S. 221.] + Tdr. in: L 72, S. 23f., 29f., 58, 60. [H's. Mutter.]

L 1051 Frohnmeyer, Ida: In Erinnerung. In: Die Ernte. Schweiz. Jahrbuch (Basel) 22, 1941, S. 65–72. [H's. Vater.]

L 1052 Finckh, Ludwig: Schwäbische Vettern. – (Köln-Lövenich: Westdt. HH.-Archiv 1948.) 16 S. (1. Archiv-Sonderdruck.) – Aufl.: 100.

L 1053 Finckh, Ludwig: Die Ahnen des Dichters HH. In: Genealogie u. Heraldik (Schellenbg. b. Berchtesgaden) 3, 1951, S. 1f.

L 1054 Lemm, Robert Arthur von: Die väterliche Seite der Ahnen HH's. In: Genealogie u. Heraldik (Schellenbg. b. Berchtesgaden) 3, 1951, S. 94f.

L 1055 H[äussermann], O[ttilie]: Marie H., eine zärtliche Mutter. Zu ihrem 50. Todestag. In: StgtNachr Nr. 108 v. 10. 5. 1952.

L 1056 Frohnmeyer, Ida: In HH's. Elternhaus. In: Schweizer Frauenbl. (Winterthur) 36, 1957, Nr. 27–29.

L 1057 Thomson, Erik: HH. u. sein ostdt. Ahnenerbe. In: Ostdt. Mtsh. (Stollhamm/ Oldbg.) 23, 1956/57, S. 535–542.

L 1058 Thürer, Georg: Angesichts von HH's. Lebenswerk. Nachwirkende Kräfte des Elternhauses. In: St. Galler Tgbl. Nr. 300 v. 29. 6. 1957.

L 1058a Loderhose, Karl-Erich: HH. und seine Mutter. In: K.-E. L.: Das Antlitz der Mutter im Spiegel d. Lit. Bad Homburg v. d. H.: Gehlen (1959), S. 60–62.

Farbe

L 1059 Humm, R[udolf] J[akob]: Die Farbe Rot in den Gedichten von HH. In: Du. Schweiz. Monatsschr. (Zch) 3, 1943, H. 10, S. 52, 55.

Ludwig Finckh

Finckh, Ludwig: Der Rosendoktor. 1906 s. L 594

L 1060 Bruder, Erhard: Ludwig Finckh. In: DNL 37, 1936, bes. S. 199.

L 1061 Fink, Gertrud: Ludwig Finckh. Leben u. Werk. Tüb: Heine 1936, bes. S. 31–35.

L 1062 Wurster, Gotthold: Der deutsche Finckh. Leben u. Werk. Mchn: Dt. Volksverl. 1941, S. 9–11, 15. (Der deutsche Finckh. 1.)

Finckh, Ludwig: Verzauberung. 1950 s. L 596

Finckh, Ludwig: Begegnungen mit HH. 1957 s. L 597

Vgl. L 1097

Forschungsbericht

L 1063 Harder, Hans in: Augsburger Postztg. 1927, Nr. 207. (Lit)

L 1064 Cysarz, Herbert: Jahrhundertwende u. Jahrhundertwehen. Zur Erforschung d. Lit. seit d. Naturalismus. In: Dt. Vierteljahrsschr. f. Literaturwiss. u. Geistesgesch. 7, 1929, bes. S. 789–792.

L 1065 Mileck, Joseph: H.-collections in Europe. In: MDU 47, 1955, S. 290–294. + In: L 1067, S. 203–207.

L 1066 Mileck, Joseph: H.-bibliographies. In: MDU 49, 1957, S. 201–205. + In: L 1067, S. 208–213.

L 1067 Mileck, Joseph: HH. and his critics. The criticism and bibliogr. of half a century. – Chapel Hill: Univ. of North Carolina Press (1958). XIV, 329 S. (Univ. of North Carol. studies in the Germ. languages and literatures. 21.) + Joseph Mileck: [Selbstanzeige] in: Year Book of the American Philos. Soc. (Philadelphia) Jg. 1957, S. 439–441. [Rez. von M. Boulby in: MLR 54, 1959, S. 292f.; von Claude Hill in: GQ 32, 1959, S. 280f.; von Sidney M. Johnson in: GR 34, 1959, S. 300 bis 302; von J. C. Middleton in: GLL 12, 1958/59, S. 149–151; von Murray [B.] Peppard in: MDU 51, 1959, S. 320f.; von Jean Petit in: EG 14, 1959, S. 159 bis 165; von Leroy R. Shaw in: MLQ 20, 1959, S. 294f.]

L 1068 Pfeifer, Martin: HH.-Bibliographien u. HH.-Sammlungen. Ein Beitrag zur H.-Forschung. – Ffm: Freundesbund für HH. 1960. 14 S. [Mschr. vervielf.] (gespr [H. 6], März 1960.) + Berichtigung in: gespr [H. 7], Juli 1960, S. 14. + In: Bbl (Ffm) 16, 1960, S. 622–631.

Frankreich

L 1069 HH. in Frankreich. In: Neuphilolog. Zeitschr. (Bln) 1, 1949, H. 3, S. 67f.

L 1070 Debruge, Suzanne: HH. en France. In: Revue des langues vivantes (Bruxelles) 16, 1950, S. 270f.

L 1071 Colleville, Maurice: HH. und Frankreich. In: Deutschland-Frankreich. Ludwigsburger Beitrr. [Bd. 1.] Stgt: Dt. Verl.-Anst. (1954), S. 209–227. + In: Pariser Universitäts-Woche. Mchn-Gräfelfing: Werk-Verl. 1955, S. 271–286.

L 1072 Hafner, Gotthilf: Frankreich u. HH. In: WuW 10, 1955, S. 172.

L 1073 U[de], K[arl]: HH. u. Frankreich. In: WuW 10, 1955, S. 104.

Franz von Assisi

L 1074 M[arti], F[ritz] in: NZZ Nr. 338 v. 5. 12. 1904, Mbl.

L 1075 Meyer, Richard M.: Neue Essais. In: LitE 7, 1904/05, bes. Sp. 1186.

Frauen

L 1076 Kunstmann, Lisa: HH's. Frauengestalten. In: Frau u. Gegenwart 4, 1927, Nr. 26, S. 7. (Met)

Freunde

L 1077 HH. «Freunde». Eine VOB-Publikation zum 80. Geb. d. Dichters. In: Oltner Tgbl. v. 7. 8. 1957.

L 1078 A. J. in: NZZ Nr. 3639 v. 9. 12. 1957.

Freundeskreis

L 1079 Unger, Wilhelm: Die H.-Gemeinde. In: The Gate (Bremen) 1, 1947, H. 1, S. 14 bis 19.

L 1080 Rasche, Friedrich: Drucksachen aus Montagnola. HH. u. sein Freundeskreis. In: Hannov. Presse Nr. 148 v. 29. 6. 1957.

L 1081 gespräche. [Zeitschr.] – Ffm (Schließfach 10 133): Freundesbund für HH. [Nr. 1]: Juni 1958 ff. – [Erscheint in zwangloser Folge; mschr. vervielf.]

Frühzeit

L 1082 Böhme, Gerhard: HH. In: EckLit 1, 1906/07, S. 675–679.

L 1083 Wyss, Hans A.: Aus HH's. Frühzeit. In: SchwMtsh 13, 1933/34, S. 135–137.

Wiegand, Heinrich: HH's. Jugendbildnis. 1934 s. L 1458

L 1084 Land, S. L.: HH. His development up to 1914. – B. A. Harvard Univ. 1942. 31 Bl. [Mschr.] (Mi, L 759a)

L 1085 Suhrkamp, Peter: HH. Ursprung u. Entwicklung. In: NZ Nr. 94 v. 25. 11. 1946.

L 1086 Kalenter, Ossip: Der junge HH. In: Ww Nr. 785 v. 26. 11. 1948, S. 5.

L 1087 Unseld, Siegfried: «Ein namenloses Glück: Er ist berufen.» Kindheit u. Jugend HH's. – zum 72. Geb. In: Schwäb. Post (Aalen) Nr. 152 v. 6. 7. 1949, Beil.

L 1088 Cornille, Sabine: La personnalité de HH. d'après ses romans de jeunesse jusqu'en 1914. – Diplôme d'étude supérieure Paris 1950. XIII, 115 Bl. [Mschr.] (Mi, L 759a)

Rehm, R. G.: The problems of youth in the early works of HH. 1951 s. L 1369b

L 1089 Hafner, Gotthilf: HH's. Anfänge. In: WuW 7, 1952, S. 229f.

L 1090 (Böttcher, Margot): Der junge Dichter um die Jahrhundertwende. In: L 74, S. 30–32.

L 1091 (Böttcher, Margot): Weg u. Werk bis 1914. In: L 74, S. 38–42.

Willecke, Frederick H[enry]: The style and form of HH's. Gaienhofer Novellen. 1960 s. L 1717b

Gaienhofen

L 1092 Aretz, Karl: HH. am Bodensee. In: SoblBasNachr 21, 1927, S. 132. + In: Bodenseeb 14, 1927, S. 114f.

L 1093 Bezold, Karl: In HH's. alter Stube. In: SchwSp 26, 1932, S. 379–381.

L 1094 Müller, Hans Amandus: Wallfahrt nach Gaienhofen. In: Beobachter am Main (Aschaffenburg) Nr. 191 v. 21. 8. 1935 u. Nr. 192 v. 22. 8. 1935.

L 1095 Ackermann, Heiner: «Der sell Nixtuer!» Ranken um das alte HH.-Haus in Gaienhofen am Bodensee. In: Ekkhart. Jahrb. f. das Badener Land (Freiburg i. Br.) 36, 1956, S. 54–56.

L 1096 Dürr, Werner: Peter Camenzind u. das alte Bauernhaus am See. Eine Erinnerung an HH's. Aufenthalt am Bodensee. In: Bodensee-Hefte (Konstanz) 8, 1957, S. 244–247.

L 1097 Finckh, Ludwig: Das alte Bauernhaus. In: L. F.: Sonne am Bodensee. Stgt: Silberburg-Verl. (1957), S. 28–33. + U. d. T.: Mit HH. am Bodensee. In: Schwäb. Heimat (Stgt) 8, 1957, S. 108. + In: Ludwigsburger Kreisztg. Nr. 147 v. 29. 6. 1957.

L 1098   Ide, Ayao: H's Gaienhofener Zeit. In: Doitsu Bungaku (Tôkyô) H. 18, 1957, S. 111–120.

L 1099   Zimmermann, Jos.: Das alte HH.-Haus in Gaienhofen. In: Bote vom Untersee (Steckborn) v. 18. 3. 1960.

Garten

L 1100   Jehle, Mimi: The "Garden" in the works of HH. In: GQ 24, 1951, S. 42–50.

L 1101   Reindl, L[udwig] E[manuel]: Der Dichter in s. Garten. In: Südkurier (Konstanz) Nr. 103 v. 2. 7. 1952 + In: L 69, S. 97–102.

L 1101a Hetzlein, Georg: In HH's. Garten. In: Erlanger Tgbl. v. 16. 2. 1961. (L 1510) + [Verkürzt] in: Nürnberger Nachr. v. 16. 2. 1961. (L 1510)

Kleiner Garten

L 1102   Behl, C. F. W.: Kleiner Garten. Erlebnisse u. Dichtgn. v. HH. In: LitE 22, 1919/20, Sp. 1384.

L 1103   Strecker, Karl in: VKMtsh 34, 1919/20, II, S. 671 f.

Im Presselschen Gartenhaus

L 1104   Weber, Werner: Im Press. Gartenhaus. In: L 68, S. 150–153.

Zum Gedächtnis unseres Vaters

L 1105   K[orrodi], E[duard]: H. u. Adele H. über ihren Vater. In: NZZ Nr. 2148 v. 6. 11. 1930.

L 1106   Levy, Oscar: Das fehlende Etwas. In: Lit 33, 1930/31, bes. S. 624.

L 1107   Ackerknecht, Erwin: H. u. Adele H.: Zum Gedächtnis uns. Vaters. In: BuB 11, 1931, S. 46 f.

Gedenkblätter

L 1108   Dorendorf, Annelis in: Magdeburger General-Anz. v. 2. 7. 1937.

L 1109   Goes, Albrecht: Gedenkblätter. Von HH. In: Lit 40, 1937/38, S. 49 f.

L 1110   Humm, R[udolf] J[akob]: HH.: Gedenkblätter. In: Maß und Wert (Zch) 1, 1937/38, S. 153 f.

L 1111   Joho, Karl: HH.: Gedenkblätter. In: Badische Presse (Karlsruhe) v. 18. 7. 1937.

L 1112   K[orrodi], E[duard]: «Gedenkblätter» HH's. In: NZZ Nr. 1219 v. 6. 7. 1937.

L 1113   Pfister, Kurt: «Gedenkblätter». Lebenserinnerungen d. Dichters. In: StgtNTgbl v. 1. 7. 1937.

L 1114   Rasche, Friedrich: HH.: Gedenkblätter. In: Hannov. Anz. v. 4. 7. 1937.

L 1115   Rauch, Karl: HH. Gedenkblätter. In: BW 23, 1937/38, S. 23–26.

L 1116   sbg.: Herbstfeuer. In: Gegw 5, 1950, Nr. 18, S. 20 f.

Gedichte

L 1117   T[rog, Hans]: «Gedichte». In: NZZ Nr. 352 v. 20. 12. 1902, 2. Beil.

L 1118   Bethge, Hans: Gedichte. Von HH. In: LitE 5, 1902/03, Sp. 1149.

L 1119   Schüler, Gustav: Gedichte von HH. In: Monatsblätter f. dt. Lit. 7, 1903, S. 248 f.

L 1120 Frank, Bruno in: Neckar-Ztg. (Heilbronn) Nr. 285 v. 4. 12. 1907.

L 1121 Lang, Martin: Über HH's. Gedichte. In: Württ. Ztg. (Stgt) Nr. 58 v. 10. 3. 1908.

L 1121a Tucholsky, Kurt: Alte Verse. In: Die Schaubühne (Bln) Nr. 48 v. 27. 11. 1913,
S. 1182. + In: K. T.: Gesammelte Werke. Hg. v. Mary Gerold-Tucholsky u. Fritz
J. Raddatz. Bd. I. (Reinbek b. Hambg.): Rowohlt (1960), S. 104.

L 1122 Malthaner, Johannes: HH. Jugendgedichte. In: BAbr 25, 1951, S. 261.

Die [gesammelten] Gedichte

L 1123 K[orrodi], E[duard]: Die Gedichte HH's. In: NZZ Nr. 1990 v. 7. 12. 1942.

L 1124 Carlsson, Anni: HH's. Gedichte. – (Zürich: Fretz & Wasmuth [1943].) 13 S. +
U. d. T.: Zur Gesamtausg. von HH's. Gedichten. In: NSRs NF 11, 1943/44,
S. 109–121.

L 1125 Schumacher, Hans: HH's. «Gedichte». In: NZZ Nr. 822 v. 23. 5. 1943.

L 1126 Tantris: Le poesie di HH. In: Il Dovere (Bellinzona) v. 16. 8. 1944, S. 3 u. 18. 8.
1944, S. 4.

L 1127 Basler, Otto: Zu den Gedichten von HH. In: NZZ Nr. 1289 v. 2. 7. 1947.

L 1128 Erné, Nino: Die Gedichte von HH. In: Dt. Beitrr. 1, 1946/47, S. 384–386.

L 1129 N[eumann], H[einz]: HH.: Die Gedichte. In: Neues Europa (Hannov.-Münden)
3, 1948, H. 1, S. 55.

L 1130 Roch, Herbert: HH.: «Die Gedichte». In: Sonntag (Bln) 3, 1948, Nr. 9, S. 10. (Pf)

L 1131 Seyffarth, Ursula: HH.: Die Gedichte. In: WuW 3, 1948, S. 83f.

L 1132 Wiedner, Laurenz: HH.: Gedichte. In: Das Silberboot (Salzburg) 4, 1948, H. 1,
S. 52f.

L 1132a Fränkl-Lundborg, Otto: Die Gedichte von HH. 1942. In: O. F.-L.: Geist u. Un-
geist. Lit. Betrachtgn. 1927–1959. Mchn: Verl. Die Rose (1960), S. 157f.

Ausgewählte Gedichte

L 1133 Ackerknecht, Erwin: Ausgew. Gedichte. In: BuB 2, 1922, S. 73.

L 1133a Demmering, Johannes: HH.: Ausgew. Gedichte. In: DSL 23, 1922, Sp. 280.

L 1134 M. L.: Ausgew. Gedichte. In: NZZ Nr. 61 v. 15. 1. 1922.

L 1135 Seelig, Carl: Ausgew. Gedichte von HH. In: WiLeb 15, 1921/22, S. 948.

Die Gedichte eines Jahres

L 1136 Delbono, Francesco: Le «Poesie di un'annata» di HH. In: Paideia. Rivista lett.
di informazione biografica (Genova) 11, 1956, S. 41–43.

Gedichte des Malers

L 1137 t.: HH.: Gedichte des Malers. In: NZZ Nr. 2146 v. 25. 12. 1920.

L 1138 Rupp, Lisel: «Gedichte des Malers» von HH. In: Schwäb. Merkur (Stgt) Nr. 91
v. 25. 2. 1921.

L 1139 W[e]b[er, Werner]: Ein großes und ein kleines Buch. In: NZZ Nr. 2828 v. 15. 12.
1951.

Neue Gedichte

L 1140   Cube, Hellmut von: Neue Gedichte HH's. In: BT Nr. 239 v. 23. 5. 1937, Beil.

L 1141   Dorendorf, Annelis: Neue Gedichte. In: Magdeburger General-Anz. v. 2. 7. 1937.

L 1142   K[orrodi, Eduard]: «Neue Gedichte» HH's. In: NZZ Nr. 403 v. 6. 3. 1937.

Geist und Sinnlichkeit

L 1143   Schmid, Max: Ein Grundproblem der Werke HH's. In: NZZ Nr. 1412 v. 10. 8. 1946.

L 1144   Grenzmann, Wilhelm: HH. Geist u. Sinnlichkeit. In: W. G.: Dichtg. u. Glaube. Bonn: Athenäum 1950, S. 106–120. + 3. erg. Aufl. Ebd. 1957, S. 110–122.

L 1145   Benn, Maurice: An interpretation of the work of HH. In: GLL NS 3, 1949/50, S. 202–211.

L 1146   Angelloz, J[oseph] F[rançois]: Das Mütterliche und das Männliche im Werke HH's. – Saarbrücken: Saarländ. Kulturgesellsch. (1951). 31 S. (Schriftenreihe d. Saarländ. Kulturgesellsch. 2.) + Tdr. in: Freude an Büchern (Wien) 3, 1952, S. 155f.

L 1147   Bärhausen, Eugen: Der Dualismus von Geist und Sinnlichkeit in HH's. Werk. – Diss. Berlin (Freie Univ.) 1952. 183 Bl. [Mschr.]

L 1148   Köberle, [Adolf]: Natur und Geist bei HH. [Rede.] In: Dt. Pfarrerblatt (Essen) 57, 1957, S. 365–369.

Gerbersau

Goes, Albrecht: Kindheit und Jugend bei HH. 1950 s. L 1381

L 1149   Malthaner, Johannes: HH. Gerbersau. In: BAbr 25, 1951, S. 363f.

Gertrud

L 1150   Harbeck, Hans: HH's. neuer Roman. In: Hamburger Nachr. Nr. 540 v. 18. 11. 1910. (Met)

L 1151   Heuss, Theodor: Gertrud. In: Die Hilfe (Bln) 16, 1910, S. 725.

L 1152   Kalkschmidt, E[ugen]: Gertrud. In: BW 1, 1910/11, S. 15.

L 1153   Kyser, Hans in: NRs 21, 1910, S. 1745–1747.

L 1154   M[arti], F[ritz]: Gertrud. In: NZZ Nr. 334 v. 3. 12. 1910, 1. Mbl.

L 1155   Maurer, K[arl] H[einrich]: HH's. neues Buch. In: BasNachr Nr. 320 v. 23. 11. 1910. (LitE, Met)

L 1156   W[idmann], J[oseph] V[ictor]: HH's. Roman «Gertrud». In: Der Bund (Bern) Nr. 503 v. 25./26. 10. 1910. (Met)

L 1157   Ackerknecht, Erwin: HH.: Gertrud. In: EckLit 6, 1911/12, S. 126f.

L 1158   Adelt, Leonhard: Gertrud. Roman von HH. In: LitE 13, 1910/11, Sp. 1778f.

L 1159   Albert, Fritz: HH.: Gertrud. In: Siebenbürg.-Dt. Tgbl. (Hermannstadt) Nr. 11 536 v. 12. 12. 1911. (LitE, Met)

L 1160   Finckh, Ludwig in: SchwSp 4, 1910/11, S. 50.

L 1161   Nidden, Ezard: Vom Stillstand u. Fortschritt der Talente. In: Der Kunstwart (Mchn) 24, 1910/11, III, bes. S. 181f.

L 1162 S[chäfer, Wilhelm]: Gertrud. In: Rhlde 11, 1911, S. 34f.

L 1163 Stein, Friedrich: HH's. Gertrud. In: Der Tag (Bln) Nr. 87 v. 12. 4. 1911. (Met)

L 1164 Trog, H[ans]: HH's. Roman. In: WiLeb 4, 1910/11, Bd. VII, S. 509–511.

Gesellschaft

L 1165 Koerber, Ruth: HH. as a critic of modern life. – M. A. Nebraska Univ. 1933. 56 Bl. [Mschr.] (Mi)

L 1166 Hill, Claude: HH. als Kritiker der bürgerl. Zivilisation. In: MDU 40, 1948, S. 241–253.

L 1167 Peter, Maria: Das Kulturproblem bei HH. – Diss. Freiburg i. Br. 1948. 110 Bl. [Mschr.]

L 1168 Naumann, Walter: The individual and society in the work of HH. In: MDU 41 1949, S. 33–42.

L 1168a Bormann, Elisabeth: Das Bild des Bürgers im Werk HH's. – Staatsexamensarbeit Ffm 1950. [Mschr.] (L 759a)

L 1169 Sagave, Pierre Paul: Le déclin de la bourgeoisie allemande d'après le roman. (1890–1933.) – Thèse de lettres Paris 1950, bes. Bl. 472 – 478. [Mschr.]

Fickert, Kurt J.: The problem of the artist and the Philistine in the work of HH. 1952 s. L 1431

L 1170 Hackelsberger geb. Bergengruen, Luise: Individuum und Umwelt im Werke HH's. – Freiburg i. Br. 1952: Herder. 193 Bl. [Mschr. vervielf.] Diss. Bern.

L 1171 Lewalter, Christian E.: Auch wider Willen ist der Dichter «engagiert». Gedanken über HH. In: Die Zeit (Hambg.) Nr. 27 v. 3. 7. 1952, S. 4. + U. d. T.: HH. und uns. geistige Situation. In: L 69, S. 82–89.

L 1172 Pfeifer, Martin: HH's. Kritik am Bürgertum. – Diss. Jena 1952. 133 Bl. [Mschr.]

L 1172a Bouhier, G.: La critique du temps présent dans l'œuvre de HH. – Diplôme d'étude supérieure Paris 1953. 89 Bl. [Mschr.] (L 759a)

L 1173 Heller, Peter: The writer in conflict with his age. A study in the ideology of HH. In: MDU 46, 1954, S. 137–147.

Schneider, Gerhard: HH. und das «Glasperlenspiel». Ein Beitrag zur Problematik d. Kunst im spätbürgerl. Zeitalter. 1954 s. L 1288

L 1174 (Böttcher, Margot): HH's. Bedeutg. für die dt. Lit. u. uns. Zeit. In: L 74, S. 96–99.

Seifert, Waltraud: Künstler u. Gesellschaft im Prosawerk HH's. 1956 s. L 1435

L 1175 Böttcher, Margot: Der einsame Citoyen. HH's. Verhältnis zum Bürgertum. In: Neue dt. Lit. (Bln) 5, 1957, H. 6, S. 7–19.

L 1175a Colby, Thomas E.: HH's. attitude toward authority; a study. – Doct. diss. Princeton Univ. 1959. II, V, 254 S. [Mschr.]

André Gide

L 1176 Bock, Werner: Comunión de dos grandes individualistas: André Gide y HH. In: W. B.: Idea y Amor. De Goethe a H. Buenos Aires: Ed. Américalee 1952, S. 179–183.

L 1177 Lang, Renée: André Gide und der dt. Geist. Stgt: Dt. Verl.-Anst. (1953), S. 60f.

L 1178 W[e]b[er, Werner]: Erwarten des Charakters. Anmerkung zur Verwandtschaft zwischen Gide u. H. In: NZZ Nr. 170 v. 24. 1. 1953.

Das Glasperlenspiel

L 1179   Widmer, Thomas: Vom herbstlichen Geiste Kastaliens. Zu HH's. «Mission», einem Kapitel aus dem Versuch einer Lebensbeschreibung Josef Knechts. In: NSRs NF 9, 1941/42, S. 373–377.

L 1180   Carlsson, Anni: Zwillingsbrüder: Wilh. Meister u. Josef Knecht. In: NZZ Nr. 1878 v. 27. 11. 1943.

L 1181   Faesi, Robert: HH's. «Glasp.» In: KlBd 24, 1943, S. 401–403.

L 1182   Humm, R[udolf] J[akob]: HH's. «Glasp.» In: Ww Nr. 526 v. 10. 12. 1943, S. 5.

L 1183   K[orrodi], E[duard]: HH's. neuer Roman «Das Glasp.» In: NZZ Nr. 1878 v. 27. 11. 1943.

L 1184   Mast, Hans: HH's. letzte Entwicklung. In: Bübl 7, 1943, Nr. 12, S. 1f.

L 1185   R[ychner], M[ax]: HH. Das Glasp. In: Die Tat (Zch) Nr. 304 v. 25. 12. 1943. + In: M. R.: Zeitgenöss. Lit. Charakteristiken u. Kritiken. Zch: Manesse (1947), S. 243–254.

L 1186   -ie-: «Das Glasp.» Der neue Roman von HH. In: BasNachr Nr. 346 v. 19. 12. 1943, Literaturbl. Nr. 28.

L 1187   Clerc, Charly: Au delà du XXme siècle. In: Gazette de Lausanne v. 5. 2. 1944, Supplément littéraire.

L 1188   Faesi, Robert: HH's. Glasp. In: NSRs NF 11, 1943/44, S. 411–427.

L 1189   Matzig, Richard B[lasius]: Das Glasp. In: SchwMtsh 24, 1944/45, S. 229–231.

L 1190   Pobé, Marcel: Von den klaren Gleichnissen und dem heimlichen Durst nach Wirklichkeit. Zu HH's. «Glasp.» In: SRs 43, 1944, S. 613–620.

L 1191   S.: H's. «Glasp.» In: Volksstimme (St. Gallen) Nr. 41 v. 18. 2. 1944.

L 1192   Basler, Otto: HH's. Weg zum Glasperlenspiel. In: Schweizer Annalen (Aarau) 1, 1944/45, S. 637–648. + [Veränd. u. erw.] in: L 45c, S. 272–340.

L 1193   Angelloz, J[oseph]-F[rançois]: Présentation de Das Glasp. par HH. In: EG 1, 1946, S. 428–431.

L 1194   Bock, Hans-Joachim: HH. u. sein Glasp. In: Die Wochenpost (Stgt) 1, 1946, Nr. 26, S. 4.

L 1195   Bollnow, Otto Friedrich: Probleme der Anthropologie: Das Glasp. In: Slg 2, 1946/47, S. 56–60.

L 1196   Buchwald, Reinhard: HH's. letztes Schaffen. In: Die Lücke (Heidelberg) 1, 1946, H. 7, S. 15–17.

L 1197   Carlsson, Anni: HH's. Glasp. in seinen Wesensgesetzen. In: Trivium (Zch) 4, 1946, S. 175–201. + In: L 45b, S. 257–300.

L 1198   Daur, Rudolf: HH.: Das Glasp. In: Univ 1, 1946, S. 359f.

L 1199   Flügel, Heinz: Das Glasp. In: Dt. Rs. 69, 1946, H. 8, S. 165–168.

L 1200   Geyh, Karl Walter: HH. als Künder einer neuen Zeit. In: Geistige Welt (Mchn) 1, 1946/47, H. 1, S. 44f.

L 1201   Lenz, Hermann: HH. Das Glasp. Nobelpreisträger 1946. In: Weltstimmen (Stgt) 17, 1946, H. 2, S. 5–9.

L 1202   Maass, Joachim: Anmerkung zum Buch eines Magister Ludi. In: NRs 56/57, 1945/46, S. 375–377. + In: Das Silberboot (Salzburg) 3, 1947, S. 229f.

L 1203 Mathies, Maria Elisabeth: HH's. «Glasp.» In: Hamburger Akadem. Rs. 1, 1946/47, S. 32–35.

L 1204 Schühle, Erwin: Linien in der Dichtg. HH's. Aus Anlaß seines neuen Buches: Das Glasp. In: Die Christengemeinschaft 18, 1946, S. 122–126.

L 1205 Sengle, Friedrich: HH's. dichterische Wandlung. In: Schwäb. Tgbl. (Tüb) Nr. 75 v. 20. 9. 1946.

L 1206 Vordtriede, Werner: HH., Das Glasp. In: GQ 19, 1946, S. 291–294.

L 1207 Zeller, Eugen: HH.: Das Glasp. Eine Besprechg. In: Standpunkt (Stgt) 1, 1946, H. 12, S. 23f.

L 1208 Bauer, Paul: Das Glasp. In: Die Lücke (Heidelberg) 2, 1947, H. 11/12, S. 20f.

Carlsson, Anni: Gingo biloba. 1947 s. L 1588

L 1209 Cube, Hellmut von: HH's. Glasp. In: WuW 2, 1947, S. 105f.

L 1210 Engel, Otto: Das Glasp. Darstellg. u. Deutg. In: L 49, S. 25–94.

L 1211 Freyberger, Laurentius: HH's. «Glasp.» – ein Bekenntnis zum Geist. In: Hochland (Mchn) 39, 1946/47, S. 363–368.

L 1212 Fritsche, Herbert: Unvollendete Einweihung. Zu HH's. Romanwerk «Das Glasp.» In: Die Zeit (Hambg.) Nr. 25 v. 19. 6. 1947, S. 4.

L 1213 Georg, Berthold: Positive Zeitkritik. Gedanken zu HH's. neuem Werk «Das Glasp.» In: Die neue Schau (Kassel) 8, 1947, S. 26f.

L 1214 Haering, Alfred: Novalis redivivus. (Über HH's. «Glasp.») In: Sonntag (Bln) 2, 1947, Nr. 18, S. 3. (Pf)

L 1215 Hartung, Rudolf: HH's. Spätwerk «Das Glasp.» In: Die Fähre [Zeitschr.] (Mchn) 2, 1947, S. 441–446.

L 1216 Hering, Gerhard F.: Über das «Glasp.» In: Gegw 2, 1947, Nr. 11/12, S. 31–33.

L 1217 Hering, Gerhard F.: Burckhardts Worte im Glasp. [Quellennachweis.] In: Die Zeit (Hambg.) Nr. 28 v. 10. 7. 1947, S. 6.

L 1218 Klie, Barbara: Glasp. In: Umschau (Mainz) 2, 1947, S. 615–619.

L 1219 Kohlschmidt, Werner: Meditationen über HH's. «Glasp.» In: Zeitwende (Mchn) 19, 1947/48, S. 154–170, 217–226. + In: W. K.: Die entzweite Welt. Studien zum Menschenbild in der neueren Dichtg. Gladbeck: Freizeiten-Verl. (1953), S. 127 bis 154. (Glaube u. Forschung. 3.)

L 1220 Korn, Karl: Verspielte Perlen. In: Berliner Hefte 2, 1947, S. 853–859.

L 1221 Nestle, Wilhelm: HH's. «Glasp.» In: Aussaat (Lorch/Württbg.) 1, 1946/47, H. 6/7, S. 10f.

L 1222 Ruprecht, Erich: Wendung zum Geist? Gedanken zu HH's. «Glasp.» In: E. R.: Die Botschaft der Dichter. Stgt: Schmiedel 1947, S. 443–474. (Schriftenreihe der Universitas. 1.)

L 1223 Schüddekopf, Jürgen: Das Glasp. Zu H's. neuem Roman. In: Rhein. Merkur (Koblenz) Nr. 4 v. 25. 1. 1947, S. 5.

L 1224 Schultze, Friedrich: «Das Glasp.» In: Aufbau (Bln) 3, 1947, I, S. 455–457.

L 1225 Vietta, Egon: HH.: Das Glasp. In: Das goldene Tor (Lahr) 2, 1947, S. 690f.

L 1226 Weber, Heinrich: HH.: Das Glasp. In: Athena (Bln) 1, 1946/47, H. 7, S. 84–86.

L 1227 Becher S. J., Hubert: Das Glasp. In: Stimmen d. Zeit (Freiburg i. Br.) 73, 1948, Bd. 142, S. 146–148.

L 1228 Böhme, Siegfried: Das Glasp. HH's. (Studenten diskutieren einen Erziehungs-
roman.) In: die neue schule (Bln/Lpz) 3, 1948, S. 248–251.

Böttcher, Margot: Aufbau u. Form von HH's. «Steppenwolf», «Morgendland-
fahrt» u. «Glasp.» 1948 s. L 1930

L 1229 Bonitz, Amalie: Der Erziehungsgedanke in HH's. «Glasp.» In: Schola (Offen-
burg) 3, 1948, S. 803–815. + In: Vierteljahrsschr. für wiss. Pädagogik 29, 1953,
S. 215–226.

L 1230 Botta, Paul: «Das Glasp.» von HH. In: Die Kirche in der Welt (Münster) 1,
1947/48, S. 465–468.

L 1231 Braemer, Edith: Kastalien als pädagog. Provinz. In: die neue schule (Bln/Lpz) 3,
1948, S. 251–253.

L 1232 Edfelt, Johannes: Glaspärlespelet. In: J. E.: Några verk och gestalter i modern
tysk diktning. Lund: Gleerup (1948), S. 27–34. (Skrifter utgivna av Sveriges yngre
läroverkslärares förening. 7.)

L 1233 Engel, Hans: «Das Glasp.» von HH. In: Das Musikleben (Mainz) 1, 1948,
S. 257–261.

L 1234 Faber du Faur, Curt von: Zu HH's. «Glasp.» In: MDU 40, 1948, S. 177–194.

L 1235 Grenzmann, Wilhelm: Gott und Mensch im jüngsten dt. Roman. Bonn: Verl. d.
Borromäus-Vereins 1948, S. 32–41.

L 1236 Groothoff, Hans Hermann: Versuch einer Interpr. des Glasp. In: Hamburger
Akadem. Rs. 2, 1947/48, S. 269–279.

L 1237 Hänsel, Ludwig: HH. und die Flucht in den Geist. Gedanken zum «Glasp.» In:
Wort u. Wahrheit (Freiburg i. Br.) 3, 1948, S. 273–288. + In: L. H.: Begegngn.
u. Auseinandersetzgn. mit Denkern u. Dichtern d. Neuzeit. Wien: Österr. Bun-
desverl. 1957, S. 175–201.

L 1238 Heise, Wolfgang: Fragwürdigkeit des «Reinen Geistes». In: die neue schule
(Bln/Lpz) 3, 1948, S. 253f.

L 1239 Kraus, Fritz: Vom lebendigen Geist. Anmerkgn. zu H's. «Glasp.» In: Prisma
(Mchn) 2, 1948, H. 17, S. 9–13.

L 1240 Scholz-Wülfing, Paul: HH.: «Das Glasp.» In: Deutschunterricht (Bln/Lpz) 1,
1948, H. 1, S. 34f.

L 1241 Seidlin, Oskar: HH's. «Glasp.» In: Die Wandlung (Heidelberg) 3, 1948, S. 298
bis 308, vgl. S. 375. + In: GR 23, 1948, S. 263–273.

L 1242 Thiele, Guillermo: Jugando con perlas de vidrio. Informe sobre la última novela
de HH. In: Boletín Bibliográfico. Sección Lengua y Literatura Alemanas. Mendoza 1948, S. 17–46. (Mi)

L 1243 Vietsch, Eberhard von: Wahrheit u. Wirklichkeit im «Glasp.» In: Neues Europa
(Hannov.-Münden) 3, 1948, H. 6, S. 32–46.

L 1244 Schöfer, Wolfgang von: HH., Peter Camenzind u. das Glasp. In: Slg 3, 1948,
S. 597–609. + Paul Böckmann: Ist das «Glasp.» ein gefährliches Buch? Eine
Replik. Ebd. S. 609–618. + Wolfgang von Schöfer: Aktualität u. Überzeitlichkeit
der Lit. Ebd. 4, 1949, S. 346–350.

L 1245 Augustin, Elisabeth: HH's. «Glasp.», een protest tegen cadaver-gehôrzaamheid.
In: Litterair paspoort (Amsterdam) 4, 1949, H. 30, S. 121–125.

L 1246 Deichl, Konrad: HH's. Alterswerk. In: Main-Post (Würzburg) Nr. 18 v. 12. 2.
1949.

L 1247 Dirks, Walter: Die Musik u. die Vollkommenheit. In: Frankf. Hefte 4, 1949, bes. S. 245 f.

L 1248 Dornheim, Alfredo: Música novelesca y novela musical. Concepción musical de las ultimas novelas de HH. y Thomas Mann. In: Revista de Estudios musicales I, 1. Universidad Nacional de Cuyo, Mendoza 1949, S. 131–172. (L 749)

L 1249 Engel, Monroe: Magister Ludi. In: The Nation 169, 1949, Nr. vom 24. 12., S. 626 f. (Jo1, Mi)

L 1250 Engle, Paul: Magister Ludi. In: Chicago Sunday Tribune v. 13. 11. 1949. (Jo1)

L 1251 Kirchberger, Hubert: Das Bild des Menschen in HH's. Roman «Das Glasp.» – Staatsexamensarbeit Jena 1949. [Mschr.] (Pf)

L 1252 Kramer, Walter: HH's. «Glasp.» u. seine Stellung in der geistigen Situation uns. Zeit. – (Wilhelmshaven): Nordwestdt. Univ.-Gesellsch. (1949). 22 S. (Wilhelmshavener Vorträge. 2.)

L 1253 Litt, Theodor: Die Geschichte u. das Übergeschichtliche. Hambg.: Hauswedell 1949, S. 22–29. + In: Slg 5, 1950, bes. S. 11–19. + Tdr. u. d. T.: Das «Glasp.» und Goethes «Pädagog. Provinz». In: L 75, S. 5.

L 1254 Mann, Thomas: Die Entstehung des Doktor Faustus. (Ffm): Suhrkamp 1949, S. 68 f. + In: L 75, S. 5. + In: L 76, S. 21 f.

L 1255 Meidinger-Geise, Inge: Zum Wortschatz Utopiens. Zur sprachl. Anschaulichkeit des Erziehungsstaates in Goethes «Wilh. Meister» (Pädagog. Provinz) und HH's. «Glasp.» (Kastalien). In: Muttersprache (Lüneburg) Jg. 1949, S. 245–252.

L 1256 Middleton, Drew: A literary letter from Germany. In: NYT Book Rev. v. 31. 7. 1949, S. 2. (Mi)

L 1257 Müller-Blattau, Joseph: Sinn u. Sendung der Musik in Thomas Manns «Doktor Faustus» u. HH's. «Glasp.» In: Geistige Welt (Mchn) 4, 1949/51, S. 29–34. + [Erw.] u. d. T.: Die Musik in Th. Manns «Doktor Faustus» u. HH's. «Glasp.» In: Annales Univ. Saraviensis. Philos.-Lettres 2, 1953, S. 145–154.

L 1258 Pick, Robert: Cryptic game of beads. In: SRevLit 32, 1949, Nr. vom 15. 10., S. 15 f. (Jo1, Mi)

L 1259 Plant, Richard: Magister Ludi. In: NYT Book Rev. v. 30. 10. 1949, S. 52. (Jo1, Mi)

L 1260 Pöggeler, Franz: Kastalien od. Über Reichtum und Armut einer modernen pädagog. Provinz. In: Pädagog. Provinz (Ffm) 3, 1949, S. 498–504.

L 1261 Rosenfeld, Isaac: Mind, body, spirit: the road to the castle. In: Partisan Rev. (New York) 16, 1949, S. 1140–1146.

L 1262 Schilling, Kurt: HH.: Das Glasp. In: Zs. f. philosoph. Forschung (Wurzach/Württbg.) 3, 1948/49, S. 313–320.

L 1263 Cohn, Hilde D.: The symbolic end of HH's. «Glasp.» In: MLQ 11, 1950, S. 347 bis 357.

Hatterer, Georges: HH's. Weltanschauung u. ihre künstlerische Verwirklichung im Glasp. 1950 s. L 2046

L 1264 Kegel, Gerhart: Schönheit und Krisis der ästhet. Existenz. Krit. Betrachtungen im Anschluß an HH's. «Glasp.» – Diss. Leipzig 1950. XII, 83 Bl. [Mschr.]

L 1265 Mühlberger, Josef: Zu HH's. Glasp. – [Eßlingen a. N.] 1950. Einblattdr. – SA aus: Eßlinger Ztg. Nr. 121 v. 27. 5. 1950.

L 1266 Rein, Heinz: HH., Das Glasp. In: H. R.: Die neue Literatur. Versuch eines ersten Querschnitts. Bln: Henschel 1950, S. 421–431.

L 1267 Schultz de Mantovani, Fryda: HH.: El juego de alaborios. In: Sur (Buenos Aires) Jg. 1950, Okt., Nov., Dez., S. 306–308. (Mi)

L 1268 Steinbüchel, Theodor: Mensch u. Wirklichkeit in Philosophie u. Dichtg. d. 20. Jahrhunderts. 2. Aufl. Ffm: Knecht (1950), S. 31–35. [Zuerst 1949.]

L 1269 Eyck, Herbert Adam van: Betrachtgn. zu HH's. «Glasp.» In: Dt. Woche (Mchn) 1, 1951, Nr. 25, S. 11.

L 1270 Gündel, Bernhard: Ehrenrettung des Spiels. Gedanken über die geistige Struktur der Mathematik im Blickfeld von HH's. Glasp. In: Pädagog. Provinz (Ffm) 5, 1951, S. 463–468.

L 1271 N[estele], K[arl]: HH.: Das Glasp. In: Der lachende Löwe (Lauf/Pegnitz) Jg. 1951, H. 1, S. 29f.

L 1272 Pielow, Winfried: H's. Glasp. u. die Tradition d. Bildungsromanes seit Goethe. In: W. P.: Die Erziehergestalten der großen dt. Bildungsromane von Goethe bis zur Gegenw. Diss. Münster/Westf. 1951, Bl. 101–133. [Mschr. vervielf.]

L 1273 Rang, Bernhard: Der weltanschaul. Roman. In: WuW 6, 1951, bes. S. 132.

L 1274 Schouten, J. H.: HH's. Glasp. In: Duitse Kroniek ('s-Gravenhage) 3, 1951, H. 3, S. 75–78.

L 1275 Ahrens, Franz: Der Gedanke der Bildung u. Erziehg. in HH's. Roman «Das Glasp.» – Staatsexamensarbeit Hamburg 1952. (L 1032)

L 1276 Koller, G[ottfried]: Kastalien u. China. In: Annales Univ. Saraviensis. Philos.-Lettres 1, 1952, S. 5–18.

L 1277 Lunding, Erik: Den tyske utopi som tidstypisk genre. In: Salmonsen leksikon-tidsskrift (København) 12, 1952, bes. S. 835f. (Mi)

L 1278 Mileck, Joseph: HH's. «Glasp.» In: Univ. of California Publications in Modern Philology (Berkeley) 36, 1952, S. 243–270.

L 1279 Schuwerack, Wilhelm: Gedanken zum «Glasp.» von HH. In: Begegnung (Köln) 7, 1952, S. 329–331.

L 1280 Blumenthal, Marie-Luise: Die Pädagog. Provinz u. das Schicksal des Magister Ludi Josef Knecht. In: Slg 8, 1953, S. 478–484.

L 1281 Kirchhoff, Gerhard: «Das Glasp.» als «Reine Gegenwart». Ein Versuch. In: L 57, S. 117–140. + U. d. T.: Reine Gegenwart. Ein Versuch über HH's. Glasp. – Freiburg i. Br.: [Kirchhoff 1953]. 28 S.

L 1282 Kohlschmidt, Werner: Das Motiv der entzweiten Welt. In: W. K.: Die entzweite Welt. Studien zum Menschenbild in der neueren Dichtg. Gladbeck: Freizeiten-Verl. (1953), bes. S. 155–159. (Glaube u. Forschung. 3.)

L 1283 Baser, Friedrich: Vom Sinn des Glasperlenspiels. In: Musica (Kassel) 8, 1954, S. 530–532.

L 1284 Braem, Helmut M.: 1945–1953. In: Dt. Lit. im XX. Jahrhundert. Hg. v. Hermann Friedmann u. Otto Mann. Heidelbg.: Rothe (1954), bes. S. 427. + 3. erw. Aufl. Ebd. 1959, bes. S. 153.

L 1285 Fujimura, Hiroshi: Das reine Sein in H's. Glasp. Versuch einer Deutung. – Tôkyô: Tôkyô Univ. Press 1954. 8 S. [Dt. Text.] u. 39 S. [Japan.] (The Proceedings of the Department of Foreign Languages and Literatures, College of General Education, Univ. of Tôkyô. 4. Jg. 1954, H. 3.)

L 1286 Meidinger-Geise, Inge: Prosa u. Weltbild. Zum Roman der Gegenw. In: Die Besinnung (Nürnberg) 9, 1954, bes. S. 171.

L 1287 Rang, Bernhard: Der Roman. Kleines Leserhandbuch. 2. erg. Aufl. Freiburg i. Br.: Herder (1954), bes. S. 50.

L 1288 Schneider, Gerhard: HH. u. das «Glasp.» Ein Beitrag zur Problematik d. Kunst im spätbürgerl. Zeitalter. In: Wiss. Zeitschr. der Humboldt-Univ. zu Bln. Ges.– u. sprachwiss. Reihe 3, 1953/54, S. 219–234. + Tdr. in: L 74, S. 57–62, 71–73, 76–80, 81f.

L 1289 Ehrhart, Georg: Der Tod des Glasperlenspielers. In: FAZ Nr. 169 v. 25. 7. 1955.

L 1290 Lorenzen, Hermann: Kastalien – eine moderne pädagog. Provinz im Glasp. HH's. In: Pädagog. Rs. (Ratingen) 9, 1954/55, S. 264–268.

L 1291 Moenikes, G.: Sprachl. Ausdruckskräfte in HH's. Glasp. – Prüfungsarbeit f. d. Realschullehrerkurs der Pädagog. Akademie Köln 1955. 62 Bl. [Mschr.]

L 1292 Pocar, Ervino: HH. Il giuoco delle perle di vetro. In: La Fiera letteraria v. 13. 2. 1955, S. 3f.

L 1293 Blanchot, Maurice: Le jeu des jeux. In: La Nouv. Nouv. Revue Française (Paris) 4, 1956, H. 42, S. 1051–1062.

L 1294 Hornung, Erik: HH's. Glasp. – Idee u. Vergegenwärtigung. In: Univ 11, 1956, S. 1043–1052.

L 1295 Johnson, Sidney M.: The autobiographies in HH's. Glasp. In: GQ 29, 1956, S. 160–171.

Madeheim, Helmuth: Das Menschenbild d. Zukunft im modernen Roman. 1956 s. L 1604

L 1296 Meidinger-Geise, Inge: Welterlebnis in dt. Gegenwartsdichtg. Nürnberg: Glock u. Lutz [1956], S. 141f.

L 1297 Pongs, Hermann: Im Umbruch der Zeit. Das Romanschaffen der Gegenw. 2. erw. Aufl. (Göttingen): Göttinger Verl.-Anst. (1956), S. 20f. [Zuerst 1952.]

Schneider, Marcel: L'Utopie pédagogique de HH. 1956 s. L 782

L 1298 Wagner, Gisela: Kastalien u. die Schulen auf dem Lande. In: Pädagog. Provinz (Ffm) 10, 1956, S. 57–64.

L 1299 Essner-Schaknys, Günther: Die epische Wirklichkeit u. die Raumstruktur des modernen Romans (dargest. an Thomas Mann, Franz Kafka u. HH.) – Diss. Marburg 1957, bes. Bl. 157–172. [Mschr.]

L 1300 Faesi, Robert: Musik des Untergangs u. Musik der heiligen Mitte. Zu HH's. Glasp. In: Der Bund (Bern) Nr. 296 v. 28. 6. 1957, Beil. KlBd.

L 1301 Fehr, Karl: Gedanken zum Glasp. In: NZZ Nr. 1924 u. 1925 v. 2. 7. 1957.

L 1302 Glinz, Hans: Das Problem einer idealen Sprache in HH's. Glasp. In: Beitrr. zur Einheit von Bildung u. Sprache im geistigen Sein. Festschr. z. 80. Geb. v. Ernst Otto. Bln: de Gruyter 1957, S. 262–269.

Halpert, Inge D.: HH. and Goethe with particular reference to the relationship of Wilh. Meister and Das Glasp. 1957 s. L 1320

L 1303 Schneider, Gerhard: Dienst u. Entsagung im Werk u. Wirken HH's. [Rede.] In: Sinn u. Form (Bln) 9, 1957, S. 633–638.

L 1304 Middleton, J. C.: An enigma transfigured in HH's. Glasp. In: GLL NS 10, 1956/57, S. 298–302.

L 1305 R. R.: Betrachtgn. zum Glasp. In: Luzerner Tgbl. Nr. 149 v. 29. 6. 1957, Beil.

L 1306 Scheurig, Bodo: HH. u. die Geschichte. In: Vorwärts (Köln) Nr. 26 v. 28. 6. 1957, S. 15.

L 1307 Schmid, Karl: Über HH's. «Glasp.» In: K. Sch.: Aufsätze u. Reden. Zch: Artemis (1957), S. 155–174. [Rez. von Otto Basler in: NatZ Nr. 41 v. 26. 1. 1958, Sobeil.]

L 1308 Windeck, Lovis: Von der Gefühlsidylle zum Glasp. In: Ludwigsburger Kreisztg. Nr. 147 v. 29. 6. 1957.

L 1309 Jahn, Erwin: Östliches in HH's. Glasp. In: Doitsu Bungaku (Tôkyô) Nr. 21, 1958, S. 10–15. (L 758)

L 1310 Peppard, Murray B.: HH.: From Eastern journey to Castalia. In: MDU 50, 1958, S. 247–255.

L 1311 Rhode, Werner: Des Geistes glühende Fanale. Eine Studie zum Schicksal des Magister Ludi Josef Knecht. In: gespr [H. 1], Juni 1958, S. 5–8.

L 1312 Cossmann, Willy: Die Heiterkeit des Magisters Josef Knecht. In: Die Bruderschaft (Bln) 1, 1959, S. 20–22.

L 1312a Dermine, René: HH. im Banne Goethes. Bemerkgn. zum Glasperlenspiel. In: Revue des langues vivantes (Bruxelles) 26, 1960, S. 430–436. (L 759b)

L 1313 Halpert, Inge D.: The Alt-Musikmeister and Goethe. In: MDU 52, 1960, S. 19–24.

L 1313a Helmich, Wilhelm: Wege zur Prosadichtg. d. 20. Jahrhunderts. Braunschweig: Westermann (1960), S. 42–44.

L 1314 Henningsen, Jürgen: Die Idee des Glasperlenspiels. In: Slg 15, 1960, bes. S. 119f.

L 1314a Pixberg, Hermann: Der pädagog. Gehalt in HH's. Glasp. In: Eckart (Witten) 29, 1960, S. 245–249.

L 1314b Halpert, Inge D.: Wilhelm Meister und Josef Knecht. In: GQ 34, 1961, S. 11–20.

L 1314c Halpert, Inge D.: Vita activa and vita contemplativa. In: L 76a, S. 159–166.

Mileck, Joseph: Names and the creative process. A study of the names in HH's. «Lauscher», «Demian», «Steppenwolf», and «Glasperlenspiel». 1961 s. L 1677a

L 1314d Negus, Kenneth: On the death of Josef Knecht in HH's. «Glasperlenspiel». In: L 76a, S. 181–189.

L 1314e Kelsch, Wolfgang: Berufung – Dienst – Meisterschaft. Kastalien, e. Bruderschaft d. Geistes in HH's. «Glasperlenspiel». In: Die Bruderschaft (Bln) 3, 1961, S. 54 bis 59. (DA)

L 1314f Strang, Magda: Das Bild d. Erziehers in d. dt. Dichtg. d. jüngsten Zeit. In: Die höhere Schule (Düsseldorf) 14, 1961, H. 4, bes. S. 74f., 77. (L 759c)

Glück

L 1315 Hartung, Wilhelm: Der Glücksgedanke bei HH. In: Die Grenzboten (Bln) 71, 1912, I, S. 477–485.

Johann Wolfgang von Goethe

Carlsson, Anni: Zwillingsbrüder: Wilh. Meister u. Josef Knecht. 1943 s. L 1180

L 1316 Buchwald, Reinhard: Goethezeit u. Gegenw. Stgt: Kröner (1949), S. 56f., 358f.

L 1317 Halpert, Inge D.: HH. and Goethe. – M. A. Columbia Univ. 1949. [Mschr.] (Mi)

Litt, Theodor: Die Geschichte u. das Übergeschichtliche. 1949 s. L 1253

L 1318 Mayer, Hans: Die Erbschaft. [Rede.] In: H. M.: Unendliche Kette. Goethe-studien. [Dresden]: Dresdner Verl.-Ges. (1949), bes. S. 21 f. + [Veränd.] u. d. T.: Goethes Erbschaft in d. dt. Lit. In: Heute u. Morgen (Schwerin) Jg. 1949, bes. S. 7 f., 9. + Dass. in: Deutschunterricht (Bln) 2, 1949, H. 3, bes. S. 36, 38. + Dass. in: H. M.: Lit. d. Übergangszeit. (Bln): Volk u. Welt (1949), bes. S. 25 f. + Hans Mayer: Goethe in uns. Zeit. [Rede.] Bln: Verl. Neues Leben (1949), S. 20 f. + In: H. M.: Unendl. Kette. ([Dresden] 1949), bes. S. 78.

Meidinger-Geise, Inge: Zum Wortschatz Utopiens. Zur sprachl. Anschaulichkeit d. Erziehungsstaates in Goethes «Wilh. Meister» u. HH's. «Glasperlenspiel». 1949 s. L 1255

Pielow, Winfried: H's. Glasperlenspiel u. die Tradition des Bildungsromanes seit Goethe. 1951 s. L 1272

L 1319 Konheiser-Barwanietz, Christa M.: HH. und Goethe. – (Bln 1954: Holten). 100 S. Diss. Bern.

L 1320 Halpert, Inge D.: HH. and Goethe with particular reference to the relationship of Wilh. Meister and Das Glasperlenspiel. – Doct. diss. Columbia Univ. 1957. 266 Bl. [Mschr.]

L 1320a Asahi, Hideo: Goethe und H. [Japanisch.] In: Goethe Jahrbuch. Goethe-Ges. in Japan (o. O.) 2, 1960, S. 68–84. (L 759b)

Dermine, René: HH. im Banne Goethes. Bemerkgn. zum Glasperlenspiel. 1960 s. L 1312a

Halpert, Inge D.: The Alt-Musikmeister and Goethe. 1960 s. L 1313

Halpert, Inge D.: Wilhelm Meister und Josef Knecht. 1961 s. L 1314b

Halpert, Inge D.: Vita activa and vita contemplativa. 1961 s. L 1314c

Handschrift

L 1321 Magnat, G[ustave] E[douard]: HH. In: G. E. M.: Die Sprache der Handschrift. Luzern: Räber (1948), S. 125–128.

Haus der Träume

L 1322 Furst, Lilian R.: A Dead-end. H's. Haus der Träume. In: Neuphilolog. Mitteilgn. (Helsinki) 59, 1958, S. 235–243. (L 758)

Martin Heidegger

L 1323 Jaeger, Hans: Heidegger's existential philosophy and modern German lit. In: PMLA 67, 1952, bes. S. 676 f.

Die Heimkehr

L 1324 G. K.: H.-Urlesung nach 34 Jahren [in Heidelberg]. In: NZ Nr. 81 v. 7. 4. 1953.

L 1325 Ohff, Heinz: HH. auf der Bühne [Heidelberg]. In: Dt. Kommentare (Stgt) 5, 1953, Nr. 15, S. 5.

L 1326 Ringelband, W.: HH.-Urlesung. In: Main-Post (Würzburg) Nr. 80 v. 8. 4. 1953.

L 1327 «Die Heimkehr», ein dramat. Fragment von HH. In: Theaterdienst (Bln) 8, 1953, H. 17, S. 11. (Pf)

L 1327a Thiel, Michael: «Heimkehr». [Rundfunksendung am 29. 12. 1958 u. 18. 1. 1959.] In: gespr [H. 4], August 1959, S. 6f.

Julie Hellmann

L 1328   Moser-Diether, Martha: Lulu – HH's. schwäb. Muse. In: StgtNachr Nr. 193 v. 28. 9. 1949.
Vgl. L 596

Herausgabe

L 1329   G[reyerz], O[tto] v.: Das «Alemannenbuch». In: Der Bund (Bern) Nr. 46 v. 1. 2. 1920. (Met)

L 1330   Das Alemannenbuch. In: Zs. f. Bücherfreunde NF 12, 1920, Beibl. Sp. 373–375.

L 1331   Keckeis, Gustav: Das Alemannenbuch. In: Literar. Handweiser (Freiburg i. Br.) 57, 1921, Sp. 278f.

L 1331a Th. Mch: Das Alemannenbuch. In: DSL 21, 1920, Sp. 215.

L 1332   Bloesch, Hans: Morgenländ. Erzählungen. In: WiLeb 7, 1913/14, Bd. XIII, S. 503.

L 1333   M.: Der Herausgeber HH. [Merkwürd. Geschichten.] In: KlBd 3, 1922, S. 340f.

L 1334   Brandenburg, Hans: Merkwürd. Geschichten u. Menschen. In: DSL 27, 1926, S. 423f.

L 1335   A-s: (Merkwürdige Geschichten u. Menschen.) In: Zs. f. Bücherfreunde NF 20, 1928, Beibl. Sp. 84f.

L 1336   Berend, E[duard]: (Jean Paul: Siebenkäs.) In: Jean Paul-Jahrbuch (Bln) 1, 1925, S. 219.

L 1337   t.: Ein Luzerner Junker vor 100 Jahren. In: NZZ Nr. 1660 v. 10. 10. 1920.

L 1338   Schär, A[lfred]: Lieder dt. Dichter. In: WiLeb 8, 1914/15, Bd. XV, S. 166f.

L 1339   «Lieder dt. Dichter». In: NZZ Nr. 1706 v. 23. 12. 1914.

L 1340   S[chäfer, Wilhelm]: Der Lindenbaum. In: Rhlde 10, 1910, S. 147.

L 1341   Zollinger, Oscar: Ein dt. Dichter als Hg. von Schundliteratur. [Mordprozesse.] In: Schweiz. Zs. f. Gemeinnützigkeit (Zch) 61, 1922, H. 10, S. 396. + Vgl. H. 11, S. 416.

L 1342   Sommerfeld, Martin: Schubart. Dokumente s. Lebens. Hg. v. HH. und Karl Isenberg. In: Lit 30, 1927/28, S. 488.

Heumond

L 1342a Fickert, K[urt] J.: Symbolism in H's. «Heumond». In: GQ 34, 1961, S. 118 bis 122.

Humanismus

L 1343   Fabian, Erich: Deutscher, Europäer, Weltbürger. In: Heute u. Morgen (Schwerin) Jg. 1947, S. 370–373, 450–454.

L 1344   Robert, L.: L'humanisme de HH. – Diplôme d'étude supérieure Toulouse 1950. 120 Bl. [Mschr.] (Mi)

L 1345 Kantorowicz, Alfred: Der Humanist HH. In: Tägliche Rs. (Bln) Ausg. I, Nr. 150 v. 1. 7. 1952. (Pf)

L 1346 J. R.: HH., Dichter u. Humanist, zum 75. Geb. In: Freie Presse (Zwickau) Nr. 151 v. 2. 7. 1952. (Pf)

L 1347 Middleton, J. C.: HH. as humanist. – Diss. Oxford 1954. 465 Bl. [Mschr.]

L 1348 Rousseaux, André: HH. et la crise de l'humanisme. In: A. R.: Littérature du XXᵉ siècle. Tome VI. Paris: Michel (1958), S. 223–233.

Humor

L 1349 Iben, Icko: H's. humor. – Lexington: [Univ. of Kentucky Library] 1958. 24 S. (Scripta Humanistica Kentuckiensia. 3.) [Rez. von Harald Rieger in: gespr [H. 9], Mai 1961, S. 7 f.]

Ich

L 1350 Dürr, Erich: HH's. Ich-Problem. In: Lit 30, 1927/28, S. 135 f.

Zwei Idyllen

L 1351 Hafner, Gotthilf: HH.: Zwei Idyllen. In: WuW 7, 1952, S. 250.

L 1352 W[e]b[er, Werner]: Zwei Idyllen von HH. In: NZZ Nr. 1303 v. 14. 6. 1952.

Indien

Oepke, Albrecht: Moderne Indienfahrer u. Weltreligionen. 1921 s. L 1360
Prolizer, Emma Maria: L'India antica nelle opere di due moderni poeti tedeschi. 1928 s. L 1911

L 1353 Forst, John: Indien u. die dt. Lit. von 1900 bis 1923. (Borna-Lpz) 1934: (Noske), S. 25–28, 79. Doct. diss. New York Univ.

L 1354 Friederici, Hans: Die Indien-Rezeption in den Erzählungen HH's. In: Wiss. Zs. der Fr. Schiller-Univ. Jena. Ges.- u. sprachwiss. Reihe 5, 1955/56, S. 459–463. + [Veränd.] in: Weimarer Beitrr. 4, 1958, S. 389–399.

Aus Indien

L 1355 Ackerknecht, Erwin in: EckLit 8, 1913/14, S. 45–47.

L 1356 Krüger-Westend, Hermann: Aus Indien. In: LitE 15, 1912/13, Sp. 1593.

L 1357 Pappritz, Anna: Aus Indien. In: Die Hilfe (Bln) 19, 1913, S. 368.

L 1358 Schäfer, Wilhelm: HH. In: Rhlde 13, 1913, S. 244.

L 1359 T.: Aus Indien. In: NZZ Nr. 1049 v. 26. 7. 1913.

L 1360 Oepke, Albrecht: Indische Mission im Kreuzfeuer moderner Kritik. 2. HH.: «Aus Indien». In: Evangel.-luther. Missionsbl. (Lpz) 76, 1921, H. 9, S. 193–199. (Met) + In: A. O.: Moderne Indienfahrer u. Weltreligionen. Eine Antwort an Waldemar Bonsels, HH., Graf Hermann Keyserling. Lpz: Doerffling & Franke 1921, S. 8–15.

Introversion

L 1361 Mauerhofer, Hugo: Die Introversion. Mit spezieller Berücksicht. d. Dichters HH. – Bern 1929: Haupt. III, 61 S. Diss. Bern. [Rez. von Hans Rudolf Schmid in: NZZ Nr. 1917 v. 5. 10. 1930.]

Judentum

L 1362   Bartels, Adolf: Jüdische Herkunft u. Literaturwiss. Lpz: Bartels-Bund 1925, S. 136.

L 1363   Brod, Max: Briefwechsel mit HH. (Zum jüdisch-arabischen Krieg.) In: Literar. Revue (Mchn) 4, 1949, S. 188–191.

L 1364   Lamm, Hans: «Liebe u. Menschlichkeit». Zum 80. Geb. d. Dichters HH. In: Berliner Allgemeine. Wochenztg. der Juden in Deutschland v. 28. 6. 1957. + In: Allg. Wochenztg. der Juden in Deutschland (Düsseldorf) Nr. 13 v. 28. 6. 1957, S. 9.

L 1365   nk.: Zum 80. Geb. v. HH. In: Israelit. Wochenbl. für die Schweiz (Zch) 57, 1957, Nr. 26, S. 3 f.

Jugend

L 1366   Rauch, Karl: HH. und die neue Jugend. In: Junge Menschen (Hambg.) 2, 1921, S. 50–52.

L 1367   Meridies, Wilhelm: HH. und die Jugend. Zum 50. Geb. In: Die neue dt. Schule (Ffm) 1, 1927, S. 501–507. (DA, Met)

L 1368   Süskind, W[ilhelm] E[manuel]: HH. und die Jugend. In: NRs 38, 1927, I, S. 492–497.

L 1369   Eichbaum, Gerda: Die Krise der modernen Jugend im Spiegel d. Dichtg. Erfurt: Stenger 1929, S. 114–117. (Veröff. d. Akademie gemeinnütz. Wissenschaften. 21.) Zugleich Diss. Gießen.

L 1369a   Keller, Hans: Jugend u. Erziehung in d. modernen dt. Dichtg. Diss. Zürich 1938, S. 13, 18–23, 31, 38, 49, 52, 67, 108–111, 139. (L 759a)

L 1369b   Rehm, R. G.: The problems of youth in the early works of HH. – M. A. New York Univ. 1951. 129 Bl. [Mschr.] (L 759a)

L 1370   Kurth, Rudolf: Die Jugend und HH. [Vortrag.] In: Slg 11, 1956, S. 72–85.

Schön ist die Jugend

L 1371   Leppin, Paul: Schön ist die Jugend. Von HH. In: LitE 19, 1916/17, Sp. 707.

L 1372   Schaer, Alfred: Schön ist die Jugend. In: WiLeb 10, 1916/17, Bd. XVII, S. 367 f.

L 1373   K[orrodi], E[duard]: Schön ist die Jugendzeit. Zwei Erzählgn. HH's. In: NZZ Nr. 1212 v. 5. 7. 1934.

Carl Gustav Jung

L 1374   Maier, Emanuel: The psychology of C. G. Jung in the works of HH. – Doct. diss. New York Univ. 1952. IV, 208 Bl. [Mschr.]

Dahrendorf, Malte: HH's. Demian und C. G. Jung. 1958 s. L 972

Schwartz, Armand: Création littéraire et psychologie des profondeurs. 1960 s. L 1780a

Vgl. Introversion.

Gottfried Keller

L 1375   Klaiber, Theodor: Gottfried Keller und die Schwaben. Stgt: Strecker & Schröder 1916, S. 93–102.

L 1376   Bühner, Karl Hans: HH. und Gottfried Keller. Eine Studie. – Stgt: Bonz 1927. 59 S. [Rez. von Adolf von Grolmann in: DSL 29, 1928, S. 41.]

Kind

L 1377 Laserstein, Käte: Ein Dichter der Kinderseele. HH. zu s. 50. Geb. In: Schule u. Elternhaus (Hagen i. W.) 4, 1927, S. 589. (DA)

L 1378 Grolmann, Adolf von: Kind u. junger Mensch in d. Dichtg. der Gegenw. Bln: Junker u. Dünnhaupt [1930], S. 88–92, 123–127.

L 1379 Bick, Ignatz: HH.: «Unterm Rad», «Peter Camenzind» und «Demian». Erkennen u. Erforschen der Kindheit. In: I. B.: Das Erziehungsproblem im modernen Roman seit dem Naturalismus. Gelnhausen 1931: Kalbfleisch, S. 81–98. Diss. Ffm.

L 1380 Drechsel, H.: Fragment aus einer Studie über die Psychologie des Kindes in HH's. Werk. In: Tijdschr. voor levende Talen 6, 1940, S. 231–235.

L 1381 Goes, Albrecht: Kindheit u. Jugend bei HH. In: Schwäb. Landesztg. (Augsburg) Nr. 121 v. 9. 10. 1950.

L 1381a Boudier, M.: L'enfance et le problème pédagogique dans l'œuvre de HH. – Diplôme d'étude supérieure Paris 1953. 86 Bl. [Mschr.] (L 759a)

Klein und Wagner

L 1382 Heller, Peter: The masochistic rebel in recent German lit. In: JAAC 11, 1952/53, bes. S. 205 f.

L 1383 Klein, Johannes: Klein und Wagner. In: J. K.: Geschichte d. dt. Novelle von Goethe bis zur Gegenw. 4. erw. Aufl. Wiesbaden: Steiner 1960, S. 553 – 555.

Klingsors letzter Sommer

L 1384 Keckeis, Gustav: Ein Dichter des Diesseits. In: Literar. Handweiser (Freiburg i. Br.) 56, 1920, Sp. 397–402.

L 1385 Kobbe, Friedrich-Carl: HH's. Klingsors letzter Sommer. In: Kasseler Allg. Ztg. 1920, Nr. 186. (LitE, Met)

L 1386 K[orrodi], E[duard]: HH's. neue Novellen. In: NZZ Nr. 971 v. 11. 6. 1920. + Tdr. in: LitE 22, 1919/20, Sp. 1246.

L 1387 Stoecklin, Franziska: HH.: Klingsors letzter Sommer. In: Lesez 7, 1919/20, S. 123 f.

L 1388 Konfeldt, [G.]: Klingsors letzter Sommer. Von HH. In: BuB 1, 1921, S. 37.

L 1389 Wolfradt, Willi: HH.: Klingsors letzter Sommer. In: Freie dt. Bühne (Bln) 2, 1921, Nr. 28, S. 655 f. (Met)

L 1389a Lehner, Rud. Julius in: DSL 23, 1922, Sp. 22.

L 1390 K[orrodi], E[duard]: Eine Stelle aus «Klingsors letzter Sommer». In: NZZ Nr. 1366 v. 14. 9. 1924.

L 1391 Eyberg, Johannes: HH. und Klingsor. Wohin steuert der größte schwäb. Dichter? In: SchwSp 27, 1933, S. 58 f.

L 1392 Mast, Hans: HH.: Klingsors letzter Sommer. In: Bübl 11, 1947, Nr. 6, S. 2.

L 1393 Schnass, Frank: HH., Klingsors letzter Sommer. In: F. Sch.: Die Einzelschrift im Deutschunterr. Bd. 2. Bad Heilbrunn Obb.: Klinkhard 1955, S. 172–175.

Knulp

L 1394 Bänninger, Konrad: Knulp von HH. In: WiLeb 9, 1915/16, Bd. XVI, S. 725–727.

L 1395 Braun, Felix: Knulp. In: Rhlde 15, 1915, S. 351 f.

L 1396 Flake, Otto in: NRs 26, 1915, S. 1138 f.

L 1397 K[orrodi, Eduard]: Die Herzensgeschichte Knulps. In: NZZ Nr. 910 v. 15. 7. 1915.

L 1398 M[issenharter], H[ermann]: Knulp. In: Württ. Ztg. (Stgt) v. 23. 7. 1915.

L 1399 Schussen, Wilhelm: Ein neues Buch von HH. In: SchwSp 8, 1914/15, S. 160.

L 1400 Zoff, Otto: Knulp. In: März (Mchn) 9, 1915, III, S. 143 f.

L 1401 HH.: Knulp. In: Schweizerland (Chur) 2, 1915/16, S. 421.

L 1402 Fierz, Anna: HH.: Knulp. In: Lesez 5, 1917/18, S. 112.

L 1403 Meyer-Benfey, Heinrich: Knulp. In: Die lit. Gesellsch. (Hambg.) 3, 1917, H. 1, S. 18–27.

L 1404 Weber, Ernst: Dichter u. Jugendbildung. Lpz: Haase 1921, S. 94–96. (Dt. Dichterpädagogik. Tl. 1. = Schriften für Lehrerfortbildung. 21.)

L 1405 Werckshagen, Carl: Zu «Knulp». In: Junge Menschen (Hambg.) 2, 1921, S. 52.

L 1406 Treuhan, M. in: Buch u. Volk (Reichenberg i. B.) 3, 1925, S. 142.

L 1407 Basler, Otto: Knulp. Eine der schönsten Dichtgn. von HH. In: Büchergilde (Zch) Jg. 1945, S. 210.

L 1408 K[orrodi], E[duard]: Wiedersehen mit Knulp. In: NZZ Nr. 49 v. 10. 1. 1945.
Matzig, Richard B[lasius]: Berthold u. Knulp. Betrachtg. über zwei Bücher von HH. 1945 s. L 720

L 1409 Debruge, Suzanne: L'art de conter. HH.: Trois histoires de la vie de Knulp. In: Langues vivantes (Paris) tome 48, 1954, S. 328–332.

L 1410 Bengeser, Josef: HH., Knulp. In: J. B.: Schuld u. Schicksal. Interpr. zeitgenöss. Dichtg. Bamberg: Buchner 1959, S. 9–29.

König Yu

L 1411 Rose, Ernst: The beauty from Pao. Heine – Bierbaum – H. In: GR 32, 1957, bes. S. 17 f.

Kommunismus

L 1412 «Ich bin kein Kommunist.» Eine Erklärung HH's. In: FAZ Nr. 162 v. 16. 7. 1955.

Krieg und Frieden

L 1413 K[orrodi], E[duard]: «Krieg u. Frieden. Betrachtgn.» In: NZZ Nr. 1967 v. 31. 10. 1946.

L 1414 Lichdi, Kurt: Der Dichter u. die beiden Kriege. In: Die Zeit am Tyne. Stimme kriegsgefang. Deutscher (Camp 18/Featherstone Park) Nr. 7, Weihnachten 1946, S. 7.

L 1415 Merz, Ernst: Die Stimme des Nobelpreisträgers. In: Bübl 10, 1946, Nr. 11, S. 3.

L 1416 Reuter, Emil: HH. und die Menschlichkeit. In: Die Brücke (Ffm) 3, 1948, H. 12, S. 25–27.

L 1417 G. C.: Der Pazifist im Elfenbeinturm. HH's. Betrachtgn. zum Frieden. In: Tägliche Rs. (Bln) Ausg. II, Nr. 236 v. 8. 10. 1949. (Pf)

L 1418 Langgässer, Elisabeth: Weisheit des Herzens. Zu HH's. «Krieg u. Frieden». In: DtZtgWi Nr. 81 v. 8. 10. 1949, S. 15.

L 1419 Ihlenfeld, Kurt: HH's. Friedensbotschaft. In: K. I.: Poeten und Propheten. Witten u. Bln: Eckart-Verl. 1951, S. 283–288.

L 1420 Hofbauer, Josef: Friedensgedanken eines Dichters. In: Sozialist. Tribüne (Ffm) 2, 1957, Nr. 4/5, S. 50–54.

Vgl. Politik.

Krisis

L 1421 Griese, Walter Hans: François [Villon] hat einen Bruder bekommen. In: Der Kreis (Hambg.) 5, 1928, H. 9, S. 541f. (DSL)

L 1422 K[orrodi], E[duard]: Gedichte einer Krisis. In: NZZ Nr. 991 v. 31. 5. 1928. + Tdr. in: Lit 30, 1927/28, S. 656.

L 1423 Schlack, A.: HH.: Krisis. In: SchwSp 22, 1928, S. 308f.

L 1424 Böhm, Hans in: Der Kunstwart (Mchn) 44, 1930/31, S. 803f.

Künstlertum

L 1425 Ehrenberg, H.: Der 50jähr. HH. Die Frage des Dichters u. die Frage nach dem Dichter. In: Der getreue Eckart (Wien) 4, 1926/27, H. 10/11, S. 307–312. (DA, Met) + In: Der Gral (Essen) 22, 1927, S. 769–771. (DA)

L 1426 Jordan, Max: Die Sendung d. Dichters. Ein offener Brief an HH. In: Benediktinische Monatsschr. (Beuron) 13, 1931, S. 398–405.

L 1427 Stolz, Heinz: Die Stillen im Lande. In: WuW 1, 1946, bes. S. 4f.

L 1428 Götting, Wilhelm: Das Künstlerproblem in d. Dichtg. HH's. – Staatsexamensarbeit Köln 1950. 118 Bl. [Mschr.]

L 1429 Heller, Peter: The writer's image of the writer. A study in the ideologies of six German authors. 1918–1933. (Th. Mann, HH., Toller, Grimm, Brecht, Jünger.) – Doct. diss. Columbia Univ. 1951, bes. Bl. 65 – 130. [Mschr.]

L 1430 McCormick, John O.: Thomas Wolfe, André Malraux, and HH.; a study in creative vitality. – Doct. diss. Harvard Univ. 1951. 378 Bl. [Mschr.]

Böckmann, Paul: Der Dichter u. die Gefährdung des Menschen im Werk HH's. s. L 1602

L 1431 Fickert, Kurt J.: The problem of the artist and the Philistine in the work of HH. – Doct. diss. New York Univ. 1952. 195 Bl. [Mschr.]

L 1432 Jordan, Placidus [d. i. Max]: Offener Brief an HH. In: Benediktinische Monatsschr. (Beuron) 28, 1952, S. 424–431.

L 1433 Unseld, Siegfried: HH's. Anschauung vom Beruf des Dichters. – Diss. Tübingen 1952. 232 Bl. [Mschr.]

L 1434 Heller, Peter: The creative unconscious and the spirit: a study of polarities in H's. image of the writer. In: MLF 38, 1953, S. 28–40.

Heller, Peter: The writer in conflict with his age. A study in the ideology of HH. 1954 s. L 1173

L 1434a Benoist, M.: Conception du poète et de la poésie chez HH. – Diplôme d'étude supérieure Paris 1955. 8, 108 Bl. [Mschr.] (L 759a)

L 1434b Schepler, H.-J.: Wesensbestimmung der Dichtung u. des Dichters bei Hugo von Hofmannsthal u. HH. – Staatsexamensarbeit Berlin 1955. 97 Bl. [Mschr.] (L 759a)

L 1435 Seifert geb. Duchatsch, Waltraud: Künstler und Gesellschaft im Prosawerk HH's. – Diss. Leipzig 1956. 230 Bl. [Mschr.]

Kurgast

L 1436 Faesi, Robert: «Kurgäste». (Th. Mann: Zauberberg; HH.: Kurgast.) In: SoblBasNachr 19, 1925, S. 199f., 203f.

L 1437 Kayser, Rudolf: Der Kurgast. In: NRs 36, 1925, S. 758–761.

L 1438 Kenter, Heinz Dietrich: Kurgast. Aufzeichngn. von einer Badener Kur. Von HH. In: Lit 27, 1924/25, S. 688.

L 1439 K[orrodi], E[duard]: HH's. Badenfahrt. In: NZZ Nr. 851 v. 31. 5. 1925.

L 1440 Leszer, Jonas in: Wissen u. Leben. NSRs 18, 1925, S. 765f.

L 1441 Keim, H. W. in: Dt. Rs. 53, 1927, Bd. 212, S. 241f.

L 1442 Duruman, Safinaz: La mélodie à deux voix de HH. In: Dialogues (Istanbul) 2, 1951, Nr. 2, S. 87–99. (Mi)

L 1443 W[e]b[er, Werner]: Das Wort u. die Imponderabilien. In: NZZ Nr. 228 v. 31. 1. 1953.

L 1444 Faesi, Robert: Thomas Mann. Ein Meister der Erzählkunst. Zch: Atlantis (1955), S. 61–75.

Vgl. Baden bei Zürich

Landschaft

L 1445 Schwarz, Georg: Beschreibung einer Landschaft. Zu Tagebuchbll. H's. In: WuW 3, 1948, S. 170f.

L 1446 Thürer, Paul: Die Berge im Werk HH's. In: Die Alpen (Bern) 27, 1951, S. 228 bis 235, 274–280. + SA: [Bern: Stämpfli & Cie.] 1951. 14 S.

L 1447 Wasserscheid, Rosemarie: Die Gestaltung der Landschaft in HH's. Prosadichtg. – Staatsexamensarbeit Köln 1951. 105 Bl. [Mschr.]

L 1448 Schwarz, Georg: HH. beschreibt eine Landschaft. In: StgtZtg Nr. 151 v. 2. 7. 1953. + In: Dt. Presse-Korrespondenz (Hannov.-Kirchrode) Jg. 1953, H. 29, S. 21f.

L 1449 Hoyer, Karl-Heinz: Die Landschaft im Prosawerk HH's. – Diss. Berlin (Freie Univ.) 1954. 176 Bl. [Mschr.]

Weber, Gisela: Naturgefühl u. Landschaftsschilderung in den Prosadichtgn. HH's. bis zum «Siddhartha» einschl. 1956 s. L 1714

Hermann Lauscher

L 1450 Finckh, Ludwig: H's. «Hermann Lauscher». In: SchwSp 1, 1907/08, S. 303.

L 1451 Heuss, Theodor: Schwäbische Kunde. In: LitE 11, 1908/09, Sp. 841f.

L 1452 I.: Hermann Lauscher. In: NZZ Nr. 192 v. 12. 7. 1908, 2. Bl.

L 1453 Stach, Ilse von in: Hochland (Mchn) 6, 1908/09, I, bes. S. 478f.

L 1454 Stoessl, Otto: Hermann Lauscher. In: Die Gegenwart (Bln) 37, 1908, Bd. 74, S. 121f. + Tdr. in: LitE 11, 1908/09, Sp. 123.

L 1455 W[e]nd[rine]r, K[arl] G[eorg]: HH.: Hermann Lauscher. In: Berner Rs. 3, 1908/09, S. 432f.

L 1456 Ackerknecht, Erwin: Hermann Lauscher. In: BuB 13, 1933, S. 385.

L 1457 K[orrodi], E[duard]: Hermann Lauscher-Hesse. In: NZZ Nr. 1885 v. 18. 10. 1933.

L 1458 Wiegand, Heinrich: HH's. Jugendbildnis. In: NRs 45, 1934, I, S. 119–122.

Mileck, Joseph: Names and the creative process. A study of the names in HH's. «Lauscher», «Demian», «Steppenwolf», and «Glasperlenspiel». 1961 s. L 1677.

Lebensalter

L 1459 Prang, Helmut: Die Lebensalter in HH's. Dichtgn. [Vortrag.] In: Vita humana. Internat. Zs. f. Lebensalterforschg. (Basel) 1, 1958, S. 171–190.

Lebensbegriff

L 1460 Watanabe, Masaru: HH's. Lebensbegriff. [Japan. mit dt. Zusammenfassg.] In: Doitsu Bungaku (Tôkyô) Nr. 23, 1959, S. 127–133.

Leid

L 1461 Mihailovitch, Vasa: Das Leid in HH's. Werk. – M. A. Wayne State Univ. 1957. 63 Bl. [Mschr.] (Mi, L 759a)

Bernt Lie

L 1462 Herold, Eduard: Kosmopolitismus. [Zum Offenen Brief an Bernt Lie.] In: Augsburger Abend-Ztg. Nr. 314 v. 12. 11. 1915.

L 1463 Lie, Bernt: Eine Antwort an HH. In: Frankf. Ztg. Nr. 349 v. 17. 12. 1915, 1. Mbl.

Lesungen

L 1464 M[arti], F[ritz]: Literar. Abend im Lesezirkel Hottingen. In: NZZ Nr. 342 v. 10. 12. 1905, 1. Beil.

L 1465 M[arti], F[ritz]: Zweiter lit. Abend d. Lesezirkels Hottingen. HH. In: NZZ Nr. 346 v. 14. 12. 1905, Mbl.

L 1466 G. Z.: HH.-Abend in Bern. In: Berner Rs. 2, 1907/08, S. 662f.

L 1467 (Lesung in Bern). In: NZZ Nr. 139 v. 19. 5. 1908, 2. Abl.

L 1468 W[itt]ko, [Paul]: HH. In: NTgbl Nr. 86 v. 15. 4. 1909.

L 1469 Vortragsabend v. HH. In: Schwäb. Merkur (Stgt) Nr. 170 v. 15. 4. 1909.

L 1470 M[arti], F[ritz]: (H.-Abend in Zch.) In: NZZ Nr. 169 v. 20. 6. 1909, 1. Bl.

L 1471 (Vortrag im Lit. Klub in Zch.) In: NZZ Nr. 69 v. 11. 3. 1910, 1. Abl.

L 1472 (Vortrag im Lit. Klub in Zch.) In: NZZ Nr. 340 v. 9. 12. 1910, 4. Mbl.

L 1473 M[issenharter], H[ermann]: HH. am Vortragspult. In: Württ. Ztg. (Stgt) v. 12. 1. 1911.

L 1474 Vortragsabend von HH. In: Schwäb. Merkur (Stgt) Nr. 17 v. 12. 1. 1911.

L 1475 M[arti], F[ritz]: HH.-Abend. In: NZZ Nr. 32 v. 1. 2. 1911, 2. Abl.

L 1476 (Lesung im Lit. Klub d. Lesezirkels Hottingen.) In: NZZ Nr. 1706 v. 5. 12. 1913.

L 1477 Ein HH.-Abend [in Luzern]. In: NZZ Nr. 1613 v. 29. 11. 1915.

L 1478 Ein H.-Abend in Bern. In: NZZ Nr. 1783 v. 8. 11. 1916.

L 1479　K[orrodi], E[duard]: HH.-Abend. In: NZZ Nr. 2241 v. 28. 11. 1917.

L 1480　F. S.: HH. in der «Freien Bühne». In: Süddt. Ztg. (Stgt) Nr. 249 v. 26. 10. 1921.

L 1481　H. W.: HH. in Stgt. In: Schwäb. Merkur (Stgt) Nr. 290 v. 3. 12. 1924.

L 1482　Dr. S.: HH. in Ulm. In: Schwäb. Volksbote/Erbacher Ztg./Fils-Ztg. Nr. 255 v. 4. 11. 1925.

L 1483　S[ie]b[ur]g, [A.]: HH. In: StgtNTgbl Nr. 553 v. 26. 11. 1926.

L 1484　H. S.: HH. in Stgt. In: Württ. Ztg. (Stgt) Nr. 277 v. 26. 11. 1926.

L 1485　Rr.: HH.-Abend. In: Schwäb. Merkur (Stgt) v. 26. 11. 1926.

L 1486　(Lesung in Stgt.) In: Staatsanz. f. Württbg. v. 27. 11. 1926.

L 1487　G. Sch.: Interview durchs Telephon. Was HH. erzählt. In: Frankf. General-Anz. Nr. 285 v. 6. 12. 1926.

L 1488　M. M.: Vortragsabend HH. In: Frankf. General-Anz. Nr. 287 v. 8. 12. 1926.

L 1489　Kusch, Eugen: HH's. «Nürnberger Reise». In: Die neue Schau (Kassel) 11, 1950, S. 102f.

L 1490　be.: HH. am Vortragstisch. In: Staatsanz. f. Württbg. v. 16. 3. 1928.

L 1491　Cef.: HH. liest. In: Ulmer Abendpost v. 23. 4. 1929.

L 1492　Br.: (Lesung in Stgt.) In: Staatsanz. f. Württbg. Nr. 263 v. 8. 11. 1929.

L 1493　H.: HH. liest vor. In: Schwäb. Merkur (Stgt) v. 8. 11. 1929, Abl.

Romantische Lieder

L 1494　Benzmann, Hans in: Magazin f. Litt. (Bln) 69, 1900, Sp. 703f.

L 1495　Fischer, Hans W. in: Die Gesellschaft (Dresden) 16, 1900, IV, S. 131.

Über die heutige deutsche Literatur [B 213]

L 1496　Fischer, Max: Dt. Dichtg. – dt. Zukunft. Ein offener Brief an HH. In: Rhein. Beobachter (Potsdam) 3, 1924, S. 26.

Literaturberichte

L 1497　Basler, Otto: Neues u. Altes von HH. In: NatZ Nr. 161 v. 7. 4. 1946.

L 1498　Basler, Otto: Schweiz. Neuausgaben von Werken HH's. In: Schweizer Annalen (Aarau) 3, 1946/47, S. 179–181.

L 1499　HH. In: Bücherschiff (Ffm) 3, 1953, Nr. 7, S. 4.

L 1500　Neues von HH. In: Bücherschiff (Ffm) 5, 1955, Nr. 10, S. 1.

L 1501　Basler, O[tto]: Neue Literatur um HH. In: NatZ Nr. 400 v. 31. 8. 1957.

L 1502　cd. [d. i. Charlotte von Dach]: Literatur zu HH's. 80. Geb. In: Der Bund (Bern) Nr. 298 v. 30. 6. 1957, Beil.

L 1503　jc.: Schriften über HH. In: NZZ Nr. 3212 v. 8. 11. 1957.

L 1504　Mls.: Neuausgaben zu HH's. 80. Geb. In: TagesAnz Nr. 174 v. 27. 7. 1957.

L 1505　Pfeifer, Martin: Ein paar Notizen für Sie. In: gespr [H. 3], April 1959, S. 3f.

L 1506　Pfeifer, Martin: Neue Notizen für Sie. In: gespr [H. 4], Aug. 1959, S. 3f.

L 1507　Pfeifer, Martin: Vielerlei Begegnungen – ein kleiner Literaturbericht. In: gespr [H. 5], Dez. 1959, S. 4f.

L 1508 Pfeifer, Martin: Kleiner Literaturbericht. In: gespr [H. 7], Juli 1960, S. 11–14.

L 1509 Pfeifer, Martin: Neue HH.-Lit. In: gespr [H. 8], Nov. 1960, S. 3–6.

L 1510 Pfeifer, Martin: Neue HH.-Lit. In: gespr [H. 9], Mai 1961, S. 3–5.

L 1510a Pfeifer, Martin: Neue HH.-Lit. In: gespr H. 10, Nov. 1961, S. 5–9.

Literaturkritik

L 1510b Field, G[eorge] Wallis: HH. as a critic of English and American literature. In: L 76a, S. 147–158.

Lyrik

L 1511 Kunze, Wilhelm: HH's. Lyrik. In: Weimarer Bll. 4, 1922, S. 323–328.

L 1512 Lissauer, Ernst: Zu HH's. Lyrik. In: LitE 24, 1921/22, Sp. 730–733.

L 1513 Schaer, Alfred: HH. Zum 50. Geb. d. Dichters. In: Der freie Rätier (Chur) Nr. 152 v. 2. 7. 1927.

L 1514 Krauß, R[udolf]: Der Lyriker HH. In: SchwSp 23, 1929, S. 347f.

L 1515 Erhart, Ilse: Die Lyrik HH's. – Diss. Wien 1936. 139, VII Bl. [Mschr.]

L 1516 Edfelt, Johannes: Nattens tröst. Några ord om HH's. lyrik till diktarens sextioarsdag den 2 juli 1937. In: Bonniers Lit. Magasin (Stockholm) 6, 1937, H. 6, S. 467–471.

L 1516a Foulquier, Yvonne: HH's. Lyrik. – Diplôme d'étude supérieure Paris 1937. 142 Bl. [Mschr.] (L 759a)

L 1517 Gubitsch, Alicia u. Jorge F. Amegú: HH. Ensayo sobre la lirica substancial. In: Boletín del Inst. de Estudios Germanicos (Buenos Aires) 1/2, 1939/40, S. 151–168.

L 1518 Edfelt, Johannes: Nattens tröst. In: J. E.: Strövtåg. Stockholm: Bonnier 1941, S. 44f. (Mi)

Humm, R[udolf] J[akob]: Die Farbe Rot in den Gedichten von HH. 1943 s. L 1059

L 1519 Eberle, Josef: Die Gedichte von HH. In: StgtZtg Nr. 2 v. 22. 9. 1945, Beil.

L 1520 Matzig, R[ichard] B[lasius]: HH. als Lyriker. In: NatZ Nr. 291 v. 29. 6. 1947, Sobeil.

L 1521 Park, Clyde W.: A note on HH's. verse. In: Poetry (New York) 70, 1947, S. 206 bis 208.

L 1522 Beck, Adolf: «Dienst» u. «reuelose Lebensbeichte» im lyr. Werk HH's. In: Festschrift Paul Kluckhohn u. Hermann Schneider. Tüb: Mohr 1948, S. 445–467.

L 1523 Edfelt, Johannes: Lyrikern. In: J. E.: Några verk och gestalter i modern tysk diktning. Lund: Gleerup (1948), S. 20–25. (Skrifter utgivna av Sveriges yngre läroverkslärares förening. 7.)

L 1524 Schwarz, Georg: HH. in seinem Gedicht. In: WuW 4, 1949, S. 171–174.

L 1525 Lorrain, N.: L'évolution du lyrisme de HH. dans les «Gedichte». – Diplôme d'étude supérieure Paris 1950. 156 Bl. [Mschr.] (L 759a)

L 1526 Pfeifer, Martin: Verseinlagen in modernen Prosadichtungen, hauptsächl. dargelegt an Werken HH's. – Staatsexamensarbeit Jena 1950. 137 Bl. [Mschr.]

L 1527 Andrews, R. C.: The poetry of HH. In: GLL NS 6, 1952/53, S. 117–127.

L 1528 Drews, Richard: HH's. Verse. Zum 75. Geb. d. Dichters. In: Die Weltbühne (Bln) 7, 1952, S. 882f. + Franz Leschnitzer: Es geht um die Dichtung. Nachtrag zur Lyrikdiskussion. Ebd., bes. S. 1015. + Richard Drews: Brief eines Genesenden an seinen Chirurgen. Ebd. S. 1205f. + Franz Leschnitzer: Nochmals auf dem Operationstisch! Ebd. 8, 1953, S. 434–437. + Richard Drews: Hoffentl. letzter Nachtrag. Ebd. 8, 1953, S. 437–439.

L 1529 Guder, Erich: Gedichte HH's. Bei Kindern d. Volksschule. In: Berliner Lehrerztg. 6, 1952, S. 316–318.

L 1530 Carlsson, Anni: Der alte Meister. Eine mythische Figur in Gedichten HH's. In: NZZ Nr. 1632 u. 1634 v. 2. 7. 1954.

L 1531 Delbono, Francesco: Beitrag zur Lyrik HH's. In: Italien. Kulturnachr. (Bonn) Jg. 1954, Nr. 41/42, S. 37–42.

L 1532 Mentgen, Marie: Gedichte von HH. in der Komposition. – Staatsexamensarbeit a. d. Staatl. Hochschule für Musik, Köln 1954. 191 Bl. [Mschr.]

L 1533 Mileck, Joseph: The poetry of HH. In: MDU 46, 1954, S. 192–198.

L 1534 (Böttcher, Margot): Die Lyrik – Ernte eines reichen Lebens. In: L 74, S. 84–95.

L 1535 Hilscher, Eberhard: Der Lyriker HH. In: Neue dt. Lit. (Bln) 4, 1956, H. 9, S. 109 bis 118.

L 1536 Carlsson, Anni: Die ewige Gegenwart im Gedicht HH's. In: NZZ Nr. 1906 v. 30. 6. 1957.

L 1537 Deschner, Karlheinz: Kitsch, Konvention u. Kunst. Mchn: List (1957), S. 146 bis 158, 164–173. (List-Bücher. 93.)

L 1538 Nils, Maria: Beim Wiederlesen von H's. Gedichten. In: TagesAnz Nr. 159 v. 10. 7. 1957.

L 1538a Madl, Annemarie: Der Weg nach Hause in HH's. lyrischem Werk. Eine Untersuchg. d. wichtigsten Motive. – Diss. Erlangen 1958.

L 1539 Ansorge, Dietrich Klaus: Die Versuche der Zeitüberwindung in der Lyrik HH's. – Diss. Hamburg 1959. II, 257 Bl. [Mschr. vervielf.]

Thürer, Paul: Von den Wolken in den Gedichten HH's. 1960 s. L 1716

L 1539a Hertling, Ute: HH's. Lyrik als Widerspiegelung persönlichen u. gesellschaftl. bedingten Erlebens. In: Wiss. Zs. der Fr. Schiller-Univ. Jena. Ges.- u. sprachwiss. Reihe 9, 1959/60, S. 321–333.

Einzelne Gedichte

L 1540 Ueber Wasser, Walter: HH's. schönstes Gedicht. In: KlBd 3, 1922, S. 269f. – G 650.

L 1541 Geilinger, Max: Im Nebel. In: SoblBasNachr 37, 1943, S. 15f. – G 565.

L 1542 Berna, Jacques: Wache Nacht. Ein Briefwechsel mit HH. In: Schweizer Annalen (Aarau) 3, 1946/47, S. 241–243. – G 74.

L 1542a Bourbeck, Christine: Trost u. Licht des Wortes. 2. Aufl. Bln: Verl. Haus u. Schule 1948, S. 62–64. [Zuerst 1947.] – G 565.

L 1543 Frey, Emmy: Über Rilkes Gedichte. In: DtUnterr Jg. 1948, H. 2/3, bes. S. 75f. – G 166 u. Rilkes «Blaue Hortensie».

L 1544 Hafner, Gotthilf: HH.: Meiner Mutter. In: DtUnterr Jg. 1948, H. 2/3, S. 101 bis 108. – G 322.

L 1545 Ackerknecht, Erwin: HH.: Im Nebel. – Einsame Nacht. – Vergiß es nicht. – Wanderschaft. In: E. A.: Die Kunst des Lesens. 4. Aufl. Heidelberg: Wunderhorn-Verl. (1949), S. 260–264. – G 565, 146, 240, 366.

L 1546 Moser, Hans Joachim: Goethe und die Musik. Lpz: Peters (1949), S. 41. – G 636.

L 1547 Pfeiffer, Johannes: Über die gegenwärt. Situation d. dt. Lyrik. In: Slg 7, 1952, bes. S. 293–295. – G 565, 650.

L 1548 Angelloz, J[oseph]-F[rançois]: Landstreicherherberge. In: L 71, S. 48f. – G 726.

L 1549 Debruge, Suzanne: Flötenspiel. In: L 71, S. 48. + SA: [Zch: Conzett & Huber] 1952 [d. i. 1953]. Unpag. 3 S. – G 196.

L 1550 Haußmann, Walter: Drei Gedichte von HH. Interpr. im Deutschunterr. In: DtUnterr 5, 1953, H. 4, S. 34–43. – G 670, 545, 636.

L 1550a Hock, Erich: H.: Über die Alpen – Hofmannsthal: Reiselied. In: E. H.: Motivgleiche Gedichte. Von Walther v. d. Vogelweide bis Josef Weinheber. Lehrerband. Bamberg: Bayer. Verlagsanst. (1953), S. 56f. (Am Born d. Weltlit. Heft A 7 L.)

L 1551 Sitte, Eberhard: Vergleichende Gedichtbetrachtung im Unterr. In: DtUnterr 5, 1953, H. 3, bes. S. 73–75. – G 565, 726.

L 1552 W[e]b[er, Werner]: Zu HH's. «Leise wie die Gondeln...» In: NZZ Nr. 286 v. 7. 2. 1953. – G 428.

L 1553 Weber, Werner: Ravenna. In: L 71, S. 47f. + [Werner] W[e]b[er]: Modernes in einem alten Gedicht. In: NZZ Nr. 2276 v. 18. 9. 1954. – G 535.1.

L 1554 Carlsson, Anni: Briefwechsel zu einem Gedicht von HH. In: NZZ Nr. 121 v. 17. 1. 1954. + In: StgtZtg Nr. 37 v. 13. 2. 1954. – G 286.

L 1555 Hippe, Robert: Vier Brunnengedichte. (C. F. Meyer, R. M. Rilke, Hans Carossa, HH.) In: Wirkendes Wort (Düsseldorf) 4, 1953/54, S. 268–274. – G 726.

L 1556 Weber, Werner: Figuren u. Fahrten. Aufsätze zur gegenwärt. Lit. Zch: Manesse (1956), S. 108–111. – G 535.1.

L 1557 Stein, Ernst: Wege zum Gedicht. In: Deutschunterricht (Bln) 10, 1957, bes. S. 417–419. – G 368.

L 1557a Winkler, Christian: HH. Im Nebel. In: Chr. W.: Gesprochene Dichtg. Textdtg. u. Sprechanweisg. Düsseldorf: Schwann (1958), S. 187–191. – G 565.

L 1558 Cassagnau, M.: H[enri] de Regnier et HH. Un rapprochement. In: Revue de litt. comparé (Paris) 33, 1959, S. 554f. – G 678.

Märchen

L 1559 Behl, C. F. W.: Märchen. Von HH. In: LitE 22, 1919/20, Sp. 435f.

L 1560 Ginzkey, Franz Karl: Glossen zu neuen Büchern. [HH., Paul Busson.] In: Die Republik (Wien) 1919, Nr. 135. (LitE)

L 1561 Missenharter, Hermann: HH.: Märchen. In: Der dt. Bund (Mchn) 1, 1919/20, H. 1/2, S. 135–138. (Met) + In: Der schwäb. Bund (Stgt) 1, 1919/20, I, S. 135 bis 138.

L 1562 Scheller, Will: HH's. Märchenbuch. In: Karlsruher Ztg. Nr. 182 v. 7. 8. 1919. + In: Dt. Ztg. (Bln) Nr. 380 v. 18. 8. 1919. (Met) + In: Prop 16, 1918/19, S. 326f. + Tdr. in: LitE 22, 1919/20, Sp. 38.

L 1563 Strecker, Karl in: VKMtsh 34, 1919/20, I, S. 581f.

L 1563a Knudsen, Hans: HH.: Märchen. In: DSL 21, 1920, Sp. 75f.

L 1564 Jehle, Mimi I.: Das moderne dt. Kunstmärchen. In: JEGPh 33, 1934, bes. S. 457f.

L 1565 W[e]b[er, Werner]: «Märchen». In: NZZ Nr. 2026 v. 9. 11. 1946.

L 1566 Basler, Otto: HH.: Märchen. In: Bübl 11, 1947, Nr. 6, S. 2.

Arnz, Käte: Die Natursymbolik in HH's. Märchen und dem «Weg nach innen». 1951 s. L 1712

L 1566a Kahlert, Hildegard: Gehalt u. Gestalt im modernen Märchen. (H., Ruth Schaumann, Ernst Wiechert.) – Staatsexamensarbeit Berlin 1951. 86 Bl. [Mschr.] (L 759a)

L 1567 Hafner, Gotthilf: HH.: Märchen. In: WuW 11, 1956, S. 88f.

März

L 1568 Süskind, W[ilhelm] E[manuel]: (Über H's. Mitarbeit am «März».) In: Begegnungen mit Theodor Heuss. Hg. v. Hans Bott u. Hermann Leins. Tüb: Wunderlich 1954, S. 238f.

L 1568a Nöhbauer, Hans F.: «März». In: H. F. N.: Literaturkritik u. Zeitschriftenwesen 1885–1914. Diss. München 1956, Bl. 161–184. [Mschr. vervielf.] (L 759a)

Maler

L 1569 W. U.: HH. als Maler. [Ausstellg. in d. Basler Kunsthalle.] In: BasNachr Nr. 37 v. 25. 1. 1920. + Tdr. in: LitE 22, 1919/20, Sp. 765.

L 1570 Ueber Wasser, Walter: Der Maler HH. In: Schweiz 24, 1920, S. 511–515.

L 1571 Zoff, Otto: Über HH. In: Wieland (Mchn) 6, 1920, H. 2, S. 11f.

L 1572 HH. als Maler. [Ausstellung in Basel.] In: NZZ Nr. 1338 v. 13. 8. 1920.

L 1573 Kiener, H[ans]: HH. In: Allg. Lexikon der bild. Künstler. Begründ. v. Ulrich Thieme u. Felix Becker. Bd. 16. Lpz: Seemann 1923, S. 591.

L 1574 Gey, Paul: Der Dichter malt. In: Daheim (Bielefeld) 64, 1927/28, H. 7, S. 13f.

Saager, Adolf: H. als Maler im Tessin. 1927 s. L 1607

L 1575 Elster, Hanns Martin: Dichter und Maler. HH. In: Der Schünemann-Monat (Bremen) Jg. 1928, H. 2, S. 178–183.

L 1576 Kunze, Wilhelm: Der Maler HH. In: Würzburger General-Anz. 1930, Lit. Beil. Nr. 25. (Lit) + In: Nürnberger Ztg. 1931, Nr. 147. (Lit) + Tdr. in: Lit 33, 1930/31, S. 696.

L 1577 M[ieg], P[eter]: HH., der Maler. In: Ww Nr. 26 v. 29. 6. 1934.

L 1578 Böhmer, Gunter: Malausflug mit HH. In: Bodenseeb 23, 1936, S. 83–86. + SA: [Ulm: Höhn 1935.] Unpag. 4 S. + In: G. B.: Schriftliches. Olten: (VOB) 1961, S. 57–65. (91. Publikation der VOB.)

L 1579 Mieg, H. Peter: Dem Maler HH. In: SoblBasNachr 41, 1947, S. 104.

L 1580 Goern, Hermann: Der Maler HH. In: L 68, S. 154–160. + In: L 69, S. 108–118.

L 1581 Carsten, Lotte Lore: Zu einem Aquarell von HH. – [Zch: Gebr. Fretz nach 1952.] 4 Bl. mit 1 Aquarell von HH.

L 1582 Hilscher, Eberhard: Der Dichter HH. als Maler. In: Bildende Kunst (Dresden) Jg. 1957, S. 611–614.

L 1583 Hoyer, Kay Hans: HH., der Maler des Tessin. In: Braunschweiger Ztg. v. 2. 7. 1957.

L 1584 Thürer, Georg: HH. als Maler. – (St. Gallen): Tschudy (1957). 20 Bl. mit 3 Taf. [Rez. von O[tto] B[asler] in: Der Bund (Bern) Nr. 463 v. 4. 10. 1957.]

L 1585 HH. enluminait ses rêves. In: Le Courrier de l'Unesco (Genève) August 1957, S. 7.

L 1585a Plüss, Eduard: Künstlerlexikon d. Schweiz im XX. Jahrhundert. 6. Lfrg. Frauenfeld: Huber & Co. [1960], S. 432.

Thomas Mann

Faesi, Robert: «Kurgäste». (Th. Mann: Der Zauberberg; HH.: Kurgast.) 1925 s. L 1436; vgl. L 1444

L 1586 Uenuira, Toshio: Thomas Mann und HH. [Japanisch.] In: Romantik und Klassik (Tôkyô) 1, 1934, Dez., S. 15–20. (JoMann)

L 1587 Satô, Kôichi: Mann und H. [Japanisch.] In: Bücherei (Tôkyô) Jg. 1941, S. 58–60. (JoMann)

L 1588 Carlsson, Anni: Gingo biloba. HH. zum 70. Geb. In: NSRs NF 15, 1947/48, S. 79–87. [Grundverwandtschaft der späten Werke.]

L 1589 Szczesny, Gerhard: Hans Castorp, Harry Haller und die Folgen. In: Umschau (Mainz) 2, 1947, S. 601–611.

L 1590 Thurm, Heinz G.: Thomas Mann, HH. und wir Jungen. In: Umschau (Mainz) 2, 1947, S. 612–615.

Dornheim, Alfredo: Música novelesca y novela musical. Concepción de las ultimas novelas de HH. y Thomas Mann. 1949 s. L 1248

Middleton, Drew: A literary letter from Germany. 1949 s. L 1256

Müller-Blattau, Joseph: Sinn u. Sendung der Musik in Thomas Manns «Doktor Faustus» u. HH's. «Glasperlenspiel». 1949 s. L 1257

L 1591 Schmid, Karl: HH. und Thomas Mann. Zwei Möglichkeiten europäischer Humanität. [Vortrag.] – Olten: (VOB) 1950. 48 S. (8. Sonder-Publikation für die VOB.) – Aufl.: 1125. + Tdr. in: Dichten u. Trachten (Ffm) Nr. 9, 1957, S. 9–15. [Rez. von O[tto] B[asler] in: NatZ Nr. 476 v. 15. 10. 1950, Sobeil.; von E[duard] K[orrodi] in: NZZ Nr. 2158 v. 13. 10. 1950.]

L 1592 Schneider, Marcel: Thomas Mann et HH. In: La Table ronde (Paris) 3, 1950, H. 31, S. 139–144. (DB)

L 1593 R[eifferscheidt], F[riedrich] M.: HH. u. Thomas Mann. Zu zwei Geburtstagen. In: Dt. Woche (Mchn) 2, 1952, Nr. 28, S. 13.

L 1594 Jonas, Klaus W.: HH. und Thomas Mann. In: Dt. Lit. (Tôkyô), Nr. 10, Mai 1953, S. 15–18. (Jo2, JoMann)

L 1595 Field, G[eorge] W[allis]: Music and morality in Thomas Mann and HH. In: Univ. of Toronto Quart. 24, 1955, S. 175–190.

L 1596 Pfeifer, Martin: HH. und Thomas Mann. In: Die Union (Dresden) Nr. 201 v. 25. 8. 1955.

L 1597 Mann, Erika: Das letzte Jahr. Bericht über meinen Vater. (Ffm): S. Fischer 1956, S. 6, 8f., 24, 52. + Tdr. in: L 76, S. 23.

Matthias, Klaus: Die Musik bei Thomas Mann und HH. 1956 s. L 1651

Die Marmorsäge

L 1598 Klein, Johannes: Die Marmorsäge. In: J. K.: Geschichte d. dt. Novelle von Goethe bis zur Gegenw. 4. erw. Aufl. Wiesbaden: Steiner 1960, S. 552 f.

Fritz Marti

L 1599   W. M.: Frühe Briefe von HH. In: NZZ Nr. 1600 v. 22. 7. 1952.

Menschenbild

L 1600   Fuchs, Karl: HH's. Bild des Menschen. (Nach dem epischen Werk.) – Diss. Erlangen 1949. 125 Bl. [Mschr.]

Kirchberger, Hubert: Das Bild des Menschen in HH's. Roman «Das Glasperlenspiel». 1949 s. L 1251

L 1601   Kirchhoff, Gerhard: Das Bild des Menschen in HH's. Dichtg. – Diss. Freiburg i. Br. 1951. XI, 310, 42 Bl. [Mschr.]

L 1602   Böckmann, Paul: Der Dichter u. die Gefährdung des Menschen im Werk HH's. In: Wirkendes Wort (Düsseldorf) 3, 1952/53, S. 150–162.

L 1603   Schönfeld, Herbert: Das Menschenbild HH's. Zum 75. Geb. des Dichters. In: Frankf. Neue Presse Nr. 149 v. 2. 7. 1952.

L 1604   Madeheim, Helmuth: Das Menschenbild der Zukunft im modernen Roman. (Walter Jens – HH.) In: Pädagog. Provinz (Ffm) 10, 1956, S. 435–442.

L 1605   Thomsen, Knut: Das Bild des Menschen in den Dichtungen HH's. In: gespr [H. 1], Juni 1958, S. 3f.

Montagnola

L 1606   Saager, Adolf: HH. und das Tessin. In: KlBd 8, 1927, S. 215.

L 1607   Saager, Adolf: H. als Maler im Tessin. In: Basilisk 8, 1927, Nr. 27.

L 1607a Huber, Kurt: HH. und das Tessin. In: Der Freisinnige (Wetzikon) Nr. 25 v. 30. 1. 1954.

L 1608   Adolph, Rudolf: Montagnola. In HH's. Klingsor-Haus. In: Kölnische Rs. v. 1. 7. 1956.

L 1609   Pfeifer, Martin: HH. in Montagnola. In: Pulsschlag (Zwickau) Okt. 1956, S. 10.

L 1610   Adolph, Rudolf: Montagnola. Begegnungen und Erinnerungen. Zeichngn. v. Gunter Böhmer. – St. Gallen: Tschudy 1957. 22 Bl. [Rez. von O[tto] B[asler] in: Der Bund (Bern) Nr. 463 v. 4. 10. 1957.]

L 1611   Adolph, Rudolf: In H's. Palazzo Camuzzi. In: R. A.: Schatzgräbereien. Nürnberg: Glock u. Lutz [1959], S. 58–71. (Musische Bibliothek. 5.)

Die Morgenlandfahrt

L 1612   Ackerknecht, Erwin: HH.: Die Morgenlandfahrt. In: BuB 12, 1932, S. 231.

L 1613   Fontana, Oskar Maurus: Die Morgenlandfahrt. In: Der Wiener Tag v. 1. 5. 1932, S. 17.

L 1614   Herrmann-Neiße, Max: HH.: Die Morgenlandfahrt. In: LitW 8, 1932, Nr. 23, S. 5.

L 1615   Johst, Hans in: VKMtsh 46, 1931/32, II, S. 567.

L 1616   Kießig, Martin: HH.: Die Morgenlandfahrt. In: BW 17, 1932, S. 103.

L 1617   K[orrodi], E[duard]: Die Morgenlandfahrt. HH's. neueste Erzählung. In: NZZ Nr. 676 v. 12. 4. 1932. + Tdr. in: Lit 34, 1931/32, S. 513.

L 1618   Kutzbach, Karl A.: HH.: Die Morgenlandfahrt. In: DNL 33, 1932, S. 267f.

L 1619 Lützeler, Heinrich in: Hochland (Mchn) 30, 1932/33, II, S. 562.

L 1620 Podbielski, Gert: Dank an HH. – für: Die Morgenlandfahrt. In: Buch- u. Kunstrevue. Beil. der Wirtschaftskorrespondenz f. Polen v. 29. 10. 1932.

L 1621 Schussen, Wilhelm: HH's. Morgenlandfahrt. In: StgtNTgbl Nr. 204 v. 3. 5. 1932.

L 1622 Weizsäcker, Adolf in: EckBll 8, 1932, S. 464–467.

L 1623 Wiegand, Heinrich: HH's. Morgenlandfahrt. In: NRs 43, 1932, I, S. 697–701.

L 1624 [Carlsson-]Rebenwurzel, Anni: Vom Steppenwolf zur Morgenlandfahrt. In: L 45a, S. 237–258. + In: L 45b, S. 236–256. + In: L 45c, S. 249–271.

L 1625 Näf, Hans: Zu einem Begriff des Poetischen. Bei Anlaß der Neuausgabe von HH's. «Morgenlandfahrt». In: NSRs NF 13, 1945/46, S. 443f.

Gide, André: Zum Werk HH's. Vorw. zu einer französ. Übersetzg. der Morgenlandfahrt. 1947 s. L 264

Böttcher, Margot: Aufbau und Form von HH's. «Steppenwolf», «Morgenlandfahrt» u. «Glasperlenspiel». 1948 s. L 1930

L 1626 Uhlig, Helmut: Die Morgenlandfahrt – Buch eines Übergangs. In: Aufbau (Bln) 4, 1948, S. 1009–1011.

L 1627 Herrigel, Hermann: Positiver Surrealismus. In: Das lit. Deutschland (Heidelberg) 2, 1951, Nr. 18, bes. S. 1.

L 1628 Carlsson, Anni: Dichtung als Hieroglyphe des Zeitalters: HH's. «Morgenlandfahrt». In: L 68, S. 165–168. + In: L 69, S. 90–96.

Mayer, Hans: HH's. «Morgenlandfahrt». 1952 s. L 2061

L 1629 Mühlberger, Josef: Die Morgenlandfahrer. In: NWZ Nr. 146 v. 28. 6. 1952. + In: L 69, S. 70–75.

L 1630 Pfeiffer, Johannes: Die Morgenlandfahrt. Zwischen Erzählung u. Meditation. In: J. P.: Wege zur Erzählkunst. Hambg.: Wittig (1953), S. 117–123.

L 1631 W[e]b[er, Werner]: Unterwegs. Notizen im Gedanken an die Morgenlandfahrt. In: NZZ Nr. 111 v. 17. 1. 1953.

L 1632 Zimmermann, Werner: HH. Morgenlandfahrt. In: W. Z.: Dt. Prosadichtungen d. Gegenw. Interpretationen. Tl. 1. Düsseldorf: Schwann (1956), S. 224–244.

L 1633 Hill, Claude: The journey to the east. In: Saturday Rev. v. 1. 6. 1957, S. 12f. (Mi)

L 1634 Horst, K[arl] A[ugust]: Die Elite der «Morgenlandfahrer». In: L 36, S. 65f.

L 1635 Middleton, J. C.: HH's. Morgenlandfahrt. In: GR 32, 1957, S. 299–310.

L 1636 Buchanan, Harvey: HH's. pilgrimage. In: Shenandoah (Lexington) 9, 1958, I, S. 18–22. (PMLA)

Peppard, Murray B.: From Eastern journey to Castalia. 1958 s. L 1310

L 1637 Wrase, Siegfried: Erläuterungen zu HH's. «Morgenlandfahrt». – Diss. Tübingen 1959. II, V, 205 Bl. [Mschr.]

L 1637a Helmich, Wilhelm: Wege zur Prosadichtg. d. 20. Jahrhunderts. Braunschweig: Westermann 1960, S. 45f.

Ernst Morgenthaler

L 1638 Morgenthaler, Ernst: Porträt-Sitzungen in Montagnola. In: E. M.: Ein Maler erzählt. Zch: Diogenes-Verl. (1957), S. 87–90. + In: Ww Nr. 1233 v. 28. 6. 1957, S. 5. + In: Der Landbote (Winterthur) v. 11. 12. 1957.

L 1639 Portmann, Paul: Ernst Morgenthaler: Drei Bildnisse von HH. In: Galerie u. Sammler (Zch) 13, 1945, Nr. 7, S. 161–167.

Vgl. Briefe an HH.

Wolfgang Amadeus Mozart

L 1640 Reinold, Helmut: HH's. Morgenlandfahrt mit Mozart. In: Geist u. Zeit (Düsseldorf) Jg. 1956, H. 5, S. 86–99.

L 1641 Valentin, Erich: Die goldene Spur. Mozart in d. Dichtg. HH's. – [Augsburg]: Dt. Mozart-Gesellsch. 1957. 12 S. [Mschr. vervielf.] + In: Festschrift Alfred Orel zum 70. Geburtstag. Hg. v. Hellmut Federhofer. Wien, Wiesbaden: Rohrer (1960), S. 197–206. + Olten: (VOB) 1961. 29 S. (Privatdr. der VOB.)

München

L 1642 Hoerschelmann, Rolf von: Leben ohne Alltag. Bln (1947), S. 19 ff. (L 740)

L 1643 Kliemann, Horst: HH. und München. In: Münchner Tagebuch 3, 1948, Nr. 9, S. 5–6. + In: Weihnachten mit Büchern. Straubing: Attenkofer 1947, S. 7–10. + SA: (Straubing: Attenkofer 1947.) Unpag. 4 S.

Mundart

L 1644 Zelder, Georg: Mundartliche Einflüsse in der Sprache HH's. – Diss. Breslau 1922. 109 Bl. [Mschr.]

Musik

L 1645 Thomas-San-Galli, W. A.: HH. und die Musik. In: Der Merker (Wien) 5, 1914, S. 413–418.

L 1646 Kunstmann, Lisa: Musik und Prosa. Zu HH's. Dichtg. In: Schwäb. Merkur (Stgt) Nr. 256 v. 30. 10. 1924. + In: Dt. Mtsh. (Bln) 2, 1926, I, S. 157f.

L 1647 Böhmer, Emil: Musik in HH's. Dichtg. In: Ostdt. Mtsh. (Bln) 15, 1934/35, S. 623–625. (DSL, Lit)

L 1648 -ie-: Musik in H's. Büchern. In: BasNachr Nr. 177 v. 1. 7. 1937, 1. Beil.

Dirks, Walter: Die Musik und die Vollkommenheit. 1949 s. L 1247

Dornheim, Alfredo: Música novelesca y novela musical. Concepción de las ultimas novelas de HH. y Thomas Mann. 1949 s. L 1248

Müller-Blattau, Joseph: Sinn u. Sendung der Musik in Thomas Manns «Doktor Faustus» u. HH's. «Glasperlenspiel». 1949 s. L 1257

L 1649 Waßner, Hermann: Über die Bedeutung der Musik in den Dichtungen HH's. – Diss. Heidelberg 1953. 145 Bl. [Mschr. vervielf.]

L 1650 Worbs, Erich: Ewige Musik. Gedanken u. Erlebnisse aus ihrem Reich. Bln: Union-Verl. (1954), S. 21, 45f., 65.

Field, G[eorge] W[allis]: Music and morality in Thomas Mann and HH. 1955 s. L 1595

L 1651 Matthias, Klaus: Die Musik bei Thomas Mann und HH. Eine Studie über die Auffassung der Musik in der modernen Literatur. – Diss. Kiel 1956. 352 Bl. [Mschr.]

L 1652 Schoolfield, George C.: The figure of the musician in German lit. Chapel Hill: Univ. of North Carolina Press (1956), S. 136f., 147–150, 157f., 190–194. (Univ. of North Carolina studies in the Germ. languages and literatures. 19.)

L 1653 Dürr, Werner: Die Musik des Dichters. In: Internat. Bodensee-Zs. (Amriswil) 6, 1956/57, S. 64–67.

L 1654 Dürr, Werner: HH. Vom Wesen der Musik in der Dichtung. – Stgt: Silberburg-Verl. (1957). 120 S. mit Abb. + Tdr. u. d. T.: HH. u. die Musik. In: Neues Winterthurer Tgbl. Nr. 148 v. 29. 6. 1957, Wochenbeil. [Rez. von Gotthilf Hafner in: WuW 12, 1957, S. 313f.; von W. in: NZZ Nr. 3060 v. 25. 10. 1957; in: Bücherschiff (Limburg/Lahn) 7, 1957, Nr. 7, S. 2; von Jean Boyer in: EG 13, 1958, S. 382; von Knut Thomsen in: gespr [H. 5], Dez. 1959, S. 7–9; in: Publikation (Bremen) 9, 1959, Nr. 3, S. 4.]

L 1655 Hecker, Joachim F. von: HH. In: Die Musik der Gegenw. Hg. v. Friedrich Blume. Bd. 6. Kassel: Bärenreiter 1957, Sp. 321–324.

L 1655a Maronn, Kristin: Der Einfluß des Musikalischen auf den bildlichen Ausdruck der Prosa HH's. – Staatsexamensarbeit Berlin 1957. 60 Bl. [Mschr.] (L 759a)

L 1656 Pleßke, Hans-Martin: HH. und die Musik. In: Aufbau (Bln) 13, 1957, II, S. 60–70.

L 1657 Valentin, Erich: Musica Domestica. Von Geschichte u. Wesen der Hausmusik. Trossingen: Hohner (1959), S. 146.

L 1657a Riedel, Herbert: Musik u. Musikerlebnis in d. erzählenden dt. Dichtg. Bonn: Bouvier 1959, S. 692–694. (Abhandlgn. zur Kunst-, Musik- u. Literaturwiss. 12.)

L 1657b Pfeifer, Martin: Klang von unsterblicher Heiterkeit. HH's. Verhältnis zur Musik. In: Musik im Unterricht. Ausg. B (Mainz) 52, 1961, S. 137–140.

Vgl. Wolfgang Amadeus Mozart.

Musik des Einsamen

L 1658 Heuss, Theodor in: März (Mchn) 8, 1914, IV, S. 284.

L 1659 S. L.: HH.: Musik des Einsamen. In: Schweizerland (Chur) 1, 1914/15, S. 671f.

L 1660 Lissauer, Ernst: Musik des Einsamen. Neue Gedichte. Von HH. In: LitE 17 1914/15, Sp. 1334.

L 1661 Reitz, Walter: HH's. «Neue Gedichte». In: Der Bund (Bern) Nr. 17 v. 12. 1. 1915. (LitE, Met) + Tdr. in: LitE 17, 1914/15, Sp. 621f.

L 1662 Schussen, Wilhelm: Musik des Einsamen. In: SchwSp 8, 1914/15, S. 70. + In: Prop 12, 1914/15, S. 308f.

L 1663 HH's. Neue Gedichte. In: BasNachr Nr. 108 v. 28. 2. 1915.

L 1664 Bethge, Hans in: Zs. f. Bücherfreunde NF 8, 1916, H. 2, Beibl. Sp. 85f. (Met)

L 1665 Busse, Carl in: VKMtsh 31, 1916/17, III, S. 137f.

L 1666 Graetzer, Franz: Friedenslyrik im Kriege. In: Die Gegenwart (Bln) 46, 1917, Nr. 13, bes. S. 155f. (Met)

Mutter

Leese, Kurt: Die Mutter als religiöses Symbol. 1934 s. L 1702

L 1667 Maurer, Lorenz: HH. u. der Zeitkreis der Mutterwelt. In: Der Rhythmus. Mitteilgn. d. Bode-Bundes (Kassel) 13, 1935, H. 1, S. 17–27. (DA, DSL)

L 1668 Heiting, Ingeborg: HH. In: I. H.: Der Muttergedanke als Zeitausdruck in neuerer Lit. Köln 1938: Orthen, S. 33–41. Diss. Bonn.

L 1668a Audlauer, A.: Le motif de la mère dans les romans de HH. – Diplôme d'étude supérieure Paris 1942. 84, 4 Bl. [Mschr.] (L 759a)

Angelloz, J[oseph] F[rançois]: Das Mütterliche u. das Männliche im Werke HH's. 1951 s. L 1146

Nachbarn

L 1669   Ackerknecht, Erwin: HH.: Nachbarn. In: EckLit 3, 1908/09, S. 341f.

L 1670   Busse, Carl in: VKMtsh 23, 1908/09, I, S. 472.

L 1671   Finckh, Ludwig: Der neue H.: «Nachbarn». In: SchwSp 2, 1908/09, S. 40.

L 1672   Heuss, Theodor: Nachbarn. In: Die Hilfe (Bln) 14, 1908, S. 731.

L 1673   M[arti], F[ritz]: Nachbarn. In: NZZ Nr. 335 v. 2. 12. 1908, 1. Mbl.

L 1674   W[itt]ko, [Paul]: HH.: Nachbarn. In: NTgbl Nr. 262 v. 7. 11. 1908.

L 1675   Nachbarn. In: Staatsanz. f. Württbg. Nr. 279 v. 27. 11. 1908.

Heuss, Theodor: Schwäbische Kunde. 1909 s. L 1451

L 1676   Schäfer, Wilhelm: Nachbarn. In: Rhlde 9, 1909, S. 105. + In: NRs 20, 1909, S. 782f.

L 1677   Spiero, Heinrich in: Die Grenzboten (Bln) 68, 1909, I, S. 189f.

Namen

L 1677a   Mileck, Joseph: Names and the creative process. A study of the names in HH's. «Lauscher», «Demian», «Steppenwolf», and «Glasperlenspiel». In: L 76a, S. 167 bis 180.

Narziß und Goldmund

L 1678   Ackerknecht, Erwin: HH.: Narziß und Goldmund. In: BuB 10, 1930, S. 302.

L 1679   [Ball-]Hennings, Emmy: HH's. Narziß und Goldmund. In: StgtNTgbl Nr. 456 v. 30. 9. 1930. + In: Neue Badische Landesztg. (Mannheim) 1930, Nr. 429. + Tdr. in: Lit 33, 1930/31, S. 33.

L 1680   Br[aun], H[arald]: HH.: Narziß und Goldmund. In: EckBll 6, 1930, S. 546f.

L 1681   Doderer, Otto: HH.: Narziß und Goldmund. In: DSL 31, 1930, S. 484.

L 1682   Go[ldstein, Franz]: Neue dt. Prosa. HH.: Narziß und Goldmund. In: Buch- u. Kunstrevue. Beil. der Wirtschaftskorrespondenz f. Polen v. 26. 4. 1930.

L 1683   Hamecher, Peter: Narziß und Goldmund, HH's. neuer Roman. In: Berliner Börsen-Ztg. 1930, Nr. 116, Kunst-Beil. + Tdr. in: Lit 32, 1929/30, S. 587.

L 1684   Herrmann-Neiße, Max: HH.: Narziß und Goldmund. In: LitW 6, 1930, Nr. 23, S. 5.

L 1685   K[orrodi], E[duard]: HH's. Narziß und Goldmund. In: NZZ Nr. 692 v. 10. 4. 1930.

L 1686   Krauß, Rudolf in: SchwSp 24, 1930, S. 233f.

L 1687   Kunze, Wilhelm: Vom Demian zu Goldmund. In: Nürnberger Ztg. Nr. 94 v. 23. 4. 1930.

L 1688   Piazza, Giuseppe: Narciso e Boccadoro. In: La Stampa (Torino) v. 20. 6. 1930.

L 1689   Randall, A. W. G.: Narziß und Goldmund. In: SRevLit Nr. 23 v. 27. 12. 1930, S. 492. (Jo1, Mi)

L 1690   Rauch, Karl: HH.: Narziß und Goldmund. In: BW 15, 1930, S. 135.

L 1691 Scheffler, Herbert: H's. Narziß und Goldmund. In: Lit 32, 1929/30, S. 575f.

L 1692 Strecker, Karl in: VKMtsh 44, 1929/30, II, S. 550f.

L 1693 hw.: HH's. neues Werk. In: Schwäb. Merkur (Stgt) v. 16. 7. 1930.

L 1694 Wiegler, Paul: Vom Demian zu Narziß u. Goldmund. In: NRs 41, 1930, II, S. 827–832.

L 1695 HH. «Narziß u. Goldmund». In: Hannov. Kurier Nr. 174/175 v. 13. 4. 1930, Beil.

L 1696 David-Schwarz, H.: H's. «Narziß u. Goldmund» in zwei verschied. Auffassungen. In: Psycholog. Rs. (Basel) 3, 1931/32, S. 7–13.

L 1697 Kuhlmann, Gerhardt: Der Dichter u. die Entscheidg. Zu HH's. «Narziß u. Goldmund». In: Die christl. Welt (Gotha) 45, 1931, Sp. 166–169.

L 1698 Lützeler, Heinrich in: Hochland (Mchn) 29, 1931/32, II, S. 178f.

L 1699 Kronenberger, Louis: Death and the lover. In: NYHTrib, Books v. 11. 12. 1932, S. 18. (Jol, Mi)

L 1700 Bronson, John: Death and the lover. In: Bookman (New York) 76, 1933, S. 91f. (Jol, Mi)

L 1701 Kriteon: Natur u. Geist. HH's. Narziß u. Goldmund. In: Schule der Freiheit (Lauf b. Nürnberg) 1, 1933/34, H. 11, S. 345–348, vgl. S. 362. (DSL)

L 1702 Leese, Kurt: Die Mutter als religiöses Symbol. Tüb: Mohr 1934, S. 26–28. (Sammlg. gemeinverständl. Vorträge u. Schriften aus d. Gebiet d. Theologie u. Religionsgeschichte. 174.)

L 1703 Matzig, Richard B[lasius]: «Narziß u. Goldmund» u. «Traumfährte». Zwei Bücher von HH. In: NSRs NF 13, 1945/46, S. 770f.

L 1704 Lanuza, Ed. Gonzalez: HH.: Narciso y Goldmundo. In: Sur (Buenos Aires) Jg. 1948, Dez., S. 87–90. (Mi)

Larson, R. C.: The dream as literary device in five novels by HH. 1949 s. L 1998

L 1705 Mauer, Otto: Maria oder Diana? Zu: HH., Narziß u. Goldmund. In: Die Zeit im Buch (Wien) 3, 1949, H. 10/11, S. 1–3.

L 1706 Debruge, Suzanne: Introduction à Narcisse et Goldmund de HH. In: Revue des langues vivantes (Bruxelles) 17, 1951, S. 76–79.

L 1706a Ulshöfer, Robert: Der unbürgerl. Mensch in H's. «Narziß u. Goldmund». In: DtUnterr 3, 1951, H. 6, S. 39–42. (L 759c)

Wagner, Marianne: Zeitmorphologischer Vergleich von HH's. «Demian», «Siddhartha», «Der Steppenwolf» u. «Narziß u. Goldmund» zur Aufweisung typischer Gestaltzüge. 1953 s. L 2059

L 1707 Deschner, Karlheinz: Kitsch, Konvention u. Kunst. Mchn: List (1957), S. 114 bis 127. (List-Bücher. 93.) + Michael Thiel: Deschner haßt, was ihn wurmt. Eine Erwiderung auf Deschners Streitschrift unter besond. Berücksichtigung der Abschnitte über H. In: gespr [H. 1], Juni 1958, S. 8–10.

L 1708 Zenker, Hartmut: Narziß u. Goldmund. In: L 762, S. 595–597.

Natur

L 1709 Biese, Alfred: Das Naturgefühl im Wandel der Zeiten. Lpz: Quelle & Meyer 1926, S. 264f.

L 1710 McBroom, Robert Riddick: The nature problem and HH. – M. A. Univ. of Toronto 1934. 200 Bl. [Mschr.] (Mi, L 759a)

L 1711 Hein, Alfred: Der Dichter, der die Wolken liebt. Zu HH's. 60. Geb. In: Dt. Allg. Ztg. (Bln) Nr. 300 v. 1. 7. 1937, Unterhaltungsbl. + In: Danziger N. Nachr. v. 1. 7. 1937. + In: Hannov. Kurier v. 2. 7. 1937. + [Nachtrag von] Elisabeth Jacobi-Zimmer in: Dt. Allg. Ztg. (Bln) v. 11. 7. 1937.

L 1712 Arnz, Käte: Die Natursymbolik in HH's. Märchen und dem «Weg nach innen». – Staatsexamensarbeit Köln 1951. 48 Bl. [Mschr.]

L 1713 Kilchenmann, Ruth J.: Wandel in der Gestaltung der Natur in den Werken HH's. – Doct. diss. Univ. of Southern California 1956. VIII, 357 Bl. [Mschr.]

L 1714 Weber, Gisela: Naturgefühl und Landschaftsschilderung in den Prosadichtungen HH's. bis zum «Siddhartha» einschl. – Staatsexamensarbeit Köln 1956. 124 Bl. [Mschr.]

Köberle, [Adolf]: Natur u. Geist bei HH. 1957 s. L 1148

L 1715 Gontrum, Peter Baer: Natur- und Dingsymbolik als Ausdruck der inneren Welt HH's. – (Mchn) 1958: (Uni-Druck). V, 167 S. Diss. München. [Rez. von Harald Rieger in: gespr [H. 5], Dez. 1959, S. 5–7.]

L 1715a Guttenberg, Maria Theodora Reichsfreiin von und zu: Pflanzenmotive in moderner Epik. Bad Neustadt/Saale: Walhalla u. Prätoria Verl., Regensburg 1958, Bl. 104–132. [Mschr. vervielf.] Diss. München.

L 1716 Thürer, Paul: Von den Wolken in den Gedichten HH's. In: Das Bodenseebuch 37, 1960, S. 71–77.

Vgl. Landschaft.

Novalis

L 1717 Ziolkowski, Theodore Joseph: HH. and Novalis. – Doct. diss. Yale Univ. 1956. VIII, 206 Bl. [Mschr.]

Novellistik

Knell, Elisabeth: Die Kunstform der Erzählungen und Novellen HH's. 1938 s. L 1026

L 1717a Pastorello, F.: Les nouvelles de HH. – Diplôme d'étude supérieure Paris 1958. VI, 194 Bl. [Mschr.] (L 759a)

L 1717b Willecke, Frederick H[enry]: The style and form of HH's. Gaienhofer Novellen. – Doct. diss. New York Univ. 1960. 264 S. [Mschr.]

Ostdeutschland

L 1718 Porst, Peter: Wo bleiben die Werke von HH. und Thomas Mann? In: Sonntag (Bln) 6, 1951, Nr. 46, S. 4, 9. (Pf)

L 1719 E. N.: Der Streit um HH. In: Das ganze Deutschland (Stgt) 4, 1952, Nr. 3, S. 5.

L 1720 Rechts- u. Berufsausschuß des dt. Schriftstellerverbandes: Im Vordergrund steht die kulturelle Notwendigkeit. Entschließung zur Herausgabe von Werken Thomas Manns u. HH's. In: Bbl (Lpz) 119, 1952, S. 419. (Pf)

L 1721 Stärkstes Interesse für Thomas Mann u. HH. In: Bbl (Lpz) 119, 1952, S. 326.

L 1722 Der geistige Kontakt zur Welt erweitert. Bekannte Werke von Thomas Mann u. HH. im Aufbau-Verl. In: Nacht-Expreß (Bln) Nr. 99 v. 28. 4. 1952. (Pf)

L 1723 Der Aufbauverlag gibt Werke von Thomas Mann u. HH. heraus. In: Freie Presse (Zwickau) Nr. 102 v. 2. 5. 1952. (Pf)

L 1724 Gi.: 390 000 neue Bücher an einem Tag. Thomas Mann u. HH. für unsere Werktätigen. In: Vorwärts (Bln) Ausg. A. Nr. 18 v. 5. 5. 1952. (Pf)

L 1725 Minister [Paul] Wandel begrüßt zum Tag des Buches die Herausgabe der Werke von Thomas Mann u. HH. In: Neues Deutschland (Bln) Ausg. A. Nr. 110 v. 10. 5. 1952. (Pf)

L 1726 Großer Erfolg der Werke von Thomas Mann u. HH. Die ersten Ausgaben in der DDR vergriffen. In: Sonntag (Bln) 7, 1952, Nr. 19, S. 1. (Pf)

L 1727 Erste Aufl. der Werke von Thomas Mann u. HH. bereits vergriffen. In: Vorwärts (Bln) Ausg. A. Nr. 19 v. 12. 5. 1952. (Pf)

L 1728 Streit um Autoren- u. Verlagsrechte. Sowjetzonale Annexion Thomas Manns u. HH's. In: FAZ Nr. 112 v. 14. 5. 1952.

L 1729 Joho, Wolfgang: «Peter Camenzind» und wir. In: Sonntag (Bln) 7, 1952, Nr. 20, S. 6. (Pf)

L 1730 J. W.: Lyriker in Prosa u. Poesie. «Unterm Rad» u. «Peter Camenzind» von HH. im Aufbau-Verl. In: National-Ztg. (Bln) Nr. 148 v. 28. 6. 1952. (Pf)

L 1731 Bredel, Willi: Über die Aufgaben der Literatur u. der Literaturkritik. Bln: Dt. Schriftsteller-Verband 1952, S. 29–32.

L 1732 Bredel, Willi: Unsere Verantwortung. In: Aufbau (Bln) 8, 1952, S. 608–612.

L 1733 Kusche, Lothar: Bemerkung über HH. In: Die Weltbühne (Bln) 7, 1952, S. 832.

L 1734 Lange, I. M.: Literatur im Zeitalter d. Imperialismus. 2. Der Formalismus der «neuen Ära». In: Der Deutschunterr. (Bln) 5, 1952, bes. S. 121.

L 1735 III. Dt. Schriftstellerkongreß: Telegramm an HH. In: Tägliche Rs. (Bln) Ausg. I. Nr. 123 v. 29. 5. 1952. (Pf) + In: National-Ztg. (Bln) Nr. 122 v. 28. 5. 1952. (Pf)

L 1736 Uhse, Bodo: Literatur und Nation. In: Aufbau (Bln) 9, 1953, bes. S. 507.

L 1737 Dt. Schriftstellerverband: Telegramm an HH. In: National-Ztg. (Bln) Nr. 153 v. 3. 7. 1954. (Pf)

L 1738 Pfeifer, Martin: HH.-Literatur in der DDR. In: Arnstädter Kulturbote, März 1955, S. 19f. (Pf) + In: Liberal-Demokrat. Ztg. (Halle/S.) Nr. 152 v. 2./3. 7. 1955.

L 1739 Pfeifer, Martin: HH's. Bücher in Ostdeutschland. In: Das Boot. Zs. f. Dichtg. der Gegenw. (Herne/Westf.) 3, 1957, H. 10, S. 3.
Vgl. L 744; L 748.

Osten

L 1740 Ball, Hugo: HH. und der Osten. In: NRs 38, 1927, I, S. 483–491.

L 1741 Schmid, Hans [Rudolf]: HH's. Blick nach Osten. In: NZZ Nr. 1115 v. 2. 7. 1927.
Lützkendorf, E. A. Felix: HH. als religiöser Mensch in seinen Beziehungen zur Romantik und zum Osten. 1932 s. L 1838

L 1742 Lizounat, Michelle: Le bouddhisme chez HH. – Diplôme d'étude supérieure Bordeaux 1951. [Mschr.] (Mi)
Koller, G[ottfried]: Kastalien u. China. (Bemerkungen zu HH's. Werk «Das Glasperlenspiel».) 1952 s. L 1276

L 1743 Fourmanoir, Annie: L'orient dans la vie et l'œuvre de HH. Diplôme d'étude supérieure Paris 1954. 114 Bl. [Mschr.] (Mi, L 759a)

Mayer, Gerhart: Die Begegnung des Christentums mit den asiat. Religionen im Werk HH's. 1956 s. L 926

L 1744 Kraus, Fritz: HH. u. der Osten. In: Der Standpunkt (Meran) v. 15. 11. 1957.

L 1745 Pannwitz, Rudolf: HH's. west-östliche Dichtung. – (Ffm): Suhrkamp 1957. 59 S. + Tdr. in: Dichten u. Trachten (Ffm) Nr. 9, 1957, S. 5–9. [Rez. von Alexander Baldus in: Begegnung (Köln) 12, 1957, S. 269 + in: Die Anregung (Köln) 9, 1957, Kultur-Beil. S. 269; von Gotthilf Hafner in: WuW 12, 1957, S. 376f.; von E[rnst] M[üller] in: Schwäb. Tgbl. (Tüb) Nr. 148 v. 1. 7. 1957; in: Bücherschiff (Limburg/Lahn) 7, 1957, Nr. 7, S. 2.]

Jahn, Erwin: Östliches in HH's. Glasperlenspiel. 1958 s. L 1309

L 1745a Galichet, E.: L'orient dans la vie et l'œuvre de HH. – Diplôme d'étude supérieure Paris 1960. 105 Bl. [Mschr.] (L 759a)

Vgl. Indien.

Outsider

L 1746 Wilson, Colin: The Outsider. Boston: Houghton Mifflin; London: Gollancz 1956, S. 51–68. + [Dt.] u. d. T.: Der Outsider. Eine Diagnose des Menschen uns. Zeit. Stgt: Scherz & Goverts [1957], S. 67–85.

L 1746a Fickert, Kurt J.: The development of the outsider concept in H's. novels. In: MDU 52, 1960, S. 171–178.

Pädagogik s. Bildung und Erziehung

Piktors Verwandlungen

L 1747 Basler, Otto: Piktors Verwandlungen. Ein Märchen von HH. In: NSRs NF 22, 1954/55, S. 575f.

L 1748 Bernecker, Gabriele: HH.: Piktors Verwandlungen. In: BüKomm 4, 1955, Nr. 1, S. 1.

L 1749 Hafner, Gotthilf: HH.: Piktors Verwandlungen. In: WuW 10, 1955, S. 300.

Politik

L 1750 Rolland, Romain: Au-dessus de la mêlée. Paris: Ollendorf; Neuchâtel: Attinger 1915, S. 128f. + [Dt.] u. d. T.: Der freie Geist. I. Über den Schlachten. Zch: Büchergilde Gutenberg [1946], S. 163f.

L 1751 Saager, Adolf: Das Wirken der dt. Pazifisten. In: NatZ Nr. 621 v. 30. 12. 1915. [Betr. P 1078.]

L 1752 F[ried], A[lfred] H[ermann]: HH und «Die Pazifisten». In: Die Friedens-Warte. Bll. f. zwischenstaatl. Organisation, Januar 1916, S. 20–22. + In: A. H. F.: Vom Weltkrieg zum Weltfrieden. Zch: Orell Füssli 1916, S. 90–94.

L 1753 Fritsch, Oskar: HH. und wir. In: Berliner Lokal-Anz. Nr. 494 v. 26. 10. 1921. (LitE, Met) + In: Der Tag (Bln) Nr. 494 v. 26. 10. 1921. (Met) + In: Burschenschaftl. Bll. (Ffm) 36, 1922, H. 8, S. 120f. (DA, Met, L 1600)

L 1754 Schulze, Theodor: Der Einsiedler von Montagnola. In: Dresdner N. Nachr. Nr. 280 v. 4. 12. 1923.

L 1755 Wüstenberg, H[ans] L[ouis]: HH's. polit. Aufsätze u. Gedichte. In: NSRs NF 13, 1945/46, S. 476–484. + U. d. T.: HH. und die Politik der Zeit. In: Berliner Hefte

f. geistiges Leben 1, 1946, S. 204–211. + [Erw.] u. d. T.: Stimme eines Menschen. Die polit. Aufsätze u. Gedichte HH's. – (Konstanz): Südverl. 1947. 22 S. (Schriften des Südverlags. 5.)

L 1756 Kraus, Fritz: HH., der Politiker. In: NZ Nr. 228 v. 23. 12. 1949.

L 1757 as.: HH., der polit. Ahnungslose. In: St. Galler Tgbl. Nr. 187 v. 13. 8. 1951.

L 1758 Pfeifer, Martin: Ein Dichter des Friedens u. der Menschlichkeit. Gedanken zum 75. Geb. HH's. In: Heute u. Morgen (Düsseldorf) Jg. 1952, S. 585–588.

L 1759 Pfeifer, Martin: HH., ein Kämpfer für den Frieden. Zu s. 75. Geb. In: Heute u. Morgen (Schwerin) Jg. 1952, S. 353–357.

L 1760 (Böttcher, Margot): Die Erschütterung durch den 1. Weltkrieg. In: L 74, S. 42–49.

Vgl. Krieg und Frieden.

Frühe Prosa

L 1761 K[orrodi], E[duard]: Frühe Prosa von HH. In: NZZ Nr. 1981 v. 23. 9. 1948.

L 1762 Lahnstein, Peter: Gesellenstücke eines jungen Dichters. In: StgtZtg Nr. 161 v. 16. 7. 1960.

L 1763 Mühlberger, Josef: HH's. Frühe Prosa. In: NWZ Nr. 164 v. 19. 7. 1960. + In: Badische N. Nachr. (Karlsruhe) v. 7. 10. 1960. (L 1510)

L 1763a Bähr, H. Walter in: Germanistik (Tüb) 2, 1961, S. 129.

Späte Prosa

L 1764 Basler, Otto: HH's. Briefe u. Späte Prosa. In: NSRs NF 19, 1951/52, S. 146–153.

L 1765 Carlsson, Anni: H's. späte Prosa. Persönl. Sphäre als Universum. In: Dt. Universitätsztg. (Göttingen) 6, 1951, Nr. 20, S. 12–14.

L 1766 H[eiseler], B[ernt] v.: Drei dt. Meister. [H., R. A. Schröder, H. Carossa.] In: Zeitwende (Mchn) 23, 1951/52, S. 181–183.

L 1767 Heuschele, Otto: HH. – Zu zwei neuen Büchern d. Dichters. [Briefe u. Späte Prosa.] In: Die neue Schau (Kassel) 13, 1952, S. 23 f.

L 1768 Mühlberger, Josef: HH.: Späte Prosa. In: NWZ Nr. 95 v. 25. 4. 1951.

L 1769 Schwarz, Georg: HH.: Späte Prosa. In: WuW 6, 1951, S. 200.

L 1770 Stresau, Hermann: Schöne, schlichte Prosa. In: FAZ Nr. 191 v. 18. 8. 1951.

L 1771 Wistinghausen, Kurt von: Früchte des Alters. [Ina Seidel, HH.] In: Die Christengemeinschaft 23, 1951, S. 220 f.

Psychoanalyse

L 1772 Dehorn, W.: Psychoanalyse u. neuere Dichtg. In: GR 7, 1932, bes. S. 339–345.

L 1773 Berger, Berta: Die Darstellg. des seelischen Chaos. In: B. B.: Der moderne dt. Bildungsroman. Bern-Lpz: Haupt 1942, S. 47–53. (Sprache u. Dichtung. Forschungen zur Sprach- u. Literaturwiss. 69.) Zugleich Diss. Bern.

L 1774 Seidlin, Oskar: HH.: The exorcism of the Demon. In: Symposium (Syracuse) 4, 1950, S. 325–348.

L 1775 Debruge, Suzanne: L'œuvre de HH. et la psychanalyse. In: EG 7, 1952, S. 252 bis 261.

L 1776   Pongs, Hermann: Psychoanalyse: HH. In: H. P.: Im Umbruch der Zeit. Das Romanschaffen der Gegenw. 2. Aufl. (Göttingen): Göttinger Verl.-Anst. (1956), S. 150–153. [Zuerst 1952.]

Psychologie

L 1777   Karlweis, Marta: Der seelische Ort des Dichters HH. In: NatZ Nr. 301 v. 4. 7. 1937, Sobeil.

Drechsel, H.: Fragment aus einer Studie über die Psychologie des Kindes in HH's. Werk. 1940 s. L 1380

Hartmann, Ursula: Übersteigerte Selbstanalyse. 1940 s. L 697

L 1778   Peters, Eric: HH.: the psychological implications of his writings. In: GLL NS 1, 1947/48, S. 209–214.

L 1779   Göppert-Spanel, Dr.: HH's. Werk als Spiegel seiner Seelenentwicklung. In: Univ 6, 1951, S. 637–644, 761–768.

L 1780   Herzog, Bert: HH. u. die Gestalten seiner Introspektion. In: SRs 52, 1952/53, S. 220–226.

Mächler, Robert: HH's. Badener Psychologie. 1952 s. L 703

Maier, Emanuel: The psychology of C. G. Jung in the works of HH. 1952 s. L 1374

Puppe, Heinz Werner: Die soziolog. u. psycholog. Symbolik im Prosawerk HH's. 1959 s. L 1036

L 1780a Schwartz, Armand: Création littéraire et psychologie des profondeurs. – Paris: Ed. du Scorpion (1960). 189 S.

Quäker

L 1781   HH's. Lebensanschauung. In: Der Quäker (Bad Pyrmont) 25, 1951, S. 194f.

L 1782   Steen, Albert: HH. In: Der Quäker (Bad Pyrmont) 26, 1952, S. 59–61.

Unterm Rad

L 1783   B[ulle], O[skar]: Die Schule im Roman. In: Beil. z. Allg. Ztg. (Bln) Nr. 239 v. 15. 10. 1905, S. 97–99. (LitE, Met)

L 1784   E[loesser], A[rthur] in: NRs 16, 1905, S. 1533.

L 1785   Foges, Max: HH.: Unterm Rad. In: Neues Wiener Journal 1905, Nr. 4349. (LitE)

L 1786   Ginzkey, Franz Karl: HH.: Unterm Rad. In: Tagespost (Graz) 1905, Nr. 289. (LitE)

L 1787   Groth, Max in: Der Kunstwart (Mchn) 19, 1905/06, I, S. 283f.

L 1788   Hamel, Richard: Der neueste Schulroman. In: Oldenburger Nachr. 1905, Nr. 257, 258, 260, 261. (LitE, Met)

L 1789   Hegeler, Wilhelm: Unterm Rad. Roman von HH. In: LitE 8, 1905/06, Sp. 294f.

L 1790   Heuss, Theodor: Unterm Rad. In: Die Hilfe (Bln) 11, 1905, Nr. 50, S. 11f.

L 1791   Karrillon, Adam: «Unterm Rad» von HH. In: Süddt. Mtsh. (Mchn) 2, 1905, I, S. 568–570.

L 1792   K[östlin, Heinrich Adolf]: Zur Theologenerziehung. In: Monatsschr. für Pastoraltheologie (Bln) 2, 1905, H. 5, S. 305–308. (Met)

L 1793 Kuzmany, Karl M.: HH's. neuer Roman. In: Dt. Ztg. (Wien) Nr. 12 170 v. 16. 11. 1905. (LitE, Met)

L 1794 M[arti], F[ritz]: Unterm Rad. In: NZZ Nr. 282 v. 11. 10. 1905, 1. Abl.

L 1795 Necker, Moritz: HH. In: Neues Wiener Tgbl. Nr. 283 v. 13. 10. 1905. (LitE, Met)

L 1796 Schäfer, Wilhelm: Unterm Rad. In: Rhlde 5, 1905, S. 439.

L 1797 Servaes, Franz: HH's. zweiter Roman. In: Neue Freie Presse (Wien) Nr. 14 794 v. 29. 10. 1905, S. 38 f. (LitE, Met)

L 1798 Steudel, Fr.: Ein neuer Schülerroman. In: Bll. für dt. Erziehg. (Birkenwerder) 5, 1905, Nr. 2, S. 19–21. (Met)

L 1799 Wolf, Georg Jakob: Ein neuer Roman von HH. In: Münchner N. Nachr. v. 28. 10. 1905.

L 1800 Unterm Rad. In: Schwäb. Merkur (Stgt) Nr. 597 v. 22. 12. 1905.

L 1801 Bienenstein, Karl: Unterm Rad. In: Dt.-österr. Lehrerztg. (Wien) Jg. 1906, Nr. 4, S. 65. (Met)

L 1802 Busse, Carl in: VKMtsh 20, 1905/06, I, S. 484–486.

L 1803 David, J. J.: Unterm Rad. In: Die Nation (Bln) 23, 1905/06, Nr. 17, S. 264–266. (Met)

L 1804 Diederich, Franz: HH.: Unterm Rad. In: Die neue Zeit (Stgt) 24, 1905/06, I, S. 435–437.

L 1805 Eloesser, Arthur in: Vossische Ztg. 1906, Nr. 128. (LitE)

L 1806 Herz, Hermann in: Borromäus-Blätter (Bonn) 3, 1906, Nr. 6, S. 123 f. (Met)

L 1807 N-r, C.: Die Schule im Roman. In: Wiener Fremdenbl. 1906, Nr. 62. (LitE, Met)

L 1808 Spiero, Heinrich in: Die Grenzboten (Bln) 65, 1906, III, S. 212 f.

L 1809 Wiemann, B.: HH. und Wilhelm Speck. In: Hochland (Mchn) 3, 1905/06, I, S. 511 f.

L 1810 Traub, Fr.: Das württ. theolog. Seminar im Spiegel der modernen Dichtg. In: Schwäb. Merkur (Stgt) Nr. 92 v. 23. 2. 1907, Sobeil.

L 1811 Kraeger, Heinrich: HH.: Unterm Rad. In: H. K.: Vorträge und Kritiken. Oldenburg: Schulze [1911], S. 212–214.

L 1812 Weber, Ernst: Dichter u. Jugendbildung. Lpz: Haase 1921, S. 91–94. (Dt. Dichterpädagogik. Tl. 1. = Schriften für Lehrerfortbildung. 21.)

L 1812a Bach, Julius: HH. «Unterm Rad». In: J. B.: Der dt. Schülerroman u. seine Entwicklg. Diss. Münster 1922, Bl. 26–28. [Mschr.] (L 759a)

Bick, Ignatz: HH.: «Unterm Rad», «Peter Camenzind» u. «Demian». Erkennen u. Erforschen der Kindheit. 1931 s. L 1379

Larson, R. C.: The dream as literary device in five novels by HH. 1949 s. L 1998

L 1813 Pfeifer, M[artin]: Fünfzig Jahre «Unterm Rad». HH. und die Problematik der bürgerl. Erziehg. In: Berliner Ztg. Berliner Ausg. Nr. 188 v. 13. 8. 1955.

L 1814 (Böttcher, Kurt): «Unterm Rad». In: L 74, S. 12–19.

L 1815 (Böttcher, Kurt): Bemerkungen zum Stil der Erzählg. «Unterm Rad». In: L 74, S. 20–30.

L 1816 Toynbee, Philip: HH. The prodigy. In: The Observer (London) v. 28. 4. 1957.

L 1816a Langner, Helmut: Zur Bedeutg. d. Substantivs «Herr» in d. dt. Sprache d. Gegenw. In: Sprachpflege (Lpz) 9, 1960, bes. S. 227 f.

Die Nürnberger Reise

L 1817   Dürr, Erich: Die Nürnberger Reise. Von HH. In: Lit 30, 1927/28, S. 361.

L 1818   Sahl, Hans: HH.: Die Nürnberger Reise. In: LitW 3, 1927, Nr. 49, S. 13.

L 1819   Lang, Martin: H., Grock u. Valentin. In: Schwäb. Merkur (Stgt) v. 14. 3. 1928.

Religion

Lützkendorf, E. A. Felix: HH. als religiöser Mensch in seinen Beziehgn. zur Romantik u. zum Osten. 1932 s. L 1838

L 1820   Colleville, Maurice: Le problème religieux dans la vie et dans l'œuvre de HH. In: EG 7, 1952, S. 123–148.

L 1821   Colleville, Maurice: A propos du problème religieux chez HH. In: EG 8, 1953, S. 182.

L 1822   Marck, Siegfried: Dichter u. Gottsucher: HH., Franz Werfel, Gertrud von Le Fort, Ernst Wiechert. In: S. M.: Große Menschen uns. Zeit. Meisenheim am Glan: Westkulturverl. 1954, S. 118–133.

Mayer, Gerhart: Die Begegnung des Christentums mit den asiat. Religionen im Werk HH's. 1956 s. L 926

L 1823   Mayer, Gerhart: HH. Mystische Religiosität u. dichterische Form. In: Jahrb. d. Dt. Schillerges. 4, 1960, S. 434–462.

Romain Rolland

L 1824   Weiß, Hansgerhard: Romain Rolland. Bln/Lpz: Volk u. Wissen (1948), S. 85–87. (Volk u. Wissen Kurzbiographien.)

L 1825   Grappin, Pierre: Romain Rolland et HH. In: EG 8, 1953, S. 25–35.

L 1826   Fabian, W.: Romain Rolland und HH. Briefe einer Geistesfreundschaft. In: Hannov. Presse Nr. 222 v. 24. 9. 1954.

L 1827   Goes, Albrecht: Licht zwischen Gewölk. Zu einem Briefwechsel. In: FAZ Nr. 35 v. 11. 2. 1954.

L 1828   Hafner, Gotthilf: H.–Rolland: Briefe. In: WuW 9, 1954, S. 285.

L 1829   Maczewski, Harald: Gespräch in Briefen. In: WMtsh 95, 1954, H. 11, S. 96.

L 1830   Massenbach, S. von: HH.–Romain Rolland. Briefe. In: FAZ Nr. 187 v. 14. 8. 1954.

L 1831   W[e]b[er, Werner]: Der Briefwechsel HH.–Romain Rolland. In: NZZ Nr. 1971 v. 14. 8. 1954.

L 1832   Geisteskameradschaft. Der Briefwechsel HH.–Romain Rolland. In: Bücherschiff (Ffm) 4, 1954, Nr. 7/8, S. 1.

L 1833   Mileck, Joseph: HH. and Romain Rolland, Briefe. In: MLN 70, 1955, S. 627.

L 1834   A. E.: Histoire d'une amitié. In: Feuille d'Avis du district d'Aigle (Aigle) v. 28. 8. 1957. + In: L'Express (Neuchâtel) v. 17. 9. 1957. + In: Journal de Payerne v. 25. 9. 1957. + [Italien.] u. d. T.: Gli amici. In: Azione (Lugano) v. 12. 9. 1957.

L 1835   Grappin, Pierre in: EG 12, 1957, S. 73–75.

Romantik

L 1836   Luma: Ein heutiger Romantiker. In: Der Deutschen-Spiegel (Bln) 5, 1928, Nr. 43, S. 1767–1770. (DA, Lit)

L 1837 Knorr, Klaus: Romantisches Weltgefühl in HH's. Dichtungen. In: StgtNTgbl Nr. 302 v. 1. 7. 1932. + Tdr. in: Lit 34, 1931/32, S. 685f.

L 1838 Lützkendorf, E[rnst] A[rno Adolf] Felix: HH. als religiöser Mensch in seinen Beziehungen zur Romantik und zum Osten. – Burgdorf 1932: Rumpeltin. 95 S. Diss. Leipzig.

L 1839 Baaten, Heta: Der Romantiker HH. Eine geistesgeschichtl. Untersuchung seines Werkes auf dem Hintergrund der pietist. Tradition seiner Familie. – Diss. Münster 1934. [Mschr.] + Tdr. s. L 1049

L 1840 Plümacher, Walther: Versuch einer metaphysischen Grundlegung literaturwiss. Grundbegriffe aus Kants Antinomienlehre mit einer Anwendung auf das Kunstwerk HH's. – Würzburg: Triltsch 1936. V, 80 S. (Bonner dt. Studien. 1.) Zugleich Diss. Bonn.

L 1841 Maurer, Lorenz: Ein Romantiker in uns. Zeit. Zum 60. Geb. HH's. In: Germania (Bln) Nr. 181 v. 2. 7. 1937. + In: Märkische Volksztg. (Bln) v. 2. 7. 1937.

L 1842 Matzig, Richard B[lasius]: Lebendige Romantik. Betrachtungen über HH. In: Der Geistesarbeiter (Zch) 22, 1943, S. 69–75. + In: KlBd 24, 1943, S. 145–147.

L 1843 Benn, Maurice B.: The romantic element in the prose-works of HH. – M. A. Univ. of London 1948. 211 Bl. [Mschr.]

L 1843a Lehner, Hans Horst: Das Romantische bei HH. In: Mainleite (Schweinfurt) 1, 1949/50, S. 41, 50f.

L 1844 Weibel, Kurt: HH. und die dt. Romantik. – Winterthur: Keller 1954. 146 S. Diss. Bern 1952. [Rez. von Martin Pfeifer in: Dt. Lit.-Ztg. (Bln) 77, 1956, Sp. 363–365.]

L 1845 Gould, Loyal N.: Romantic traits in the main characters of HH. – Doct. diss. Univ. of North Carolina 1955. 128 Bl. [Mschr.]

L 1846 Lehner, Hans Horst: Nachwirkungen der dt. Romantik auf die Prosadichtungen HH's. – Diss. Würzburg 1955. 265 Bl. [Mschr. vervielf.]

L 1847 Maurer, Gerhard: HH. und die dt. Romantik. – Diss. Tübingen 1955. 219 Bl. [Mschr.]

L 1848 Funke, Christoph: Suche nach dem Urgrund. HH. u. die Romantik. Zu s. 80. Geb. In: Der Morgen (Bln) v. 2. 7. 1957.

L 1849 Weder, Heinz: Das ist wie alte Lieder sind. In: Der Schweizer Buchhandlungsgehilfe (Bern) 38, 1957, S. 93f.

L 1849a Nemoto, Michiya: Die dt. Romantik u. HH. [Japan. mit dt. Zusammenfassg.] In: Doitsu Bungaku (Tôkyô) Nr. 25, 1960, S. 36–41.

Vgl. Novalis.

Roßhalde

L 1850 Ackerknecht, Erwin in: EckLit 8, 1913/14, S. 584f.

L 1851 S. B.: HH's. neuer Roman. In: Schwäb. Merkur (Stgt) Nr. 221 v. 14. 5. 1914.

L 1852 Baader, Fritz Ph.: Roßhalde. In: Hamburger Nachr., Beil. Zs. für Wissenschaft, Lit. u. Kunst Nr. 31 v. 2. 8. 1914. + Tdr. in: LitE 16, 1913/14, Sp. 1629f.

L 1853 Brüll, Oswald: HH. u. sein neues Buch. In: Nord u. Süd (Breslau) 38, 1914, H. 11, S. 196–203. (Met)

L 1854 Herz, Hermann: HH's. Roman «Roßhalde» ein Typus. In: Die Bücherwelt (Bonn) 11, 1913/14, S. 281–283.

L 1855 Heuss, Theodor: Roßhalde. In: März (Mchn) 8, 1914, II, S. 503 f.

L 1856 Kalkschmidt, Eugen: Zwei dt. Romane. In: Frankf. Ztg. Nr. 118 v. 29. 4. 1914.
+ Tdr. in: LitE 16, 1913/14, Sp. 1202.

L 1857 M[arti], F[ritz]: Der Roman einer Künstlerehe. In: NZZ Nr. 493 v. 2. 4. 1914.
+ In: F. M.: Lichter u. Funken. Ausgew. Feuilletons. Zch: Orell Füssli [1916],
S. 404–409. + Tdr. in: LitE 16, 1913/14, Sp. 1058 f.

L 1858 Rauscher, Ulrich: HH's. Roßhalde. In: LitE 17, 1914/15, Sp. 21–23.

L 1859 K. S.: Roßhalde. Ein neuer Roman von HH. In: Straßburger Post Nr. 425 v.
12. 4. 1914. (Met)

L 1860 Schussen, Wilhelm: Der neue H. In: SchwSp 7, 1913/14, S. 242 f. + In: Prop 11,
1913/14, S. 508.

L 1860a Tucholsky, Kurt: Roßhalde. In: Die Schaubühne (Bln) Nr. 17 v. 23. 4. 1914,
S. 485. + In: K. T.: Gesammelte Werke. Hg. v. Mary Gerold-Tucholsky u. Fritz
J. Raddatz. Bd. I. (Reinbek b. Hambg.): Rowohlt (1960), S. 182 f.

L 1861 W[itt]ko, [Paul]: Roßhalde. In: NTgbl Nr. 172 v. 27. 6. 1914.

L 1862 Jerven, Walter in: Bodenseeb 2, 1915, S. 181 f.

L 1863 R. Sch.: HH's. Roßhalde. In: Dresdner Anz., Sobeil. Nr. 15 v. 11. 4. 1915. (Met)

L 1864 Braun, Felix in: Österr. Rs. 15, 1917, H. 6, S. 283 f. (Met)

L 1865 Foges, Max: Der jüngste Roman HH's. In: Neues Wiener Journal Nr. 8956 v.
9. 10. 1918. (LitE, Met) + Tdr. in: LitE 21, 1918/19, Sp. 226.

Larson, R. C.: The dream as literary device in five novels by HH. 1949 s. L 1998

L 1865a Böhme, Siegfried: Die Bedeutg. von «Roßhalde» u. «Demian» für das Gesamtwerk HH's. – Staatsexamensarbeit Berlin 1950. 42 Bl. [Mschr.] (L 759a)

Othmar Schoeck

L 1866 Corrodi, Hans: Othmar Schoeck. Bild eines Schaffens. Frauenfeld: Huber (1956),
S. 368 f.

Brun, Fritz: Eine Umbrienreise mit HH. u. Othmar Schoeck. 1957 s. L 587

Gesammelte Schriften

L 1867 B[iedrzynski], R[ichard]: Ernte u. Erbe. Die Festausgabe der Gesammelten
Dichtgn. In: StgtZtg Nr. 148 v. 28. 6. 1952, Beil. BrzW.

L 1868 B[rück], M[ax von]: Golden aufleuchtende Spur. In: Gegw 7, 1952, S. 437 f.

L 1869 Carlsson, Anni: HH. Gesammelte Dichtgn. In: Univ 8, 1953, S. 404 f.

L 1870 Frenzel, Christian Otto: Zur Gesamtausg. der Dichtgn. HH's. In: Die Welt
(Hambg.) Nr. 150 v. 2. 7. 1952.

L 1871 Hafner, Gotthilf: HH.: Gesammelte Dichtgn. In: WuW 7, 1952, S. 362.

L 1872 Horst, Karl August: Geleistete Berufung. In: Merkur (Stgt) 6, 1952, S. 1092–1094.

L 1873 Jancke, Oskar: Das Werk von HH. In: Neue lit. Welt (Darmstadt) 3, 1952, Nr. 13,
S. 11.

L 1874 Schröder, K.: Der Dichter mit dem unmodernen Herzen. In: BüKomm 1, 1952,
Nr. 3, S. 10. + In: Das ganze Deutschland (Stgt) 4, 1952, Nr. 27, S. 5.

L 1875 The novels of HH. In: The Times Literary Supplement 51, 1952, Nr. 2655, S. 836.
+ Teildr. u. d. T.: HH. Im englischen Blickwinkel. In: Englische Rs. (Köln) 3,
1953, S. 78 f.

L 1876 Bender, Hans: Bewahrer des Gewissens. Die Gesammelten Schriften von HH. In: DtZtgWi Nr. 65 v. 14. 8. 1957.

L 1877 Boekhoff, Hermann: HH. In: WMtsh 98, 1957, H. 7, S. 84–88.

L 1878 Lissner, Erich: Die sieben Bände. In: Frankf. Rs. Nr. 147 v. 29. 6. 1957.

L 1879 R[eindl, Ludwig Emanuel]: HH. in sieben Bänden. In: Südkurier (Konstanz) Nr. 146 v. 28. 6. 1957.

L 1880 Siedler, Wolf Jobst: Wiederbegegnung mit HH. In: Der Tagesspiegel (Bln) Nr. 3754 v. 14. 1. 1958.

L 1881 wh.: HH. in seinem Werk. In: Weser-Kurier (Bremen) Nr. 190 v. 17. 8. 1957.

L 1882 HH. der 80jährige. HH's. «Gesammelte Schriften». In: Bücherschiff (Limburg/ Lahn) 7, 1957, Nr. 7, S. 1f.

Gesammelte Schriften Bd. 7

L 1883 Fiechtner, H. A.: Betrachtungen und Briefe. Von HH. In: Die Furche (Wien) Nr. 3 v. 18. 1. 1958, S. 11.

L 1884 Graf, Hansjörg: H. in seinen Briefen. In: Wort u. Wahrheit (Freiburg i. Br.) 14, 1959, S. 394–397.

L 1885 Groddeck, Wolfram: Das geistige Deutschland. HH. in seinen Betrachtgn. u. Briefen. In: Badisches Tgbl. (Baden-Baden) Nr. 194 v. 23. 8. 1957.

L 1886 Johann, Ernst: HH's. Betrachtgn. u. Briefe. In: FAZ Nr. 126 v. 1. 6. 1957.

L 1887 K[irn], R[ichard]: Blättern in einem dicken Buch. Zum 7. Bd. von HH's. Gesammelten Schriften. In: Frankf. Neue Presse v. 25. 7. 1957.

L 1888 Mühlberger, Josef in: NWZ Nr. 204 v. 4. 9. 1957.

L 1889 Strenger, Hermann: H's. Betrachtgn. u. Briefe. In: StgtZtg Nr. 165 v. 20. 7. 1957.

Schwaben

L 1890 Schäfer, Wilhelm: HH. In: SchwSp 1, 1907/08, S. 170–172.

L 1891 Fuss, Karl: HH. als Alemannendichter. Zu s. 50. Geb. In: Staats-Anz. f. Württbg. 1927, Besond. Beil. Nr. 7, S. 194–197. + In: SchwSp 21, 1927, S. 202–204. + In: Prop 24, 1926/27, S. 313f.

L 1892 Setz, Karl: H. u. seine Schwabenheimat. In: SchwSp 21, 1927, S. 205f.

L 1893 Müller, Ernst: Vom Schwäbischen in HH's. Werk. In: Schwäb. Tgbl. (Tüb) Nr. 120 v. 1. 7. 1952. + In: L 69, S. 103–107.

Vgl. Mundart.

Schweiz

L 1894 Aburi, Hans: HH. und die Schweiz. In: Basilisk 8, 1927, Nr. 27.

L 1895 Korrodi, Eduard: Mit-Eidgenossen. HH. In: LitW 4, 1928, Nr. 46, S. 9.

L 1896 Korrodi, Eduard: Fragmentarische Schweiz. In: NRs 41, 1930, I, bes. S. 311f.

L 1897 Günther, Herbert: Dt. Dichter in der Schweiz. In: WuW 2, 1947, bes. S. 37.

Siddhartha

L 1898 K[orrodi], E[duard]: Siddhartha. In: NZZ Nr. 1543 v. 26. 11. 1922.

L 1899 Lambrecht, Paulus: HH., Siddhartha. In: Vivos voco (Lpz) 3, 1922/23, S. 360.

L 1900 M.: Siddhartha. In: KlBd 3, 1922, S. 391.

L 1901 Münzer, Kurt: Siddhartha. Eine indische Legende. Von HH. In: LitE 25, 1922/23, Sp. 547f.

L 1902 Ackerknecht, Erwin: Siddhartha. In: BuB 3, 1923, S. 170f.

L 1903 Doderer, Otto: HH's. Siddhartha. In: Frankf. Ztg. Nr. 188 v. 12. 3. 1923. (LitE, Met)

L 1904 Oven, Jörn: HH.: Siddhartha. In: DSL 24, 1923, S. 331f.

L 1905 Raff, Friedrich: HH's. Siddhartha. In: Vossische Ztg. Nr. 224 v. 13. 5. 1923, lit. Umschau. (LitE, Met) + Tdr. in: LitE 25, 1922/23, Sp. 1015.

L 1906 Saager, Adolf: Zu HH's. Siddhartha. In: WiLeb 17, 1923/24, I, S. 560–562.

L 1907 Schäfer, W[alter] Erich: HH's. Siddhartha. In: SchwSp 18, 1924, S. 47. + In: Prop 21, 1923/24, S. 236.

L 1908 Strecker, Karl in: VKMtsh 38, 1923/24, I, S. 574.

L 1909 Zarek, Otto: Notizen über einen dt. Dichter. In: NRs 34, 1923, S. 367–373.

L 1910 HH's. neuestes Buch. In: Schwäb. Merkur (Stgt) v. 24. 2. 1923.

L 1911 Prolizer, Emma Maria: L'India antica nelle opere di due moderni poeti tedeschi. [Karl Gjellerup, HH.] In: Nuova Antologia (Roma) 7. Serie, vol. 258, 1928, S. 87–105.

Forst, John: Indien u. die dt. Lit. von 1900 bis 1923. 1934 s. L 1353

L 1912 Allemann, Erwin: Siddharthas Weg. [Prospekt.] – [Zch]: Büchergilde Gutenberg [um 1945]. 2 Bll.

L 1913 Kunze, Johanna Maria Louisa: Lebensgestaltung und Weltanschauung in HH's. Siddhartha. – 's-Hertogenbosch: Malmberg [1946]. 84 S. Zugleich Diss. Amsterdam. + 2. Aufl. 1949.

L 1914 Matzig, Richard B[lasius]: Eine indische Dichtg. von HH. In: SchwMtsh 27, 1947/48, S. 271f.

L 1915 Edfelt, Johannes: Siddhartha. In: J. E.: Några verk och gestalter i modern tysk diktning. Lund: Gleerup (1948), S. 25–27. (Skrifter utgivna av Sveriges yngre läroverkslärares förening. 7.)

L 1916 Halsband, R.: Siddhartha. In: SRevLit v. 22. 12. 1951, S. 38. (Mi)

L 1917 Lazare, Christopher: A measure of wisdom. (Siddhartha.) In: NYT Book Rev. v. 2. 12. 1951, S. 52. (Jol, Mi)

L 1918 Siddhartha. In: Nation (New York) v. 17. 11. 1951, S. 430. (Mi)

L 1919 Krafft, Johannes: Das weise Buch eines weisen Dichters. Tagebuchnotizen über HH's. indische Dichtg. «Siddhartha». In: Der Neue Weg (Halle/S.) Nr. 149 v. 28. 6. 1952. (Pf)

L 1920 Malthaner, Johannes: HH. Siddhartha. In: GQ 25, 1952, S. 103–109.

L 1921 Schlingloff, Margot: HH's. Erzählg. «Siddhartha». In: DtUnterr 4, 1952, H. 6, S. 38.

Wagner, Marianne: Zeitmorpholog. Vergleich von HH's. «Demian», «Siddhartha», «Der Steppenwolf» u. «Narziß und Goldmund» zur Aufweisung typischer Gestaltzüge. 1953 s. L 2059

L 1922 Weimar, Karl S.: Siddhartha, transl. by Hilda Rosner. In: GQ 26, 1953, S. 301.

L 1923 Fellmann, Hans: Die Frage nach der Gewißheit in der neueren Dichtg. In: DtUnterr 7, 1955, H. 1, bes. S. 66–68.

L 1924 Shaw, Leroy R.: Time and the structure of HH's. Siddhartha. In: Symposium (Syracuse) 11, 1957, S. 204–224.

L 1925 Spector, Robert Donald: Artist against himself: H's. «Siddhartha». In: History of Ideas, Newsletter 4, 1958, S. 55–58. (L 758, PMLA)

L 1926 Rieger, Harald: Zwei Suchende. (Siddhartha u. Virata – HH.: Siddhartha; Stefan Zweig: Die Augen des ewigen Bruders.) In: gespr [H. 4], August 1959, S. 8f.

Sinclairs Notizbuch

L 1927 M.: HH. Sinclairs Notizbuch. In: KlBd 4, 1923, S. 55.

In der alten Sonne

L 1927a Haußmann, Walter: HH. In der alten Sonne. In: W. H.: Lehrpraktische Analysen. Folge II. Stgt: (Reclam) 1955, unpag. S. 1–6. (Reclams Lesestoffe.)

L 1928 Schnass, Frank: HH., In der alten Sonne. In: F. Sch.: Die Einzelschrift im Deutschunterr. Bd. I. 3. Aufl. Bad Heilbrunn Obb.: Klinkhardt 1956, S. 148–152.

L 1929 Klimmer, K[arl] H[einz]: «Auch hatte ihn ja niemand lieb gehabt.» Bemerkungen über HH's. Erzählg. In der alten Sonne. In: gespr [H. 2], Dez. 1958, S. 4–6.

L 1929a Brand, R[ichard]: Die Erzählg. «In der alten Sonne» von HH. als Klassenlesestoff in d. Abschlußklasse. In: Schule im Alltag (Ahlen/Westf.) 11, 1960, H. 59, S. 33 bis 36.

Spätzeit

L 1930 Böttcher [geb. Scheepe], Margot: Aufbau und Form von HH's. «Steppenwolf», «Morgenlandfahrt» u. «Glasperlenspiel». – Diss. Berlin (Humboldt-Univ.) 1948. 57 Bl. [Mschr.] – Jetzt u. d. T.: Erschließung von HH's. Spätwerk – insbesondere des magischen Gehalts – durch Formanalyse.

Schwinn, Wilhelm: HH's. Altersweisheit und das Christentum. 1949 s. L 925

L 1931 Basler, Otto: Der späte HH. In: Der Bund (Bern) Nr. 296 v. 27. 6. 1952, Beil. KlBd. + In: L 70, S. 7–20.

L 1932 Bollnow, Otto Friedrich: HH's. Weg in die Stille. In: O. F. B.: Unruhe u. Geborgenheit im Weltbild neuerer Dichter. Stgt: Kohlhammer (1953), S. 31–69.

L 1933 Schulte, Gerd: Das Altersbild des Dichters. In: Hannov. Allg. Ztg. v. 8. 10. 1955. + Tdr. in: L 73, S. 809f.

L 1934 Melchinger, Siegfried: HH. u. die Altersweisheit. In: Wort u. Wahrheit (Freiburg i. Br.) 11, 1956, S. 162–164.

L 1935 Basler, Otto: Der späte HH. – Olten: (VOB) 1957. 27 S.

L 1936 Neuweiler, Magda: Zu HH's. 80. Geb. Der späte HH. In: Schweizer Frauenbl. (Winterthur) Nr. 26 v. 28. 6. 1957.

Hilbk, Hans: Das Problem der Erziehung im Spätwerk HH's. 1959 s. L 786

Sprache ⟨Essay⟩

L 1937 Bentmann, Friedrich: Der Essay im Unterricht. In: DtUnterr 7, 1955, H. 5, bes. S. 83–86.

Sprache und Stil

L 1938 Jancke, Oskar: HH's. Dichtersprache. In: Lit 43, 1940/41, S. 327–331.

Meidinger-Geise, Inge: Zum Wortschatz Utopiens. Zur sprachl. Anschaulichkeit des Erziehungsstaates in Goethes «Wilh. Meister» und HH's. «Glasperlenspiel». 1949 s. L 1255

L 1939 Kempfes, Werner: HH's. lyrischer Stil. – Staatsexamensarbeit Köln 1950. 116 Bl. [Mschr.] (Mi)

L 1940 Jancke, Oskar: HH. In: O. J.: Kunst u. Reichtum dt. Prosa. 2. erw. Aufl. Mchn: Piper (1954), S. 456–465.

L 1941 Mileck, Joseph: The prose of HH.: life, substance, and form. In: GQ 27, 1954, S. 163–174.

L 1942 Themann, Hilde: Sprache und Stil in HH's. Prosadichtung. – Staatsexamensarbeit Köln 1954. 102 Bl. [Mschr.]

Moenikes, G.: Sprachl. Ausdruckskräfte in HH's. Glasperlenspiel. 1955 s. L 1291

Glinz, Hans: Das Problem einer idealen Sprache in HH's. «Glasperlenspiel». 1957 s. L 1302

Maronn, Kristin: Der Einfluß des Musikalischen auf den bildlichen Ausdruck der Prosa HH's. 1957 s. L 1655a

L 1943 Pfeifer, Martin: Inhalt u. Stil der Sprache HH's. In: Sprachpflege (Bln) 6, 1957, S. 82–84.

L 1944 Kilchenmann, Ruth J.: Der Stil H's. als Ausdruck seiner Persönlichkeit. In: Kentucky Foreign Language Quart. (Lexington) 5, 1958, S. 95–99.

Vgl. L 1644.

Der Steppenwolf

L 1945 Ackerknecht, Erwin: HH.: Der Steppenwolf. In: BuB 7, 1927, S. 357f.

L 1946 Braun, Felix: HH's. neues Buch. In: LitW 3, 1927, Nr. 27, S. 5.

L 1947 Deubel, Werner: HH's. Steppenwolf. In: Didaskalia. Beil. z. Frankf. Nachr. 105, 1927, Nr. 49, S. 221f. (DSL)

L 1948 Elster, Hanns Martin in: Die Horen (Bln) 4, 1927/28, I, S. 87f.

L 1949 Gutmann, Paul in: Vorwärts (Bln) 1927, Nr. 132. (Lit)

L 1949a Hirsch, Leo: Der Steppenwolf. In: BT Nr. 308 v. 2. 7. 1927.

L 1950 K[orrodi], E[duard]: HH's. Steppenwolf. In: NZZ Nr. 944 v. 5. 6. 1927 u. Nr. 978 v. 10. 6. 1927. + Tdr. in: Lit 29, 1926/27, S. 654.

L 1951 M.: Der Steppenwolf. Das Bekenntnis des 50jährigen. In: KlBd 8, 1927, S. 209f.

L 1952 Rang, Bernhard in: Der Kunstwart (Mchn) 41, 1927/28, II, S. 52–55.

L 1953 R[ockenbach], M[artin]: Der Steppenwolf. In: Orplid (Augsburg) 4, 1927, Nr. 5/6, Beil. Rede und Antwort, S. 54–56.

L 1954 Saager, Adolf: HH's. «Steppenwolf». Eine Deutung. In: Basilisk 8, 1927, Nr. 27.

L 1955 Schulenburg, Werner von der: H. In: BW 12, 1926/27, S. 264f.

L 1956 Strecker, Karl in: VKMtsh 42, 1927/28, I, S. 109f.

L 1957 Tornette, Wilhelm-Ernst: HH., Der Steppenwolf. In: Die Bücherschale (Bln) Jg. 1927, H. 1, S. 9–16.

L 1958 Walter, Fritz: HH's. Steppenwolf. In: Berliner Börsen-Courier 1927, Nr. 281. (Lit)

L 1959 Wiegler, Paul in: NRs 38, 1927, II, S. 196–198.

L 1960 Wiegler, Paul: Der Steppenwolf. Von HH. In: Weltstimmen (Stgt) 1, 1927, S. 361–365.

L 1961 Wolfenstein, Alfred: Wölfischer Traktat. In: Die Weltbühne (Bln) 23, 1927, II S. 107–109.

L 1962 H. als Philosoph des Radioapparates. In: Prop 24, 1926/27, S. 316f.

L 1963 Grolmann, Adolf von: HH.: Der Steppenwolf. In: DSL 29, 1928, S. 24f.

L 1964 Hartley, L. P.: Steppenwolf. In: Saturday Review v. 1. 6. 1929, S. 746. (Mi)

L 1965 Irvine, L. L.: Steppenwolf. In: The Nation and Athenaeum (London) v. 11. 5. 1929, S. 208. (Mi)

L 1966 Lingelbach, Helene: Über das Geheimnis dichterischer Sendung im lyrischen Bekenntnis. In: Die Horen (Bln) 5, 1928/29, bes. S. 1068f.

L 1967 Porterfield, W. A.: Steppenwolf. In: NYHTrib, Books v. 8. 9. 1929, S. 4. (Jol, Mi)

L 1968 Smith, B.: Steppenwolf. In: New York World v. 27. 10. 1929, S. 11. (Mi)

L 1969 Taylor, R. A.: Steppenwolf. In: Spectator v. 18. 5. 1929, S. 790–793. (Mi)

L 1970 The Wolf Man. In: NYT Book Rev. v. 29. 9. 1929, S. 7. (Mi)

L 1971 «Steppenwolf». In: Bookman (New York), Okt. 1929, S. XXII. (Mi)

Carlsson, Anni: Vom Steppenwolf zur Morgenlandfahrt. 1933 s. L 1624

L 1972 Matzig, Richard Blasius: Der Dichter und die Zeitstimmung. Betrachtungen über HH's. Steppenwolf. – St. Gallen: Fehr 1944. 51 S. (Veröff. d. Handels-Hochschule St. Gallen. Reihe B. 8.) + Teilvorabdr. in: SchwMtsh 23, 1943/44, S. 256–265. [Rez. von Hans-Joachim Bock in: Dt. Lit.-Ztg. (Bln) 70, 1949, Sp. 158–160.]

L 1973 Hill, Claude: HH. and the modern neurosis. Steppenwolf. In: NYT Book Rev. v. 16. 3. 1947, S. 5. (Jol, Mi)

L 1974 Hirsch, Felix E.: Nobel Prize Novel. (Steppenwolf). In: Library Journal (New York) 72, 1947, S. 468. (Jol, Mi)

L 1975 Redman, Ben Ray: Steppenwolf. In: SRevLit 30, 1947, Nr. vom 29. 3., S. 30. (Jol, Mi)

Szczesny, Gerhard: Hans Castorp, Harry Haller und die Folgen. 1947 s. L 1589

Böttcher, Margot: Aufbau u. Form von HH's. «Steppenwolf», «Morgenlandfahrt» u. «Glasperlenspiel». 1948 s. L 1930

L 1976 Pasinetti, P. M.: Novels from three languages. In: Sewanee Rev. 56, 1948, bes S. 171–174.

Larson, R. C.: The dream as literary device in five novels by HH. 1949 s. L 1998

L 1977 Rousseaux, André: HH., le loup et l'homme. In: Le Figaro littéraire (Paris) 4, 1949, Nr. 150, S. 2. + Tdr. in: Neuphilolog. Zs. (Bln) 1, 1949, H. 3, S. 67f.

L 1977a Bartsch, Ursula: Die Bedeutg. des Traumes f. Inhalt u. Aufbau von HH's. «Steppenwolf». – Staatsexamensarbeit Berlin 1950. 47 Bl. [Mschr.] (L 759a)

L 1978 Stern, Peter: HH.: Der Steppenwolf. – B. A. Harvard Univ. 1950. 80 Bl. [Mschr.] (Mi)

L 1979 Liepelt-Unterberg, Maria: Das Polaritätsgesetz in der Dichtg. Am Beispiel von HH's. «Steppenwolf». – Diss. Bonn 1951. 70 Bl. [Mschr.]

L 1980 Opitz, Fritz: Der Dichter lebt in den Gestalten seiner Werke. HH. im Steppenwolf. In: Berliner Lehrerztg. 6, 1952, S. 413 f., 437 f., 462 f.

L 1981 Rousseaux, André: HH. Le loup et l'homme. In: A. R.: Littérature du XXᵉ siècle.
Tome IV. Paris: Michel (1953), S. 134–142.

Wagner, Marianne: Zeitmorpholog. Vergleich von HH's. «Demian», «Siddhartha», «Der Steppenwolf» u. «Narziß und Goldmund» zur Aufweisung typischer
Gestaltzüge. 1953 s. L 2059

L 1982 Flaxman, Seymour L.: Der Steppenwolf. H's. portrait of the intellectual. In:
MLQ 15, 1954, S. 349–358.

L 1983 (Böttcher, Margot): «Der Steppenwolf». In: L 74, S. 63–69.

L 1984 Kreidler, Horst-Dieter: HH's. «Steppenwolf». Versuch einer Interpretation. –
Diss. Freiburg i. Br. 1957. IV, 365 Bl. [Mschr. vervielf.]

L 1984a Lochner, Irmfried: Das Weltbild im modernen Roman III: HH's. «Steppenwolf».
In: Manu-Scriptum (Lüneburg) Nr. 5, Jan./Febr. 1958, S. 13–15.

L 1985 Ziolkowski, Theodore: HH's. Steppenwolf. A sonata in prose. In: MLQ 19, 1958,
S. 115–133.

L 1985a Mazzucchetti, Lavinia: Il lupo della steppa. In: L. M.: Novecento in Germania.
Milano: Mondadori (1959), S. 173–178.

L 1985b Helmich, Wilhelm: Wege zur Prosadichtg. d. 20. Jahrhunderts. Braunschweig:
Westermann 1960, S. 32 f.

Mileck, Joseph: Names and the creative process. A study of the names in HH's.
«Lauscher», «Demian», «Steppenwolf», and «Glasperlenspiel». 1961 s. L 1677a

L 1985c Schwarz, Egon: Zur Erklärung von H's. «Steppenwolf». In: L 76 a, S. 191–198.

Stufen. Alte und neue Gedichte

L 1985d B[asler], O[tto]: «Stufen». Alte u. neue Gedichte. In: NZZ Nr. 2831 v. 30. 7. 1961.

L 1985e Pfeifer, Martin: Stufen. In: gespr Nr. 10, Nov. 1961, S. 11 f.

Eine Stunde hinter Mitternacht

L 1986 Rilke, Rainer Maria: HH.: Eine Stunde hinter Mitternacht. In: Der Bote f. dt.
Litt. (Lpz) 2, 1898/99, H. 12, S. 388 f. + In: R. M. R.: Bücher. Theater. Kunst.
(Wien 1934: Jahoda & Siegel), S. 108–110. + Tdr. in: L 68, S. 188. + Tdr. in:
L 75, S. 2.

L 1987 Erdmann, G. Adolf in: Internat. Literaturberichte (Lpz) Jg. 1900, S. 181.

L 1988 Scholz, Wilhelm von: Ein Neuromantiker. In: LitE 2, 1899/1900, Sp. 322 f.

L 1989 S[eelig], C[arl]: HH's. erstes Prosabuch. In: NZZ Nr. 1975 v. 6. 12. 1941.

L 1990 L. W.: Eine Stunde hinter Mitternacht. In: Die Tat (Zch) Nr. 279 v. 27. 11. 1941.

L 1991 Carlsson, Anni: Zu HH.: Eine Stunde hinter Mitternacht. – (Wädenswil) 1942:
(Villiger). 3 S. – [SA aus: NSRs NF 10, 1942/43, S. 54–57.]

L 1992 Gemperle, Karl: Zu HH's. früher Prosa. In: Bübl 6, 1942, Nr. 10.

Stunden im Garten

L 1993 K[orrodi], E[duard]: «Stunden im Garten». In: NZZ Nr. 1663 v. 29. 9. 1936.

L 1994 HH.: Stunden im Garten. In: Die Hilfe (Bln) 42, 1936, S. 480.

L 1995 K[orrodi], E[duard] in: NZZ Nr. 881 v. 16. 5. 1937.

Surrealismus

L 1996 Reimann, Roger: HH. und der Surrealismus. In: Echo der Woche (Mchn) 2, 1948, Nr. 43, S. 9.

Herrigel, Hermann: Positiver Surrealismus. 1951 s. L 1627

Tessin s. Montagnola

Tod

L 1997 Riboni, Denise: Le thème de la mort chez HH. In: Suisse contemporaine (Lausanne) 7, 1947, S. 99–105.

Traum

L 1998 Larson, R. C.: The dream as literary device in five novels by HH.: Unterm Rad, Roßhalde, Demian, Steppenwolf, Narziß und Goldmund. – B. A. Yale Univ. 1949. 122 Bl. [Mschr.] (Mi)

Bartsch, Ursula: Die Bedeutg. des Traumes f. Inhalt u. Aufbau von HH's. «Steppenwolf». 1950 s. L 1977a

L 1999 Hirschbach, Frank D.: Traum und Vision bei HH. In: MDU 51, 1959, S. 157–168.

Traumfährte

L 2000 At.: «Traumfährte» von HH. In: NZZ Nr. 1771 v. 24. 11. 1945.

Matzig, Richard B[lasius]: «Narziß und Goldmund» u. «Traumfährte». Zwei Bücher von HH. 1946 s. L 1703

L 2001 Erné, Nino: HH.: Traumfährte. In: WuW 4, 1949, S. 201f.

L 2002 [W]ien, [Werner]: «Da ging ich in mein Bild hinein». In: Christ u. Welt (Stgt) Nr. 32 v. 4. 8. 1960, S. 18.

L 2003 Ziersch, Roland: HH's. Geheimnisse. In: Süddt. Ztg. (Mchn) Nr. 92/93 v. 16. 4. 1960, Beil.

Traumfährte. Eine Aufzeichnung

L 2004 Krättli, Anton: «Traumfährte». HH. zum 80. Geb. In: Neues Winterthurer Tgbl. Nr. 148 v. 29. 6. 1957, Wochenbeil.

Trost der Nacht

L 2005 [Ball-]Hennings, Emmy: Trost der Nacht. In: NRs 40, 1929, II, S. 430f.

L 2006 Binz, Arthur Friedrich: HH.-Stimmung. In: Saarbrücker Ztg. 1929, Nr. 168. (Lit) + Tdr. in: Lit 31, 1928/29, S. 712.

L 2007 Böhm, Hans: Trost der Nacht. In: Der Kunstwart (Mchn) 42, 1928/29, II, S. 249f.

L 2008 Elster, Hanns Martin in: Die Horen (Bln) 5, 1928/29, S. 820.

L 2009 Fontana, Oskar Maurus: Trost der Nacht. In: Tgb 10, 1929, S. 842f.

L 2010 Halbach, Kurt Herbert: Neue Lyrik von HH. In: StgtNTgbl Nr. 276 v. 15. 6. 1929.

L 2011 Herrmann-Neiße, Max: H. als Lyriker. In: LitW 5, 1929, Nr. 24, S. 5.

L 2012 K[orrodi], E[duard]: Trost der Nacht. Gedichte von HH. In: NZZ Nr. 641 v. 4. 4. 1929.

L 2013 M.: Neue Gedichte von HH. In: KlBd 10, 1929, S. 117–119.

L 2014 Ackerknecht, Erwin: Trost der Nacht. Von HH. In: BuB 10, 1930, S. 140.

L 2015 Federmann, Hertha: HH's. Neue Gedichte. In: Hochland (Mchn) 29, 1931/32, I, S. 558–560.

Edfelt, Johannes: Nattens tröst. 1937 s. L 1516; 1941 s. L 1518

Umwege

L 2016 Ackerknecht, Erwin: HH.: Umwege. In: EckLit 7, 1912/13, S. 99–102.

L 2017 Busse, Carl in: VKMtsh 26, 1911/12, III, S. 472f.

L 2018 Finckh, Ludwig: Der neue H. In: SchwSp 5, 1911/12, S. 274.

L 2019 Heuss, Theodor: Umwege. In: Neckar-Ztg. (Heilbronn) v. 10. 8. 1912.

L 2020 M[arti], F[ritz]: Umwege. In: NZZ Nr. 1014 v. 18. 7. 1912. + In: F. M.: Lichter und Funken. Ausgew. Feuilletons. Zch: Orell Füssli [1916], S. 400–404.

L 2021 M[issenharter], H[ermann]: HH's. neue Erzählungen. In: Württ. Ztg. (Stgt) v. 22. 7. 1912.

L 2022 Thummerer, Hans: Umwege. Erzählungen. Von HH. In: LitE 14, 1911/12, Sp. 1450f.

L 2023 W[itt]ko, [Paul]: Umwege. In: NTgbl Nr. 172 v. 8. 7. 1912.

L 2024 Puttkamer, Alberta von: Ein neues Buch von HH. In: Neue Freie Presse (Wien) Nr. 17463 v. 6. 4. 1913, S. 31–33. (LitE, Met)

Unterwegs

L 2025 Ackerknecht, Erwin: HH., Unterwegs. In: EckLit 7, 1912/13, S. 770–772.

L 2026 Herrigel, Hermann in: Neckar-Ztg. 1912, Beil. Heilbronner Unterhaltungsbl. Nr. 12. (LitE)

L 2027 Heuss, Theodor: Unterwegs. In: Neckar-Ztg. (Heilbronn) v. 10. 8. 1912.

L 2028 Jerven, Walter: Eine lit. Bodenseewanderung. In: Bodenseeb 1, 1914, bes. S. 155 bis 157.

L 2028a Preisendanz, Karl in: DSL 19, 1918, Sp. 7f.

Vagabund

L 2029 Boardman, Ruth: The vagabond in HH's. prose works. – M. A. Ohio State Univ. 1950. 42 Bl. [Mschr.] (Mi)

L 2030 Mullett, Frederic M.: The vagabond theme in the fiction of HH. – M. F. S. Univ. of Maryland 1950. 72 Bl. [Mschr.] (Mi)

L 2031 Debruge, Suzanne: Les vagabonds de HH. In: EG 6, 1951, S. 48–53. + In: L 68, S. 191f.

Vision

Hirschbach, Frank D.: Traum und Vision bei HH. 1959 s. L 1999

Ziolkowski, Theodore: HH's. chiliastic vision. 1961 s. L 923a

Wanderung

L 2032 G. D.: HH's. «Wanderung». In: Schwäb. Merkur (Stgt) Nr. 500 v. 3. 11. 1920.

L 2033 Herrigel, Hermann: HH's. «Wanderung». In: Frankf. Ztg. Nr. 916 v. 10. 12. 1920. (LitE, Met)

L 2034 HH.: Wanderung. In: NZZ Nr. 2104 v. 19. 12. 1920.

L 2035 Ackerknecht, Erwin: HH.: Wanderung. In: BuB 1, 1921, S. 159f.

L 2036 Behl, C. F. W.: Wanderung. Von HH. In: LitE 23, 1920/21, Sp. 816f.

L 2037 B[ie], O[skar]: «Wanderung» von HH. In: NRs 32, 1921, S. 670.

L 2038 Scheffler, Karl: HH.: Wanderung. In: Kunst u. Künstler 19, 1921, S. 336.

L 2039 S.: HH.: Wanderung. In: StgtZtg Nr. 26 v. 1. 2. 1950.

Am Weg

L 2040 Heine, Anselma: Am Weg. Von HH. In: LitE 18, 1915/16, Sp. 1021.

Weg nach innen

L 2041 Ackerknecht, Erwin: HH.: Weg nach innen. In: BuB 11, 1931, S. 452.

Arnz, Käte: Die Natursymbolik in HH's. Märchen und dem «Weg nach innen».
1951 s. L 1712

Wege zu HH.

L 2042 Hafner, Gotthilf: Wege zu HH. Ein kleines Lesebuch. Hg. v. Walter Haußmann.
In: WuW 12, 1957, S. 290.

Kleine Welt

L 2043 Ackerknecht, Erwin: HH.: Kleine Welt. In: BuB 13, 1933, S. 240.

L 2044 K[orrodi], E[duard]: HH. In: NZZ Nr. 576 v. 31. 3. 1933.

Wyss, Hans A.: Aus HH's. Frühzeit. 1933 s. L 1083

Weltanschauung. Weltbild

L 2045 Diamond, William: HH's. Weltanschauung. In: MDU 22, 1930, S. 39–44, 65–71.
+ SA: Madison: Univ. of Wisconsin 1930. 12 S.

Kunze, Johanna Maria Louisa: Lebensgestaltung u. Weltanschauung in HH's.
Siddhartha. 1946 s. L 1913

L 2046 Hatterer, Georges: HH's. Weltanschauung und ihre künstlerische Verwirklichung
im Glasperlenspiel. – Diplôme d'étude supérieure Besançon 1950. 100 Bl.
[Mschr.] (Mi)

L 2047 Hilscher, Eberhard: HH's. Weltbild. Zum 80. Geb. des Dichters. In: Neues
Deutschland (Bln) Ausg. A. Nr. 152 v. 30. 6. 1957, Beil.

L 2048 Hilscher, Eberhard: HH's. Weltanschauung. In: Weimarer Beitrr. 4, 1958, S. 361
bis 386.

Ernst Wiechert

L 2049 Wiechert, Ernst: Eine Mauer um uns baue. Zch: Verl. der Arche (1946), S. 9–11
(Die kleinen Bücher der Arche. 125.)

L 2050 Wiechert, Ernst: Der Totenwald. Ein Bericht. Zch: Rascher 1946, S. 50.

Wirklichkeit

Vietsch, Eberhard von: Wahrheit u. Wirklichkeit im Glasperlenspiel. 1948
s. L 1243

L 2051   Pohlmann, Gisela: Das Problem der Wirklichkeit bei HH. – Diss. Münster/
         Westf. 1951. XIII, 228, 37 Bl. [Mschr.]

L 2052   Wittenberg, Hildegard: Das Unwirkliche und seine Gestaltung im Werk HH's.
         –Staatsexamensarbeit Köln 1954. 84 Bl. [Mschr.]

         Essner-Schaknys, Günther: Die epische Wirklichkeit u. die Raumstruktur des
         modernen Romans. 1957 s. L 1299

L 2053   Horst, Karl August: Welt u. Wirklichkeit bei HH. In: NZZ Nr. 1906 v. 30. 6.
         1957.

Zarathustras Wiederkehr

L 2054   Behl, C. F. W.: Zarathustras Wiederkehr. Von HH. In: LitE 22, 1919/20, Sp.
         1392f.

L 2055   Chemnitz, E. W.: Offener Brief an den Verfasser von Zarathustras Wiederkehr.
         In: Dt. Internierten-Ztg. (Bern) Nr. 109 v. 28. 2. 1919, S. 12–14.

L 2056   Dannegger, Adolf: Zarathustras Wiederkehr. In: Schlesische Ztg. (Breslau) Nr.
         232 v. 9. 5. 1920. (Met)

L 2057   Wolfradt, Willi: HH.: Zarathustras Wiederkehr. In: Freie dt. Bühne (Bln) 1,
         1920, Nr. 43, S. 1020f. (Met)

L 2058   Zeller, Gustav: Offener Brief an HH. In: Psychische Studien (Lpz) 47, 1920,
         S. 622–630.

Zeit

         Overberg, Marianne: Die Bedeutung der Zeit in HH's. «Demian». 1948 s. L 966

L 2059   Wagner, Marianne: Zeitmorphologischer Vergleich von HH's. «Demian»,
         «Siddhartha», «Der Steppenwolf» und «Narziß und Goldmund» zur Aufweisung
         typischer Gestaltzüge. – Diss. Bonn 1953. 193 Bl. [Mschr.]

         Shaw, Leroy R.: Time and the structure of HH's. Siddhartha. 1957 s. L 1924

         Ansorge, Dietrich Klaus: Die Versuche der Zeitüberwindung in der Lyrik HH's.
         1959 s. L 1539

Feuilletonistisches Zeitalter

L 2060   Jancke, Oskar in: WuW 2, 1947, S. 216.

L 2061   Mayer, Hans: Der Dichter u. das «feuilletonist. Zeitalter». Über einige Motive
         im Werk HH's. In: Aufbau (Bln) 8, 1952, S. 613–628. + [Ergänzung] u. d. T.:
         HH's. «Morgenlandfahrt». Ebd. S. 863f. + [Gekürzt] u. d. T.: Das Alte ins Neue
         hinübertragen. In: Berliner Ztg. Nr. 152 v. 3. 7. 1952. + [Veränd.] in: H. M.:
         Studien zur dt. Literaturgeschichte. Bln: Rütten & Loening (1954), S. 225–240.
         (Neue Beitrr. zur Literaturwiss. 2.) + Tdr. in: L 74, S. 5–8, 73–76, 79, 80f., 82f.
         + Tdr. in: L 76, S. 20.

L 2062   Horst, Karl August: Das literar. Kuckucksei. In: Dt. Geist zwischen gestern u.
         morgen. Hg. v. Joachim Moras u. Hans Paeschke. Stgt: Dt. Verl.-Anst. (1954),
         bes. S. 371f.

L 2063   Martin, Bernhard: Die Überwindung des «feuilletonist. Zeitalters». Zu HH's.
         80. Geb. In: Die neue Schau (Kassel) 18, 1957, S. 157f.

HESSE IN DER DICHTUNG

L 2064 Mauerhofer, Hugo: An HH. [Ged.] In: KlBd 8, 1927, S. 210.

L 2065 Richter, Helmuth: An HH. [Ged.] In: Simplizissimus (Mchn) 32, 1927/28, S. 182.

L 2066 Vring, Georg von der: Ist hier der Dichter HH. geboren? [Feuilleton.] In: Der Tag (Bln) Nr. 132 v. 2. 6. 1932, Unterhaltungs-Beil.

L 2067 Ball-Hennings, Emmy: Der Glasperlenspieler. Für HH. [Ged.] In: NatZ Nr. 382 v. 20. 8. 1939, Sobeil.

L 2067a Kerckhoff, Susanne: An HH. 1939. [Ged.] In: L 1542a, S. 63.

L 2068 Haag, Alfred: An HH. [Ged.] In: NatZ Nr. 303 v. 5. 7. 1942, Sobeil.

L 2069 Ilg, Paul: HH's. Gedichte. [Ged.] In: Luzerner N. Nachr., Sonntagspost Nr. 3 v. 23. 1. 1943.

L 2070 Antwort auf das Gedicht «Einsame Nacht». [Ged.] In: NZZ Nr. 934 v. 13. 6. 1943. + In: L 2089, S. 22.

L 2071 Schibli, Emil: An den großen Glasperlenspieler. [Ged.] In: NatZ Nr. 232 v. 21. 5. 1944, Sobeil. + In: L 2089, S. 10.

L 2072 Josef Knechts Berufung. [Ged.] In: Dt. Beitrr. 1, 1946/47, S. 308. + In: L 738, S. 60.

L 2073 [Englert I, Josef]: Verlieren sich im Sand... [Ged.] In: Dt. Beitrr. 1, 1946/47, S. 309. + In: L 738, S. 59f.

L 2074 Amrhein, Martin: Der immerwährende Freund. Ein Gespräch zu HH's. 70. Geb. In: BasNachr Nr. 272 v. 2. 7. 1947.

L 2075 Burkart, Anton Chr.: Männer des Friedens. Zum 70. Geb. von HH. [Ged.] In: Kathol. Volksbl. (Sins) 12, 1947, Nr. 26, S. 3.

L 2076 Carossa, Hans: Schutzgeist. [Ged.] In: L 738, S. 47. + In: Die Wochenpost (Stgt) 2, 1947, Nr. 27, S. 4. + In: L 66, S. 28f. + In: H. C.: Gesammelte Werke. Wiesbaden: Insel-Verl. 1949, S. 78f. + In: L 2089, S. 3. + In: H. C.: Gesammelte Gedichte. (Wiesbaden): Insel-Verl. 1950, S. 142f. + L 68, S. 190. + In: L 227, S. 31f. + In: L 75, S. 1.

L 2077 Frisch, Max: Aus einem Tagebuch. Für HH. In: SoblBasNachr 41, 1947, S. 108.

L 2078 Geilinger, Max: Und wieder blüht ein Mai. [Ged.] In: SoblBasNachr 41, 1947, S. 104.

L 2079 Gemperle, Karl: Der Dichter. HH. zum 70. Geb. [Ged.] In: NatZ Nr. 291 v. 29. 6. 1947, Sobeil. + In: L 2089, S. 8.

L 2080 Goes, Albrecht: Der Gast. Für HH. [Ged.] In: Dt. Beitrr. 1, 1946/47, S. 295f. + In: A. G.: Die Herberge. Bln: Suhrkamp 1947, S. 56f. + In: L 2089, S. 6f.

L 2081 Hedinger[-Henrici], Paul: Gedenken für HH. [Ged.] In: Bodenseeb 33, 1947, S. 78.

L 2082 Heilbut, Ivan: Frage. [Ged.] In: NatZ Nr. 291 v. 29. 6. 1947, Sobeil. + In: NRs 58, 1947, S. 250. + In: L 65, S. 2.

L 2083 Kloter, Karl: Erste Begegnung. 1947. [Ged.] In: L 2089, S. 21.

L 2084 Lange, Herbert: Die Feder. Ein Huldigungsblatt für HH. In: Echo der Woche (Mchn) 1, 1947, Nr. 11, S. 10.

L 2085   Schneider, Georg: Dank und Gruß an HH. [Ged.] In: Merkur (Stgt) 1, 1947/48, S. 78. + U. d. T.: Bildnis. In: L 2089, S. 5. + In: Frankf. Neue Presse Nr. 147 v. 29. 6. 1957.

L 2086   Schussen, Wilhelm: Siebzigster Geburtstag. [Ged.] In: Bodenseeb 33, 1947, S. 78.

L 2087   Geißler, Hugo: HH. Haus in Gaienhofen. [Ged.] In: Schwarzwälder Post (Oberndorf a. N.) Nr. 26 v. 2. 7. 1948. + U. d. T.: In Gaienhofen. In: L 2089, S. 18.

L 2088   Matzig, Richard B[lasius]: Sonniger Lebenstag. Für HH. [Ged.] In: NatZ Nr. 302 v. 4. 7. 1948, Sobeil. + In: L 2089, S. 20.

L 2089   Dank des Herzens. Gedichte an HH. – (Köln-Klettenberg: Westdt. HH.-Archiv 1949.) 23 S. (3. Archiv-Sonderdruck.) – Aufl.: 500.

L 2090   J. A.: Töricht Lieben. [Ged.] In: L 2089, S. 23.

L 2091   Finckh, Ludwig: Mohn. [Ged.] In: L 2089, S. 16.

L 2092   Gisi, Georg: Dank an HH. [Ged.] In: L 2089, S. 13.

L 2093   Hafner, Gotthilf: Ode an HH. In: L 2089, S. 11.

L 2094   Heinrich, Gerhard: Kleine Fuge (zu einem Thema aus dem Glasperlenspiel). [Ged.] In: L 2089, S. 9.

L 2095   Kalbe, Lothar: Dem Dichter des «Glasperlenspiels». [Ged.] In: L 2089, S. 14.

L 2096   Kirchner, Renate: Für HH. [Ged.] In: L 2089, S. 12.

L 2097   Kliemann, Margarete: Spittelbrüder. (Nach der Lektüre von «In der alten Sonne».) [Ged.] In: L 2089, S. 19.

L 2098   Niekrawietz, Hans: Der Dichter. [Ged.] In: L 2089, S. 4.

L 2099   Owlglass, Dr. [d. i. Hans Erich Blaich]: Zu den «Zehn Gedichten». [Ged.] In: L 2089, S. 21.

L 2100   Roehr, Hanna: Bei der Verleihung des Nobelpreises. [Ged.] In: L 2089, S. 15.

L 2101   Seelig, Carl: Meinem Knulp. [Ged.] In: L 2089, S. 17.

L 2102   Semmig, Jeanne Bertha: Dank für ein Freundschaftsgeschenk. [Ged.] In: L 2089, S. 20.

L 2103   Kasack, Hermann: Einstimmig. Zum 2. Juli 1952. [Ged.] In: L 68, S. 149.

L 2104   Marti, Ernst Otto: Dank an HH. In: Hortulus (St. Gallen) 2, 1952, S. 58–64.

L 2105   Meckauer, Walter: Werk und Zeit. Für HH. [Ged.] In: NatZ Nr. 294 v. 29. 6. 1952, Sobeil.

L 2106   Wiesner, Heinrich: Der Baum. HH. gewidmet. [Ged.] In: NatZ Nr. 294 v. 29. 6. 1952, Sobeil.

L 2107   Müller-Gögler, Maria: HH. Ein Tagebuchblatt vom 27. 10. 1953. [Ged.] In: M. M.-G.: Gedichte. NF. Ulm: Aegis-Verl. 1954, S. 9f. + In: Dichten u. Trachten (Ffm) H. 5, 1955, S. 90f.

L 2108   Bock, Werner: HH. [Ged.] In: NZZ Nr. 1906 v. 30. 6. 1957.

L 2109   Schibli, Emil: An HH. zu s. 80. Geb. [Ged.] In: Nebelspalter (Rorschach) v. 26. 6. 1957.

L 2110   Schröder, Rudolf Alexander: Für HH. [Ged.] In: NZZ Nr. 2682 v. 22. 9. 1957.

L 2111   Schwert, K. E.: An HH. [Ged.] In: Pirmasenser Ztg. v. 2. 7. 1957.

L 2112   Mann, Erika: Festlied. HH. zum 2. Juli. [Ged.] In: NZZ Nr. 1939 v. 2. 7. 1958.

KURIOSA

L 2113 Blei, Franz: Die H. In: F. B.: Das große Bestiarium d. Lit. Bln: Rowohlt 1922, S. 39f. + In: F. B.: Schriften in Auswahl. Mchn: Biederstein 1960, S. 569.

L 2114 F. R. B.: Was HH. am liebsten liest. In: Nacht-Expreß (Bln) v. 30. 10. 1947. (Pf)

Abenius, Sigrid Ü 164
Aburi, Hans L 129, 1894
Accatino, Gianna Ruschena Ü 72, 72a
Ackerknecht, Erwin E 62, 121, 192; B 71;
  L 760, 1013, 1107, 1133, 1157, 1355, 1456,
  1545, 1612, 1669, 1678, 1850, 1902, 1945,
  2014, 2016, 2025, 2035, 2041, 2043
Ackermann, Heiner L 1095
Ackermann, Werner L 163
Adams, Paul L 45
Adelt, Leonhard L 1158
Adenauer, Charlotte L 967
Adhikari, Mahavir Ü 53
Adolph, Rudolf L 412, 679, 680, 881, 882,
  884, 1608, 1610, 1611
Ahl, Herbert L 413, 708, 765
Ahrens, Franz L 1275
Ajchenrand, Lajser B 72
Akiyama, Hideo Ü 74, 120
Akiyama, Rokurobê Ü 74, 111, 116, 138
Aksakow, Sergej Timofejewitsch P 14
Albert, Fritz L 1159
Alker, Ernst L 27
Allason, Barbara Ü 63; L 246
Allemann, Beda E 176; L 414
Allemann, Erwin L 1912
Almquist, Karl Jonas Love P 17
Altenberg, Peter P 18
Alverdes, Paul P 20
Amegú, Jorge F. L 1517
Amiet, Cuno P 366; L 836
Amoretti, G. V. L 415
Amrhein, Martin L 2074
Anderle, Hans L 130
Andersen, Hans Christian P 24
Andrejew, Leonid P 25
× Andres, Stefan L 967
Andrews, R. C. L 1527
Angelloz, Joseph-François L 300, 305,
  1146, 1193, 1548
Angelus Silesius P 29
Annunzio, Gabriele d' P 33
Anselm, F. L 247
Ansorge, Dietrich Klaus L 1539
Aram, Kurt Hg 21
Arens, Hanns P 1472
Aretz, Karl L 131, 166, 1092
Ariost, Ludovico P 44
Arland, Marcel P 45
Arnim, Bettina v. P 47, 581
Arnim, Ludwig Achim v. Hg 8, 17; P 46,
  430, 784, 998
Arnz, Käte L 1712
Arp, Hans P 1115
Asahi, Hideo L 1320a
Asher, Anita A 9

Assmann, Christoph L 416
Audlauer, A. L 1668a
Auernheimer, Raoul L 888
Augustin, Elisabeth L 1245
Augustinus P 1074

Baader, Franz P 62
Baader, Fritz Ph. L 1852
Baaten, Heta L 1049, 1839
Bab, Julius G 167, 264, 267, 400, 488
Bach, Joh. Sebastian P 1346; G 636; L 546
Bach, Julius L 1812a
Bach, Rudolf L 177, 836a
Bachofen, Johann Jakob P 63; L 953
Bähr, H. Walter L 765, 807, 834a, 1763a
Bänninger, Konrad L 1394
Baer, Ludwig L 417
Bärhausen, Eugen L 1147
Baeschlin, Alfredo B 74
Baeschlin, Theo L 314, 315, 580, 712
Bäumer, Gertrud L 804
Bahr, Hermann P 65–67, 239; L 1017
Bain, F. W. P 954
Bakunin, Michael P 688
Balász, Béla P 68
Baldus, Alexander L 50, 178, 248, 418, 419,
  1745
× Ball, Hugo E 136; P 73, 283, 987, 1424;
  L 45, 705, 837–840, 1740
× Ball-Hennings, Emmy B 75; P 69–73, 531,
  1424; L 581, 706, 838, 840–842, 1679,
  2005, 2067
Ballin, Gunther L 420
Balzac, Honoré de P 74–76
Bandello, Matteo Hg 9; P 77
Bang, Hermann P 78
Banshôya, Eiichi Ü 135
Barbusse, Henri P 79
Bareiss, Otto L 759a
Bartels, Adolf L 1362
Barth, Emil L 1042
Bartsch, Rudolf Hans Hg 2
Bartsch, Ursula L 1977a
Baseggio, Cristina Ü 64
Baseler, Hans Heini L 713
Baser, Friedrich L 1283
Basler, Otto L 45c, 53, 54, 249, 250, 421
  bis 423, 525, 573, 813, 828, 843, 990, 1127,
  1192, 1307, 1407, 1497, 1498, 1501, 1566,
  1584, 1591, 1610, 1747, 1764, 1931, 1935,
  1985d
Bauer, Arnold L 995
Bauer, Ludwig P 80
Bauer, Otto L 627
Bauer, Paul L 1208
Bauer, Walter P 81–83

Baum, Peter P 87
Baumann, Max L 179
Baumer, Franz L 58, 61, 1028
Baumgart, Wolfgang L 793
Becco, H. Ü 11a
Becher, S. J., Hubert L 524a, 1227
× Becher, Johannes R. B 76; G 408
Beck, Adolf L 1522
Becker, Felix L 1573
Beer, Johannes L 21
Beermann, Hans L 733
Beethoven, Ludwig van P 88
Beheim-Schwarzbach, Martin P 91
Behl, C. F. W. L 1102, 1559, 2036, 2054
Bender, Hans L 1876
Bengeser, Josef L 1410
Benn, Maurice B. L 1145, 1843
Bennet, E. K. L 25
Benoist, M. L 1434a
Bense, Max L 220, 790
Bentmann, Friedrich L 1937
Benz, Richard B 79; P 854; L 541
Benzmann, Hans L 1494
Berend, Eduard P 723; L 1336
Berge, Viktor P 99
Berger, Berta L 1773
Berger, Johann [Hans] L 662, 663
Bergholter, Jürgen L 582
Bergman, Bo Ü 174
Bergmann, Wolf P 100
Berlioz, Hektor P 104
Bermann, Richard A. P 706
Bermann-Fischer, Gottfried P 1113
Berna, Jacques B 80; L 1542
Bernanos, Georges P 105
Bernatzik, Hugo Adolf P 106
Bernecker, Gabriele L 1748
Bernhart, Joseph P 107
Bernoulli, Carl Albrecht L 953
Bernus, Alexander v. B 81
Bertaux, Félix Ü 32
Bertram, Ernst P 110
Bétemps, René L 164
Bethge, Hans L 889, 1118, 1664
Bettex, Albert L 32, 43b
Betz, Harry L. L 931
Beyel, Christian L 932
Bezold, Karl L 1093
Bhartrihari G 723
Bianquis, Geneviève L 39
Bick, Ignatz L 1379
Bie, Oskar L 2037
Biedermann, Flodoard v. P 130
Biedrzynski, Richard L 556, 1867
Bienenstein, Karl L 1801
Bierbaum, Otto Julius B 82; P 21; L 1411
Biermer, Lily L 983, 1050
Biese, Alfred G 106, 353; L 4, 1709

Bihl, J. K. L. L 659
Billinger, Richard P 139
Binz, Arthur Friedrich L 108, 121, 2006
Birrer, Emil L 583
Biscardo, Roberto L 48
Bithell, Jethro L 41
Bixio, Alberto Luis Ü 10, 11
Bläser, Heinz L 316
Blaich, Hans Erich s. Dr. Owlglass
Blanchot, Maurice L 389, 1293
Blei, Franz P 142–145; L 2113
Błeszyński, Kazimierz Ü 158
Blöcker, Günter L 317
Bloesch, Hans L 1332
Blomberg, Erik Ü 168, 174
Bloy, Léon P 147
Blume, Bernhard L 394
Blume, Friedrich L 1655
Blumenthal, Marie-Luise L 1280
Boardman, Ruth L 2029
× Boccaccio, Giovanni E 32; P 151, 152, 306, 1109
Bock, Emil L 968
Bock, Hans-Joachim L 51, 1194, 1972
Bock, Werner L 245, 318, 424, 584, 1176, 2108
Bode, Helmut L 54, 319, 814
Bodman, Emanuel v. B 84–86; P 1426
Bodman, Frau v. B 86
Bodmer, H. C. G 512
Böckel, Fritz L 85, 890
Böcklin, Arnold P 455
Böckmann, Paul L 380, 533, 1244, 1602
Böhm, Hans P 153; L 1424, 2007
Böhme, Gerhard L 1082
Boehme, Jakob E 22; P 154–156
Böhme, Siegfried L 1228, 1865a
Böhmer, Emil L 1647
Böhmer, Gunter E 1, 77, 169, 177, 181; P 535; L 702, 1578, 1610
Boehn, Max v. P 131
Boekhoff, Hermann L 1877
Boer-Breijer, B. H. den Ü 148, 151
Boersma, Clarence L 776
Boesch, Bruno L 43b
Böttcher, Kurt L 1814, 1815
Böttcher, Margot L 1090, 1091, 1174, 1175, 1534, 1760, 1930, 1983
Böttger, Fritz L 320
Bohner, Theodor P 157
Bolitho, William P 158
Bollnow, Otto Friedrich L 1195, 1932
Bonaventura P 569
Bonaventura [Nachtwachen] P 993, 994
Bonitz, Amalie L 1229
Bonsels, Waldemar L 1360
Bonus, Artur Hg 2
Bonwit, Marianne L 920

Borchardt, Rudolf P 159
Borée, Karl Friedrich B 87
Borkowski, Lotte P 1537
Bormann, Elisabeth L 1168 a
Bormann, Hans Heinrich L 96
Bott, Hans B 130, 132; L 976, 1568
Botta, Paul L 1230
Bottacchiari, Rodolfo L 43 a
Boucher, Maurice L 50, 815
Boudier, M. L 1381 a
Bouhier, G. L 1172 a
Boulby, M. L 1067
Bourbeck, Christine L 1542 a
Bousset, Hermann L 425
Boyer, Jean L 1654
Brachwitz, K. Erich B 88
Braem, Helmut M. L 1284
Braemer, Edith L 1231
Brand, Guido Karl L 18
Brand, Olga L 585, 586
Brand, Richard L 1929 a
Brandenburg, Hans P 161; L 1334
Brandt, Otto H. P 969
Brandweiler, Heinrich L 251
Braun, Felix P 162; L 1395, 1864, 1946
Braun, Hanns L 180
Braun, Harald P 577; L 954, 1680
Brecht, Bert L 1429
Bredel, Willi L 1731, 1732
Brenner, Arvid Ü 171
Brentano, Bernard v. P 164; L 321
Brentano, Clemens Hg 9, 17; P 165, 430, 579, 784
Briand, Aristide P 797
Brie, Friedrich P 166
Brieger, Lothar P 180
Briod, Blaise L 844
Brion, Marcel L 919
Britting, Georg P 181
Broch, Hermann P 182
Brocher, Jules Ü 29, 175
Brockes, Barthold Heinrich P 183, 184
Brod, Max E 224; B 89; P 549; L 844 a, 1363
Bronson, John L 1700
Bruckner L 1021
Bruder, Erhard L 1060
Brück, Max v. L 1868
Brüll, Oswald L 1853
Brun, Fritz B 90; L 587
Brunner, John Wilson L 60
Bruns, V. L 3
Bruun, Laurids P 190, 699
Bryher P 191
Buber, Martin P 192, 357, 530, 801; L 544, 546, 564
Buchanan, Harvey L 1636
Buchholtz, Johannes P 198

Buchwald, Reinhard A 18; L 252, 306, 395, 1196, 1316
Buddha P 199, 547, 1123, 1124
Bühler, Johannes P 260, 261
Bühner, Karl Hans L 1376
Bulle, Oskar L 1783
Bulwer, Edward Lytton L 968
Burckhardt, Carl Jakob L 426
x Burckhardt, Jakob P 170; L 1217
Burger, Fritz P 263
Burger, Heinz Otto L 28
Burkart, Anton Chr. L 2075
Busch, Wilhelm P 264
Buschbeck, Erhard P 265
Busse, Carl E 72; P 382; L 891, 1000, 1665, 1670, 1802, 2017
Busson, Paul L 1560

Cäsarius von Heisterbach P 266, 267, 311, 553
Cahn, Alfredo Ü 9
Camoes, Luis de P 1210
Canetti, Elias P 270
Čapek, Karel P 271
Caprin, G. L 86
Cardauns, Hermann L 943
Carlsson, Anni B 91; L 45 b, 45 c, 752, 759, 1124, 1180, 1197, 1530, 1536, 1554, 1588, 1624, 1628, 1765, 1869, 1991
Carossa, Hans Ü 137; B 92; P 272, 273, 390, 492, 1184; L 215, 292, 589, 815, 1555, 1766, 2076
Carsten, Lotte Lore L 1581
Casanova, Giacomo P 274, 275, 509
Caspar, Günther L 322
Cassagnau, M. L 1558
Cast, G. C. L 777
Čechák, Karel Ü 186, 186 a
Cervantes Saavedra, Miguel de P 276, [338], 339, 466
Chalier, André L 381
Chardonne, Jacques P 278
Chastain, André L 253
Chemnitz, E. W. L 2055
Chesterton, Gilbert Keith P 279
Chibli, E. L 588
Chopin, Frédéric G 78, 199, 205, 554, 575
Claes, Ernest P 284, 551
Claudius, Matthias Hg 3; P 1001
Clerc, Charly L 1187
Coellen, Grete P 285
Cohn, Hilde D. L 1263
Cohn, Paul P 286
Colby, Thomas E. A 29; L 1175 a
Colleville, Maurice B 93; L 50, 748, 1071, 1820, 1821
Como, Cesco L 78
Confalonieri, Graf Federigo P 287

Confucius P 288, 1281
Constant, Benjamin P 289
Coolen, Anton P 290
Cornelssen, Lucy L 254
Cornille, Sabine L 1088
Corrodi, Hans P 291; L 1866
Corti, Egon Cäsar Conte P 292
Cossmann, Willy L 1312
Coster, Charles de P 293
Couperus, Louis P 294, 295
Courbet, Gustave P 931
Cranach, Lucas P 573
Craven, H. Thomas L 951
Creighton, Basil Ü 42, 142, 196
Cronin, Archibald Joseph P 296
Cube, Hellmut von P 297, 1354; L 815a,
    1140, 1209
Curtius, Ernst Robert L 255
Cusanus, Nikolaus P 298
Cysarz, Herbert L 1064

Dach, Charlotte v. L 222, 845, 1502
Däubler, Theodor P 265, 299
Dahrendorf, Malte L 969, 972, 1032
Dannegger, Adolf L 2056
Daumier, Honoré P 305
Daur B 96
Daur, Rudolf L 1198
Dauthendey, Max P 1427
David, Claude L 522
David, J. J. L 1803
David, Sante L 774
David-Schwarz, H. L 1696
Dawson, A. A. L 53
Debruge, Suzanne E 112; L 725, 1070, 1409,
    1549, 1706, 1775, 2031
Defoe, Daniel P 1033, 1162
Dehmel, Richard P 879
Dehorn, W. L 1772
Deichl, Konrad L 1246
Deike, Günther L 427, 590
Dejhne, Hans Ü 168
Dekker, Maurits Ü 149
Delage, Joseph Ü 31; L 122
Delbono, Francesco L 1136, 1531
Delmas, Fernand Ü 12, 36, 37
Demmering, Johannes L 1133a
Dermine, René L 1312a
Derungs, Willy Romano P 532
Desbordes-Valmore, Marceline P 1558
Deschner, Karlheinz L 1537, 1707
Deubel, Werner L 1947
Diamond, William E 112; L 2045
Diderot, Denis P 711
Diederich, Franz L 892, 1804
Diederichs, Eugen P 846, 847, 1393
Dietrich, Max P 316
Dietrich, R. A. L 428

Diettrich, Franz L 323
Dietze, Heinrich L 989
Dippel, P. Gerhardt L 429
Dirks, Walter L 1247
Disraeli, Benjamin P 332
Dixelius, Hildur P 333
Doderer, Otto L 729, 1681, 1903
Dörrfuß, A. P 1247
Dörries, Bernhard P 334
Dorendorf, Annelis L 1108, 1141
Dornheim, Alfredo L 1248
Dostojewski, Aimée P 344
× Dostojewski, Fedor Michailowitsch P 188,
    342–347, 510
Drechsel, H. L 1380
Drews, Richard L 664, 1528
Drewsen, Svend Ü 15
Droop, Fritz P 760
Dschelal ed-Din Rumi P 350
Dürck, Josefa P 755
Dürer, Albrecht P 352, 353, 489, 1451
Dürr, Erich L 47, 1350, 1817
Dürr, Werner L 390, 430, 1096, 1653,
    1654
Düsel, Friedrich P 1307; L 893
Duhamel, Georges P 354
Dumas, Alexandre P 355
Dunlop, Geoffrey Ü 43, 197
Duplain, Georges L 228
Duruman, Safinaz L 1442
Dutton, W. M. A 10; L 660
Duwe, Willi L 20

Eberhardt, Paul P 1481
Eberle, Josef L 549, 1519
Ebermayer, Erich B 98
Eckhart, Meister P 357
Eckstein-Diener, Berta s. Sir Galahad
Edfelt, Johannes Ü 168, 174; L 23, 1232,
    1516, 1518, 1523, 1915
Ege, Friedrich L 431
Eggebrecht, Axel L 24, 324
Egger, Eugen L 707
Ehrenberg, H. L 1425
Ehrenstein, Albert P 360
Ehrhart, Georg Ü 1289
Eichbaum, Gerda L 1369
Eichendorff, Josef v. Hg 4–6; P 361, 362,
    1428
Eickhorst, William L 929
Eidlitz, Walter P 364
Einsiedel, Wolfgang v. P 1416
Einstein, Norbert P 372
Eisenmann, Will L 591
Eisner, Paul E 27
Elbogen, Paul P 1390
Eldridge, P. P 1397
Eliasberg, Alexander P 376

Elisabeth Charlotte, Herzogin v. Orleans P 883
Eloesser, Arthur P 377; L 15, 894, 1784, 1805
Elsner, Wilhelm L 432
Elster, Hanns Martin E 63, 88; P 501, 639; L 46, 104, 125, 132, 1575, 1948, 2008
Emrich, Willi L 227
Endell, Frida L 944
Enderes, R. v. L 908
Enders, Carl L 913
Endres, Franz Carl Hg 24; P 379
Engel, Hans L 1233
Engel, Monroe L 1249
Engel, Otto B 101, 102, 102a; L 49, 325, 526, 846, 1210
Engelmann, Susanne A 3
Engels, Eduard B 103
Engle, Paul L 1250
Englert [I], Josef L 2073
Englert [II], Josef L 592
Eppelsheimer, Hanns Wilhelm L 749, 757
Epping, Friedrich L 980
Erba, Annie dell Ü 3
Erdmann, G. Adolf L 1987
Erhart, Ilse L 1515
Erkes, Eduard P 397
Erler, J. L 99
Erlikh, Jehuda Ü 62
Erné, Nino L 256, 1019, 1128, 2001
Ernst, Fritz L 801
Ernst, Paul P 402, 403, 989, 1059, 1060, 1097, 1278, 1329
Essner-Schaknys, Günther L 1299
Eulenberg, Hedda L 847, 1039
× Eulenberg, Herbert P 424, 425, 1192
Everth, Erich P 1255
Eyberg, Johannes L 1391
Eyck, Herbert Adam v. L 1269

Faber du Faur, Curt v. L 1234
Fabian, Erich L 258, 1343
Fabian, W. L 1826
Faesi, Robert P 429; L 326, 327, 433, 1181, 1188, 1300, 1436, 1444
Fahrenholz, Friederike L 310
Fallada, Hans P 432, 433
Fankhauser, Alfred P 434; L 115, 954
Farrelly, John L 962
Fechheimer, Hedwig P 1098
Fechner, Gustav Theodor P 435
Fechter, Paul L 29
Federhofer, Hellmut L 1641
Federmann, Hertha L 2015
Federn, Karl P 895
Fehr, Karl L 1301
Feise, Ernst L 306
Fellmann, Hans L 1923

Feuchtwanger, Lion P 443
Feuerbach, Anselm P 444
Fickert, Kurt J. L 1342a, 1431, 1746a
Fiechtner, H. L 698
Fiechtner, H. A. L 1883
Field, George Wallis L 518, 545, 593, 1510b, 1595
Fierz, Anna L 1402
× Finckh, Ludwig B 107, 108, 108a; P 448, 449, 597a, 1168, 1247, 1429; G 707; L 594–597, 638, 848–851, 1001, 1052, 1053, 1097, 1160, 1450, 1671, 2018, 2091
Fink, Gertrud L 1061
Fischer, Edith L 523
Fischer, F. D. L 434
Fischer, Hans W. P 348; L 1495
Fischer, Hedwig B 109
Fischer, Johannes M. L 328
Fischer, Karl P 949
Fischer, Max L 1496
Fischer, Samuel P 383, 451
Fischer, Waldemar L 329, 392
Fischer, Wilhelm P 450, 850
Fischer-Colbrie, Arthur L 133
Fischerova, Iřina Ü 184
Fischmann, Hedwig L 917
Fladung, Johann L 666
Flake, Otto P 452; L 1396
Flaubert, Gustave P 178, 453, 454
Flaxman, Seymour L. L 1982
Fleiner, Albert P 455
Fleißer, Marieluise P 456
Flesch, Hans P 457
Flinker, Martin P 269
Flügel, Heinz L 1199
Förster, Franz L 330
Foges, Max L 1785, 1865
Foglia, Manlio L 182
Fontana, Oskar Maurus P 463; L 134, 259, 1613, 2009
Foran, Marion N. L 301
Forst, John L 1353
Foulquier, Yvonne L 1516a
Fourmanoir, Annie L 1743
Fränkl-Lundborg, Otto L 1132a
Franck, Harry P 465
Frank, Bruno P 466, 1430; L 1120
Frank, Josef Maria P 467, 468
Frank, Paul P 469
Frank, Rudolf L 766
Franke, Hans L 183
Franulic, Lenka L 332
Franz, Günther L 793
× Franz von Assisi E 56, 59; Ü 152; P 148, 470, 471, 770, 1268
Freedman, Ralph L 1034
Freemantle, Anne L 963
Frenzel, Christian Otto L 331, 1870

Frerking, Johann L 135, 184, 528, 852
Freud, Sigmund P 475, 476
Frey, Emmy L 1543
Freyberger, Laurentius L 1211
Friday, N. H. Ü 195
Fried, Alfred Hermann L 1752
Friedenreich, Carl Albert L 302
Friederici, Hans L 1354
Friedländer, Max J. P 489
Friedmann, Hermann L 380, 1031, 1284
Fries, Hanny E 27
Frisch, Max L 2077
Fritsch, Oskar L 1753
Fritsche, Herbert L 1212
Frobenius, Leo P 49
Frohnmeyer, Ida L 1051, 1056
Fromm, Hans L 748
Fuchs, Georg P 491
Fuchs, Hella L 185
Fuchs, Karl L 260, 1600
Fürst, Artur Hg 2
Fujimura, Hiroshi Ü 74; L 1285
Fujioka, Kôichi Ü 74, 110
Funke, Christoph L 1848
Furst, Lilian R. L 1322
Fuß, Karl L 261, 333, 555, 1891

Gad, Karl E 109
Gäfgen, Hans L 102, 103
Galahad, Sir P 494
Galichet, E. L 1745a
Galling, Kurt L 799
Gandhi, Mahatma P 496
Ganz, Paul P 630
Gasser, Manuel L 170, 186, 816
Gautier, Théophile P 503
Geffert, Heinrich L 772
Geheeb, Charlotte L 382
Gehring, Christian L 852a
Geiger, Hannsludwig B 157
Geijerstam, Gustav af P 528
Geilinger, Max L 1541, 2078
Geissendoerfer, Theodore E 103
Geißler, Hugo L 2087
Geißler, Max L 2
Gemperle, Karl P 532; L 1992, 2079
Georg, Berthold L 1213
Georgi, Arthur L 542
Gerhard, D. L 896
Gerhardt, Paul Hg 18
Gerlach, Richard L 187
Gerland, Eberhard L 61, 662, 756, 763
Geroe-Tobler, M. P 1345
Gerold-Tucholsky, Mary L 161, 870b, 1121a, 1860a
Gerster, Georg P 89
Gerster, Matthäus P 501
Gerstfeld, Olga v. P 708

Gerstner, Hermann P 547
Geßler, Albert L 93
Geßner, Salomon Hg 11; P 371
Gey, Paul L 1574
Geyh, Karl Walter L 1200
Ghaneker, Vasant B 112
Gibbon, Perceval P 1283
× Gide, André E 49; Ü 35; B 113; P 384, 562–567, 986; L 264, 852b
Giesecke, Albert P 1096
Gilson, Stefan P 569
Ginzkey, Franz Karl P 766, 1431; L 897, 1560, 1786
Giono, Jean P 570
Giorgione G 584
Gisi, Georg L 2092
Gjellerup, Karl L 1911
Glaeser, Ernst L 598
Glahn, Thomas L 188
Glasenapp, Helmuth v. P 572
Glaser, Curt P 573
Glatzer, Nahum N. P 576
Glauser, Friedrich L 853
Glinz, Hans L 1302
Gnamm, Dr. L 809
Gnefkow, Edmund E 162; L 57
Goebel, Heinrich P 1248
Gökberg, Aahide Ü 187
Gömöri, Eugen P 1111
Göppert-Spanel, Dr. L 1779
Goern, Hermann L 334, 827, 1580
Goes, Albrecht E 243; P 580; L 189, 262, 335, 435, 436, 529, 546, 576, 1109, 1381, 1827, 2080
× Goethe, Johann Wolfgang von E 40; Hg 13; P 130, 301, 377, 581–591, 800, 935, 1207, 1297, 1461, 1512; L 7, 27, 222–227, 245, 318, 927, 928, 1176, 1253, 1255, 1272, 1312a, 1313, 1383, 1546, 1598
Götting, Wilhelm L 1428
Gogh, Vincent v. P 1087
Gogh-Kaulbach, Anna v. Ü 146
Gohlke B 114
Goldschmidt, Kurt Walter L 109
Goldschmit, Rudolf K. P 1553; L 721, 765
Goldschneider, Ludwig P 1356
Goldsmith, Margarete P 592
Goldsmith, Oliver P 593
Goldstein, Franz L 1682
Goll, Iwan P 594
Gontrum, Peter Baer L 1715
Gontscharow, Iwan A. P 595
Gorion, Micha Josef bin P 1180
Gotthelf, Jeremias P 597–599, 974
Gottsched, Joh. Christoph L 13
Gottwald, Paul Alfred L 49
Gould, Loyal N. L 1845
Gowan, Birdeena L. L 957

Goya, Francisco P 600
Grabbe, Christian Dietrich P 601
Grabert, Willy L 42
Graebsch, Irene L 136
Gräf, Hans Gerhard P 589
Graesse, Johann Georg Theodor Hg 12
Graetzer, Franz L 1666
Graf, Hansjörg L 1884
Graf, Oskar Maria L 229 a, 336
Graham, Paul G. L 657
Gran, Bjarne Ü 155
Grappin, Pierre L 1825, 1835
Grasberger, Hans P 604
Grautoff, Otto P 605
Grave, Friedrich P 606
Grebert, Ludwig L 126
Greeven, Erich August L 190
Gregori, Arístides Ü 6, 8, 144
Greiner, Leo P 1058
Grenzmann, Wilhelm L 34, 1144, 1235
Greyerz, Otto v. L 1329
Griese, Walter Hans L 1421
Grimm, Hans L 1429
Grimmelshausen, Joh. Jak. Chr. P 1462
Grock P 608; L 1819
Groddeck, Wolfram L 1885
Groepler, Werner L 728
Grolmann, Adolf v. L 45, 1376, 1378, 1963
Groothoff, Hans Hermann L 1236
Gross, Harvey L 379
Großrieder, Hans L 219, 519
Grosz, George P 610
Groth, Helge L 215
Groth, Max L 1787
Grothe, Heinz L 987
Grünes, W. L 700
Gubitsch, Alicia L 1517
Guder, Erich L 1529
Gündel, Bernhard L 1270
Günnel, Peter L 337, 923, 970
Günther, Gerhard L 167
Günther, Hans Otto P 853
Günther, Herbert L 1897
Günther, Joh. Chr. P 615
Günther, Johannes v. P 616
Güntter, Otto P 507, 1394; L 676
Guérin, Maurice de P 617
Guilland, Antoine L 82, 945, 1002
Gulbransson, Olaf P 618; L 854
Gundert L 1049
Gundert geb. Hesse, Adele E 66, 69, 231;
    B 115; P 515; L 1050, 1105, 1107
Gundert, Friedrich L 855
Gundert, Hermann E 94; P 168
Gundert, Wilhelm B 116; G 458
Gurlitt, Fritz P 712
Gutkind, Curt Sigmar L 933
Gutknecht, Hans P 532

Gutmann, Paul L 1949
Guttenberg, Maria Theodora, Reichsfreiin
    von und zu L 1715 a

Haag, Alfred L 2068
Hackelsberger geb. Bergengruen, Luise
    L 1170
Hackett, Francis P 620
Haecker, Theodor P 621
Hägni, Rudolf L 137
Hänsel, Ludwig L 1237
Haering, Alfred L 1214
Haering, Theodor P 935
Härlin, Hans L 1050
Häussermann, Ottilie L 1055
Hafner, Gotthilf L 50, 51, 54, 61, 69, 339,
    438, 596, 753, 764, 765, 771, 780, 784,
    832, 887, 1072, 1089, 1351, 1544, 1567,
    1654, 1745, 1749, 1828, 1871, 2042, 2093
Haga, Mayumi Ü 80, 86, 87, 90, 96, 98,
    101, 106, 107; L 600
Hagelstange, Rudolf P 370; L 439
Hagen, Oskar P 622
Hahne, Heinrich L 726
Halbach, Kurt Herbert L 2010
Halil Beg P 623
Hall, Radclyffe P 624
Haller, A. J. L 239
Halpert, Inge D. L 1313, 1314 b, 1314 c,
    1317, 1320
Halsband, R. L 1916
Hamann, Johann Georg P 627
Hamecher, Peter L 1683
Hamel, Richard L 1788
Hammer, Franz L 265
Hammerich, Clara Ü 19
Hamsun, Knut P 628, 763
Hanhart, Dorette P 631
Hara, Haketada Ü 136
Hara, Kenchû Ü 92
Harbeck, Hans L 1150
Harder, Hans L 1063
Harich, Walter P 634
Haridasarao, M. Ü 51
Hartlaub, Gustav Friedrich P 635
Hartley, L. P. L 1964
Hartmann, Otto E 53, 232; B 120–122;
    P 401; L 601
Hartmann, Rolf L 340
Hartmann, Ursula L 697
Hartmann, Wolfgang L 440
Hartung, Ludwig L 1041
Hartung, Rudolf L 1215
Hartung, Wilhelm L 1315
Hartwich, Otto L 915
Hatterer, Georges L 2046
Hatzfeld, Adolf v. P 637
Hauptmann, Gerhart P 501; L 528, 791

Hausenstein, Wilhelm P 641–643
Hauser, Heinrich P 644
Hausmann, Manfred P 645; L 577, 578, 831
Haußmann, Conrad B 123, 124; P 393;
  G 41; L 979
Haußmann, Walter A 15; L 266, 536, 561,
  562, 1550, 1927 a, 2042
Hearn, Lafcadio P 205
Hebbel, Friedrich Hg 18
Hecht, Gustav L 982
Hecker, Joachim F. v. L 535, 1655
Hedinger-Henrici, Paul L 602–604, 775, 2081
Hees, Martin L 989
Hegeler, Wilhelm L 1789
Hegemann, Werner P 646
× Heidegger, Martin
Heidenstam, Verner v. P 462, 647, 648
Heilbut, Ivan L 530, 2082
Hein, Alfred L 215 a, 1711
Hein, Willy L 991
Heine, Anselma L 2040
Heine, Heinrich P 919; L 1411
Heinemann, Karl L 22
Heiney, Donald W. L 385
Heinrich VIII. P 620
Heinrich, Gerhard L 2094
Heinrich, Karl Borromäus P 655
Heinrich, Otto Franz L 605
Heinse, Wilhelm P 656
Heise, Wolfgang L 1238
Heiseler, Bernt v. L 817, 1766
Heiting, Ingeborg L 1668
Helbling, Carl L 105, 934
Hellen, Eduard v. d. P 588
Heller, Peter L 1173, 1382, 1429, 1434
Heller, Ruth P 532
× Hellmann, Julie B 125
Hello, Ernst P 649
Helmich, Wilhelm L 1313 a, 1637 a, 1985 b
Helmolt, Hans F. P 883
Helwig, Werner L 441, 834
Hemingway, Ernest P 657
Hendriksen, Jørgen Ü 19
Hennecke, Hans L 396
Hennings, Emmy s. Ball-Hennings, Emmy
Henningsen, Jürgen L 1314
Henschke, Alfred s. Klabund
Herder, Johann Gottfried Hg 7
Hering, Gerhard F. L 341, 1216, 1217
Hermann, H. L 773
Hermelink, Heinrich B 126
Herold, Eduard L 1462
Herrigel, Hermann L 106, 1627, 2026, 2033
Herrmann-Neiße, Max L 606, 1614, 1684,
  2011
Hertel, Werner L 342
Hertling, Ute L 1539 a
Herz, Hermann L 1806, 1854

Herzfeld, Marie P 860
Herzog, Bert L 727, 1780
Herzog, Franz Max L 267
Hesse, Adele s. Gundert, Adele
Hesse, Carl Hermann P 392; L 1047
Hesse, Heiner E 23, 150
Hesse, Isa A 22; E 13, 23, 150
Hesse, Johannes E 66; L 1048
Hesse, Marie L 1050, 1055
Hesse, Martin L 764
Hesse, Marulla E 137; P 924
Hesse, Ninon B 127
Hessen, Robert Hg 21
Hetzlein, Georg L 1101 a
Heuschele, Otto E 233; B 128; G 216;
  L 343, 442, 685, 842, 1033, 1767
Heuser, Kurt P 668, 669
Heuß, Theodor B 129–132; P 670, 1055;
  L 191, 537, 551, 552, 975, 976, 1003, 1151,
  1451, 1568, 1658, 1672, 1790, 1855, 2019,
  2027
Heyck, Eduard P 1379
Hilbk, Hans L 786
Hildebrandt, Karen Ü 21
Hill, Claude P 501; L 443, 661, 791, 996,
  997, 1067, 1166, 1633, 1973
Hilscher, Eberhard L 1535, 1582, 2047, 2048
Hilty, Hans Rudolf A 27
Himmelbauer, Franz L 1004
Hippe, Robert L 1555
Hippel, Theodor Gottlieb v. P 673
Hirsch, Felix E. L 961, 1974
Hirsch, Leo L 1949 a
Hirsch, Willi L 924
Hirschbach, Frank D. L 1999
Hock, Erich L 1550 a
Hölderlin, Friedrich E 63, 134; Hg 9;
  P 677, 678, 1010; G 263
Hoerschelmann, Rolf v. L 1642
Hofbauer, Josef L 1420
Hofer, Hans L 444
Hoffmann, Camill P 894; L 898
Hoffmann, E. Th. A. P 679–681
Hoffmann, Wilhelm L 538, 607, 695
Hofmannsthal, Hugo v. P 406, 682, 683;
  L 855 a, 1434 b, 1550 a
Hohoff, Curt L 43 c
Holbein d. J., Hans P 684, 685
Holm, Korfiz L 608
Holmberg, Nils Ü 169, 170, 172
Holmberg, Olle L 307
Holz, Arno P 686
Holzamer, Wilhelm L 81, 83
Hornelund, Karl Ü 23
Hornung, Erik L 445, 1294
Horst, Karl August L 36, 446–448, 824,
  1634, 1872, 2053, 2062
Hosemann, Theodor P 180

Hoyer, Karl-Heinz L 1449
Hoyer, Kay Hans L 1583
Hubacher, Hermann L 609
Huber, Hans L 534
Huber, Kurt L 1607a
Huch, Friedrich P 687
Huch, Ricarda P 287, 688–690; L 306, 918, 989
Hudson, Stephen Ü 176
Huelsenbeck, Richard P 691, 692
Hughes, Richard P 693
Humm, Rudolf Jakob L 610–612, 732, 856, 1059, 1110, 1182
Hunnius, Aegidius L 788
Hunnius, Monika P 533; L 1047, 1048
Hunziker, Fritz P 756
Hupka, Herbert L 53
Huppert, Hugo L 449
Huxley, Aldous P 694
Hyde, Douglas P 1408

Ibel, Rudolf L 344
Iben, Icko L 1349
Ide, Ayao Ü 74, 125; L 1098
Ihlenfeld, Kurt L 1419
Ilg, Paul B 133; L 2069
Irvine, L. L. L 1965
Ischak, F. Ü 188
Isenberg, Karl Hg 9; L 1342
Ishinaka, Shôji Ü 74, 91
Iyengar, B. S. Ramasvami Ü 58

Jacobi-Zimmer, Elisabeth L 1711
Jacobowski, Ludwig P 149
Jacobsen, Jens Peter P 710
Jacobson, Anna A 9; L 240
Jaeger, Hans L 1323
Jahn, Erwin L 1309
Jammes, Francis P 717–719
Jancke, Oskar P 578; L 800, 1873, 1938, 1940, 2060
Jean Paul Hg 8, 15; P 317, 369, 720–723, 1011, 1012; L 1336
Jegerlehner, Johannes P 1463
Jehle, Mimi L 1100, 1564
Jens, Walter L 1604
Jeremias, Alfred P 724
Jerusalem, Peter P 743
Jerven, Walter P 785; L 1862, 2028
Jevtović, Milovan Ü 141
Jirku, Gusti P 725
Job, Jakob L 935
Jockusch, Robert L 543
Johann, Ernst L 883, 1886
Johnson, Sidney M. L 1067, 1295
Joho, Karl L 1111
Joho, Wolfgang L 268, 1729
Johst, Hanns P 726, 727; L 930, 1615

Jonas, Klaus W. B 158; L 743, 747, 1594
Jordan, Max (Placidus) B 134; L 1426, 1432
Josselin de Jong, Kitty Henriette Rodolpha de Ü 152
Jud, Karl P 167
Jünger, Ernst E 10; P 858; L 815, 1429
Jumel, Lily Ü 40
× Jung, Carl Gustav L 972
Jung, Michael v. P 132

Kägi, Hans L 613
Kämpfer, M. L 686
Kästner, Erich P 736
Kafka, Franz B 29; P 549, 737, 738; L 1299
Kahle, Wilhelm L 40
Kahlert, Hildegard L 1566a
Kaiser, Hans L 87, 88, 91
Kalbe, Lothar L 2095
Kalckhoff, Herbert L 453
Kalenter, Ossip L 1086
Kalisch, Erich L 45b
Kalkschmidt, Eugen L 1152, 1856
Kamps, Hermann L 785
Kantorowicz, Alfred B 137b; L 345, 1345
Kappstein, Theodor L 116
Karasek, Hellmuth L 765
Karl XII. P 648
Karlweis, Marta P 746; L 1777
Karrillon, Adam P 748; L 1791
Kasack, Hermann P 749; L 45, 268a, 531, 621, 815, 2103
Kastein, Josef P 752
Katayama, Toshihiko Ü 139a
Kaulbach, Wilhelm P 755
Kauz, F. L 454
Kawasaki, Yoshitaka Ü 130
Kayser, Rudolf L 1437
Keckeis, Gustav L 1331, 1384
Kegel, Gerhart L 1264
Kehr, Charlotte L 918
Kehrli, Jakob Otto L 455
Keim, H. W. L 1441
Kellen, Tony P 650
Keller, Adelbert v. Hg 8; P 1014
× Keller, Gottfried E 67; Hg 2; P 179, 511, [513, 654], 756, 757, [1181], 1240; L 175, 176
Keller, Hans L 1369a
Kellermann, Bernhard L 614
Kelsch, Wolfgang L 1314e
Kempfes, Werner L 1939
Kenter, Heinz Dietrich L 1438
Kerckhoff, Susanne L 2067a
Kern, Hans P 487
Kerndl, Rainer L 456
Kerner, Justinus Hg 9; P 865, 996
Kesser, Hermann L 193
Keßler, Ernst L 194

Kesten, Hermann B 138; P 409, 758
Keyserling, Eduard v. P 664
Keyserling, Graf Hermann P 759, 1381; L 1360
Kiener, Hans L 1573
Kierkegaard, Sören P 760, 761
Kießig, Martin L 269, 1616
Kilchenmann, Ruth J. L 1015, 1713, 1944
Kirchberger, Hubert L 1251
Kirchhoff, Gerhard L 457, 1281, 1601
Kirchner, Renate L 2096
Kirn, Richard L 1887
Kirsch, Edgar L 458
Klabund P 520, 774–777; L 12, 936
Klähn, Hans L 76
Klaiber, Theodor P 778; L 1, 3, 79, 80, 1375
Klausing, Helmut B 139; L 383
Klee, Paul P 643
Klein, Johannes L 1383, 1598
Klein, Karl Kurt L 663
Klein, Tim L 110
Kleist, Heinrich v. P 1526
Kleukens, Christian Heinrich P 428
Klie, Barbara L 1218
Kliemann, Horst L 678, 679, 682a, 736–738, 740, 741, 879, 880, 885, 1643
Kliemann, Margarete L 2097
Klimmer, Karl Heinz L 1929
Klöckner, Klaus L 459
Klöden, Karl Friedrich P 750
Kloter, Karl L 615, 2083
Kluckhohn, Paul L 1522
Klute, Fritz P 629
Knab-Grzimek, Fränze L 709
Kneip, Jakob P 787
Knell, Elisabeth L 1026
Knevels, Wilhelm G 341, 514, 721
Knodt, Karl Ernst G 125, 128, 235, 276, 341, 383, 410, 477, 514, 633, 720, 725; L 77
Knorr, Klaus L 1837
Knudsen, Hans L 1563a
Kobbe, Friedrich-Carl L 1385
Kobel, Erwin L 520
Koebel, Max P 790
Köberle, Adolf L 1148
Köge, Hans Heinz L 616
König, Otto L 270
Koerber, Ruth L 1165
Köstlin, Heinrich Adolf L 1792
Köttelwesch, Clemens L 754, 758, 759b
Kohlschmidt, Werner L 1219, 1282
Kolb, Annette P 796–798, 1113
Kolb, Walter B 140; L 527
Koller, Gottfried L 1276
Kommerell, Max P 800
Konfeldt, G. L 1388
Konheiser-Barwanietz, Christa M. L 1319
Kooy, John Ü 150

Korell, F. L 460
Korn, Karl L 1220
Korradi, Otto L 617
Korrodi, Eduard E 236; B 141; P 322, 1183; L 45, 45a, 45c, 47, 68, 138, 175, 618, 714, 719, 730, 927, 937, 938, 1016, 1044, 1105, 1112, 1123, 1142, 1183, 1373, 1386, 1390, 1397, 1408, 1413, 1422, 1439, 1457, 1479, 1591, 1617, 1685, 1761, 1895, 1896, 1898, 1950, 1993, 1995, 2012, 2044
Kortum, Carl Arnold P 1036
Kosch, Wilhelm L 746
Koya, Mitsui Ü 76
Kraatz, Gerhard L 461
Kraaz, Gerhart E 90
Kraeger, Heinrich L 914, 1012, 1811
Krämer, Philipp L 462
Krättli, Anton L 2004
Krafft, Johannes L 1919
Kramer, Walter L 1252
Kraul, Fritz L 919a
Kraus, Fritz L 463, 765, 1239, 1744, 1756
Kraus, Karl P 1282
Kraus, Wolfgang L 464
Krause, Friedrich E. A. P 803
Krauß, Rudolf L 767, 1514, 1686
Kreidler, Horst-Dieter L 1984
Kreidolf, Ernst P 506, 804
Kreiner, Artur L 465
Kretschmer, Max L 169
Krezdorn, Franz L 31
Křička, Petr Ü 185
Krieg, Walter L 346
Kriteon L 1701
Kroemer, Walter L 687
Kronenberger, Louis L 1699
Krüger, Horst L 858
Krüger-Westend, Hermann L 1356
Krug B 142
Ku Hung-Min P 280
Kubczak, Viktor P 324
Kühn, Leonore P 813
Kühnel, Johannes P 1226
Kümmel, Otto P 814
Kuhlmann, Gerhardt L 1697
Kuhn, Alfred L 44
Kuhn, Friedrich L 731
Kunimatsu, Kôji Ü 94, 103, 118, 134
Kunstmann, Lisa L 1076, 1646
Kunter, Erich L 688
Kunz, Ludwig L 466
Kunze, Johanna Maria Louisa L 1913
Kunze, Wilhelm L 111, 117, 127, 171, 946, 1511, 1576, 1687
Kurth, Rudolf L 1370
Kusch, Eugen L 1489
Kusche, Lothar L 361, 1733
Kutzbach, Karl A. L 1618

Kuyper, Th. Ü 145
Kuzmany, Karl M. L 1793
Kyser, Hans L 1153

Laaths, Erwin L 30, 195
Lachmann, Eduard L 230
Lagerlöf, Selma E 119; P 829–832
Lahnstein, Peter L 1762
Lambert, Jean Ü 35
Lambrecht, Paulus L 1899
Lamm, Hans L 1364
Lampe, Friedo P 835
Lamszus, Wilhelm P 50
Land, S. L. L 1084
Landauer, Gustav P 836, 837
Landsberg, Paul Ludwig P 838, 1057
Lang, Martin E 45; Hg 19; P 337, 436, 811;
     L 139, 172, 1121, 1819
Lang, Renée L 1177
Lange, Herbert L 467, 2084
Lange, Horst B 146; L 859
Lange, I. M. L 1734
Langen, Albert Hg 21; B 147
Langgässer, Elisabeth L 1418
Langner, Helmut L 1816a
Lanier, Henry W. P 99
Lanuza, Ed. Gonzalez L 1704
Lao Tse P 840, 1482
Lap, Michael G. L 140
Larese, Franz B 133
Largiadèr, Maria L 860
Larson, R. C. L 1998
Las, Käte L 140a
Laserstein, Käte L 141, 1377
Lautensack, Heinrich P 843
Lautenschlager, Otto P 56, 1447
Lawrence, David Herbert P 388, 844
Lazare, Christopher L 1917
Lechner, Hermann L 35
Leese, Kurt L 1702
LeFort, Gertrud v. L 1822
Lehner, Hans Horst L 386, 1843a, 1846
Lehner, Rud. Julius L 1389a
Leins, Hermann B 130, 132; L 976, 1568
Lemm, Robert Arthur v. L 1054
Lemp, Armin L 53, 739
Lenau, Nikolaus G 255
Lennartz, Franz L 795
Lenz, Hermann L 1201
Lenz, Jakob Michael Reinhold P 318
Leonardi, Emo Ü 70
Leonardo da Vinci P 845, 860; G 203
Leonhard, Rudolf P 861
Leonhardt, Günther L 689
Leonhardt, Rudolf Walter L 468
Leopold, Albert P 196
Leppin, Paul L 1371
Lerbs, Karl P 197; G 312

Lernet-Holenia, Alexander L 1045
Leschnitzer, Franz L 1528
Leskow, Nikolai P 866
Lesser, Jonas L 241, 387
Lessing, Gotthold Ephraim P 578, 1444
Lestiboudois, Herbert L 271, 619, 810
Leszer, Jonas L 1440
Leuteritz, Gustav L 231, 272, 347
Leuthold, Alice B 149, 150
Leuthold, Heinrich P 867, 868, 1418, 1536
Levander, Hans L 55, 388
Levebvre, J. L 653a
Levin-Derwein, Herbert Hg 9
Levine, Don P 869
Levy, Oscar L 1106
Lewalter, Christian E. L 1171
Lewisohn, Adele Ü 194
Leyen, Friedrich v. d. P 902, 903; L 6
Liä Dsi P 552
Libal, Erika L 273
Lichdi, Kurt L 1414
Lichnowski, Mechtild P 871, 872
Lichtenstein, Erich L 535
× Lie, Bernt B 151; L 1463
Liebeskind, August Jakob Hg 7
Liebscher, Dietrich L 469
Liepelt-Unterberg, Maria L 1979
Lieser, Friedrich L 779
Liliencron, Detlev v. P 879
Ling, Dr. G 94
Lingelbach, Helene L 1966
Linhardt, Stephan L 470
Lissauer, Ernst L 1512, 1660
Lissner, Erich L 1878
Litt, Theodor L 1253
Littmann, Wolf D. L 620
Lizounat, Michelle L 1742
Lochner, Irmfried L 1984a
Loderhose, Karl-Erich L 1058a
Loerke, Oskar B 154; P 887, 888; L 142, 621
López-Ballesteros y de Torres, Luis Ü 1,
     143, 177
Lorenzen, Hermann L 780, 1290
Lorrain, N. L 1525
Ludwig, Max P 809
Lützeler, Heinrich L 1619, 1698
Lützkendorf, Ernst Arno Adolf Felix B 155;
     L 860a, 1838
Luma L 1836
Lunding, Erik L 1277
Lundkvist, Artur L 23
Luque, Mariano S. Ü 182
Lurçat, Jean P 890
Lurçat, Jean B. P 891
Luschnat, David P 892
Luther, Martin P 121

Maag, Hans E 128
Måås, Kerstin Ü 163
Maass, Joachim P 895, 896; L 274, 1202
Mackay, Claude P 1030
Mackay, John Henry P 897
MacLeod, Fiona P 1100
Maczewski, Harald L 1829
Madeheim, Helmuth L 1604
Madl, Annemarie L 1538a
Mächler, Robert L 472, 701, 703
Märker, Friedrich P 905
Maeterlinck, Maurice P 907
Magnat, Gustave Edouard L 1321
Mahrholz, Werner L 16
Maier, Emanuel L 1374
Maier, Hans L 275
Majut, Rudolf L 1030
Mallien, Fritz L 128
Malraux, André L 1430
Malthaner, Johannes L 622, 1122, 1149, 1920
Mann, Erika L 473, 474, 861a, 1597, 2112
Mann, Heinrich P 915, 916
Mann, Otto L 380, 1031, 1284
× Mann, Thomas E 239, 240; Hg 2; Ü 195; B 158–164; P 11, 501, 578, 1113, 1368; L 196, 276, 292, 791, 860b, 861, 861a, 1248, 1254, 1257, 1299, 1429, 1436, 1444, 1651, 1718, 1720–1728
Manner, Eeva-Liisa Ü 27, 28
Mansoat, Werner L 670
Manzanares, Manuel Ü 2, 178
Marck, Siegfried L 1822
Marcus, Aage Ü 173
Marcuse, Ludwig P 919
Marées, Hans v. P 920
Maronn, Kristin L 1655a
Marti, Ernst Otto L 2104
Marti, Fritz B 165, 165a; L 899, 1005, 1074, 1154, 1464, 1465, 1470, 1475, 1673, 1794, 1857, 2020
Martin, Bernhard B 166; L 994, 999, 2063
Martin, Jacques Ü 39
Martin du Gard, Roger P 922
Martini, Fritz L 37, 50, 399, 475, 778, 1029
Marx, Karl P 1167
Masereel, Frans P 370, 997
Massenbach, S. v. L 1830
Massis, Henri P 926
Mast, Hans L 1184, 1392
Mathies, Maria Elisabeth L 1203
Matthias, Klaus L 1651
Matzig, Richard Blasius L 51, 623, 720, 1189, 1520, 1703, 1842, 1914, 1972, 2088
Mauer, Otto L 1705
Mauerhofer, Hugo L 624, 862, 1361, 2064
Maurer, Gerhard L 1847
Maurer, Karl Heinrich L 654, 1155

Maurer, K. W. A 11; L 928
Maurer, Lorenz L 1667, 1841
Maurois, André P 927
Maury, Geneviève Ü 30
Maußner, Karl L 863
Mauthner, Fritz P 928, 929
Maximow P 843
Mayer, Gerhart L 926, 1823
Mayer, Hans E 90; L 715, 1318, 2061
Maync, Harry P 757, 950
Mazzucchetti, Lavinia Ü 72, 72a; L 522a, 1985a
McBroom, Robert Riddick L 1710
McCormick, John O. L 1430
Mechow, Karl Benno v. L 215
Meckauer, Walter B 167; L 2105
Meidinger-Geise, Inge L 50, 1255, 1286, 1296
Meier, Walther E 209; B 168
Meier-Gräfe, Julius P 815, 931, 932
Meinhold, Wilhelm P 108, 933
Meißner, Werner E 89
Melchinger, Siegfried L 350, 1934
Menon, P. Kunhikrishna Ü 59
Mentgen, Marie L 1532
Menzel, Richard L 476
Mereau, Sophie P 939
Mereschkowski, Dimitri P 940
Meridies, Wilhelm L 1367
Merkl, Kaspar Ludwig P 941
Mersmann, Heinrich L 351
Merz, Ernst L 1415
Metelmann, Ernst L 734, 986
Meuer, Adolph L 277, 400, 401, 524, 759a
Meyer, Arnold L 812
Meyer, Conrad Ferdinand L 1555
Meyer, Heinz L 402
Meyer, Richard M. L 1075
Meyer, Theodor A. L 168
Meyer-Benfey, Heinrich L 143, 1403
Meyrinck, Gustav P 554
Meysenburg, Malvida v. P 1156
Michel, Wilhelm P 942, 1396
Michelangelo P 943, 1154
Middleton, Drew L 1256
Middleton, J. C. L 1067, 1304, 1347, 1635
Mieg, H. Peter L 1577, 1579
Mihailovitch, Vasa L 1461
Mikander, Maja Ü 26
Mila, Massimo Ü 65
Mileck, Joseph L 56, 477, 625, 682a, 755, 1065–1067, 1278, 1533, 1677a, 1833, 1941
Minor, Jakob P 1056
Missenharter, Hermann E 45; L 352, 478, 802, 939, 976, 981, 1398, 1473, 1561, 2021
Mitsui, Mitsuya Ü 75
Moenikes, G. L 1291

Mörike, Eduard E 63; P 947–952, 1244, 1419
Mörike, Otto L 626, 627
Moilliet, Louis E 200
Montelin, Gösta L 197
Moras, Joachim L 2062
Morgenstern, Christian P 959, 960, 1072, 1435
Morgenstern, Soma P 961
× Morgenthaler, Ernst E 130; B 169, 170; P 913, 962; L 864–866, 1638
Morikawa, Akisato Ü 74
Morriën, Adriaan L 479
Morris, A. S. L 964
Morris, Max P 583, 584
Moser, Hans Joachim L 1546
Moser-Diether, Martha L 1328
Mossé, Fernand L 42 a
Moszkowski, Alexander Hg 2
Mottl, Felix P 21
× Mozart, Wolfgang Amadeus P 171, 798, 963, 1231, 1297
Mühlberger, Josef P 964, 1420; L 403, 480, 565, 723, 818, 1265, 1629, 1763, 1768, 1888
Mühlher, Robert L 51
Müller, Dominik P 965
Müller, Ernst L 1745, 1893
Müller, Georg P 966
Mueller, Gustav E. L 278, 303
Müller, Hans P 967
Müller, Hans Amandus L 1094
Müller, Hans-Joachim L 481
Müller, Herbert L 753
Müller, Kuno L 176
Müller, Robert P 968
Müller Holm, Ernst P 267
Müller-Blattau, Joseph L 1257
Müller-Gögler, Maria L 2107
Müller-Seidel, Walter L 699, 799
Münzel, Uli L 704
Münzer, Kurt L 1901
Münzer, Thomas P 969
Mulford, Prentice P 970
Mullett, Frederic M. L 2030
Mulot, Arno L 42
Mumbauer, Johannes L 17, 940
Murger, Henri P 971
Musäus, Johann Karl August P 972
Muschg, Walter P 974
Musil, Robert P 978, 979

Nadler, Josef L 10
Nadler, Käte L 59, 482, 829
Näf, Hans L 1625
Naschold, Georg L 628
Nasreddin P 676
Natan, Alex L 1024
Natorp, Paul L 1018

Naumann, Hans L 19
Naumann, Walter L 656, 1168
Necco, Giovanni L 38
Necker, Moritz L 1795
Negus, Kenneth L 1314 d
Nemoto, Michiya L 1849 a
Nestele, Karl L 1271
Nestle, Wilhelm L 1221
Neumann, Heinz L 1129
Neumann, Karl E. P 1124
Neuweiler, Magda L 1936
Nidden, Ezard L 1161
Niebelschütz, Wolf v. L 1045
Niekrawietz, Hans L 2098
Nietzsche, Friedrich P 110, 286
Nils, Maria L 1538
Nishi, Yoshiyuki Ü 74, 139 d
Nishizawa, T. E 42
Noack, Detlef Michael P 1421
Noack, Paul L 57
Nöhbauer, Hans F. L 1568 a
Nötzel, Karl P 529
Nordvang, Irma Ü 172
× Novalis E 147; Hg 9; P 1019, 1054–1057; L 1214

Oepke, Albrecht L 1360
Østergaard, Carl V. Ü 18
Österling, Anders Ü 166, 167, 170, 174
Oguri, Hiroshi Ü 74
Ohff, Heinz L 1325
Okakura, Kazuko P 1065
Okamoto, S. A 17
Oldenberg, Hermann P 1123
Olpp, Paul L 524 b
Onozawa, H. E 170
Opitz, Fritz L 1980
Opitz, Kurt L 483
Oppeln, Friedrich v. P 149
Orel, Alfred L 1641
Orlik, Emil P 1549
Ortega y Gasset, José P 1068
Ortloff, Alexander L 173
Oschilewski, Walther G. L 353, 819
Ostrogorsky, Georg P 937
Otto, Ernst L 1302
Otto, Heinrich L 998
Outis L 232
Oven, Jörn L 1904
Overberg, Marianne L 966
Owlglass, Dr. P 1070; L 2099
Ozaki, Kihachi Ü 74, 123

Pachnicke, Gerhard L 683
Paeschke, Hans L 2062
Paffenholz, Peter Jos. E 178, 208
Pallmann, Gerhard L 484
Pannwitz, Rudolf B 171; L 1745

Papini, Giovanni P 1074
Pappritz, Anna L 1357
Paquet, Alfons P 380, 391, 1436
Park, Clyde W. L 1521
Pary, Juliette Ü 33
Pasinetti, P. M. L 1976
Pastorello, F. L 1717a
Paul, Adolf P 1077
Paulsen, Wolfgang L 806
Pechel, Rudolf L 947
Peebles, Waldo C. A 16; L 658, 659
Pelet, Emma v. P 1539
Pelz, Franz L 787a
Penzoldt, Ernst P 119, 514, 1082; L 355,356
Peppard, Murray B. L 781, 1035, 1067,1310
Perović, Sonja Ü 141b
Perzynski, Friedrich P 1083
Pestalozzi, Joh. Heinrich P 1084
Peter, Maria L 1167
Peters, Eric L 1778
Petit, Jean L 57b, 1067
Petry, Karl L 26
Peyer, Hans L 485
Pfeifer, Martin L 59, 357, 486–488, 629,
    630, 744, 748, 759c, 765, 787, 796, 886,
    921, 1068, 1172, 1505–1510a, 1526, 1596,
    1609, 1657b, 1738, 1739, 1758, 1759,1813,
    1844, 1943, 1985e
Pfeiffenberger, Erich B 172
Pfeiffer, Johannes L 1547, 1630
Pfeiffer-Belli, Erich L 489
Pfeiffer-Belli, Wolfgang L 33
Pfeifle, E. L 144
Pfister, Kurt P 1087; L 1113
Pflüger, Erwin L 358
Philipp II. P 1211
Piazza, Giuseppe L 1688
Picard, Jakob P 1091
Picard, Max P 1092–1094
Picasso, Pablo P 1122
Piccolomini, Enea Silvio P 172
Pick, Robert L 233, 965, 1258
Pielow, Winfried L 1272
Pinette, Jorge Ü 7
Pintó, Alfonso Ü 181, 182
Piot, André Ü 38
Piper, Kurt P 546
Piranesi, Giovanni Battista P 1096
Pistor, M. L 710
Pitaval, François Gayot de P 1097
Pixberg, Hermann L 1314a
Plant, Richard L 1259
Pleßke, Hans-Martin L 1656
Plümacher, Walther L 1840
Plüss, Eduard L 1585a
Pobé, Marcel L 1190
Pocar, Ervino Ü 66–69, 71; L 490, 1292
Podbielski, Gert L 1620

Poe, Edgar Allan P 1099
Pöggeler, Franz L 1260
Poeschel, Erwin L 112
Poestges, Friedhelm L 1023
Pötzl, Eduard P 1102; L 900
Pohlmann, Gisela L 2051
Polockoj, A. S. Ü 190
Pondszus, Friedrich L 491
Pongs, Hermann L 1297, 1776
Ponten, Josef P 1104
Pope, Alexander P 1105
Porkka, Paula L 631
Porst, Peter L 1718
Porterfield, W. A. L 1967
Portmann, Adolf P 1417
Portmann, Paul L 1639
Porto, Luigi da Hg 9
Poulnot, Lucienne L 48a
Prang, Helmut L 1459
Preisendanz, Karl L 2028a
Preisner, Rio Ü 186a
Prevost, F. L 57a
Pröhl, Grete L 681, 692
Prolizer, Emma Maria L 1911
Proust, Marcel P 1114
Puppe, Heinz Werner L 1036
Purrmann, Hans M. E 131; B 172a; G 651
Puttkamer, Alberta v. L 901, 2024

Quatresous, M. L 1033a

Raabe, Wilhelm P 12, 115; L 312, 313
Rabelais, François P 498
Raddatz, Fritz J. L 161, 1121a, 1860a
Raff, Friedrich L 145, 1905
Railo, Eino Ü 25
Rainalter, Erwin H. L 97
Raisanghani, Isardas Wadhumal Ü 56
Rama Krishna P 1539
Ramseger, Georg L 405
Randall, A. W. G. L 1689
Rang, Bernhard L 988, 1031, 1273, 1287,
    1952
Rappeport, Elijahu P 1119
Rasch, Wolfdietrich L 359
Rasche, Friedrich L 765, 1080, 1114
Raschid Bey, Omar al P 1555
Rathenau, Walther P 1120; L 867
Rauch, Karl L 1115, 1366, 1690
Raudszus, Bruno L 360
Rauscher, Ulrich L 1858
Raynal, Maurice P 1122
Rebenwurzel, Anni s. Carlsson, Anni
Redman, Ben Ray L 1975
Reger, Erik P 1128
Regler, Ernst s. Kusche, Lothar
Regnier, Henri de L 1558
Rehm, R. G. L 1369b

Reichel, Eugen L 902
Reifferscheidt, Friedrich M. L 45, 1593
Reimann, Roger L 1996
Rein, Heinz L 1266
Reinacher, Eduard P 1130
Reindl, Ludwig Emanuel L 833, 1101, 1879
Reinert, Marc L 53
Reinhart, Ernst L 903
Reinhart, Georg B 177; P 792
Reinke-Ortmann, Signe L 632
Reinold, Helmut L 1640
Reitz, Walter L 667, 1661
Rembrandt P 1477
Remszhardt, Godo L 279, 406, 492
Rendl, Georg P 1139
Renn, Ludwig P 1140
Rétif de la Bretonne P 1142
Reuter, Emil L 1416
Reuter, Gabriele L 146
Reuter, Hans-Heinrich L 830
Reventlow, Gräfin Franziska zu P 173
Rhode, Werner L 769, 999, 1311
Riboni, Denise Ü 32; L 958, 1997
Rich, Doris E. L 960a
Richter, F. K. E 192
Richter, Georg L 52
Richter, Helmuth L 2065
Riedel, Herbert L 1657a
Riegel, Sieghard M. L 658
Rieger, Harald L 926, 1022, 1349, 1715, 1926
Riemann, Robert L 7
Rilke, Rainer Maria P 30, 1144, 1145; L 1015, 1543, 1555, 1986
Rimbaud, Arthur P 1146, 1147
Ring, Lothar L 165
Ringelband, W. L 1326
Ringger, Peter L 362
Ringier, Martha A 22
Rinser, Luise B 177a
Robert, L. L 1344
Robertson, John G. L 42b
Roch, Herbert L 174, 234, 1130
Rockenbach, Martin L 1953
Rodin, Auguste P 1148, 1149
Roecker, O. L 198
Röder, Gerhard E 89
Roeder, H. L 926
Roeder, Karl L 493
Roedl, Urban P 1302
Roehr, Hanna L 2100
Rössler, Helmuth L 793
Rogge, Alma L 633
Rohden, Peter Richard P 937
× Rolland, Romain E 40, 160, 243; B 178; P 1151–1158, 1561; L 634, 1750
Roman, Friedrich L 280
Romdahl, Margareta L 494

Roniger, Emil P 1166
Rose, Ernst L 1411
Rosenberg, Arthur P 1167
Rosenfeld, Isaac L 1261
Rosenfeld, Oskar P 734
Rosner, Hilda Ü 45–47, 60, 199, 200; L 1922
Rossen, A. A 28
Rossetti, Dante Gabriel P 1169
Rousseaux, André L 1348, 1977, 1981
Rubiner, Ludwig P 544, 1409
Rudelsberger, Hans P 873
Rühle, Günther L 406a
Rümann, Arthur P 1172
Ruiz, Jesús Ü 4, 179, 180, 182
Ruland, J. L 363, 495, 999
Rupp, Lisel L 1138
Ruprecht, Erich L 1222
Russo, Wilhelm L 147
Rychner, Max E 154; B 181; L 820, 1185

Saager, Adolf B 183; P 740; L 45, 1606, 1607, 1751, 1906, 1954
Saalfeld, Martha B 184; P 1177
Sabais, Heinz-Winfried L 281
Sabbatai Zewi P 752
Sacher, Friedrich L 199
Sackarndt, P. P 1179
Sagara, Morio Ü 74, 93, 95, 112
Sagave, Pierre Paul L 1169
Sahl, Hans L 1818
Salinger, Jerome D. P 1182
Salten, Felix B 185
Samuel, Richard L 960
Sand, George P 178
Sander, Ernst L 148
Sandmeier, J. P 458
Saneyoshi, Hayao Ü 139, 139b
Sarnetzki, Detmar Heinrich L 200, 363a, 497
Sastri, Prithvinath Ü 54
Satô, Kôichi Ü 74, 102; L 1587
Savill, Mervyn Ü 44, 198
Schabicki geb. Gundert, Irmgard B 187
Schacht, Roland L 1040
Schack, Friedrich v. E 44
Schaeder, Hans Heinrich L 941
Schäfer, Walter Erich L 1907
Schäfer, Wilhelm Hg 2; P 26, 541, 625, 626, 1084, 1185–1187, 1223, 1388; L 1006, 1162, 1340, 1358, 1676, 1796, 1890
Schaeffer, Albrecht P 1188–1190
Schaer, Alfred L 202, 1338, 1372, 1513
Schaffner, Jakob B 188; P 842; L 1011
Schall, Franz E 71; P 516; L 982
Schaukal, Richard L 904
Schaumann, Ruth L 1566a
Scheffel, Josef Viktor v. P 1194
Scheffler, Herbert L 1014, 1691

Scheffler, Karl L 668, 2038
Scheler, Max P 36
Scheller, Will L 1562
Schendell, Werner P 1195
Schepler, H.-J. L 1434b
Scherer, H. L 100
Scheurig, Bodo L 1306
Scheurmann, Erich L 636
Schibli, Emil P 1196; L 282, 2071, 2109
Schickele, René P 1197, 1198
Schiefer, Peter L 1037
Schiller, Friedrich L 110
Schilling, Kurt L 1262
Schiltberger, Hans P 716
Schlack, A. L 1423
Schlenker, Alfred P 1200
Schlichter, Rudolf P 1201
Schlingloff, Margot L 1921
Schlossmacher, Elisabeth L 216
Schlüter, Herbert P 1203
Schmeljow, Iwan P 1204
Schmid, Franz Otto L 84, 1007
Schmid, Hans Rudolf P 1205; L 47, 149, 637, 735, 1361, 1741
Schmid, Karl L 539, 1307, 1591
Schmid, Max L 53, 283, 498, 570, 571, 1143
Schmid, Paul P 1206
Schmid-Sulz, Paul L 107
Schmidt, Adalbert L 42c
Schmidt, Erich P 1207
Schmidt-Gruber, R. L 89
Schmitt, Fritz L 794
Schmitz, Oskar A. H. P 1208, 1209
Schmitz, Victor A. L 499
Schnass, Frank L 1393, 1928
Schneider, Georg L 2085
Schneider, Gerhard L 1288, 1303
Schneider, Hermann L 1522
Schneider, Manfred L 5
Schneider, Marcel L 782, 1592
Schneider, Reinhold P 1210, 1211
Schneider, Rolf L 500
Schnurre, Wolfdietrich B 189
Schnyder von Wartensee, Xaver Hg 16
× Schoeck, Othmar E 68; P 291, 395, 1213; L 587, 868
Schöfer, Wolfgang v. L 1244
Schönbach, Anton E. L 909
Schönfeld, Herbert L 1603
Schönholz, Friedrich Anton v. P 1214
Schoepp, H. L 1008
Scholz, Wilhelm v. P 1215, 1437; L 1988
Scholz-Wülfing, Paul L 1240
Schomaker, Christel B. E 112
Schonauer, Franz L 407
Schoolfield, George L 1652
Schopenhauer, Arthur P 94
Schott, Rolf L 869

Schott, Sigmund L 910
Schouten, J. H. L 501, 1274
Schreiner, Johann Georg E 63
Schrempf, Christoph E 138; P 988, 1217 bis 1221
Schröder, Eduard L 150, 304
Schröder, K. L 1874
Schröder, Rudolf Alexander B 190, 191; P 1224; L 201, 540, 870, 1766, 2110
Schubart, Christian Friedr. Daniel Hg 9; P 1022; L 1342
Schüddekopf, Grete L 842
Schüddekopf, Jürgen L 1223
Schühle, Erwin L 1204
Schüler, Gustav L 1119
Schütt-Hennings, Annemarie L 842
Schütze, Sylvia L 750
Schuh, Willi P 395
Schulenburg, Werner v. d. L 1955
Schulte, Gerd L 364, 502, 765, 1933
Schultz, Franz L 203
Schultz de Mantovani, Fryda L 1267
Schultze, Friedrich L 284, 1224
Schultze, Karl L 1009
Schulz B 191a
Schulz, Kurd L 1046
Schulz, Wilhelm E 45, 135, 228
Schulze, Theodor L 1754
Schulze-Maizier, Fr. P 1229
Schumacher, Hans L 1125
Schumann, Otto L 31
Schumann, Robert P 977, 1047
Schurig, Arthur P 1231
Schussen, Wilhelm B 192; P 1232, 1247, 1422; L 151, 285, 638–642, 1399, 1621, 1662, 1860, 2086
Schuster, Wilhelm P 1496
Schuwerack, Wilhelm L 1279
Schwab, Gustav P 730
Schwab, J. L 911
Schwab-Fehlisch, Hans L 765
Schwartz, Armand L 1780a
Schwarz, Egon L 1985c
Schwarz, Georg B 193; L 50, 308, 825, 1038, 1445, 1448, 1524, 1769
Schweitzer, Albert P 611
Schweitzer, Richard L 503
Schwerbrock, Wolfgang L 558
Schwerin, Christoph P 1359
Schwert, K. E. L 2111
Schwerte, Hans L 504
Schweter, Walter L 643
Schwinn, Wilhelm L 925
Seelig, Carl P 721, 1418; L 45c, 204, 365, 505, 571, 682, 1135, 1989, 2101
Seghers, Anna P 1237
Seidel, Ina L 1771
Seidl, Florian L 1020

Seidlin, Oskar L 1241, 1774
Seidlitz, Woldemar v. P 845
Seifert geb. Duchatsch, Waltraud L 1435
Seiffert, Hans Werner P 723
Seki, Taisuke Ü 100, 104
Semmig, Jeanne Berta L 506, 2102
Senft, Fritz L 507
Sengle, Friedrich L 1205
Serrano, Miguel L 870a
Servaes, Franz L 905, 1797
Setz, Karl L 1892
Seyffarth, Ursula L 529, 1131
Shakespeare, William P 837
Shaw, Leroy R. L 1067, 1924
Shilabhadra Ü 52
Shimizu, Shigeru Ü 139a
Shuster, George Nauman L 286
Sicińska, Edyta Ü 159, 160
Sieburg, A. L 1483
Siedler, Wolf Jobst L 366, 1880
Siemsen, Hans P 1249
Sieveking, Gerhart L 948
Silens, Peter L 508
Sillanpää, Frans Eemil P 1251
Silomon, Karl Hildebrand A 12; L 738, 740, 887
Simon, Alfred A 4
Sinclair, Emil [Pseud.] E 42, 172; Ü 16, 26, 32, 69, 155, 177; P 307, 365, 426, 558, 806, 807, 1438; L 931, 934, 935, 940, 941
Sitte, Eberhard L 1551
Skou-Hansen, Tage Ü 22
Smiljanić, Mihailo Ü 141a
Smith, B. L 1968
Soergel, Albert P 1254; L 11, 43c
Sommer, Rudolf L 1010
Sommerfeld, Martin L 1342
Sousa Marques, Manuela de Ü 161, 162
Soutter, Louis G 550a
Sowade, Waldemar L 76
Speck, Wilhelm L 1809
Spector, Robert Donald L 1925
Spenlé, Jean-Édouard L 1025
Speyer, Wilhelm B 194; P 732, 1511
Spiero, Heinrich L 906, 1027, 1677, 1808
Spitzweg, Carl P 1279
Springmann, Th. P 120
Ssologub, Fjodor P 1284
Stach, Ilse v. L 1453
Stadelmayer, Peter L 826
Stadler, Ernst P 522
Stalin, Josef P 869
Stamm, Otto L 989
Stammler, Georg P 1289
Stammler, Wolfgang L 9, 1030
Stange, C. R. L 288
Steen, Albert L 220, 1782
Steffen, Albert B 195; P 319, 1290, 1291

Steffens, Henrik P 1292
Stegemann, Hermann L 172
Stein, Charlotte v. P 1461
Stein, Ernst L 1557
Stein, Friedrich L 1163
Stein, Gisela A 31
Stein, Gottfried L 289
Steinbüchel, Theodor L 1268
Steiner, Gustav L 509
Steinmann, Ernst P 708
Stemmer, Konrad L 820a
Stendhal P 1293–1296
Stern, Peter L 1978
Sterne, Lawrence P 893, 1034, 1299, 1464, 1542
Steudel, Fr. L 1798
Stich, Walter Hg 23
Stickelberger, Emanuel P 1492
Stifter, Adalbert P 65, 1300–1302
Stilling, Heinrich P 1304
Stirm, Alfred P 1306
Stock, Dagmar Ü 24
Stoecklin, Franziska L 1387
Stoecklin, Niklaus E 112
Störi, Fritz L 311
Stoessl, Otto L 1454
Stolpe, Sven Johan Ü 166
Stolz, Heinz L 118, 1427
Storck, K. L 912
Storm, Theodor Hg 2; P 179, 1307, 1308
Strachan, Walter J. Ü 48–50
Strang, Magda L 1314f
Straub, E. E 35
Straus, Ludwig P 576
Strauß, Emil Hg 2, 19; P 320, 1310–1312
Strauß und Torney, Lulu v. L 119
Strecker, Karl L 1103, 1563, 1692, 1908, 1956
Strenger, Hermann L 1889
Stresau, Hermann L 1770
Strich, Christian P 60
Strich, Fritz L 51, 290
Strich-Chapell, Walter E 45
Strindberg, August P 1313–1315
Stroh, Heinz P 1170; L 123, 152
Strohmayer, Wilhelm L 948a
Struck, Hermann E 100
Stuck, Franz v. P 21
Stucken, Eduard P 1316
Sturzenegger, Hans P 386
Suarès, André P 1321
Süskind, Wilhelm Emanuel L 153, 291, 959, 1368, 1568
Suhrkamp, Peter E 244; B 196, 197; P 102; L 205, 532, 870, 1085
Sulser, Willi Gerhard L 45
Sulzer, Peter L 53
Supper, Auguste P 1247

Suvadra-Nandan Ü 55
Svobodá, Zd. L 511
Swift, Jonathan P 619, 1324, 1325, 1423
Swinburne, Algernon Charles P 1326
Szczesny, Gerhard L 1589

Tagore, Rabindranath B 27; P 1340
Takahashi, Kenji Ü 73, 78, 79, 81–85, 88,
    89, 99, 101, 109, 113, 115, 117, 119, 122,
    124, 127–129, 131, 132, 139c, 139e, 140
Takahashi, Seiji B 198
Takahashi, Yoshitaka L 292
Takeutschi X. P 1342
Talleyrand, Charles Maurice de P 145
Tanner, André L 53, 821
Tantris L 1126
Tarnowski, Marceli Ü 157
Tau, Max P 1303, 1416
Taube, Otto v. P 1344
Taylor, R. A. L 1969
Térey, Edith v. L 90
Terry, Charles Sanford P 1346
Tessenow, Heinrich P 1527
Tetzner, Lisa P 904, 1348; L 154
Tezuka, Tomio Ü 74, 97, 112, 114, 121
Thackeray, William Macpeace P 1349
Themann, Hilde L 1942
Thiel, Michael L 1327a, 1707
Thiele, Guillermo L 1242
Thieme, Ulrich L 1573
Thieß, Frank P 1351; L 293, 954
Thimm, Gerhard L 665
Thiry, Anton P 1352
Thoma, Ludwig Hg 21; L 608
Thomas, Ernst L 393
Thomas, R. Hinton L 960
Thomas-San-Galli, W. A. L 1645
Thomsen, Axel Ü 16
Thomsen, Knut L 786, 1605, 1654
Thomson, Erik B 199; L 1057
Thorbecke, Christoph L 644
Thürer, Georg L 1058, 1584
Thürer, Paul L 1446, 1716
Thummerer, Hans L 2022
Thurm, Heinz G. L 1590
Tibal, André L 94
Tieck, Ludwig P 665, 1441
Tiefel, Hellmut E 103
Timmermans, Felix P 1355
Tobari, Masami Ü 74, 126
Tobek, Richard L 368
Töpffer, Rudolf P 1357
Toller, Ernst L 1429
Tolstoi, Leo N. P 1158, 1358
Topsøe, Soffy Ü 20
Tornette, Wilhelm Ernst L 1957
Townsend, Stanley R. L 242, 655
Toynbee, Philip L 1816

Trakl, Georg P 522
Traub, Fr. L 1810
Treuhan, M. L 955, 1406
Trog, Hans L 1117, 1164
Trummler, Erich P 678
Tschorn, Richard L 101, 113
Tucholsky, Kurt L 161, 870b, 1121a, 1860a
Türke, Kurt L 922
Turel, Adrien P 1373
Turnher, Eugen L 663

Ubbelohde, Otto E 228
Ude, Karl L 1073
Udén, Sune E 45
Ueber Wasser, Walter L 1540, 1570
Ueberhorst, Wilhelm L 114
Uemura, Toshio Ü 105
Uenuira, Toshio L 1586
Uhde-Bernays, Hermann P 1279; L 512
Uhlig, Helmut L 235, 295, 1626
Uhlmann, Alfred Max L 369
Uhse, Bodo L 1736
Ullmann, Regina B 200
Ulshöfer, Robert L 1706a
Unger, Ilka Maria P 519
Unger, Wilhelm L 226, 513, 578, 1079
Unseld, Siegfried B 201; L 370, 408, 409,
    645a, 645a, 745, 783, 1087, 1433
Uzarski, Adolf P 1384

Vaerst, Eugen v. P 1089
Valentin, Erich L 1641, 1657
Valentin, Karl L 1819
Valentiner, Wilhelm Reinhold P 1386
Vallentin, Berthold P 1387
Vallette, Gaspard Ü 29, 175
Vaupel, Karl P 762
Vergil P 621
Verhaeren, Emile P 1391
Verstegen, G. Huib A. Ü 151
Vesper, Will L 985
Vetter, Lilli u. Ewald L 646
Viereck, Georg S. P 1397
Vietsch, Eberhard v. L 1243
Vietta, Egon L 1225
Vildrac, Charles P 1398
Villers, Alexander v. P 174
Villon, François P 1399; L 1421
Vischer, Friedrich Theodor P 778, 1401
Vít, Karel Ü 183
Vladeracken, Geertruida v. Ü 147
Vogel, Traugott E 1
Vogelpohl, Wilhelm L 43
Voigt, Helene P 1405
Volkart, O. L 803
Voltaire P 594, 1409, 1410
Vondenhoff, Eleonore B 202
Vordtriede, Werner L 1206

Vorst, Maria v. P 1159
Vring, Georg v. d. P 1440; L 2066

Wackenroder, Wilhelm Heinrich P 665, 1441
Waggerl, Karl Heinrich P 1443
Wagner, Albert Malte P 1444
Wagner, Christian Hg 25; P 314, 315, 1439, 1445–1448
Wagner, Gisela L 1298
Wagner, Marianne L 2059
Waibler, Helmut L 759 a
Waiblinger, Friedrich Wilhelm P 1450
Waidelich, Walter L 648
Waldhausen, Agnes L 95
Waldmann, Emil P 782, 1451
Waldstetter, Ruth L 649
Waldt, Gustav P 1454
Walser, Karl E 112; P 1458
Walser, Robert P 1101, 1456, 1457
Walter, Fritz L 1958
Walter, Hans L 207, 217
Walter, Helmut L 221
Walther von der Vogelweide L 1550 a
Walz, Werner B 205
Walzel, Oskar L 13, 156
Wandel, Paul L 1725
Wantoch, H. L 92
Wassermann, Jakob B 206; L 729
Wasserscheid, Rosemarie L 1447
Waßmer, Max E 199; G 761; L 871
Waßner, Hermann L 50, 410, 1649
Watanabe, Masaru L 1460
Watteau, Antoine P 1467
Weber, Ernst L 1404, 1812
Weber, Gisela L 1714
Weber, Heinrich L 1226
Weber, Leopold P 1468, 1469
Weber, Marta L 218
Weber, Werner B 207; L 296, 371, 822, 872, 971, 1104, 1139, 1178, 1352, 1443, 1552, 1553, 1556, 1565, 1631, 1831
Wechßler, Eduard P 472
Weder, Heinz L 1849
Weibel, Kurt L 1844
Weimar, Karl S. L 1922
Weinbrenner, Friedrich P 790
Weinheber, Josef L 1550 a
Weiss, Erich L 672
Weiß, Ernst P 1483
Weiss, Gertrud L 514
Weiß, Hansgerhard L 1824
Weiss, Peter B 207 a
Weißmann, Maria Luise P 1484
Weizsäcker, Adolf L 1622
Welti, Albert P 1491–1494; L 873
Welti, Friedrich Emil B 208
Welti, Helene B 209, 210

Wendel, Hermann P 1498
Wendriner, Karl Georg L 1455
Wenger, Lisa P 1499
Wennerberg, Ida Ü 14
Wentzlaff-Eggebert, F. W. L 521
Werckshagen, Carl L 942, 1405
Werfel, Franz P 1501; L 528, 815, 1822
Werner, Alfred L 236, 379 a
Werner, Bruno E. L 157
Wesselski, Albert P 676, 1507
Westheim, Paul P 1508
Wettach, Adrien s. Grock
Wezel, Johann Carl P 1509
Wicki, K. L 297
Widmann, Joseph Victor L 1156
Widmer, Thomas L 1179
× Wiechert, Ernst L 1566 a, 1822, 2049, 2050
Wiedner, Laurenz L 1132
Wiegand, Heinrich L 1458, 1623
Wiegler, Paul B 211; P 1514; L 14, 158, 789, 1694, 1959, 1960
Wieland, Christoph Martin P 1515; L 110
Wiemann, B. L 1809
Wien, Werner L 770, 2002
Wieser, Max P 1496
Wieser, Sebastian L 98
Wiesner, F. M. L 298
Wiesner, Heinrich L 2106
Wilhelm, Paul L 989
Wilhelm, Richard P 1407, 1516–1518
Wilk, Werner L 576
Wille, Hermann Heinz P 985
Willecke, Frederick Henry L 1717 b
Wilson, Colin L 973, 1746
Winckelmann, Joh. Joachim P 1387
Windeck, Lovis L 372, 1308
Winder, Ludwig P 1519
Winkler, Christian L 1557 a
Winkler, Rudolf L 515
Winternitz, Friderike Maria P 1523
Wirz-Wyß, Otto L 916
Wiser, Graf G 568
Wistinghausen, Kurt v. L 1771
Witkop, Philipp P 1526; L 8, 159
Witsch, Josef K. L 220, 790
Wittenberg, Hildegard L 2052
Wittko, Paul L 160, 1468, 1674, 1861, 2023
Wittlin, Jósef Ü 156
Wolf, Ch. A. L 208
Wolf, Georg Jakob L 1799
Wolfe, Thomas P 1529; L 1430
Wolfenstein, Alfred P 1146; L 1961
Wolfradt, Willi L 1389, 2057
Woltereck, Richard E 107; Hg 2, 14, 24; P 767, 1402; L 874
Wolynski, A. L. P 1531
Wood, Ralph Charles L 391
Worbs, Erich L 1650

Workman, J. D. L 660
Worringer, Wilhelm P 1532
Wrase, Siegfried L 1637
Wrobel, Ignaz s. Tucholsky, Kurt
Wüstenberg, Hans Louis L 874a, 1755
Wulff, Günther L 751
Wunder, Günther L 224
Wurm, Theophil B 212
Wurster, Gotthold L 1062
Wurzer, Anton P 1541
Wyss, Hans A. L 1083

Yamashita, Hajime Ü 133, 137
Yamato, Kunitarô Ü 74, 108
Yo-seob, Gim Ü 142a

Zahn, Ernst P 1543
Zaratin, Italo B 213
Zarek, Otto L 1909
Zaunert, P. P 902, 903

Zeidler, Kurt L 956
Zelder, Georg L 1644
Zeller, Bernhard P 723; L 674, 677, 696, 765
Zeller, Eugen B 214; L 1207
Zeller, Gustav L 2058
Zenker, Hartmut L 762, 1708
Zenker, Theodor L 210
Zerweck, Hermann P 1547
Ziegler, Leopold B 215
Ziersch, Roland L 765, 2003
Zimmer, Heinrich P 1556
Zimmermann, E. H. P 1467
Zimmermann, Jos. L 1099
Zimmermann, Werner L 1632
Zinniker, Otto L 162, 374, 651
Ziolkowski, Theodore Joseph L 923a, 1717, 1985
Zoff, Otto P 653; L 1400, 1571
Zollinger, Oscar L 1341
Zweig, Stefan P 1558–1561; L 120, 907, 1926